Septembre 1993 Avec tous mes remerciements

Octobre

D. Gaulle

LA PROMISE DU LAC

ROMAN

ÉDITION DU CLUB QUÉBEC LOISIRS INC.
© Avec l'autorisation des Éditions JCL
Dépôt légal — Bibliothèque nationale du Québec, 1993
ISBN 2-89430-077-8
(publié précédemment sous ISBN 2-89431-108-7)

PHILIPPE PORÉE-KURRER

LA PROMISE
DU LAC

Suite du roman
MARIA CHAPDELAINE
de Louis Hémon

À Marylis, la Jeannoise qui me supporte toujours.

À la mémoire de maman, coauteure de tout ceci.

À Florence X,
aide soignante dont le dévouement n'a pu que nous inspirer.

À la mémoire de Lydia O'Kelley, dont les souffrances traversent le
temps et, se mêlant à celles de toutes les femmes dont les entrailles
et le cœur ont souffert pour l'Amour, m'atteignent et me déchirent.

À cet astre sans lequel le soleil serait aussi vain que
notre orgueil: le cœur féminin.

«Les mains des femmes, dans ce Pays de Neige,
ne travaillent tout au long des mois lourdement enneigés de l'hiver
qu'à filer, tisser, transformer en étoffe légère
le chanvre récolté dans les champs pentus de la montagne.»

YASUNARI KAWABATA, Pays de Neige

I

Avant-dernier samedi de janvier. Cinq cents milles à travers lacs et épinettes, plus à l'ouest sous l'immense dôme du continent, aux limites d'une petite ville figée du lac Nipissing, un dernier soupir s'échappe des lèvres bleuies de l'une des soixante-dix victimes enchevêtrées dans le métal tordu des wagons fracassés. Pour tous les autres résidants du grand pays blanc, ceux pour qui la vie continue, la période la plus pénible de l'année s'étire indéfiniment; l'effervescence joyeuse de Noël n'est plus qu'un souvenir déjà lointain; tyrannique, le froid règne comme s'il ne devait plus jamais abdiquer, et l'on a du mal à imaginer qu'un jour, dans quelques longs mois interminables, le printemps avec ses douceurs et ses couleurs puisse revenir. En fait, le plus souvent, le cœur et la raison s'accordent pour ne plus y croire.

Pourtant, dans la maison de bois arrachée au bois pour l'affronter, tout en faisant la vaisselle du souper aidée d'Alma-Rose, Maria chantonne *Pernette* en laissant errer son regard par-delà la petite fenêtre carrée au-dessus de l'évier émaillé. Il fait nuit. Cherchant surtout à remplir des journées qui s'étirent en longueur, la famille soupe de très bonne heure durant l'hiver, mais malgré cela, l'obscurité a déjà investi leur monde lorsqu'ils se mettent à table. Dehors la cime noire des résineux se détache sur le voile irisé de la nuit et, sous la lumière lunaire, les quelques arpents défrichés ressemblent à un lac de nacre bleutée. Levant les yeux, Maria contemple un bref instant la pleine lune et s'apprête à revenir à la vaisselle lorsque son regard est accroché par un fait insolite. Clignant des paupières, elle approche son visage de la vitre pour mieux voir, puis, étonnée, se tourne vers son père qui vient de rentrer de l'étable et s'est assis en tournant le dos à la table, les coudes sur les genoux, comme absorbé dans la contemplation des lueurs rougeoyantes qui s'échappent des prises d'air de la porte du poêle au centre de la pièce:

— Venez voir, son père, on dirait qu'il y a quelque chose sur la lune...

— Ben voyons donc! Maria, qu'est-ce que tu veux qu'il y ait de nouveau sur notre vieille lune? Ça doit être quelque chose que t'avais jamais remarqué avant.

— Mais non! son père, je vous assure, on dirait comme une grande croix de lumière.

Intrigué, mais convaincu d'être dérangé pour rien, Samuel Chapdelaine quitte le banc et s'approche de la fenêtre. De l'autre côté de la pièce, Tit'Bé et Télesphore qui, jusqu'à présent, disputaient une partie de petuche, tournent la tête en direction de leur père, attendant son opinion au cas où il y aurait vraiment quelque chose, espérant soit une occasion de railler gentiment leur sœur, soit l'intrusion de l'imprévu dans le déroulement du quotidien trop monotone à leurs yeux d'adolescents.

— C'est pourtant vrai! s'exclame le père d'une voix mal contenue, au bout de ce qui leur semble un long moment. Ça ressemble d'une vraie croix..., et sur la lune à part de ça!

— Je vous l'avais dit, son père, fait Maria. Qu'est-ce que c'est à votre avis?

— Jamais vu ça de toute ma vie...

Sourcils froncés, Samuel Chapdelaine se dirige vers la porte, visiblement pour sortir afin de mieux se rendre compte. Aussitôt les garçons lui emboîtent le pas, suivis de Chien qui paraît se demander ce qu'est cette agitation. Bientôt, sauf Esdras et Da'Bé repartis au chantier depuis novembre, la famille Chapdelaine au complet est sur le seuil, contemplant le phénomène que tous peuvent voir sans hésitation,

inconscients du froid pourtant assez vif pour qu'autour du chambranle, à la rencontre de l'air douillet de l'intérieur, se forment d'épaisses volutes de buée blanche. Tout d'abord chacun garde le silence, cherchant à évaluer par soi-même la signification du prodige. Aucun ne sait s'il doit se réjouir ou frémir de ce qu'il voit, mais le sentiment qui domine touche au fabuleux, un peu comme une nuit de Noël où, cette fois, ce serait le vrai Jésus dans la vraie crèche auquel il leur serait donné de rendre hommage.

— C'est quoi, son père? demande Alma-Rose.

— Je le sais ben pas, Rose, quoique... il me semble avoir déjà entendu parler de quelque chose comme ça... Mais je ne sais plus où.

— Ça se pourrait-ti que ce soit la fin du monde? demande Télesphore sans que cette idée ne semble l'affecter autrement que par une certaine excitation.

— Ça, c'est sûr que ça peut venir n'importe quand, répond Samuel Chapdelaine, ils le disent dans les Écritures, mais pourquoi faudrait-il que ce soit justement à soir?

— C'est peut-être juste un signe..., propose Maria en explication tout en essayant d'alléger une ambiance qui pourrait tourner à l'angoisse.

— Un signe pour dire quoi? la questionne Télesphore.

— Comment veux-tu que je le sache? Un signe, c'est tout.

— Oui!... Ça me revient, c'est déjà arrivé! se rappelle le père Chapdelaine, c'est le vieux Nazaire Laliberté qui nous avait conté ça, et, si ma souvenance est bonne, c'était arrivé pour la mort du pape Pie IX. C'est pas tout jeune.

— Ce serait-ti possible que ce soit pour notre pape? s'informe Maria qui soudain frissonne à l'idée qu'il puisse arriver quelque chose au Saint-Père.

— On peut pas savoir..., se demande tout haut le chef de famille qui ne sait que répondre, il s'est peut-être passé de quoi de pas correct dans le monde, c'est peut-être un avertissement... Allez, on ferait mieux de rentrer, sinon on va attraper du frette.

— Il y en a peut-être ben un de nous autres qui a blasphémé le Saint-Esprit, envisage Tit'Bé.

À cette hypothèse redoutable, les frissons redoublent et tout le monde recule à l'intérieur.

— Je veux pas croire que l'un de nous aurait commis pareil manquement, réfute le père, et puis cette croix-là ne doit pas être sur la lune juste pour nous autres; partout où ce qu'il fait nuit, tout chacun doit être capable de la voir.

— C'est un peu épeurant, fait Alma-Rose qui ne trouve que ces mots pour traduire un sentiment plus complexe que la simple peur.

Tit'Bé, qui laisse passer Chien avant de refermer la porte, aperçoit soudain Eutrope Gagnon qui, émergeant de l'ombre ténébreuse, apparaît chaussé de ses raquettes.

Depuis que Maria lui a dit «oui», alors que, jusqu'au printemps dernier, il venait principalement veiller la fin de semaine, le jeune homme arrive maintenant presque chaque soir après le souper. Franchissant le seuil, saluant d'un signe de tête général et d'un sourire plus particulier à l'adresse de Maria, il demande:

— Qu'est-ce que vous faisiez tous dehors tantôt? Je vous ai vus en arrivant.

— T'as pas vu ce qu'il y a sur la lune? s'étonne Télesphore devançant tous les autres qui s'apprêtaient à poser la même question.

— La lune? Ben elle est toujours là, la lune...

— Il y a comme une croix dessus, comme la croix du Seigneur, explique Maria sans autre commentaire.

— Une croix de lumière, ajoute Samuel Chapdelaine. Vas-y voir, tu nous diras ce que t'en penses, toi.

Pendant que son fiancé ouvre la porte pour se rendre compte, Maria retourne devant l'évier et, s'appuyant d'une main sur la pompe, regarde à nouveau par la fenêtre.

— Oh! elle est partie! je vois plus rien pantoute, constate-t-elle avec dépit.

Presque en même temps, Eutrope rentre en haussant les épaules:

— Je vois rien..., y a pas de croix.

— Elle est partie, répète Maria, mais je vous le dis, c'est vrai, on l'a tous vue.

Eutrope observe chacun, cherchant sur les visages l'indice qui prouverait qu'on essaie de le faire marcher.

— Allez! dit-il en riant, bon enfant, je marche point...

Cependant Samuel Chapdelaine, sans partager son rire, secoue la tête.

— C'est pas des chouennes, Eutrope. Aussi vrai que je suis icitte, je l'ai vue comme les autres. Et toi, t'as rien vu? Tout le temps en t'en venant de chez vous, t'as rien remarqué?

— Rien pantoute, monsieur Chapdelaine. Vous pensez ben que si j'avais vu une affaire pareille...

— Alors tu nous crés point? s'offusque Télesphore.

— Mais oui, je vous crois, seulement il faut le temps de s'y faire; une croix de lumière sur la lune...

— C'est vrai que c'est fort en Jupiter, admet le père. Moi-même... pas l'avoir vue, je me poserais des questions.

— Il y a peut-être juste nous qui l'avons vue; c'était peut-être juste pour nous autres, songe tout haut Alma-Rose.

Tout le monde s'interroge, y compris Eutrope qui, puisque Maria l'a dit, se sent obligé d'admettre qu'il devait bien y avoir une croix sur la lune.

— C'est peut-être tout simplement un mouvement de la nature, propose Télesphore.

Alma-Rose le regarde avec des yeux noirs:

— Sa mère avait ben raison de dire que t'avais pas tout ton génie, toi; une affaire de la nature, la croix sur la lune...

— Y en a-ti un peu des affaires pas ordinaires..., constate Maria comme pour elle-même en déclenchant par ces mots une avalanche de souvenirs ayant trait à toutes ces histoires, profanes ou religieuses confondues, de miracles et de revenants que l'on aime bien s'échanger lorsque la nuit est tombée et que souffle le vent du nord.

Comme si elle venait de lancer un mot d'ordre, excepté elle-même et Alma-Rose qui doivent terminer la vaisselle, tous se rapprochent de la table.

— Ça me rappelle, commence Samuel Chapdelaine, la fois où ce que le lit du petit Napoléon Villeneuve sautait tout seul.

Chacun a entendu l'histoire cent fois, mais personne ne se risque à le faire remarquer; tous veulent encore la réentendre.

— C'était à Saint-Michel-de-Mistassini que ça se passait, hein, son père? fait Da'Bé voulant être certain que son père va reprendre toute l'histoire.

— Ouais, à Mistassini. Vous vous souvenez, il s'était risqué sur la glace au bord de l'eau durant le printemps, la glace s'est détachée, il n'a pas eu le temps de rien faire, le morceau est parti comme un radeau dans le courant, pis dans les chutes...

Tous hochent la tête, attendant la suite.

— Il a dû mourir trop vite et il n'a pas dû s'apercevoir qu'il était mort; j'imagine que ça doit être ça, puisqu'à tous les soirs par après il revenait dans sa chambre. Faut dire qu'avant qu'il meure, chaque soir, au moment de se coucher, il avait l'habitude de sauter sur son lit. C'est sûr que sa mère aimait pas trop ça et qu'elle lui chialait souvent après, mais rien n'y faisait. À tous les soirs, fallait qu'il saute sur son lit. Eh ben! une fois qu'il a été mort, ça a continué pareil: tous les soirs, après l'heure du souper, ça recommençait et toute la maison l'entendait sauter sur le lit, et craque et craque et craque... Une fois que je me trouvais là, ça a commencé. Le père de Napoléon, Idola, me fait signe de monter; eh ben! je vous le dis, vrai comme je suis là, j'ai vu le lit qui faisait un creux à chaque fois que l'invisible petit disparu sautait. Tiens, je suis pas du genre peureux, mais rien que d'en causer j'en ai encore des frissons par tout le corps.

Eutrope approuve gravement:

— Pour ça, on peut dire qu'il y a des choses qui nous dépassent. Tenez, moi, je tiens une histoire qui est arrivée pour de vrai chez mon oncle, du côté des Roy de Saint-Félicien. C'était en après-midi, ma tante Noémie était à table après tailler une blouse. Soudainement, elle voit les ciseaux glisser de la table, comme ça, pour rien, et se planter drette dans le plancher. Stéphane! qu'elle crie, et elle sait pas pourquoi elle prononce ce nom-là si fort; elle a dit qu'elle s'était sentie forcée de crier de même le nom de son plus vieux qui, à ce moment-là, se trouvait à la drave sur le Saint-Maurice. Ben! la première chose qu'elle a sue, quelques jours plus tard, c'était que son garçon Stéphane s'était néyé, exactement le même jour et à la même heure que les ciseaux étaient

15

allés se planter dans le plancher.

Tous gardent le silence un moment comme pour ajouter au caractère à la fois angoissant et palpitant que prend la veillée; même Maria et Alma-Rose font attention de ne pas entrechoquer les ustensiles. Il y a dans l'air le sentiment d'une élévation au-dessus de la monotonie quotidienne, d'un regard tabou jeté dans le Grand Mystère qui, au-dessus des simples perceptions humaines, régit la terre, les plantes, les bêtes et les gens.

— Tout ça explique pas la croix sur la lune, fait Tit'Bé. Pourquoi c'est faire qu'elle était là, il doit ben y avoir une raison!

— Moi, fait Maria, je dirais que c'est pour nous prévenir qu'il va se passer de quoi de mauvais. Je ne sais pas quoi, par exemple...

— C'est peut-être ben un signe de sa mère? propose Alma-Rose, peut-être ben qu'elle cherche à nous dire quelque chose...

Tout le monde y a déjà pensé mais, de peur de raviver une blessure qui restera à jamais sensible, personne jusqu'ici n'a osé en parler. Dix mois qu'elle est partie, et chaque jour amplifie son absence, la maison elle-même est devenue différente dans son essence; en partant, Laura Chapdelaine a emporté l'âme de la maison qui depuis ne leur apparaît plus guère que comme un abri.

— Je crois qu'il vaudrait mieux demander conseil à un prêtre, tranche le père en dissimulant une furtive grimace douloureuse; eux autres savent mieux quoi faire dans ces affaires-là. Si c'est vraiment la mère qui nous fait signe, il saura ben nous le dire.

— Il dira que c'est pas elle, prophétise Tit'Bé en rasant dangereusement, mais sans malice les limites raisonnables de ce que chez les Chapdelaine l'on ne doit pas dire ou penser en matière d'Église. Il expliquera que les morts restent morts jusqu'au jugement dernier.

— Bah alors! s'exclame Alma-Rose, pourquoi c'est faire que, dans ma tête, je jase tout le temps avec sa mère? À quoi que ça sert si elle est pas... réveillée?

— Moi itou, j'y parle souvent, affirme Maria.

— Moi de même, approuve le père, j'y parle à tous les jours et, par la bonne sainte Anne, je me demande même si j'y parle pas plus que quand elle était icitte avec nous autres.

Il voudrait bien ajouter que, souvent, il se reproche de ne pas avoir fait davantage attention à elle, qu'il s'en veut de ne pas être resté dans l'une de ces vieilles paroisses qu'elle affectionnait tant. Il ne comprend pas aujourd'hui pourquoi il ne lui a jamais demandé ce qu'elle pensait ou ce qu'elle désirait; mais une certaine pudeur de ses sentiments l'en empêche.

— Doit ben y avoir des morts qui se réveillent avant le jugement dernier, avance Télesphore, sinon pourquoi que sur la croix, Jésus aurait dit à son voisin, celui-là qui se prenait pas pour un autre, que le même soir il serait avec lui dans son paradis?

— Ça, c'est jonglé! déclare Eutrope. J'avais jamais pensé à cette affaire-là. Ben dis donc! Télesphore, ça travaille là-dedans, ajoute-t-il en désignant son front du doigt.

— C'est vrai que notre mère mérite ben d'aller au paradis sans attendre le jugement dernier, soutient Alma-Rose, elle aussi légèrement irrévérencieuse pour les normes de la famille. Pour une fois, t'as raison, Télesphore. Je suis sûre astheure qu'elle doit se tenir là, au milieu de tous nous autres, et qu'elle doit nous trouver rudement épais de pas comprendre son message.

— Ça, la reprend le père Chapdelaine, on ne peut pas jurer que ce soit un message d'elle. Non! ça se peut que ce soit d'autre chose...

Maria non plus ne croit pas qu'il puisse s'agir d'un message de sa mère; pas plus au fond qu'elle soit convaincue, comme Alma-Rose veut bien l'affirmer, que Laura Chapdelaine puisse être en ce moment au milieu d'eux. À l'aube de la mort, après que le prêtre fût entré en portant le Saint-Sacrement, il y a bien eu la certitude sans faille d'un pacte divin, d'une continuité sans cassure; mais ce qui reste aujourd'hui après tous ces jours de froid, ce qu'elle remue constamment dans sa tête, ce sont les deux derniers soupirs et la fin, cette terrible fin qui ne semble pas vouloir se terminer.

La vaisselle faite, Maria remet de l'eau à chauffer sur le poêle en prévision du thé que les hommes pourraient demander s'ils décident de jouer aux cartes.

— Je sais ben pas ce que veut dire cette croix-là sur la lune, dit Eutrope en suivant chacun des déplacements de sa fiancée du coin de l'œil, mais, pour ma part, ça a bien l'air que ce sera une bonne année puisqu'on est supposé se marier ce printemps.

— C'est pas fait! C'est pas encore fait! le taquine Alma-Rose qui, du fait de son âge, est beaucoup plus libre avec lui que ne l'est Maria. Y a rien qui dit qu'elle changera pas d'idée. Hein? Maria, que tu peux encore changer d'idée!

— T'es bête, Alma-Rose! répond sa sœur en souriant et en rougissant un peu.

Eutrope sait fort bien que la sœur de Maria le taquine, mais il ne peut s'empêcher de vivre cette hypothèse en imagination.

— Maria est libre de faire à sa gouverne, affirme-t-il avec cependant une fêlure dans la voix qui en dit long sur ce qu'il penserait d'un tel revirement de situation.

— À propos de noces, j'ai jonglé à ça, ces derniers temps, fait le père Chapdelaine, et je me suis laissé dire qu'il faudrait ben que Maria ait une belle robe de mariée, toute blanche, avec des dentelles, des rubans et tout plein de fanfreluches partout. (Il se lève à demi et sort de la poche arrière de son pantalon une feuille de journal pliée en quatre qu'il étale sur la table avec autant de cérémonie que s'il s'agissait d'une carte au trésor.) J'ai découpé ça dans la gazette l'autre jour au magasin; qu'est-ce que vous en pensez? Il paraît que le dessin vient de la France.

Eutrope s'approche et émet un sifflement. Maria, les yeux brillants de convoitise, fait tout de suite «non» de la tête:

— Ben voyons! son père, on peut pas se permettre ça, c'est du luxe.

Dans la bouche de Maria, le mot «luxe» semble rimer avec péché. Il y a presque une note de désapprobation dans sa réaction. Elle ne réalise pas que son père, sachant combien la mère manque au foyer, essaie de compenser de son mieux dans des domaines qui, autrefois, lui auraient arraché des commentaires plutôt négatifs. Cachant l'émotion qu'il ressent à faire plaisir à sa fille, il simule un air mystérieux:

— Te rappelles-tu comment ta tante Antoinette de Mistassini a un don pour faire de belles affaires aux travaux de couture?

— Ben oui! son père, c'est elle qui avait taillé un beau capot pour sa mère, mais...

— Eh ben! c'est arrangé, tu pars chez eux dimanche pour faire tailler ta robe. Il sera point dit que la fille de Samuel Chapdelaine se mariera en guenilles.

— Mais... son père! C'est pas possible; qui va s'occuper de la maison?

— Alma-Rose grandit, et pis qui c'est qui s'en occupera quand tu seras en ménage avec Eutrope, hein? Le printemps, c'est pas au diable au vert.

— Je sais ben, son père, mais...

— Pas d'histoire, c'est encore moi qui mène icitte.

Maria s'incline, et il est bientôt proposé de jouer à la Dame de pique. Tandis que les cartes s'abattent sur la table, il est de nouveau question de la croix sur la lune, d'une histoire de pompe à bras qui se serait mise à couler toute seule lorsque le propriétaire de la maison avait trouvé la mort en tombant du haut d'un voyage de foin, d'un gisement de pétrole à Chambord qui n'a jamais été exploité – même si un riche Américain de New York s'y est intéressé – et puis, enfin, du temps: celui qu'il fait, celui qu'il a fait et celui qu'il fera. Comme pour leur donner raison de se préoccuper de la température, le vent, venu de la baie d'Hudson en rasant une toundra désolée, mille lacs gelés et la grande forêt boréale, se met à souffler bruyamment, transportant avec lui la morsure implacable du froid et de la solitude. Dans le cœur des murs, les clous détonent, et c'est presque instinctivement que Tit'Bé se lève pour aller placer deux bûches de bouleau sec dans le poêle. Près de celui-ci, une paupière à peine entrouverte, Chien observe pensivement les pieds qui s'agitent sous la table. Tous dans la pièce, du plus jeune au plus vieux, paraissent ne pas accorder d'importance à la plainte du vent, ils continuent à jouer et à parler; pourtant, quelque part en eux, le regard noir d'une angoisse séculaire ausculte les ténèbres.

II

Malgré le sentiment que l'hiver s'est installé pour l'éternité, peut-être pour se remonter le moral, on prévoit les gestes pratiques que l'on posera à l'issue de ce long sommeil qui dure sept mois en ces régions du nord. On anticipe le moment où la sève, toute fraîche et vigoureuse, remontera à l'assaut des troncs et des branches, et l'on parle d'un autre combat à livrer, une bataille pour gagner quelques arpents contre la ligne sombre des arbres qui menace la lisière des quelques lots à peine défrichés.

C'est dans cette optique lointaine que, du haut de sa chaire, brandissant un doigt sentencieux dont chacun un peu effrayé sent l'ombre sur lui, le curé de Péribonka rappelle avec force:

— Ceux qui ont pas peur du diable, le diable les emportera. Ceux qui ont pas peur de la paresse, la paresse les emportera. Vous savez, Il aime ça, Notre-Seigneur, être réveillé à l'aube au bruit des sciottes et des godendards. Pour lui, c'est un peu comme des *Gloria*. Il aime ça, le cognement sec de la hache sur le tronc des épinettes; Il se dit: «Voilà des braves gens qui ont pas peur de l'ouvrage et qui font ce qu'il faut pour nourrir leur famille et se faire un pays; je m'en vais les épauler.» Le Seigneur, Il aime pas trop la vie facile. Allez pas croire ceux qui reviennent des États dans leurs habits voyants et...

Assise un peu frileusement à la droite de Samuel Chapdelaine,

portant pour la première fois la belle pelisse bleu roi de sa mère, Maria laisse dériver son imagination vers les grandes villes du Sud dont lui a parlé Lorenzo Surprenant; les grands trottoirs d'asphalte où passe une foule bien mise, les innombrables boutiques, illuminées la nuit, une inondation de lumières comme un gigantesque sapin de Noël, de «grosses» gages permettant de profiter de tous les bienfaits modernes...

— ...iront rôtir dans les flammes brûlantes de l'enfer! promet le curé avec une intonation digne d'un roulement de tonnerre.

L'évocation de ces mots la ramène brusquement à l'homélie, la laissant un peu contrite de cet égarement frivole en plein office du dimanche et non loin de croire que le prêtre a le pouvoir de surprendre ses pensées. Tâchant de reprendre le fil des mots, elle redresse légèrement la tête et fixe l'homme d'Église en évitant cependant son regard. Juste avant l'office, Samuel Chapdelaine a parlé au prêtre qui leur a dit de venir le voir au presbytère après la messe; il n'avait pas l'air content d'entendre parler de la croix sur la lune.

L'élévation est, avec la communion, l'instant de la messe qu'elle préfère, celui où elle se sent vraiment capable d'entrer en relation avec le Seigneur. Aujourd'hui ne varie pas avec l'habitude; à genoux, le visage enfoui dans ses paumes ouvertes, le coude contre celui, réconfortant, de son père, humant l'air encore chargé de la bonne odeur d'encens dont le prêtre a généreusement gratifié la petite assemblée, elle s'enfonce dans le noir à la rencontre de Celui qui est Amour. Elle Le sent qui vient à sa rencontre, couvert de gloire. Tout se réchauffe, s'illumine et lorsque, au pied de l'autel, le jeune Eustache Dufour secoue frénétiquement les clochettes, elle baigne dans un état bienheureux où il n'est plus besoin de mots pour demander ou remercier. Le Seigneur est là, près d'elle, près de tous les paroissiens rassemblés. Devant l'autel couvert d'une nappe immaculée, le prêtre récite des mots qu'elle ne saisit pas, mais qui, elle en est persuadée, portent toutes les espérances et la gratitude de la petite communauté vers le ciel. Dans des moments comme celui-ci, elle ne comprend plus du tout pourquoi il lui arrive parfois de rouspéter, d'être triste, d'avoir peur ou même de reprocher au destin l'absence de François Paradis. Tout est si beau

autour d'elle et à l'extérieur où, même si le thermomètre s'obstine à demeurer bien au-dessous du point de congélation, le ciel est d'un bleu tellement pur et la neige scintille de millions d'éclats au soleil. Il est là François, et sa mère aussi, plus encore peut-être que son père lui-même. Comment ne pas être heureuse? Comment a-t-elle pu se laisser aller à rêver aux villes du Sud? Qu'est-ce que les beaux magasins à côté de tout cela? Comme elle a eu raison de rester ici, au milieu des siens, sur la terre qui a alimenté ce qu'elle est, proche de son Dieu!

À la sortie de la messe, parlant à travers une haleine presque opaque, moustaches blanchies, rires francs, seuls quelques hommes, voulant montrer qu'ils ne craignent pas le froid – ni les remontrances du prêtre à ce sujet –, s'attardent sur le perron de l'église. Les autres, ceux qui veulent profiter de l'occasion d'être réunis pour échanger des informations ou tout simplement se retrouver un petit peu, se rencontrent au magasin général.

Égide Simard interpelle Samuel Chapdelaine qui se dirige ailleurs avec sa fille:

— Hé! Samuel, tu viens pas chez Donat?

— Salut! Égide, je viendrai plus tard; j'ai affaire au presbytère.

Durant quelques secondes, avec une appréciation amusée sous ses sourcils broussailleux, Égide Simard observe Maria:

— C'est vrai ce que j'ai entendu dire? Il paraîtrait qu'Eutrope Gagnon aurait sa chance? Chanceux comme ça, ça s'peut pas!

Si elle n'avait pas déjà les joues rougies par le froid, Maria rougirait. Sentant une chaleur affluer à son visage, elle se détourne en mettant une main devant sa bouche pour éviter d'aspirer un air trop glacé.

— Il est chanceux pour vrai, approuve le père Chapdelaine. Allez! on se retrouve tout à l'heure, Égide; mais je pourrai pas être long parce qu'après, on doit se rendre à Mistassini.

Il se retourne à son tour et, posant la main sur le coude de Maria, il l'entraîne vers le presbytère qui se dresse, relativement confortable, à côté de la petite église. Un instant, il lui vient l'idée que l'habitation du curé paraît plus *riche* que celle du Seigneur, mais, scandalisé par lui-même, il chasse rapidement cette pensée «*sans bon sens*».

Gertrude Levasseur, «la bonne du curé», arrive en même temps qu'eux sur la grande galerie en bois qui ceinture la maison.

— Vous avez-ti affaire à Monsieur le curé? demande-t-elle avec l'œil soupçonneux et intransigeant.

— Il nous a dit de venir après la messe...

— Mouais... bon! mais faudra pas être trop long parce qu'y faut qu'il mange, lui itou. Normalement, c'est l'après-midi qu'on peut le voir...

— On est peut-être mieux de revenir plus tard alors...

— S'il vous a dit de venir astheure, c'est correct... Oubliez pas d'enlever vos bottes, c'est moi qui fais le ménage.

Sitôt franchie la porte d'entrée dont la vitre est ornée d'un petit rideau coulissé en fine dentelle, les Chapdelaine sont frappés par la propreté étincelante des lieux. Le parquet brille à tel point qu'il semble refléter la lumière et la chaleur. Lambrissés de planches étroites, les murs sont peints en blanc jusqu'à hauteur de la taille et tapissés pour le reste d'un papier fleuri dans des tons vieil or qui ajoutent à la sensation de lumière et de chaleur. Quelques portraits de personnages mystiques inconnus de Maria et de son père ajoutent à l'atmosphère sérieuse et recueillie. Dans l'air, une légère senteur de citronnelle mêlée de cire d'abeille n'entre pas en compétition avec celle, caractéristique, d'une volaille en train de dorer qui s'échappe de la cuisine, au fond du couloir d'entrée.

Gertrude Levasseur les introduit dans la première pièce de droite qui se révèle être le bureau. Intimidés, ils s'installent dans deux bergères capitonnées de cuir vert foncé et, tous deux les mains croisées sur les cuisses, ils observent avec un sentiment d'étonnement et de subordination le grand bureau de bois sombre couvert de revues et de papiers, et surtout les rayonnages vitrés remplis de livres mystérieux.

— J'aime mieux à La Pipe, son père, dit Maria à voix basse en voulant signifier qu'elle se sent plus à son aise dans le presbytère de Saint-Henri-de-Taillon.

— Moi de même, souffle son père en retour.

Sans plus de mots, chacun comprend ce que ressent l'autre. Le curé de Saint-Henri, bien qu'instruit, est demeuré l'un des leurs; mais le simple fait de pénétrer l'environnement quotidien de celui-ci leur inspire une certaine crainte. Coupant court à leurs considérations, ils l'entendent arriver, et à peine s'encadre-t-il dans le chambranle de la porte qu'ils oublient tout pour ne plus voir en lui que le représentant irréprochable de ce qui sous-tend tous les aspects de leur vie quotidienne.

— Ah! vous êtes là, semble s'étonner le prêtre, comme s'il avait oublié qu'il les avait lui-même conviés. Qu'est-ce qu'il y avait... Ah oui! le signe... Alors, c'est quoi, cette histoire de croix sur la lune?

Choisissant ses mots avec soin, Samuel Chapdelaine lui raconte les faits comme toute la famille les a vécus.

— Et c'est toi qui as vu cette croix la première? questionne le prêtre en se tournant vers Maria.

— Ben oui! mon père, pendant que je faisais la vaisselle...

— Tout le monde l'a vue, assure Samuel Chapdelaine. Même qu'on se demande, rapport que leur mère est partie y a pas longtemps, si ce serait pas elle qui nous ferait un signal ou quelque chose du genre...

Le prêtre secoue négativement le chef et arbore cet air que pourrait prendre un adulte devant la bévue compréhensible d'un enfant. Les Chapdelaine ne s'en offusquent pas, bien au contraire; ils sentent que l'homme d'Église va leur apporter des lumières qu'autrement ils auraient été incapables de percevoir:

— Non, non! il ne peut s'agir d'un signe de la défunte. N'allez pas écouter ce genre d'histoire que certaines âmes égarées aiment bien faire circuler; c'est la porte ouverte aux hérésies les plus haïssables.

Comme pour donner plus de poids à ses paroles, le prêtre marque un silence durant lequel Samuel Chapdelaine et sa fille s'affolent intérieurement d'avoir pu ainsi approcher cette *hérésie* dont parle l'homme d'Église; ils ne saisissent pas très bien le sens du mot, mais de toute évidence, il figure ce qu'il peut y avoir de pire.

— Quant à savoir s'il s'agit d'un signe du ciel, reprend le conseiller spirituel, personne ne peut le dire. Le mieux est peut-être d'écouter son cœur, car lui seul saura donner une réponse qui, de toute façon, sera propre à chacun. Maria, as-tu ressenti quelque chose de particulier quand tu as vu cette croix?

— De particulier, mon père?

— Oui, comme un état de grâce, une chaleur bienfaisante, un besoin subit d'entrer en... adoration, de prier?

— Bah!... non, pas vraiment. À cause?

— Ben! vois-tu, cette croix aurait pu être un appel, un signe du Seigneur te demandant d'entrer en religion... Tu n'as pas envie d'entrer en religion des fois?

— Ben!... c'est que je m'imagine mieux avec une famille...

— Bon!... c'est bien, très bien! Je faisais juste jongler à toutes les possibilités.

— Elle s'est promise à Eutrope Gagnon pour le printemps, mon père, s'empresse de préciser Samuel Chapdelaine qui, s'il voit cela très bien pour les autres, ne peut envisager avec bonheur que sa fille puisse prendre le voile. Il y a eu accordailles entre les jeunes, et tout est déjà arrangé avec le curé de La Pipe.

— Parfait! Ça va nous faire une autre belle famille de Canadiens.

Déjà le prêtre a regardé vers la porte, comme si le fumet de la volaille mobilisait à présent toute son attention. Samuel Chapdelaine comprend qu'il n'y a plus rien à faire ici et se lève.

— Vous y voyez plus clair à présent? demande le prêtre.

— C'est mieux, mon père.

Maria répond d'un vague assentiment de la tête.

En se redressant à demi, le prêtre semble s'excuser:

— C'est de valeur que je n'aie pas su avant que vous viendriez, on aurait préparé quelque chose à dîner pour tout le monde.

— Y a pas de faute! s'exclame Samuel Chapdelaine, presque gêné que le prêtre puisse ainsi se sentir embarrassé à cause de lui. Vous avez déjà bien assez fait pour nous autres.

Tandis que le prêtre décroise les jambes pour se relever, un pan de sa soutane remonte légèrement et Maria, surprise, entrevoit un morceau de mollet blême et poilu. Elle est encore toute décontenancée en quittant le presbytère de s'être rendu compte que le curé n'est pas un homme tellement différent des autres.

— Son père, est-ce que vous croyez qu'ils mangent tout un poulet à deux? demande-t-elle sans malice pendant qu'ils se dirigent vers le cheval, afin de s'assurer que celui-ci a toujours sa couverture sur le dos.

— Ils s'en font peut-être rôtir juste la moitié d'un, on peut pas savoir... (Il avise son cheval, impassible entre les brancards de la carriole.) Oh! Charles-Eugène, on dirait ben que t'as du frimas sur les naseaux, endors-toué pas, y a encore du chemin à faire avant la noirceur.

— Ça fait une longue trotte pour un vieux cheval, son père. Je sais toujours pas si c'est ben raisonnable d'aller si loin juste pour une robe.

— Une robe! Une robe! C'est d'une robe de noces qu'il est question. Ça ne te fait donc pas plaisir?

— Ben certain! que ça me fait plaisir, son père. Je me fais juste du souci pour Charles-Eugène.

— T'as trop de tendreté, Maria; les chevaux sont faits pour servir.

— C'est pas de la tendreté, son père, c'est juste que s'il fallait qu'il arrive de quoi à Charles-Eugène, qu'est-ce que c'est que vous feriez ce printemps?

— Faudrait se greyer d'un plus jeune, c'est tout. Avec ce que rapportent les garçons du chantier, c'est ben faisable. Et pis je t'ai pas tout dit, j'ai aussi dans l'idée d'aller à la Trappe de Mistassini pour barguiner une ou deux moutonnes; il paraît qu'ils ont de bonnes bêtes. Tu vois, on fera pas tout le chemin juste pour ta robe.

Maria ne veut pas se l'avouer, mais elle sait qu'il ne faut pas s'attacher aux animaux qui vivent dans l'étable et dont la destinée est de fournir du travail ou de la nourriture. Elle aime bien Charles-Eugène. Il est presque aussi vieux qu'elle et, quand il partira, c'est tout un morceau de sa jeunesse qui partira avec lui. Que restera-t-il si tout s'en va ainsi?

Le magasin général est bondé à tel point que l'humidité dégagée forme une pellicule de condensation ruisselante sur les deux grandes vitrines. C'est une vaste pièce dont les murs de planches embouvetées, peints en vert chou, sont couverts de casiers de bois jusqu'au plafond. Au centre de la pièce trône un haut poêle cylindrique autour duquel les hommes sont rassemblés avec Donat Néron, le propriétaire. Sur la gauche en entrant, derrière un long comptoir-caisse couleur acajou, est assise Marcella, l'épouse de Donat, présidant aux conversations des femmes regroupées devant elle. Immédiatement, Maria s'intègre à celles-ci tandis que son père rejoint les hommes qui, comme toujours, se trouvent plus ou moins scindés en deux camps à propos de n'importe quel sujet. Ils l'accueillent en lui demandant son idée à propos d'un débat portant sur l'éditorial du *Progrès du Saguenay*.

— T'arrives à point, Samuel, fait le vieux Nazaire Larouche; il y en a icitte qui prétendent que de quitter la ferme l'hiver pour monter aux chantiers, c'est pas bon pour l'agriculture. T'es-tu de cet avis-là, toué?

— Mon avis, c'est que veux, veux pas, on a pas le choix; s'il n'y avait pas les chantiers, on pourrait même pas rester sur nos concessions. Faudrait aller s'encabaner dans ces petites maisons d'ouvrier toutes pareilles les unes aux autres, comme à Ouiatchouan ou, pire, à Chicoutimi.

Jean-Eudes Rivard, un grand costaud réputé pour sa force et ses «coups de sang» dangereux, n'est pas de cet avis.

— Si on peut pas rester sur nos terres sans monter dans les chantiers, c'est parce qu'on ne pratique pas une agriculture scientifique, soutient-il. On passe tout l'hiver à piller nos forêts à nous autres pour enrichir des Anglais ou des Américains qui restent même pas icitte; en échange de ça, on revient avec quelques piastres, tout juste assez, calvince!, pour payer la semence qui, si la récolte est bonne, servira à nourrir les bestiaux. Y avez-vous pensé, le père Chapdelaine, normalement, il faut quarante piastres par année pour faire vivre une vache et elle n'en rapporte que trente-cinq dans le même temps; ça veut dire que si on la nourrit pas aux crottes de cheval, on perd de l'argent. Ç'a pas de bon sens!

— Et ça donnerait quoi de plus aux colons de ne plus aller sur les chantiers? demande Napoléon Laliberté.

— Ça donnerait plus de temps pour s'occuper sérieusement de nos affaires, calvince! Y en a-ti icitte qui ont une vache qui donne plus de quatre mille livres de lait? (Il regarde autour de lui et ne remarque aucun signe affirmatif.) Eh ben! les trappistes à Mistassini, eux, ils ont des bêtes qui dépassent les huit mille livres; ça, c'est de l'agriculture scientifique! Non, il faudrait que le gouvernement se décide à obliger les maususses de compagnies à acheter d'abord le bois qui se trouve sur les terres à défricher. On pourrait alors s'organiser et fixer des prix qui auraient du bon sens; pis on travaillerait pour nous...

— Jamais que Québec fera ça, rétorque Samuel Chapdelaine. Il y a de la trop grosse argent en jeu; et pis si ça faisait pas l'affaire des compagnies icitte, elles ne sont pas achalées, elles s'en iraient ailleurs; les moulins fermeraient, les villes avec et on pourrait même pus vendre notre lait ou notre viande.

À moins d'insultes personnelles qui peuvent se produire lorsque certains esprits sont échauffés par une «p'tite ponce», personne n'en veut à l'autre de voir les choses différemment. Au contraire, l'objection est l'ingrédient principal de toute bonne conversation. Quoi de plus *plaisant* lorsqu'on passe sa vie à l'orée du bois, seul avec ses pensées, qu'une bonne discussion entre gens qui se connaissent et se ressemblent? C'est ce à quoi pense Maria qui, sans y parvenir réellement, essaie de suivre à la fois les propos des hommes et ceux des femmes. À tel point qu'elle ne réalise pas immédiatement que Marcella Néron s'adresse à elle:

— Ça aurait de l'air que les noces sont pour ce printemps, Maria?

— Hein? euh!... oui, ce printemps.

Elle a toujours connu Marcella Néron assise derrière ce comptoir et elle ne pourrait pas l'imaginer autrement. La commerçante est toujours souriante, mais d'un sourire exempt de générosité, et sa chevelure semble trop foncée pour être naturelle. Possédant le don d'amener les gens à faire des confidences malgré eux, elle doit connaître toute l'histoire et la petite histoire de la paroisse. Un autre de ses dons est l'incroyable fichier qu'elle a dans la tête, où sont inscrits, toujours très justement, tous les crédits de la maison. Au début de la soixantaine, elle est relativement jeune par rapport à son mari, Donat, devenu «l'exemple que la grosse ouvrage ne tue pas son homme». Il porte à merveille ses quatre-vingts ans passés et rien ne l'empêche de commencer sa journée à quatre heures du matin pour aller à pied sur sa ferme, à trois milles de là, s'occuper des bêtes. Et lorsqu'il revient au village, toujours en trottinant, c'est pour ouvrir le magasin, nettoyer le plancher, placer les marchandises dans les casiers, puis atteler pour aller au ravitaillement à Roberval, Alma ou ailleurs. Lorsqu'on lui demande son secret, il affirme que ce n'est rien d'autre qu'un «petit verre de bière brune au lever».

Marcella Néron avance la tête comme pour échanger un secret:

— C'est-ti vrai, Maria, que t'as dû choisir entre Eutrope Gagnon et Lorenzo Surprenant?

Autour de Maria, les femmes se rapprochent imperceptiblement pour écouter sa réponse.

— Il y avait pas vraiment de choix, répond Maria avec sincérité. Astheure, je pouvais pas laisser le père et les autres...

Toutes comprennent qu'«astheure» signifie après le décès de Laura Chapdelaine. Marcella Néron approuve du menton:

— T'es une bonne fille; j'en connais d'autres, je les nommerai pas par charité chrétienne, qui en auraient profité pour filer aux États.

— Oh! mais j'aime ben Eutrope aussi! C'est un bon gars, vaillant comme pas un. Quand la mère était malade, il n'a pas hésité à aller chercher le ramancheur à Saint-Félicien, aller-retour en pleine nuit sur des chemins vilains.

Les femmes se rendent compte que, plutôt que de les convaincre, Maria cherche davantage à se persuader elle-même qu'Eutrope est celui que son cœur attend.

— Eh ben! moi, avoue candidement Édith Tremblay, je sais pas si j'aurais pu résister... Les États, Boston, les beaux chars, les boutiques à plusieurs planchers, les vues animées comme ils en parlent dans le *Journal Populaire*, non, je sais pas...

— Ben! t'aurais mieux fait d'y aller! l'attaque verbalement Denise Fortin; on aurait eu la paix.

Édith Tremblay blêmit, mais ne répond pas. Tout le monde aux alentours sait combien les deux femmes se détestent, ou plutôt combien Denise Fortin déteste sa voisine Édith Tremblay depuis cet après-midi d'automne où elle l'a surprise avec son mari, Guy Fortin, dans le bois en arrière de la maison alors qu'il était supposé être aux collets. Tout le monde a entendu parler de la façon, à la suite de cette fâcheuse découverte, dont elle s'est défoulée, d'abord en faisant voler en éclats toutes les vitres de la maison voisine à coups de fusil, ensuite en vidant une pleine brouette du fumier de cochon dans le puits. À la suite de cela, Édith, qui avait toujours été une personne à la fois naïve et spontanée, s'est, sauf en de rares exceptions comme celle qui vient de se produire, plus ou moins refermée sur elle-même. En catimini, plusieurs femmes du village, même si elles sont unanimes à condamner l'adultère, trouvent à Édith des circonstances atténuantes en cela que son mari, Thomas Tremblay, est généralement ivre «depuis le jour de l'an jusqu'à la Nativité», l'entre-deux n'étant pas considéré comme tellement répréhensible. D'ailleurs, cette affaire n'a rien changé à ses habitudes; tout juste s'est-il gaussé du fumier dans le puits: «Ça m'est égal, j'bois pas d'eau.» Évidemment, beaucoup d'hommes, eux aussi prompts à condamner les excès de boisson, trouvent que Thomas «a une créature ben aguichante et qu'il a peut-être ses raisons de prendre un coup comme il fait...»

Il ne doit y avoir que Maria dans le magasin pour ignorer tout de cette histoire, aussi ne comprend-elle pas l'attitude agressive de Denise Fortin. À côté d'elle, ses mains tenant écartés sur ses hanches les pans de son manteau de martre, Yvette Tremblay (Tremblay d'une autre branche), voyant son attitude désorientée, se méprend sur la signification qu'il faut lui donner et s'imagine que Maria, toujours sous l'influence sentimentale de François Paradis, ne peut apprécier Eutrope Gagnon à sa juste valeur.

— Je connais un peu Eutrope Gagnon, lui dit-elle sans réfléchir, c'est un garçon sérieux, pas du tout le genre de fou présomptueux à se lancer tête baissée dans des entreprises sans bon sens comme de vouloir traverser à pied cent milles dans le bois au plus fort de l'hiver. C'est dangereux des hommes comme ça!

Ne voyant dans ces propos qu'une insulte envers François Paradis, dans l'espoir de réparer cet affront à la mémoire chérie et d'oublier qu'elle s'adresse à l'institutrice, l'épouse du représentant local de la Compagnie et à la plus patronnesse des dames patronnesses, Maria éprouve un besoin irrépressible de répondre méchamment.

— Peut-être ben que ce que vous n'appréciez pas dans un homme comme ça, c'est qu'il ne s'en soit pas trouvé un seul pour foncer tête baissée sur vous.

Ces mots à peine prononcés, elle les regrette, s'en voulant surtout d'avoir laissé entendre que François Paradis aurait entrepris ce voyage téméraire rien que pour elle. De son côté, comme si elle n'était pas certaine d'avoir bien compris, Yvette Tremblay ne répond pas immédiatement. Lorsqu'elle le fait, sachant qu'il est en train de se passer quelque chose, tout le monde, y compris le côté masculin, attend les paroles qui seront prononcées:

— Qu'est-ce que c'est que cette sans-manières?

— J'aime mieux être une sans-manières qu'un grand-nez-senteux, madame Tremblay!

Maria connaît surtout Yvette d'après ce qu'elle en a entendu dire; elle a la réputation d'épier le moindre mouvement autour de chez elle. Que quelqu'un rentre chez lui au milieu de la nuit et observe attentivement en direction de la maison d'Yvette Tremblay, il est certain de la trouver dissimulée derrière un rideau en train d'«écornifler». Les paroles de Maria ont porté; la dame patronnesse pâlit dangereusement. Chacun sait, non sans une certaine délectation, que le ton va monter, que les mots vont se colorer:

— Petite venimeuse!

— Vieille nippe!

— Maria!

Presque à son corps défendant, Samuel Chapdelaine interpelle sa fille. Maria tente de se justifier:

— Mais c'est elle, son père! C'est elle qui s'est mise à chanter des bêtises sur François Paradis! Je pouvais pas la laisser faire.

— Maria, ça suffit!

Maria s'apprête à obtempérer, mais Yvette Tremblay, à présent écarlate, réclame réparation:

— Tu vas t'excuser, Maria Chapdelaine!

— Sûrement pas!

— Tu le regretteras, j'en parlerai à qui il faut et il y aura des retours, tu peux en être certaine! Tu vas apprendre à vivre!

— Parlez-en à qui ça vous chante, tout chacun sait bien que vous savez rien faire d'autre que d'écornifler pis de faire des rapports!

Yvette Tremblay lève la main dans l'intention visible de gifler Maria, mais suspend son geste en l'air:

— Je ne sais pas ce qui me retient...

— Eh ben! allez-y! vous avez-ti peur? Ce serait pas pire que de parler en mal de quelqu'un qui est mort.

Samuel Chapdelaine vient se placer entre sa fille et Yvette Tremblay:

— Allez, viens-t'en, Maria, on s'en va, astheure.

— Je vous suis, son père.

Avant de sortir, le père se retourne vers les autres et hausse les épaules comme pour signifier qu'il n'y peut rien. Lorsque la porte se referme derrière eux, personne n'a encore prononcé un mot. Il y a dans l'air une onde de sympathie envers Maria, elle l'a sentie; mais Samuel Chapdelaine sait trop bien qu'officiellement, les torts retomberont sur sa fille.

— Mais qu'est-ce qui t'a pris, Maria? demande-t-il alors qu'ils rejoignent le traîneau.

— Bah! son père, est-ce que vous auriez laissé faire, vous, si quelqu'un avait parlé en mal de sa mère?

— Oh! il y a une différence, Maria! François Paradis était pas ton mari.

— Il le serait devenu si...

Se rendant compte qu'elle exprime de vive voix une impression qui n'a jamais été rien d'autre qu'un serment muet, elle se tait brusquement, ne sachant pas comment établir la preuve de ce qu'elle a toujours pris pour une réalité.

— Il n'y a jamais eu d'accordailles que je sache, fait le père Chapdelaine, et j'étais certain que t'avais serré tout ça profondément. De quoi qu'il va penser, Eutrope, s'il apprend que t'as défendu la mémoire de François Paradis en public?

— S'il a du bon sens, pis je suis certaine qu'il en a, il comprendra, son père, il comprendra.

— Tu sais, les gens, ils aiment mieux comprendre que ce qui les flatte. En tout cas... j'espère ben qu'il n'y aura pas de retour.

Ils se sont installés sur le siège, ont mis la grosse couverture sur leurs genoux, puis le père a pris les guides et donné un léger coup sec:

— Envoye! Charles-Eugène!

Il ne leur faut que quelques minutes pour dépasser les dernières maisons de la paroisse; déjà, de chaque côté du chemin, se dresse la muraille verte et silencieuse des épinettes. Les clochettes fixées aux brancards ne cessent de tintinnabuler, mais ils ne les entendent plus. Dans sa tête, Samuel Chapdelaine passe et repasse ce qui vient de se produire au magasin et se demande quelles en seront les conséquences, tandis que Maria, repentante, invoque son ange gardien afin qu'il l'assiste dans son examen de conscience: «*Mon bon ange, que Dieu a destiné pour me garder, conduisez-moi dans le chemin du paradis. Je sais qu'aujourd'hui j'ai péché contre mon prochain en pensées, que j'ai eu de la haine, du désir de vengeance et de la répugnance. En paroles, j'ai été méprisante, j'ai pratiqué le reproche, j'ai recherché les appuis par la calomnie; j'ai péché contre moi-même en ayant une estime exagérée de ma personne; j'ai cédé à la colère qui m'a fait dire des paroles injurieuses; j'ai désobéi au bon curé de La Pipe en pensant trop fort à François; et puis aussi, et dans le fond, c'est peut-être pour ça que tout a été aussi mal, j'ai été intérieurement sans complaisance envers un prêtre, j'ai été portée à le juger sur ce qui l'entourait... Comment faire pour expier?*»

Entre les deux pans de conifères, alors qu'ils sont cernés par le silence infini qui semble porter en lui le murmure secret d'un monde en marge des hommes, ou oublié d'eux parce qu'à la fois trop puissant et trop fragile, tandis que le chemin ressemble à un long ruban immaculé et le ciel, à un autre ruban d'azur, et que Charles-Eugène, tête droite et oreilles dressées, avance sans répit, un homme se fait du souci pour sa fille et demande à une épouse disparue de l'aider: «*Tu vas trouver que je te demande des tas d'affaires, Laura, je sais ben que, où ce que t'es, nos petits tracas doivent te paraître ben niaiseux, mais si tu pouvais faire quelque chose pour Maria, elle en a eu beaucoup sous le chapeau ces temps-ci, pis elle est encore toute jeune... Je sais ben qu'Eutrope fera un bon mari, mais si elle ne le sent pas dans son cœur... Enfin, Laura, tu sais quoi faire, d'ailleurs t'as toujours su – sauf à la fin, parce que ton départ... hein, avec tout le respect que je dois au Seigneur, j'ai ben l'impression que ses fonction-naires, là-haut, ils en font un peu à leur tête.*»

— Ça va, son père?

Il la regarde, il la trouve bien jolie, il voudrait qu'elle soit heureuse, mais il se sent impuissant contre des forces inconnues. Et puis, c'est ridicule cette eau qui monte aux yeux! Ça doit être à cause du froid.

— Ça va, Maria. Marche! Charles-Eugène, marche!

III

Les premières lueurs du couchant naviguent dans le ciel alors qu'ils arrivent à Mistassini. Ils n'ont rencontré personne, seulement aperçu quelques maisons encore plus rudimentaires que la leur aux alentours des chutes gelées de la Petite Péribonca. Malgré tous les efforts mis par Maria à combattre des souvenirs envahissants, le fait de se retrouver dans la paroisse où a grandi François Paradis emplit sa tête d'images où il est toujours présent. En passant devant chaque maison, chaque grange, elle ne peut s'empêcher de se dire que François a dû poser les yeux dessus; et, à cause de cela, elle aime tout ce qu'elle voit.

— On va tout de suite se rendre chez ta tante, dit Samuel Chapdelaine, ensuite j'irai chez Idola Villeneuve.

Maria approuve d'un signe de tête. Sans avoir à l'expliquer, il va de soi que son père ne peut honorablement passer la nuit dans la maison de la tante Antoinette qui n'est habitée que par elle-même, depuis longtemps veuve du frère aîné de sa mère, par sa fille Ghislaine, dont le mariage a été exceptionnellement annulé par l'Église, et par sa petite-fille Chantale. Il est arrivé parfois qu'elle entende son père et sa mère parler de ces trois générations de femmes en les nommant avec un peu d'ironie les «terreurs», et elle ne se souvient que vaguement de leurs visages, jamais revus depuis le temps où elle demeurait non loin d'ici; mais, à part ces quelques détails, elle ne sait rien d'elles, sinon que la tante Antoinette est bonne couturière.

— Vous ne souperez pas? demande-t-elle néanmoins.

— Je penserais pas... Wow! wow! Charles-Eugène!

La carriole s'immobilise à proximité des chutes de la rivière Mistassini, sur le versant opposé à celui où est établi le «village des Trappistes» au centre duquel on aperçoit, dans le lointain, l'aile en pierre du monastère. Le ciel a pris une teinte violette qui donne à la neige et à la glace des reflets allant du rose au carmin. Les chutes, jamais totalement prises par la glace, chantent du son clair de l'eau vive. Juste devant eux, il y a une confortable maison pourvue d'un plein étage, coquettement peinte en blanc à l'exception des cadres de portes et de fenêtres vert foncé.

À la suite de son père, Maria monte les trois marches d'une petite galerie couverte ornant la façade côté chemin. Ils n'ont pas le temps de frapper que la porte s'ouvre sur une femme grisonnante, mais impeccablement coiffée, dont le visage carré est surtout remarquable par le dessin à la fois fier et gourmand des lèvres:

— Samuel! Maria! On commençait à se demander si Martin Guay nous avait pas conté des menteries...

— Il a bien fait la commission, Toinette, y a seulement qu'on reste pas tout proche...

— Ça, pour ça, c'est ben vrai! Cette idée aussi d'aller quasiment chez les sauvages! Tu commençais pourtant à avoir une belle terre icitte... Mais entrez, entrez.

Ils pénétrent dans la cuisine en même temps que Ghislaine et Chantale descendent l'escalier. Maria est émerveillée par tant de luxe à ses yeux. Les murs d'un blanc immaculé, les meubles de fabrication professionnelle, l'escalier à rampe ouvragée, le tapis aux lignes multicolores, tout lui plaît.

— Bonjour, Maria, l'accueille Ghislaine; mais alors... c'est vrai, tu es rendue une vraie femme à présent!

Maria essaie de reconnaître sa parente, sans succès. Comme dans son souvenir, elle est toujours plutôt petite, mais cela est le cas pour beaucoup de monde. Non, ce doit certainement être cette extravagante coupe de cheveux qui la change à ce point. Comment une femme peut-elle se couper les cheveux aussi court? On dirait presque un homme – quoiqu'il y ait des hommes qui les ont plus longs lorsqu'ils reviennent des chantiers.

— Bonjour! Ghislaine, répond-elle. Je suis heureuse qu'on se revoie, il y avait longtemps...

— Tu reconnais Chantale?

Maria fixe une seconde la jeune fille du même âge qu'elle et dont les traits paraissent accuser un caractère gâté et suffisant:

— Ben!... à vrai dire, pas tellement, mais elle est bien jolie. Salut, Chantale.

Le compliment arrache un sourire à la jeune fille qui salue Maria en retour:

— Bienvenue, Maria.

— On peut dire que tu as toute une belle fille, Samuel, fait Antoinette Bouchard (puis, changeant de sujet:) Ôtez donc vos manteaux, vous allez avoir chaud. Le souper va bientôt être prêt.

— Ben! je crois que moi, je mangerai pas, répond Samuel Chapdelaine.

— Comment ça, tu mangeras pas? Dis-moi pas que tu comptes t'en retourner à soir, je te croirai pas pantoute. On a fait cuire une belle volaille, les lits sont prêts...

— Bon! je veux bien pour le souper, Toinette, mais pas question de coucher icitte!

Antoinette Bouchard regarde son beau-frère avec un sourire amusé.

— T'aurais-ti peur pour ta réputation, Samuel Chapdelaine? Dis-moi pas que t'en es encore là?

— Je crois ben que oui, Toinette. Pis de toute façon, j'ai aussi fait prévenir Idola Villeneuve que je passerais lui dire un bonjour.

— Idola Villeneuve! Ah ben! je vois ça d'icitte; vous allez vous asseoir autour d'un baril de baboche, toi tu parleras de colonisation, de défrichement, et lui te parlera de la race qui est venue d'un autre continent et qui doit conserver son héritage; pis, au nom de la religion, il cassera du sucre sur le dos des Américains, des Anglais, des Chinois et des Noirs.

— T'es un peu dure avec lui.

— C'est lui qui est dur avec les pauvres gens qui ont pas eu la chance de venir au monde Canayen. Mais assez parlé d'Idola, parlez-nous de vous autres; comment ça va? Et les jeunes?

Sur ces dernières interrogations impliquant qu'avec la disparition de Laura, les choses ne doivent pas être faciles, son ton est devenu grave. Samuel Chapdelaine ne croit pas à cette gravité. Selon lui, Antoinette Bouchard n'éprouve généralement de compassion que pour sa fille et sa petite-fille. Le ton et les mots qu'elle emploie ne sont que sa façon à elle de chercher à établir une relation intime et, par là, à se faire apprécier. Cependant, Maria, qui n'a pas ce parti pris, est immédiatement gagnée à la cause d'Antoinette Bouchard et, par ricochet, à celle de Ghislaine qui, toujours selon son père, ne le cède en rien à sa mère en cette façon opportuniste de rechercher l'appréciation des autres.

— C'est dur, avoue Samuel Chapdelaine. On se croit fort et tout, pis quand la femme est partie, on se rend compte qu'on est pas bon à grand-chose. Oh! pour essoucher, remuer de la terre, fendre du bois et se faire aller la gueule, ça va toujours, mais quand il s'agit de donner un sens à tout ça...

— C'est pas vraiment de votre faute, fait Antoinette en parlant implicitement du genre masculin en général, la nature vous a faits comme ça, il faut croire qu'elle avait ses raisons. Pis je reconnais que pas d'homme à la maison, c'est pas toujours commode non plus. Tiens, à propos, en parlant d'homme, nous avons un pensionnaire icitte, un Français de France.

Comme pour l'apercevoir, Samuel Chapdelaine regarde par-dessus son épaule.

— Il n'est pas encore rentré, lui apprend Ghislaine, mais il devrait être avec nous pour le souper. Vous allez voir, il parle drôle.

— Nous en avons aussi pas loin de La Pipe, dit Maria, ils ont acheté la terre d'un Surprenant. Ils ont pas l'air très heureux. D'ailleurs, j'ai comme idée qu'ils doivent regretter d'avoir mouvé; d'autant plus que ça aurait l'air qu'ils avaient une belle job là-bas, de l'autre côté.

Samuel Chapdelaine se laisse aller à rire.

— Justement, l'autre jour, j'ai rencontré Éphrem Surprenant qui m'en a conté une pas pire, dit-il en expliquant sa bonne humeur. Paraît que cet automne, le Français, le père, il était parti courir après sa truie qui avait pris le bord. Tout d'un coup, voilà que la truie, probablement fatiguée de courir, s'arrête et regarde son poursuivant. Lui, il ne comprend pas pourquoi elle s'arrête et se dit qu'elle va le charger; là, en y songeant, il attrape la chienne, tellement qu'il fait demi-tour en prenant les jambes à son cou et que la truie, qui devait trouver ça ben drôle, s'est mise à courir derrière lui à son tour, tant et tant que le bonhomme, paniqué, a grimpé tout en haut d'un arbre. «Va-t'en! Chiquita, va-t'en!» qu'il criait à la truie.

Les quatre femmes rient de bon cœur, autant de l'histoire que de savoir la glace rompue.

— C'est pas tellement le style du nôtre, affirme Ghislaine Bouchard en retrouvant son calme, non, lui c'est plutôt le genre monsieur ben instruit, avec de la classe et pas porté à rire; même qu'il est pas parlant plus qu'il faut.

— Est-ce qu'il cherche une terre dans le boutte icitte? demande le père Chapdelaine.

— Non, à vrai dire, on sait pas trop ce qu'il veut; il dit qu'il fait des recherches pour un livre.

— Un livre? Par icitte! Ce sera pas diable...

— Il n'y a pas de raison, rétorque Antoinette Bouchard. Pourquoi que ce serait pire icitte qu'ailleurs? Notre histoire vaut bien celle des autres.

— Y se passe rien par icitte! Pas de guerre, pas de tête couronnée, pas de révolution; juste du pain noir, et ça, c'est pas ce qui intéresse le monde.

— On lui a dit la même chose, fait Chantale, mais il a répondu que c'était pas les grands événements qui faisaient la moelle des livres.

— La moelle, comme dans les os? s'étonne Samuel Chapdelaine.

— C'est ce qu'il a dit.

— C'est symbolique, affirme Ghislaine.

Les Chapdelaine opinent sans conviction.

Ils se sont assis autour de la table déjà dressée. Tout en écoutant parler les autres d'une oreille distraite, Maria, habituée à de la vaisselle de «granit», admire les assiettes de faïence qu'elle prend pour de la fine

41

porcelaine, et, par comparaison avec ce qu'elle connaît, elle se demande comment ses parentes sont devenues «si riches». Elle attribue à tout ce qu'elle voit une valeur exagérée. Et de savoir qu'aucun homme n'est derrière tout cela l'intrigue encore davantage. Comment est-il possible que trois femmes, qui n'ont pas de mari, donc aucun revenu, puissent être installées aussi confortablement? Si cela était concevable, elle poserait la question. Est-il possible que les travaux de couture de la tante Antoinette puissent rapporter tout cela? Peut-être que Ghislaine coud elle aussi? Sans se rendre compte de ce que son regard peut avoir d'insistant, elle observe Chantale et, avec une pointe d'envie qu'elle se reproche aussitôt, admire sa robe bleu pastel. Comment se fait-il que ses parents, qui ont pourtant travaillé si dur, n'aient jamais accumulé toutes ces belles choses qui semblent tellement agréables? Arrivera-t-elle un jour, elle aussi, à avoir une maison comme celle-ci? Eutrope ne fait rien d'autre que ce que fait son père, alors? Elle sait que le mari de la tante Antoinette, qui était déjà décédé lorsqu'elle est venue au monde, avait commencé à défricher une terre dans la région, mais ce n'est certainement pas ce qu'il a pu laisser qui a payé tout ça; pas plus que le mari de Ghislaine, qui buvait et couraillait tellement que l'Église, pourtant très réservée dans ce domaine, a accordé l'annulation du mariage. Alors quoi? La question bien terre à terre occupe beaucoup de place dans l'esprit de Maria. Ce n'est pas par jalousie, non, simplement le besoin de connaître la formule qui, une fois assimilée, l'autoriserait, en la mettant en pratique, à espérer la même chose pour elle. Comme pour entretenir ses interrogations, Antoinette Bouchard, se levant, les invite à faire le tour de la maison:

— Il y a longtemps que tu n'es pas venu, Samuel, et si on te faisait voir les changements?

Le père Chapdelaine fait oui de la tête en regardant autour de lui d'un œil critique qui ne laisse pas deviner son impression:

— Je vois qu'il y a eu pas mal de radoubs...

— Avec le temps, on finit par apporter des améliorations, dit sa belle-sœur comme en s'excusant. Ça doit être pareil chez vous.

— Chez nous..., faut dire qu'on n'y a pas encore vraiment jonglé; il y a aussi qu'on est pas mal occupés juste avec la terre et les animaux.

Quand on est dans le bois, ce qui importe, c'est d'abord de faire de la terre, le reste...

Tout le monde se dirige en premier lieu vers le salon qui se trouve séparé de la cuisine par une double porte vitrée à petits carreaux. Arrêtés par quelque frontière invisible, ils restent tous sur le seuil, contemplant le plancher luisant, quatre fauteuils capitonnés auxquels Samuel Chapdelaine, sans l'exprimer, trouve un aspect dangereusement fragile, une petite table basse aux pieds fins et galbés, et, impressionnant Maria plus que tout, une vitrine de coin en bois laqué noir, avec des ferrures de laiton doré et une porte dont la vitre bombée met en valeur diverses figurines – en véritable porcelaine, cette fois – représentant principalement des ballerines.

— On vient pas souvent dans cette pièce, explique Antoinette Bouchard; un peu à Noël, au jour de l'an, parfois à Pâques et puis aussi quand Monsieur le curé vient faire sa visite.

— On n'y va tellement pas souvent, renchérit Chantale en s'en plaignant sans vergogne, que je me demande à quoi ça sert. Je veux bien que nous ayons une pièce pour la tournée du curé, mais elle pourrait aussi servir plus souvent; c'est ridicule! J'ai lu qu'aux États...

Sa mère se tourne vers elle avec une nuance de reproche:

— Chantale, voyons...

Maria est stupéfaite de la liberté de langage avec laquelle sa cousine s'adresse aux siens ou parle d'un prêtre, mais cela semble paraître bien naturel à la grand-mère qui, se dirigeant vers l'escalier, enchaîne aussitôt:

— Il y a toujours les quatre chambres à l'étage, toutes retapissées il y a deux ans à peine, et pas avec de la gazette! Mais je ne pourrai pas toutes vous les montrer, car j'ai pas l'habitude d'entrer dans celle qui est réservée aux pensionnaires quand elle est louée. Nous avons chacune la nôtre. Maria, ça te va de partager celle de Chantale durant ton séjour?

— Oh! c'est très bien! sa tante... enfin, si ça dérange pas Chantale.

Celle-ci lui adresse un sourire de connivence:

— Pas du tout, on pourra parler; tu me raconteras comment ça se passe par chez vous. (Elle s'approche à l'oreille de Maria avant d'ajouter:) Et moi, je te raconterai des choses de par icitte, tu verras, même si c'est pas une grosse place, c'est surprenant des fois...

Ici, chaque chambre a sa porte et, même si Maria a connu cela l'année dernière lors de son voyage à Saint-Prime, cela ne cesse de la fasciner. Que quelqu'un puisse jouir de toute une pièce entièrement fermée pour lui tout seul apparaît à Maria comme le comble du bien-être. Et si, en outre, comme ici, les murs sont couverts d'oiseaux étranges, si les courtepointes représentent, comme celle de Ghislaine, un chemin s'enfonçant sous un ciel étoilé, si chaque chambre a sa commode et son miroir, alors elle a l'impression d'avoir changé de monde.

Un bruit métallique au rez-de-chaussée attire leur attention.

— Notre pensionnaire est de retour, annonce Ghislaine. Il met toujours une bûche dans le poêle lorsqu'il rentre.

— Il doit pas avoir l'habitude du climat, pense tout haut Samuel Chapdelaine, ça donne l'impression d'avoir plus chaud quand on voit la bonne flamme vive dans le poêle.

— Bah! lui, ça doit pas être son cas, le détrompe sa belle-sœur, même que j'ai pas souvent vu quelqu'un pâtir aussi peu du frette par chez nous; il irait jusqu'à dormir la fenêtre ouverte si on le disputait pas un peu.

Ils redescendent l'escalier et les Chapdelaine découvrent un homme dans la trentaine, debout bien droit près de la table, les pouces dans les goussets de son gilet.

— Voici monsieur Le Breton, le présente Ghislaine; monsieur Le Breton, voici monsieur Chapdelaine et sa fille Maria.

L'homme est «proprement» vêtu, selon les critères de la région, mais loin de l'élégance ostentatoire à laquelle beaucoup s'attendraient d'un visiteur «de la France». Il s'incline légèrement en saluant ses hôtesses et leurs parents d'un signe de tête poli avant de prononcer un laconique «enchanté». Maria se demande comment se comporter, elle trouve le pensionnaire à la fois timide et intimidant.

— Maria restera avec nous quelques jours, le renseigne Antoinette Bouchard, le temps de lui faire une belle robe de mariée.

— Je me disais aussi qu'une demoiselle aussi charmante devait forcément avoir un prétendant, que dis-je! une multitude de...

Peu habituée à ce genre de compliment, se demandant même si elle ne doit pas afficher quelque réprobation, Maria se détourne et, dans son mouvement, surprise, elle croise le regard de Chantale qui lui darde un œil peu amène.

— Ça a de l'air que vous voulez faire un livre sur nous autres? demande Samuel Chapdelaine sans ambages.

— Disons que c'est un projet... Un projet parmi d'autres...

Le père Chapdelaine regarde le pensionnaire en fronçant les sourcils, mais sans reproche. Il ne sait trop comment aborder cet homme qui répond par ce qui ressemble fort à des devinettes. À quelqu'un de la région il aurait déjà dit sa façon de penser en termes directs, mais avec cet étranger, il se demande s'ils n'ont pas l'habitude de parler ainsi entre eux dans leur pays. À leur propos, il n'a toujours pas du tout compris ce qu'était venu faire un accordeur de pianos sur une terre de colonisation. Des gens qui écrivent des livres... doivent certainement être tout à fait différents. Curieux de nature, désirant en apprendre davantage, il décide de continuer à l'interroger:

— D'autres projets par icitte?

— Peut-être...

— On dirait ben que vous êtes pas trop fixé. C'est quoi, votre métier?

— Bien!... j'ai étudié les langues orientales.

Indécis, Samuel Chapdelaine avance les lèvres:

— Les langues orientales..., est-ce que ça gagne ben gros dans ce métier-là?

— Disons, pour être plus exact, qu'en temps ordinaire, je travaille plutôt comme commis de bureau.

— Ah! ça je connais mieux; enfin, je veux dire que je sais à quoi ça sert. (Il s'approche comme pour échanger une confidence.) Je sais à quoi ça sert, mais je ne suis pas sûr que ça serve vraiment.

Pour la première fois, le pensionnaire a un sourire entendu et franc.

— Moi non plus, assure-t-il.

Ils se sont installés à table. Ghislaine assure le service et déjà, par deux fois, elle a dû dire à Maria de se rasseoir. Celle-ci ne s'habitue pas à devoir rester assise pendant qu'on la sert. Il y a d'abord eu la soupe à l'orge, puis le poulet avec des patates pilées ainsi que des bettes et des cornichons dans le vinaigre. Tandis que Ghislaine dépose la tarte au sucre sur la table, le regard de Maria tombe sur les mains du pensionnaire. Elle est tellement surprise que durant quelques secondes, elle ne peut détacher ses yeux des doigts du Français tellement ceux-ci la surprennent. Jamais encore elle n'a rencontré un homme possédant de telles mains. Dans sa famille, autour d'elle, elle n'a rencontré que des garçons aux mains larges et aux doigts trapus et robustes, adaptés à «la grosse ouvrage»; mais ces mains-là paraissent délicates, non pas fragiles ou chétives, pas plus qu'elle n'a l'impression de se trouver devant des mains féminines, non, c'est différent: elle a du mal à concevoir ce que leur apparence exprime pour elle; c'est un peu comme si elles étaient conçues pour parler, ou plutôt pour... pour caresser. Effrayée par ce qu'elle vient de se formuler, Maria relève la tête un peu brusquement et, rencontrant le regard placide du pensionnaire, comme pour le prêtre à l'église ce matin, elle a l'impression confuse qu'il peut lire en elle.

Samuel Chapdelaine, à grand renfort de mouvements de joues, mange en mastiquant très rapidement et ne relève parfois la tête que pour dire quelques mots brefs avant de replonger dans son assiette. Ce n'est que lorsqu'il a proprement essuyé cette dernière avec ce qu'il lui restait de pain que, posant les coudes sur la table et appuyant le menton sur ses mains, il questionne de nouveau le pensionnaire:

— Ça prend du temps pas mal pour venir de chez vous avec les gros chars?

— Euh... C'est-à-dire que je suis venu en bateau.

— C'est-ti aussi vite?

— Surtout plus confortable, répond le Français qui vient de comprendre que son interlocuteur a omis un océan.

— Moi, sur le lac, je suis déjà allé sur le *Marie-Louise*, le *Mistassini*, le *Nord* et le *Honfleur*; c'est pas pire...

— C'est loin combien, la France? demande Maria.

— Environ quatre mille milles, la renseigne le Français.

— Étoile! si loin que ça! évalue le père Chapdelaine, c'est aussi loin que d'aller dans l'Ouest... Pis vous venez d'aussi loin sans trop être

fixé pourquoi; c'est quasiment de l'aventure.

Dans la bouche de Samuel Chapdelaine, le mot aventure semble à la fois peu recommandable et cependant digne de considération.

— Si l'on veut, répond son interlocuteur, sans ajouter plus de commentaires.

— Dans mon jeune temps, moi aussi, j'ai pensé à l'aventure, affirme le père de Maria en regardant loin devant lui, comme pour bien montrer qu'il effectue réellement un retour en arrière. Je voulais aller au Klondike, pis ensuite dans les Prairies; il paraît que là-bas, y a pas besoin de s'échiner à essoucher; t'arrives, tu passes la charrue, tu sèmes et tu récoltes. Mais quand qu'on est d'une place, c'est dur de quitter, des fois...

Cette dernière phrase est lourde d'un sous-entendu qui laisse à penser que, s'il ne s'était agi que de sa volonté propre, il serait à présent dans les contrées dont il parle.

— Rajoutes-en pas, Samuel Chapdelaine, l'invite Antoinette Bouchard. T'as toujours fait comme t'as voulu et la pauvre Laura, le Seigneur veille sur elle, a toujours suivi le mouvement. Tu penses-ti que ça lui plaisait, à chaque fois que la bougeotte te reprenait, de laisser une terre toute nouvellement défrichée pour repartir dans le fond du bois? Peux-tu me dire pourquoi c'est faire que t'as laissé la terre que t'avais faite par icitte? Elle doit pas être meilleure où ce que t'es astheure. Et Laura, eh ben, elle disait pas un mot, elle suivait en silence; alors viens pas nous dire que...

— Je le dis pourtant, Toinette, c'est Laura qui a jamais rien voulu savoir d'aller dans l'Ouest; elle disait qu'elle supporterait pas de rester trop loin d'une église catholique, au milieu de gens qui parleraient pas comme nous autres.

— Vous vouliez vraiment vous expatrier? demande le Français qui, pour la première fois de la soirée, semble s'intéresser à la conversation.

— S'expatrier, s'expatrier... le pays, je le porte en moi. La terre, qu'elle soit icitte ou au sud ou à l'ouest, ça reste que c'est toujours de la terre, et si, en plus, elle est toute prête à labourer... J'admets que de pas avoir d'église autour, ça m'aurait manqué plus qu'y faut, mais pour le reste... J'aurais continué à parler comme je parle, pis Laura et les enfants itou.

À présent le pensionnaire, qui paraît réellement surpris, semble attacher de l'importance à la conversation:

— Et vous n'auriez eu aucun regret à abandonner la terre de vos pères, celle qu'ils vous ont laissée?

— La terre de mes pères... On était une grosse famille chez nous, et tout ce que mon père m'a donné comme héritage, pis c'est pas rien, c'est l'ambition de faire l'ouvrage qui doit être fait. Et puisqu'on en est aux pères, le père du père de mon père, ou çui d'avant, je sais pas lequel, devait ben venir du même pays que vous, et s'il était pas venu, si personne était venu, il y aurait pas de terre pantoute pour nous icitte. C'est pareil pour l'Ouest. Si personne d'entre nous n'a le goût de lever les pieds aujourd'hui, eh ben! y aura jamais de terre pour les nôtres là-bas; d'autres prendront la place.

— N'est-ce pas déjà fait?

— Peut-être ben...

— J'ai un frère qui est par là-bas, fait Antoinette Bouchard, dans le bout de Winnipeg. Ça doit faire vingt ans qu'on l'a pas vu, mais des fois il fait donner des nouvelles. Il dit que ça va pas pire; seulement, il est parti tout seul, pis il a marié une fille de par là-bas qui parle pas comme nous autres, ce qui fait que ses enfants ne parlent pas non plus comme nous autres.

— C'est ce que je voulais dire, argumente le pensionnaire; ici, au pays de Québec, la majorité des gens parlent français parce que des colons français sont arrivés les premiers, qu'ils sont restés et qu'ils ont tenu tête, mais ailleurs, au milieu de toutes les autres races qui se sont ralliées à l'anglais..., peut-être pas vous, mais vos enfants, eux, per-draient leur langue.

Habituée à ne pas s'interposer dans une discussion entre hommes, Maria approuve en silence. Combien de fois déjà a-t-elle entendu dire qu'untel, qui était parti vivre dans les États de la Nouvelle-Angleterre, se plaignait de ce que ses propres enfants oubliaient et même parfois délaissaient volontairement leur langue. N'est-ce pas pour cela qu'elle n'est pas partie avec Lorenzo?

— C'est pas parce qu'ils pourraient perdre la langue qu'ils perdraient la religion, avance Samuel Chapdelaine; et la religion, c'est ça qui compte, non? Regardez astheure, à l'allure où c'est parti: ceusses qui sans raison manquent l'office du dimanche, ceusses qui sacrent sans bon sens, ceusses qui courent les guedounes, ils risquent de perdre ben plus que la langue. Je peux concevoir la religion sans la langue, mais pas le contraire, ça, ce serait la vraie mort de tous nous autres.

Comprenant qu'il ne peut y avoir de discussion sur ce point, le pensionnaire se tait. Chantale qui, durant toute cette conversation, a eu l'air de prodigieusement s'ennuyer, s'empresse de diriger la conversation sur un sujet davantage à son goût:

— Saviez-vous, son oncle, Rachelle, la femme d'Yvon Harvey, ben! elle est partie dans le bois avec un naturel.

— Rachelle! Elle qui était si jalouse qu'elle voulait pas qu'Yvon chante à l'église de peur que les créatures le regardent?

Tandis que Chantale approuve et en rajoute, assistée de sa mère et de sa grand-mère, Maria, qui ne connaît ou ne se rappelle plus des personnes dont il est question, songe aux propos précédents. Et si, comme l'affirme son père, c'est seulement la religion qui compte, pourquoi les voix lui ont-elles imposé de rester? Et si, toujours comme l'a dit son père, il faut que quelques-uns partent pour que la race se propage, alors pourquoi les a-t-elle écoutées? Elle voudrait bien un peu de solitude afin de le leur demander, se manifesteraient-elles encore? Peut-être était-ce une illusion? Peut-être, au fond, était-ce son propre esprit préférant Eutrope à Lorenzo, et qui ne sachant comment le présenter avait choisi cette solution pour qu'elle en vienne à l'accepter? Si François ne s'était pas écarté dans le bois et qu'il eût manifesté le désir d'aller vivre à Lowell ou à Fall River, ou même à Saint-Boniface dans le Manitoba, aurait-elle écouté les voix? Les aurait-elle seulement entendues? Elle sait que non; les voix, ce n'était qu'elle cherchant dans la nuit le moyen d'introduire Eutrope dans son cœur.

Sitôt la table desservie, Samuel Chapdelaine s'est levé en annonçant qu'il allait chez Idola Villeneuve:

— Je repasserai demain vous dire bonjour. Au fait, vous m'avez pas dit combien de temps que Maria devra rester.

— Un bon mois, répondit Antoinette Bouchard, pince-sans-rire.

— Un mois!

— Tu vois, Samuel, tu t'affoles à l'idée de perdre ta fille tout un mois; t'as-ti réalisé au moins qu'au printemps, elle va partir définitivement?

— Je le sais ben, étoile! C'est pour ça que je veux l'avoir encore près de nous autres une petite escousse, fait-il, l'air renfrogné.

— La semaine prochaine, la robe sera terminée, Samuel, tu pourras revenir la chercher.

Son père parti, le pensionnaire s'étant retiré dans sa chambre, Maria, à force d'insistance, a tout de même réussi à se faire accepter à la vaisselle. La laissant finir avec Chantale, Antoinette et Ghislaine sont montées à leur tour en recommandant à Chantale de bien remplir le poêle de bois vert avant d'aller se coucher, puis à Maria de ne pas hésiter à demander tout ce dont elle pourrait avoir besoin.

Après quelques minutes de silence chargé de gêne entre les deux jeunes filles, c'est Chantale qui se décide la première à entamer la conversation:

— Ça fait quel effet de savoir qu'on va se marier? Il est comment ton fiancé?

Cette question rappelle à Maria ce que lui avait dit sa cousine de Saint-Prime qui aimait bien deux garçons, l'un plus que l'autre, mais qui allait épouser l'autre parce que le premier reviendrait trop tard. Tellement étonnée alors, elle se sent à présent dans le même état d'esprit qu'elle.

— Je suppose que ça changera pas grand-chose, répond-elle. Eutrope est un garçon sérieux qui sacre pas et qui prend pas un coup; à tous les deux, on devrait pouvoir faire quelque chose de pas pire.

— C'est tout!?

— Qu'est-ce tu veux dire?

— Ben!... je veux dire l'amour, les sentiments, la passion, enfin tout ce qui compte! On a l'impression que t'es pas amoureuse de...

— Eutrope... Je l'aime ben, il est...

— Tu l'aimes *ben!* Mais c'est justement ce *ben*-là qui me paraît de trop. À la limite, je peux comprendre qu'on se marie sans sentiment, mais comme ça..., juste parce qu'on aime bien...

— Comment ça, se marier sans sentiment?

— Bah!... pour la sécurité, la situation, certains avantages, enfin ces choses-là, tu sais.

— C'est épouvantable ce que tu dis là!

— C'est la vie, chère, chacun cherche sa part de bonheur. Mais se marier comme ça, juste pour se marier... moi, je pourrais pas!

— Ça dépend par où on est passé, répond Maria en regrettant aussitôt ses paroles.

Chantale la regarde avec interrogation, mais n'ajoute rien.

Réfléchissant la clarté lunaire, la couverture neigeuse diffuse une lumière d'argent qui, traversant les petits carreaux de la fenêtre et le rideau ajouré blanc, inonde la pièce d'une lueur irisée. Étendue sur le dos, les yeux grands ouverts, Maria détaille les ombres bleutées et écoute sans pouvoir s'y soustraire le mouvement lancinant de la grande horloge au rez-de-chaussée. Rien autant que ce bruit trop régulier ne lui rappelle qu'elle n'est pas chez elle; et, malgré la joliesse de la maison ainsi que l'attrait du nouveau, cela la rend un peu mélancolique. Elle sait pour l'avoir vécu l'an passé qu'il suffit d'une nuit pour que la morsure de cet ennui s'oublie dans les premières clartés dorées de l'aube, mais, pour l'instant, c'est la nuit. À ses côtés, lui tournant le dos, couchée en chien de fusil, Chantale semble dormir, mais Maria n'en est pas certaine, car depuis un bon moment elle n'entend plus la respiration régulière qui accompagne le sommeil. C'est la crainte de la déranger qui l'empêche de se lever pour se rendre à la fenêtre où, comme elle l'a remarqué avant de se coucher, on peut apercevoir, visibles sous la lune, les chutes à demi glacées de la Mistassini et, tout alentour, l'immense, le sombre et beau pays de François Paradis. Elle sait qu'il ne faut pas penser à lui avec du regret, comme elle le fait en ce moment, surtout dans cette maison où elle est venue pour sa robe nuptiale, mais est-ce sa faute si cette maison est justement à Mistassini? Si l'écho lointain des chutes lui parle de ce qui aurait pu être? Soudain, malgré les préceptes du curé de La Pipe, comme dans un écrin de lumière chaude, elle le revoit près d'elle lors de cette si belle journée aux bleuets, serrant ses grandes mains l'une contre l'autre, le regard rempli d'une émotion qu'elle n'analyse qu'à présent. François Paradis la désirait, comme elle-même avait désiré se blottir tout contre lui. Oui, c'est ça! se blottir contre lui, entre ses bras où elle est certaine à présent que c'eût été à cette seule place qu'elle aurait pu se sentir vraiment bien, vraiment... complète. Et, se rendant compte qu'elle ne pourra pas se réfugier en cette étreinte reposante, qu'inexorablement elle devra oublier, elle éprouve le froid impitoyable qui, surgissant de la nuit boréale comme une langue de glace, l'enveloppe dans le carcan d'airain de la solitude.

C'est à croire que ce froid a réveillé Chantale, car celle-ci, sans même se retourner, reprend le sujet abandonné durant la vaisselle, comme s'il lui avait fallu tout ce temps pour oser poser la question suivante:

— Tu dors pas, Maria? Qu'est-ce que tu voulais dire tout à l'heure par *ça dépend par où on est passé*?

Parce que se confier, c'est aussi un peu se soulager, Maria ne peut s'empêcher de dévoiler à sa cousine ce qui, depuis la visite d'Eutrope, le soir du jour de l'an il y a plus d'un an, lui a ôté le sens de la joie simple et profonde:

— J'ai connu un garçon et il est mort.

Que dire d'autre? Ces quelques mots résument sa déchirure.

— Comment *connu*?

Tout naturellement, comme seules deux cousines du même âge peuvent le faire, Chantale demande s'il faut appliquer au mot son sens biblique. Sans s'offusquer, ni même vouloir s'en défendre, Maria la détrompe:

— On s'était promis de s'attendre. Sûrement qu'on se serait mariés.

— Tu l'aimais, lui?

— Oh oui alors!

Maria a lâché cette affirmation sans pouvoir la modérer.

— Je comprends un peu mieux.

— Quoi donc?

— Tu épouses l'autre que t'aimes *ben* parce que maintenant, au fond de toi, tu te dis que de toute façon, rien ne pourra remplacer le premier.

— C'est pas ça! prétend Maria cherchant par égard et sollicitude envers Eutrope à ne pas laisser entendre qu'il ne serait qu'un second choix.

— De quoi il est mort? demande Chantale, dissimulant par cette question le peu de foi qu'elle a en l'affirmation de Maria.

— Il s'est écarté dans le bois, en décembre l'hiver passé.

— François! François Paradis?

Chantale s'est à présent tournée vers sa cousine et l'observe dans la pénombre argentée.

— Tu le connaissais? s'étonne Maria sans réaliser que le contraire eût été improbable.

— Bien sûr! il était de la place. (Elle hésite puis ajoute:) Prends-le pas mal, mais presque toutes les filles en étaient un peu folles.

— Ah!... euh!... toi aussi?

Chantale a un sourire rassurant et secoue la tête:

— Non, non, il était plutôt beau gars, c'est vrai, mais c'était pas mon type. Cela dit, faut pas que ce que je t'ai appris t'enlève quoi que ce soit; les filles avaient beau loucher dessus, à ce que je sache, il s'est toujours tenu proprement. C'est vraiment malheureux ce qui lui est arrivé, surtout après ce qu'on a su...

Pensivement, Maria fait «oui» de la tête, et Chantale prend pour acquis que sa cousine est au courant des dernières nouvelles:

— Je sais pas si la justice pourra faire quelque chose, c'est enrageant de savoir l'autre tranquille en France.

— La justice? La France? Je comprends pas, Chantale!

— Pour ramener ce Français, cet horrible Grasset.

Maria se redresse complètement:

— Je comprends pas, qu'est-ce que François Paradis avait d'affaire avec ce Français-là?

Même dans la pénombre, le visage de Chantale exprime à présent l'embarras:

— Alors, tu sais pas?

— Ben non! quoi?

— Avoir su alors...

— Mais explique-toi, s'il te plaît!

— Je sais pas comment, Maria. C'est pas beau... Je croyais vraiment que tu savais.

— Moi, tout ce que je sais, c'est que François s'est écarté dans le bois. Qu'est-ce qu'y a d'autre?

— C'est ce que tout le monde a d'abord cru, et c'est aussi sûrement ce qui est arrivé, mais c'est pas tout...

— Ben! alors quoi?

— Durant les fêtes qui ont suivi sa disparition, il y a ce Grasset qui s'est présenté dans un chantier près de La Tuque en racontant qu'il arrivait de l'Ungava et qu'il s'était égaré; comme il était épuisé, ils l'ont gardé quelques jours, puis il est allé à La Tuque où il s'est arrêté dans un hôtel. Il a pris un coup, et c'est là qu'il aurait dit que si la Providence n'avait pas placé quelqu'un sur son chemin, il serait mort de faim. À ce moment-là, personne n'a fait attention à ce qu'il disait, que ça devait être des histoires de gars chaud. C'est juste au début de l'été... (Chantale hésite un peu avant de poursuivre), quand ils ont retrouvé ce qui restait de François...

Maria sent son cœur s'affoler. Ainsi, il n'était peut-être pas mort comme elle se l'était imaginé; il ne s'était pas doucement endormi dans la neige – peut-être en pensant à elle; il y avait eu autre chose!?

— Ce Grasset, il l'aura tué pour lui voler ses vivres? anticipe-t-elle.

— J'aimerais presque te dire oui, Maria, mais c'est pas ça. Le Grasset, il a sûrement pas tué ton François, mais... il l'a mangé... Excuse-moi.

Maria pousse un cri bref, un cri tellement chargé d'une vive douleur que sa cousine frissonne. Cherchant sans doute à épargner le masque de son angoisse à Chantale, elle se précipite à la fenêtre et, les yeux agrandis par l'horreur de la révélation, elle fixe au loin la ligne ténébreuse du bois, ce bois sauvage et cruel qui lui a ravi François et qui, à présent, lui vole ses dernières illusions. À moins que ce ne soit les hommes eux-mêmes, que le bois ne soit que l'enceinte complice de leurs exactions les plus viles! Quoi qu'il en soit, elle regarde la ligne de front des arbres avec répulsion; là est le limon putride d'où s'est arrachée la Faute, tout ce qui vient de lui n'est que barbarie, il faut le faire reculer, reculer, toujours repousser ses limites afin de lui imposer la terre labourée, la sueur du courage, les semences de l'esprit, les maisons des hommes ainsi que l'église de pierre où ils pourront demander de l'aide. De l'aide pour échapper à cette tourbe spongieuse, vivante où, frère cadet du grand silence solitaire, mugit le souffle du nord charriant en lui le souvenir des choses mortes.

— Ça va, Maria?

Chantale a attendu quelques minutes avant de poser la question compatissante qui, selon elle, devrait mettre fin à l'épreuve de sa cousine. Sans se retourner, celle-ci fait signe que «oui».

— Si j'avais su, poursuit Chantale, j'aurais rien dit.

— J'aurais fini par savoir. C'est affreux! Affreux!

— Grand-mère dit que ces choses-là arrivent quand des hommes s'égarent loin de leurs frontières naturelles. Ils deviennent comme des bêtes.

— Je sais même pas si les coyotes se mangent entre eux, et si ta grand-mère dit vrai, alors dépêchez-vous de renvoyer votre pensionnaire chez eux.

— Oh non! lui, il est pas comme ça.

Malgré son tourment, Maria se rend compte que ce plaidoyer est trop emporté pour simplement défendre un point de vue détaché.

— Il est-ti quelque chose pour toi? demande-t-elle.

— Maman trouve que ça me ferait un bon parti, grand-mère aussi. Visiblement Chantale a déjà oublié ce qu'elle vient de rapporter à Maria. Elle ne conçoit même pas, à présent qu'il est question d'elle, que sa cousine puisse penser à autre chose; aussi ajoute-t-elle:

— Comment tu le trouves, toi?

— Il est... différent.

— Ça, c'est vrai; rien à voir avec tout ce qu'on peut rencontrer par icitte. Moi, tu sais, le type colon, ça me tente pas plus qu'y faut. Quel est le plaisir d'avoir un homme qui rentre le soir en sentant l'étable ou le bois, qui sait pas parler d'autre chose que de sa terre ou du temps qu'il fait, qui est habillé comme un épouvantail à moineaux, pis (elle baisse le ton) qui a les doigts tellement calleux que ça doit toute te grafigner la peau quand y te caresse, si jamais y te caresse. Non, merci pour moi! (Revenant sans préavis au pensionnaire, elle ajoute:) Pis j'ai l'impression que sa famille est riche.

— C'est-ti ça qui te plaît en lui?

— Pourquoi pas? ça ne nuit pas...

Partagée entre son chagrin et cette répartie qui l'étonne, Maria ne sait que répondre. Comme si ce silence impliquait que sa cousine se soit rendue à ses arguments, Chantale poursuit:

— Justement, tu pourrais peut-être nous donner des idées; avec maman et grand-mère, on cherche le meilleur moyen pour qu'il s'intéresse à moi.

C'en est trop pour Maria qui, cette fois, ne veut plus répondre ou, plutôt, voudrait répondre par des arguments que sa qualité d'invitée ne lui permet pas. On ne peut insulter quelqu'un sous son propre toit.

— Faudrait mieux dormir maintenant, dit-elle simplement.

Chantale se méprend totalement sur la réponse de Maria:

— Ça serait-ti qu'il te plairait à toi aussi?

— T'es-tu folle? s'indigne Maria.

— Prends-lé pas de même! je croyais juste que...

— Que quoi?

— Ben! vu que, durant le souper, il avait l'air à te regarder plus qu'il faut, je me suis dit que... enfin, tu vois...

— Mais enfin! Chantale, je viens icitte pour faire faire ma robe de mariée, et ça parce que je veux, t'entends, *je veux* marier Eutrope Gagnon, pis toi, tu me demandes si j'ai des ambitions sur le pensionnaire. Pour qui tu me prends?

— Fâche-toi pas, ça peut arriver à tout le monde d'avoir un œil sur quelqu'un sans que ce soit de sa faute; on y peut rien.

— Pour toi, dès qu'on rencontre quelqu'un à notre goût, il suffit de se laisser aller?

— C'est pas ce que j'ai dit... Pis pourquoi tu te choques? J'ai rien fait, moi!

C'est vrai, Maria est obligée de l'admettre. Ce qu'elle reproche à sa cousine, c'est uniquement sa façon de voir les choses, et ça, ça ne regarde que Chantale, sa conscience et, si cela doit être le cas, son confesseur:

— T'as raison, Chantale, excuse-moi; c'est d'avoir appris ce qui est arrivé à François Paradis...

— C'est vrai que ça doit remuer quand on y pense. Oh et pis t'as raison, dormons; demain, il fera clair.

L'esprit en paix, Chantale s'est rapidement rendormie. Maria, elle, ne trouve toujours pas le sommeil. Au contraire. Elle a bien essayé de se dire que la mort est la mort, que peu importe après coup ce qui peut suivre, elle ne voit plus les choses de la même façon. Ce n'est plus l'incontournable Loi de la nature qui a absorbé celui qui devait lier sa vie à la sienne, c'est un étranger, un homme qui vit toujours au milieu des autres hommes, et qui apparemment n'est pas inquiété. Elle s'est d'abord demandé ce qu'elle pouvait y faire, puis a vite conclu qu'elle était impuissante. Mais il lui reste ce goût fielleux qui accompagne le renoncement pratique face à des forces obscures. Pour Maria, à présent, il reste que François Paradis n'est pas vengé, et elle a l'impression confuse qu'il ne pourra pas reposer en paix tant que le ciel ou la terre n'aura pas infligé son châtiment au coupable. De la mort, Maria ne sait que des bribes retirées de l'écoute des Évangiles et surtout des homélies. Outre la géhenne, qui la tracasse, il y a la poussière, la résurrection avec le ciel pour les gentils et l'enfer pour les méchants. D'où lui vient cette idée que François Paradis ne repose pas en paix puisqu'il est poussière? Alors, à l'aide des maigres informations qu'elle possède ainsi que de nombreuses suppositions, elle pense à la mort et, glacée, se demande si sa mère et François ont froid sur et sous la lourde terre grise et gelée, s'ils se sentent seuls, «*toujours seul et immobile pour les siècles des siècles*». À propos de l'éternité, lorsqu'elle était encore toute petite, sa mère lui avait expliqué: «Imagine, Maria, qu'une tortue puisse faire autant de fois le tour de la terre qu'il y a de grains de sable sur celle-ci; eh ben! tout ce temps ne représenterait même pas une poussière d'éternité». Sentent-ils quelque chose, là où ils sont à présent? Elle espère que non en tant que personnes physiques, mais voudrait pourtant qu'ils soient quelque part. En fait, elle voudrait bien être absolument certaine qu'il y a quelque chose d'autre que la poussière éternelle, et, malgré sa foi, cette certitude ne lui est pas accordée autrement que par la conviction. Parfois, c'est insuffisant.

«Seigneur Jésus, aidez-moi, je Vous en prie; je sais que toutes ces pensées sont vilaines et m'éloignent de Vous. Aidez-moi à ne pas me perdre dans ces confusions où le Malin essaie de m'attirer. Vous nous avez donné l'intelligence pour aimer et servir; ne me laissez pas l'utiliser dans la recherche orgueilleuse du sens des mystères qui nous sont impossibles à comprendre.»

Juste avant l'aube, elle a fini par s'endormir. En s'éveillant, elle est étonnée de ne pas rencontrer à travers les mailles du rideau l'éclat bleu dur du ciel qui prévalait la veille. Au lieu de cela, le firmament en entier a pris ce voile gris-blanc uniforme qui préfigure généralement une imminente averse de neige. Sans avoir besoin d'aller à l'extérieur, elle sait que la température doit s'être adoucie, et il lui prend l'envie de sortir et de marcher le long de la rivière pour profiter du court redoux qui, au cœur de cet autre continent nommé l'hiver, devance et accompagne la neige, période courte pendant laquelle la morsure vive du froid fait place à la caresse relativement tiède et floconneuse d'un souffle venu du sud. Un mouvement la fait se détourner, et elle aperçoit Chantale qui s'étire avec une moue enfantine et boudeuse sur le visage. Sa cousine entrouvre un œil:

— Oh!... il fait déjà jour, bougonne-t-elle, j'aurais encore dormi.

Les propos de la nuit concernant le pensionnaire lui reviennent en mémoire. Comment est-il possible qu'elle se trouve à présent dans la maison de trois femmes: la grand-mère, la mère et la petite-fille, ambitionnant toutes trois de séduire un Français simplement parce qu'il doit être fortuné et qu'il se présente bien? À cette heure, les choses lui paraissent moins condamnables que cette nuit, elle en considère plus la naïveté de l'intention que son opportunisme amoral et se sent encline à un sourire teinté d'indulgence.

— Il est pourtant tard, dit-elle en faisant référence aux premières paroles de sa cousine, il doit faire jour depuis un bout de temps.

— Dis-moi pas que vous vous levez encore plus de bonne heure que ça!

— Certain! D'ordinaire, à cette heure, le train est fini, les animaux, nourris, pis les dalots, écurés.

Chantale a une autre moue:

— Je vois pas le plaisir. Je comprends pas pourquoi à tous les dimanches le curé nous rabâche qu'il n'y a rien de mieux que de vivre sur une terre. La Grande Amie qu'il appelle ça... Non, je vois pas pantoute le bonheur.

— On est libre, fait Maria, on n'a pas de maître, on gagne ce qui est mérité, il n'y a pas de tricherie.

— Libre! Eille! Si vous êtes debout avant le jour pour soigner les animaux, c'est plutôt eux autres, les maîtres.

Ces paroles rappellent à Maria celles que Lorenzo Surprenant tenait à sa mère, mais, à l'inverse de cette dernière, ce matin, elle ne se sent pas capable de réfuter les paroles de sa cousine. Elle se contente de l'observer qui va s'asseoir devant le miroir de la commode où, encore une fois avec une moue désenchantée, elle commence à brosser longuement ses longs cheveux couleur paille.

— Je suis pas belle à voir le matin, dit-elle avec une note de lassitude, j'en ai au moins pour une demi-heure avant d'être présentable.

Maria n'en croit pas ses oreilles. Toute cette attention que Chantale a pour sa propre personne lui semble suspecte. Elle craint d'être pernicieusement influencée par ce qu'elle ressent comme un laisser-aller qu'elle associerait presque à ces histoires entendues à propos de la femme d'Hérode.

— Je vais descendre, annonce-t-elle en se glissant sous les couvertures pour se changer.

Chantale, qui la voit faire dans le reflet du miroir, se retourne avec une mimique à la fois surprise et ironique.

— Qu'est-ce que tu fais? demande-t-elle.

— Je me change.

— T'as pas besoin de te cacher, il n'y a que nous dans la chambre.

— Je suis habituée de même, répond Maria, ça me dérange pas.

— T'as de drôles d'idées tout de même...

L'espace d'une fraction de seconde, Maria se demande d'où vient cette odeur d'humus et de sapin qui lui emplit les narines.

Dans la cuisine, elle trouve Antoinette Bouchard et le pensionnaire attablés devant une tasse de thé d'où s'échappent des volutes vaporeuses.

— Tiens! tiens! notre future mariée! l'accueille sa tante. Bien dormi, Maria?

— Bonjour! sa tante. Si on veut, ne peut-elle mentir avant d'ajouter: J'ai appris ce qui est arrivé à François Paradis.

— Une affreuse histoire, opine Antoinette Bouchard en hochant gravement la tête. C'est curieux que t'en parles parce que justement monsieur Le Breton me disait qu'il ne connaissait pas du tout le dénommé Grasset. C'est vrai qu'il paraît qu'en France ils sont des millions... Tu le connaissais, toi, François Paradis?

— Oui, un peu...

En observant le Français, Maria essaie d'imaginer l'autre, celui qui... Mais l'image ne concorde pas avec celui-ci. L'autre, elle l'imagine petit, à moitié chauve, des lèvres lippues, bedonnant, portant un gilet écarlate et ayant de petites mains grasses. En fait, complètement l'opposé du pensionnaire qu'elle détaille avec plus de curiosité à présent qu'elle a appris que Chantale ambitionnait de le séduire. Lui est assez grand, plutôt sec, il n'est pas rasé ce matin, mais son visage est bien dessiné et semble avenant, même si les lèvres s'étirent volontiers vers une ironie marquée par l'orgueil.

«Beau gars», se dit-elle avant de se reprocher ce que, sans chercher à savoir pourquoi, elle considère comme une considération frivole.

Mais ce reproche n'est que formel, il ne l'empêche pas de nouveau, du coin de l'œil, de détailler les mains de l'étranger.

Lorsque Chantale descend, le visage empreint d'un sourire charmeur, Maria ne peut que comparer la métamorphose entre sa moue au réveil et son apparence actuelle.

— Bonjour! tout le monde, lance gaiement sa cousine.

Comme si elle suivait l'intrigue d'une pièce, Maria guette aussitôt la réaction du pensionnaire pour se rendre compte que celui-ci, sans réaction particulière, retourne machinalement le bonjour à Chantale. Elle se fait la réflexion que sa cousine se berce d'illusions et, malgré son désaccord envers le dessein calculateur, anticipant pour elle une déconvenue, elle éprouve presque une vague de pitié.

Elle ne semble pas seule à avoir remarqué l'indifférence du Français; sa tante, qui, l'espace d'un instant, a un éclat dur dans le regard, adresse ensuite un sourire flatteur à l'homme:

— Si vous n'étiez pas trop occupé aujourd'hui, ce serait bien si je pouvais profiter de votre présence.

— Certainement.

— Juste un petit voyage à Saint-Félicien pour aller chercher du matériel.

— Du matériel?

— Du tissu pour la robe de mariée.

— Oh! c'est ainsi que vous employez ce mot.

— Pas par chez vous?

— Euh!... non, je ne pense pas.

— Comment alors?

— Eh bien!... tissu, je crois.

— Ben oui! au fond, pourquoi pas? (Puis revenant au vif du sujet:) Le voisin est un bon ami, c'est lui qui soigne le cheval, je vais lui demander s'il peut atteler la carriole. Vous savez mener?

— Cela ne devrait pas présenter de difficulté...

— Il n'y a pas de raison; et pis Chantale vous accompagnera pour veiller à la qualité du maté... du tissu.

Estimant que ce serait certainement plus à la mariée d'aller choisir, il regarde avec étonnement dans la direction de Maria. S'en rendant compte, Antoinette Bouchard explique:

— Ce serait plus à propos que Maria y aille, mais j'ai besoin d'elle icitte pour prendre ses mesures. Tout ça vous dérange pas au moins?

— Nullement; au contraire, cela me fera voir du pays.

— Certain, et je vous revaudrai ça sur la pension.

— Il n'en est pas question.

D'abord Maria ne sait trop comment réagir tellement les choses ont l'air à se présenter avec naturel. Elle se demande si le pensionnaire a conscience des intentions de ses hôtesses. Puis, se détournant vers la fenêtre pour masquer un début d'écœurement qui pourrait se lire sur son visage, elle aperçoit les premiers flocons d'une averse de neige.

— Je crois que le voyage devra être remis, dit-elle en s'imaginant que la nature se range du côté de la vertu; on va avoir une bordée de neige.

Sa tante, regardant à son tour vers la fenêtre, fait un signe négatif:

— Ça durera pas. Pis de toute façon, si je me trompe (elle se tourne vers Chantale), vous pourrez toujours rester chez Lucette, elle sera contente. Mais je vous dis que ça durera pas.

Et, comme pour lui donner raison, ils entendent des grelots à l'extérieur, puis Samuel Chapdelaine frappe et entre en annonçant qu'il ne s'attardera pas parce qu'il a «un bon bout de chemin à faire».

Prendre les mensurations de Maria a été fait en moins d'une heure. Dans le courant de l'après-midi, elle est allée «prendre une marche» avec Ghislaine dans le village où, en passant devant chaque maison, la mère de Chantale ne pouvait se priver de faire un commentaire propre à situer ses occupants. «Celle-là, c'est la maison de Brossard Nain, qui a marié une Indienne de Pointe-Bleue, pesant trois fois plus que son bonhomme, et elle en profite pour le faire tenir tranquille. À Noël, comme il rentrait chaudasse chez eux, elle l'a garroché drette par la fenêtre du haut. Il a eu beau tomber sur le banc de neige, il s'est cassé le bras pareil. Tiens, icitte, c'est la maison de Benoît Boudreault (son ton se fait plus respectueux), le gros de la place. À voir la cabane, on dirait pas, mais il doit ben être propriétaire de la moitié du canton. Évidemment, il fait beaucoup d'envieux, et ça bavasse pas mal dans son dos. Y en a qui disent qu'il a dû faire ben des affaires croches pour être où ce qu'il est, mais moi, les médisances... je les laisse dire. D'ailleurs, je m'accorde bien avec Benoît.» Elle paraissait toute fière de l'appeler ainsi par son prénom.

De retour, Maria a aidé à divers travaux jusqu'à la tombée du jour, puis elles se sont assises autour de la table en attendant les autres pour souper. Mais lorsqu'il a fait totalement nuit dehors, que les fenêtres n'ont plus renvoyé sur fond noir que le reflet mordoré des lampes, Antoinette Bouchard a conclu que sa petite-fille et le pensionnaire avaient décidé de passer la nuit chez Lucette.

N'attendant plus, elles se rapprochent de la table pour avaler frugalement une soupe aux gourganes ainsi que le reste d'une tarte au sucre.

— Je pense pas qu'il y ait grand-chose à craindre avec ce Français-là, fait Ghislaine, sans que Maria puisse déterminer qui au juste elle cherche à rassurer.

Antoinette Bouchard approuve du menton sans toutefois manifester le soulagement qui devrait être de mise à cette constatation. Au contraire, Maria interprète son mouvement comme un «j'en ai ben peur».

La conversation se poursuit, banale, ponctuée par le bruit des ustensiles. Ghislaine s'enquiert de la vie de tous les jours à Sainte-Monique-de-Honfleur en général et chez les Chapdelaine en particulier. Maria répond par des phrases brèves.

— Quand je pense que ta pauvre mère est partie, ça doit te donner de l'ouvrage en masse.

— Les journées sont bien remplies. C'est sûr que je fais pas aussi ben que sa mère, mais en tout cas...

— Dévalorise-toi pas, ma fille, lui conseille Antoinette Bouchard. Nous autres, les femmes, faudrait apprendre à faire valoir ce qu'on fait. Y a pas que les hommes qui font tourner la terre après tout. À les entendre des fois, on dirait qu'ils font tout, ils oublient que sans nous... Je reconnais qu'ils font des travaux durs, mais, à part ça, ils sont surtout bons à engrosser Simone pis à fêter ça entre eux autres autour d'un baril de boisson.

— Sa tante! s'exclame Maria que ces derniers propos font sourire, mais aussi rougir.

— Ben quoi? Dis-moi pas que t'en as pas entendu d'autres. Mais... j'y pense, est-ce que Laura t'a parlé?

— Parlé?

— Ben! des hommes, de toutes ces choses-là?

— Ben!... je suis au courant pour les menstrues, sa mère m'a expliqué quand c'est arrivé. J'imagine que le reste viendra en temps.

— Faudrait surtout qu'il vienne à temps. Bon! voilà que tu rougis encore astheure. Je sais, je sais, y en a en masse qui disent qu'il faut pas parler de ces affaires-là, eh ben! moi, c'est pas mon avis, pis je crois que si Laura était encore icitte, elle te parlerait de ce qui t'attend.

— De ce qui m'attend, sa tante?

— Tu sais tout de même comment que les hommes sont greyés?

— Ben!... j'ai vu Tit'Bé et Télesphore quand ils étaient petits.

— Bon! et puisque tu vis au milieu du bétail, tu dois savoir comment ils font leurs petits, mais, ce que tu sais peut-être pas, c'est de quoi est capable un homme quand ça le démange.

Le feu aux joues, embarrassée, Maria se contente de regarder ses parentes avec des sentiments contradictoires où s'affrontent la curiosité et la crainte inconsciente de recevoir des informations déformées par un vécu qui n'est pas le sien. Mais Antoinette Bouchard semble avoir pris goût au fait de «parler» à Maria.

— Il faut que tu saches, reprend-elle, que les hommes se couchent pas sur le plaisir juste quand on décide de fabriquer des héritiers; y en a pour qui, veux veux pas, ça doit recommencer à toutes les nuits, et pis, s'il n'y avait que ça, ce serait encore pas si pire, mais il faut aussi que t'aies l'air d'aimer ce qu'il te fait parce que si t'as l'air d'écouter le vent, il peut finir par devenir mauvais après toi, pis, quand ça arrive, y en a qui traitent leur femme pas mieux qu'un vieux piton, des fois pire.

— À toutes les nuits? répète Maria.

— Pas tous, pas tous. Pis aussi quand y vieillissent, y se calment un peu.

— Est-ce que...

— Oui, Maria, pose ta question.

— Est-ce que... Enfin, ça fait-y mal?

Antoinette Bouchard et sa fille s'observent sans expression apparente.

— Un peu les premières fois, répond Ghislaine. Mais, là aussi, il paraît que ça dépend.

Sans oser poser la question, Maria se demande de quoi cela peut dépendre, mais Antoinette Bouchard ne semble pas vouloir la laisser dans l'ignorance:

— Ça dépend de l'étalon, ma fille. Le problème, c'est qu'on connaît le sien qu'une fois qu'on l'a acheté.

— Ah!

— Faut aussi savoir, continue Ghislaine, que ton mari te demandera des fois de faire des affaires... bizarres.

— Ouais! inutile d'entrer dans les détails, ajoute sa mère. Ce qu'il s'agit de savoir, si jamais ça arrive, c'est qu'il faut pas t'énerver, ils sont tous pareils.

— C'est pas très ennimant, fait Maria plutôt décontenancée.

— C'est sûr que là, comme ça, on t'a surtout montré le mauvais côté de la médaille, mais non, c'est pas toujours déplaisant; même que, si tu aimes vraiment ton homme et qu'il t'aime pareil en retour, ça a l'air que tout le reste s'en vient en tiguidou; mais ça..., chacune a sa version. Oh! autre chose d'important qui mérite que tu sois prévenue: arrange-toi toujours pour avoir ta douche vaginale à portée parce que...

— Mais je veux des enfants, sa tante.

— T'en veux, t'en veux, mais combien?

— Autant que le Seigneur voudra ben nous en donner.

— Ben! de ce côté-là, tu vas trouver que le Seigneur, Il est pas regardant; pour ça, Il ne fafine pas. Si tu prends pas de précautions, Il va t'en donner pour les fous pis les fins.

Maria trouve que sa tante prend bien des libertés pour parler de Dieu. Elle se demande si le ciel se rend bien compte qu'elle-même n'est pas responsable de ces propos. Toujours sur sa lancée, Antoinette Bouchard poursuit:

— À mon idée, tu devrais attendre un bout de temps, même que, si tu pouvais faire durer quelques années, le curé en prendrait son parti et supposerait que tu es stérile; tandis que, si tu t'y mets tout de suite pis qu'ensuite tu veuilles souffler un peu, il arrêtera pas de t'achaler; tu comprends, pour eux, plus qu'il y a de petits chrétiens, plus qu'il y a de monde à la messe...

— Pis mon mari dans cette histoire? demande Maria sans seulement penser qu'il puisse y avoir un sous-entendu cynique dans les derniers mots de sa tante. Qu'est-ce qu'il va dire, lui?

— Tu es une belle fille, Maria. Les premiers temps, il saura ben faire son profit de ce qu'il aura. T'en fais donc pas pour ça. Les hommes, quand ils ont la crèche, ils ne réclament pas tout de suite le p'tit Jésus.

— Mais... vous avez pourtant eu Ghislaine au début de votre mariage?

— Un accident. Remarque ben qu'aujourd'hui, je suis contente de l'avoir, mais à l'époque, c'était rien qu'un accident; c'est pour ça que je te dis de toujours garder ta douche vaginale à ta portée. Moi, quand je suis tombée en famille, on vivait à l'époque chez mon beau-père; on venait juste de changer de chambre avec eux autres et toutes les affaires étaient pas encore mouvées, dont cette fichue de poire. Évidemment mon bonhomme a voulu essayer le nouveau lit... et, comme j'étais pas pour aller la récupérer au milieu de la nuit dans la chambre des beaux-parents, ben Ghislaine est arrivée neuf mois plus tard.

Maria est amusée par l'histoire et le montre, mais, quelque part en elle, une voix proteste: «Comment qu'on peut décider soi-même si on aura ou non un petit bébé alors que le couple a été uni?» Selon tout ce qu'elle sait, cette idée la dérange. Et puis ces hommes, «*ils doivent pas tous être de même*». Elle a beau faire preuve d'imagination, elle ne parvient pas à se représenter Eutrope lui imposant de douloureuses faveurs, soir après soir, et sans concession. «*Peut-être qu'il cache son jeu?*»

Emportée par la conversation, Ghislaine aussi veut lui faire profiter de son «expérience»:

— Je connais les hommes, assure-t-elle, ils font tous un peu les farauds comme ça, mais si t'es capable de montrer au tien qu'il t'en impose pas au lit, si tu peux lui laisser entendre qu'il a rien de ben exceptionnel, tu devrais pas trop avoir de misère à en faire ce que tu veux.

— Mais je veux pas en faire quoi que ce soit! Je veux qu'il reste lui-même, s'indigne presque Maria en songeant par ailleurs que l'approche préconisée n'a pas trop bien réussi à sa conseillère et, poursuivant dans le même ordre d'idée, elle se demande si le mari de cette dernière n'a pas justement été chercher ailleurs ce qu'il ne trouvait pas chez lui. Présumant peut-être cette réflexion, Ghislaine ajoute:

— J'ai pas eu à utiliser cette tactique, le mien était rond comme une queue de poêle à tous les jours que le Bon Dieu faisait et, comme chacun sait, un homme chaud, ça se fait en masse des accrères entre les deux oreilles, mais pour ce qu'est de l'action...

«*À les écouter*, se dit Maria, *les hommes sont rien que des animaux.*

C'est décourageant. Je suis peut-être tout aussi ben de pas faire attention à ce qu'elles racontent.» Puis, elle se souvient d'un sermon du prêtre de Péribonka, au début de l'été, où, en allégorie, il avait d'abord été question de la sève qui monte dans les branches, puis de celle qui «travaille» les hommes, et là, les bras tendus, fortement appuyés sur le garde-fou de la chaire, fixant tout le monde comme s'il fixait chacun en particulier, il s'était emporté: «Celui qui pèche par ambition, il pèche comme un ange, celui qui pèche par avarice, il pèche comme un homme, et celui qui pèche par la chair, il pèche comme une bête». Dans le fond, si des gens peuvent se comporter comme des bêtes, ses tantes n'ont peut-être pas vraiment tort. À cette question, sans que rien ne l'appelle, vient se greffer l'image de Chantale devant son miroir, puis, en surimpression, celle des mains du pensionnaire. Comme pour chasser un insecte achalant, Maria secoue vivement la tête, effrayée par ses propres pensées.

En refermant la porte de la chambre, Maria n'est plus tellement convaincue d'apprécier toute cette intimité qui brusquement l'enveloppe du lourd manteau de la solitude. Jamais, même à Saint-Prime l'année d'avant, elle ne s'est retrouvée pour toute une nuit seule dans une pièce close. Indécise, étreinte par une vague angoisse, elle s'assoit sur le bord du lit face à la fenêtre, les mains nouées sur les genoux, le regard perdu dans la nuit sans étoiles au-delà des vitres, au-delà des chutes et du village des Trappistes. Elle qui s'est toujours figuré que cette intimité devait être merveilleuse, pourquoi se sent-elle si mélancolique? Même si rien n'est plus pareil depuis que Laura Bouchard est partie, les bruits, les odeurs, l'activité ainsi que la promiscuité de la maison des siens, tout cela lui manque. Ici, dans cette maison qu'elle a trouvée magnifique à l'arrivée, tout a déjà perdu son attrait. Bien sûr, elle est remplie de beaux objets, meublée avec goût, mais à quoi bon s'il y manque ce petit quelque chose qu'elle est incapable de définir et qui se trouve chez elle? Elle soupire profondément. Pourquoi le monde est-il si sombre? Plus qu'elle ne se le formule, elle ressent toute l'immense solitude qui s'étend, infinie, par où se porte son regard aveuglé. Une force brute où le végétal ne s'arrache au minéral que pour l'amplifier, prolongement insensible du cosmos glacé: Maria en perçoit l'éternel aiguillon acéré qui cherche à pénétrer son âme. Là, en pleine nuit, parfois si terriblement beau, se trouve le royaume d'un cœur de granit noir, battant au seul rythme des forces telluriques. Parce qu'elle est seule, c'est tout cela qui entre en elle, s'arrogeant sa chaleur, ne laissant en retour que le froid de ce qui n'a jamais été chauffé à la lumière de l'amour.

Abandonnant la direction de la fenêtre, dans la faible lueur jaune que diffuse la lampe à crémaillère, elle rencontre une partie de son reflet dans le petit miroir de la commode. Pendant quelques secondes, elle s'observe, détourne les yeux comme si elle croisait ceux d'une inconnue, revient plusieurs fois au miroir, jusqu'à ce qu'elle s'ordonne de cesser. Alors, elle s'approche du meuble et, comme Chantale ce matin, avec la vague notion d'enfreindre quelque frontière interdite, se dévisageant au point de ne plus se reconnaître, elle prend la brosse à cheveux posée sur le meuble et, d'un geste lent, brosse sa chevelure. Sans se le dire verbalement, elle trouve agréable de se rencontrer, de faire un peu attention à soi et, même, de se trouver jolie.

Se glissant entre les draps froids, comme s'il était là, dehors, comme s'il emplissait l'atmosphère de Mistassini, François Paradis s'impose de nouveau à elle. Mais, cette fois, à la façon d'une mère qui réprimande son enfant – avec amour, mais fermement, elle lui demande de s'en aller. «*Faut me laisser, François. Je suis promise à Eutrope, astheure.*» Puis, ayant demandé à Marie de veiller sur lui, sur sa famille et sur Eutrope, elle s'endort avec l'image réconfortante de ce dernier, fort et vivant, une main sous la joue, l'autre à plat sur l'oreiller, les dents supérieures mordillant sa lèvre, un pli douloureux au coin de l'œil.

Chantale et le Français sont revenus le lendemain après-midi et, tout de suite, Maria a remarqué que sa cousine était d'humeur maussade. Elle se doutait bien que, avec le pensionnaire, les événements n'avaient pas dû évoluer dans le sens désiré. Ce ne fut toutefois que le soir, une fois qu'elles furent couchées et la lampe éteinte, que Chantale raconta son échec:

— Rien, rien! Il m'a même pas regardée, cet innocent-là, comme si j'existais pas; il est pas normal!

— Ça se peut qu'il ait quelqu'un par chez eux.

— On le saurait, il aurait du courrier. Tout ce qu'il reçoit, ce sont des lettres de sa mère.

— Comment le sais-tu?

— Je le sais, c'est toute.

— Fâche-toi pas, mais t'es peut-être pas son genre.

— Son genre, son genre! Est-ce que je suis si pire que ça? J'ai tout essayé, Maria; en traversant la frique de Saint-Méthode, j'ai fait celle qui gelait. Rien pantoute, il m'a juste demandé si je voulais m'enrouler dans la couverte. Tu parles!

— Que voulais-tu qu'il fasse?

— J'en sais rien, moi, me prendre par l'épaule, des gestes comme ça...

— C'est un homme bien élevé, il voulait pas profiter de la situation.

— Je crois surtout qu'il veut rien savoir de moi.

— On peut pas reprocher ça à quelqu'un.

— Certain qu'on peut! Pis je vais demander à grand-mère qu'elle invente une histoire, de la visite de la parenté, n'importe quoi pour dire au Français qu'on a besoin de sa chambre; n'importe quoi, mais qu'il s'en aille d'icitte. Je veux plus rien savoir de lui, le maudit écœurant!

— Chantale!

— Ben quoi?

— Il t'a rien fait.

— Comment ça, il m'a rien fait? Il est là, beau gars, bien mis, tout propre, même s'il se fait pas la barbe à tous les jours, il est d'une bonne famille, il sent pas l'étable, le bois ou la boisson; alors, il doit ben se douter ce que ça fait sur une fille comme moi! C'est comme si qu'il riait de moi.

— Tu seras jamais heureuse si tu penses de même.

— C'est toi, ma pauvre, qui seras jamais heureuse. Tu vas marier un pauvre gars dont t'es même pas amoureuse, qui a rien d'autre à t'offrir qu'une terre aux trois quarts en bois deboutte, loin de tout, et tu viens me dire que c'est moi qui serai pas heureuse! Regarde donc la vérité en face, Maria Chapdelaine!

Les yeux pleins de larmes, Maria n'a su que répondre sur-le-champ. Les mots de sa cousine n'inventaient rien. Même en étant persuadée du bien-fondé de ses intentions, elle se demande comment expliquer à sa cousine ce qu'elle-même ne peut toujours pas comprendre.

— On peut pas comprendre..., finit-elle par dire.

— Ça, pour ça, tu as raison; on peut pas comprendre...

— Pourtant, il y a en masse des affaires qu'on ne comprend pas et qui nous font du bien pareil.

— Comme quoi?

— Ben! je sais trop..., une fleur: qui peut expliquer la beauté d'une fleur? et pourtant, ça fait du bien.

— Surtout si c'est un beau gars qui te l'offre.

Cette dernière remarque, dite sur un ton où perçait l'annonce d'une reddition, soulagea Maria et la fit rire.

— Est-ce qu'il t'en a offert des fleurs, ton Eutrope?

Cette question rappela à Maria ce dimanche de la fin juillet où toute la famille avait contribué au ramassage de la première coupe de foin. Au crépuscule, elle et Alma-Rose étaient allées faire une promenade sur le chemin, tranquilles, humant la fraîcheur du soir où se mêlaient une profusion de bonnes odeurs: celles du foin coupé, des framboises trop mûres, de la terre chaude et des fleurs sauvages aux «baumes» entêtants. Elles avançaient, heureuses, laissant souvent leurs yeux s'égarer dans le firmament violacé. À un détour du chemin, elles avaient aperçu Eutrope qui venait certainement veiller chez elles. Celui-ci, ne se sachant observé, se penchait dans les hautes herbes bordant le chemin, la mine sérieuse, cueillant çà et là avec soin des fleurs champêtres qu'il regardait avant de rejeter celles qu'il ne jugeait pas dignes du regard de Maria, jusqu'à ce qu'il découvre sa fiancée en face de lui. Sa première réaction fut de jeter le bouquet vivement au loin derrière lui, gêné d'être surpris dans un moment pour lui de «*faiblesse*».

— Oui, répondit néanmoins Maria à sa cousine, il m'a déjà cueilli des fleurs.

Puis les jours se sont succédé lentement, chacun apportant à la robe de Maria une nouvelle touche dont l'harmonie la comble petit à petit d'un peu plus de félicité, comme si chaque pièce ajoutée représentait une pierre de plus à l'édifice de son avenir. Aujourd'hui la robe est terminée, elle l'a essayée une dernière fois pour une ultime retouche, et, dans le miroir, elle a vu une jeune femme prête à donner au monde une famille qui grandira, s'épanouira et contribuera à faire reculer davantage la ligne sombre et menaçante du bois. Mais, pour l'instant, occupée à diverses tâches, elle tourne en rond dans la cuisine en attendant son père qui doit «enfin» venir la chercher.

Lorsqu'il arrive, elle reconnaît immédiatement le son des grelots de la carriole et aussitôt se précipite à la vitre de la porte pour l'apercevoir qui descend du véhicule.

— Bonjour! son père, fait-elle simplement en ouvrant la porte.

Ces quelques mots, qui sous d'autres cieux pourraient paraître bien laconiques, portent cependant en eux toute la joie qu'elle éprouve à le retrouver. Il le sait et sa réponse est de la même nature:

— 'jour! Maria.

Les trois autres femmes de la maison viennent à sa rencontre.

— Vous allez être tannées de me voir, fait-il sans que cela ne paraisse le moins du monde l'affecter.

— Pas encore, Samuel Chapdelaine, lui répond sa belle-sœur. Eh! mais dis donc! t'es déjà habillé pour la noce ou quoi?

Samuel Chapdelaine a dénoué l'écharpe qui tient son manteau dont les pans, en s'écartant, ont laissé apparaître un «habit» de laine foncé dont Maria ne se souvient pas.

— Vous êtes chic! son père, s'exclame-t-elle à son tour.

— Ben!... c'est parce que l'autre jour, en visite chez Idola, je m'attendais pas à ce que sa sœur de Québec soit là... C'est pour ça qu'à matin, juste avant la messe, je suis passé au magasin chez Donat pour m'habiller un peu, des fois que... C'est quasiment gênant d'arriver en vagabond quand il y a du monde.

— Du monde! lance Ghislaine sur un ton faussement outré, alors, nous autres, on est pas du monde, il faut que ce soit la sœur d'Idola Villeneuve pour que vous vous disiez que ça vous prend un habit neuf!

Samuel Chapdelaine, visiblement embarrassé, tente de se défendre:

— Je me suis emmêlé dans mes mots...

— Allons donc! son oncle, le coupe Ghislaine sur un ton semi-complice, on connaît ça... Pas la peine de vous enfarger dans les explications.

Hormis son père, qui néanmoins affiche le masque de l'humour, seule Maria ne trouve pas cela très drôle. Pour tout dire, elle est atterrée; comment son père peut-il penser à faire le coq pour une inconnue de Québec alors qu'il ne se passe pas une heure sans que ne surgisse le souvenir de Laura Chapdelaine? Bien sûr, Maria a déjà pensé qu'un jour, un moment indéfini dans un vague lointain, son père devrait ranger son deuil et peut-être chercher quelqu'un de «gentil» pour les vieux jours; pour être mieux armé contre la solitude, pour s'occuper de la maison, pour que les reproches ne s'évanouissent pas dans le silence des murs, pour éponger le chagrin de voir s'écouler le fil du temps. Mais là... arriver avec un habit tout neuf pour cette... Comment s'appelle-t-elle?

Et, en ayant l'air de trouver cela très amusant, comme si elle n'y attachait aucune importance, elle demande à la ronde:

— C'est quoi son nom à la sœur d'Idola Villeneuve?

— Pâquerette, lui répond Antoinette Bouchard avec, dans la voix, quelque chose qui semble signifier: «Ben! tu vois, ma fille, ils sont de même les hommes.»

Selon cette habitude établie partout lorsque de la visite arrive, tout le monde se retrouve dans la cuisine, autour de la table. Ghislaine propose du thé qu'accepte Samuel Chapdelaine en regardant autour de lui:

— Le Français est-ti parti?

— Non, mais il est toujours rendu chez les Trappistes, lui mentionne Antoinette Bouchard. Peut-être ben qu'y veut faire un moine; si c'est le cas, ça devrait pas trop y coûter...

Les propos se poursuivent sans grand intérêt, surtout pour Maria encore secouée à l'idée que son père ait pu songer à s'habiller pour la sœur d'Idola. «C'est normal», tente-t-elle de se convaincre en se faisant le raisonnement qu'elle-même, qui, dans un sens, s'était promise à François Paradis aux bleuets, s'est pareillement promise à Eutrope avant qu'une année ne se soit écoulée. «*Mais moi, j'étais pas mariée*», se convainc-t-elle, «*il l'a bien dit, le prêtre, à La Pipe. Et pis, quand on se marie, on fait plus qu'un seul, c'est quoi l'affaire si on va chercher ailleurs sitôt que l'autre est parti?*» Quelque part une réponse, que l'affection qu'elle porte à sa mère lui dénie d'écouter, tente de lui suggérer que la vie doit continuer; Télesphore et Alma-Rose sont encore jeunes. Si une femme prenait la maison en main, ce serait certainement plus facile pour eux. Les vivants doivent d'abord penser aux vivants; hormis prier et faire dire des messes, ils ne peuvent plus rien pour les morts. «*C'est faux!*» décide-t-elle.

Une intonation caustique de Ghislaine la tire de ses réflexions. Quelques bribes suffisent à lui faire comprendre qu'il est à nouveau question de la sœur d'Idola. Ghislaine, selon une habitude que Maria a souvent remarquée au cours de cette semaine, relate des faits dans un sens peu flatteur:

— ...pour partir avec son fonctionnaire de Québec, elle n'a pas hésité à laisser tomber Luc Verville. Il s'en est jamais remis, le pauvre, et ça m'étonnerait pas pantoute que ce soit à cause de ça qu'il se soit tiré avec son douze. Non, la Pâquerette... Et astheure que son fonctionnaire est mort, comme quoi tout se paye, hein, elle revient icitte chez son frère, comme si qu'elle était chez elle.

— Elle y avait rien promis à Luc Verville, la défend Samuel Chapdelaine. Pis faudrait vraiment qu'un homme soit dérangé pour aller se tirer pour une créature.

— Je l'ai connu, moi, le p'tit Verville, dit Antoinette Bouchard. C'est vrai qu'il s'était jamais remis du départ de Pâquerette. C'est depuis ce temps-là qu'il prenait un coup pas mal. Je me rappelle qu'un été, il est arrivé sur la galerie chez nous, tout branlant, tellement qu'il a failli se casser le cou en essayant de s'asseoir dans la balancine, pis que finalement il s'est retrouvé les quatre fers en l'air, effoiré dans le carrosse du bébé, braillant sur le mauvais tour qu'elle lui avait joué, disant qu'il pourrait jamais en aimer une autre, que c'était celle-là qui comptait, qu'il en rêvait à toutes les nuits. Ouais! je me rappelle qu'il pleurait pour vrai, avec des grosses larmes d'enfant, pis aussi qu'il avait pissé dans son pantalon, qu'il faisait chaud et que ça sentait pas diâbe bon. Un homme, quand c'est en boisson, ça sait pas se tenir.

— Moi, j'ai fait que répéter ce que j'ai entendu, ajoute Ghislaine, en ayant l'air de se laver les mains de ce que l'on pourrait faire fi de ses observations.

Au début irritée, Maria a compris au terme d'une semaine dans cette maison que ce n'est pas vraiment par méchanceté que Ghislaine pose constamment des allégations sur les autres. C'est plutôt sa façon à elle d'affirmer qu'elle ne pourrait jamais agir ainsi et, de ce fait, qu'elle est quelqu'un de bien, de même que la sévérité marquée des trois femmes pour la gent masculine découle plus d'une façon particulière de s'affirmer que d'un véritable ressentiment. Il ne reste en dehors de son indulgence que cette façon qu'elles ont eue de cibler le pensionnaire en calculant, d'après ce qu'il représente, les chances de bonheur de Chantale. Ont-elles agi ainsi avec leurs maris respectifs? Et, s'il faut en croire Ghislaine, se pourrait-il que la dénommée Pâquerette soit du même type? Se surprenant à l'envisager avec une certaine satisfaction pour «*punir*» son père de si rapidement «*oublier*» celle qui est partie, elle se fustige moralement.

Comme s'il l'avait attendu, Samuel Chapdelaine interpelle avec un entrain teinté de bonne humeur le pensionnaire alors que celui-ci passe à peine le seuil d'entrée:

— Tiens, tiens! voilà notre voyageur! C'est-ti que vous aimez la place? Peut-être ben qu'on va avoir un nouvel habitant!

— Ah! bonsoir! monsieur Chapdelaine. Content de vous revoir, sauf que je présume avec tristesse que vous allez nous enlever votre fille?

— Ben certain! (L'œil du père Chapdelaine brille d'un éclat amusé.) Je ne suis pas pour la laisser trop longtemps sous le même toit qu'un Français de France; qu'est-ce que dirait son fiancé?

— Hum!... J'ai comme l'impression que mes compatriotes ne jouissent pas d'une très bonne réputation.

— Ça, je peux pas prétendre qu'on entend pas souvent dire que ceusses de par chez vous soient pas mal portés sur la chose...

À ces mots, le visage du Français exprime un vague agacement mêlé d'incompréhension.

— J'aime beaucoup votre pays, dit-il, et je comprends fort bien que vous l'aimiez tant, seulement je crois que certains l'aiment tellement qu'ils en deviennent... (il voudrait dire xénophobes mais, se faisant la réflexion que le terme serait incompris, il en choisit un autre) méprisants pour les étrangers. Ne parlons pas des Anglais auxquels, et j'ignore pourquoi puisque finalement c'est la France qui leur a cédé le Canada en échange de quelques îles, ces Anglais donc auxquels vous attribuez tous les maux de la terre, ni des Américains qui vous ressemblent tant, mais que, pour des raisons qui m'échappent, vous assimilez au diable, ni des Noirs ou des Chinois dont vous avez peur, pas plus des Italiens dont vous vous méfiez ou des juifs dont le seul nom est pour vous une injure, et encore moins des Indiens que vous appelez «sauvages» et à qui vous reprochez qu'ils vous reprochent ce que vous-mêmes reprochez à tous les autres. Parlons seulement des Français, des Belges ou des Suisses; si je prends mon cas, en descendant du bateau à Québec, ne connaissant pas les coutumes ou les produits locaux, et ayant l'habitude dans mon pays de fumer du *Caporal*, je fis la bévue, lors de mon premier achat, de demander un paquet de ce tabac. On m'a répondu sèchement: «Allez-vous-en chez vous si y vous plaît pas notre tabac!» Plus tard, lors de mon passage à Chicoutimi où je sollicitais un emploi, il me fut répondu par le patron en personne, un homme qui ne me connaissait pas, que je faisais partie d'une classe d'immigrants aux idées malsaines, sans foi et sans religion, des individus auxquels on ne devrait pas donner asile, des gens à qui il faudrait refuser tout travail, tout patronage et tout encouragement, et que le mieux que je pourrais faire, moi et les miens, serait de déguerpir, que nous n'étions pas les bienvenus. Il est heureux pour moi que des employeurs anglophones m'aient accordé plus de confiance... Ces exemples ne sont que quelques pics au milieu d'une chaîne montagneuse constituée d'idées reçues comme celle à laquelle vous venez de faire allusion. Je suis certain que les Canadiens français doivent être mieux reçus en Europe que nous ne le sommes ici.

Jamais le pensionnaire n'a tant parlé, et, si tous comprennent que c'est une certaine frustration qui l'y a poussé, ils l'observent néan-

76

moins avec stupeur, peinés d'être ainsi perçus. Il se rend soudain compte que ses interlocuteurs ont pris tout ce qu'il a dit au pied de la lettre; Antoinette Bouchard est persuadée de l'avoir «mal reçu»; les Chapdelaine cherchent en quoi ils ont pu se montrer «méprisants». Prenant conscience de les avoir blessés, ne comprenant pas pourquoi ils ne se défendent pas, ne soupçonnant pas de par son éducation européenne que ces gens sont naturellement enclins à la camaraderie les uns envers les autres plutôt qu'à l'hostilité, il tente de rectifier ses paroles:

— Je me suis mal exprimé. Lorsque je dis que nous sommes mal reçus, je ne parle certes pas de l'hospitalité individuelle, telle que la vôtre, qui est digne de tout éloge; pas plus que je veuille insinuer que vous, monsieur Chapdelaine, ou vous, madame Bouchard, ayez prononcé quoi que ce soit contre moi ou d'autres étrangers. Non, je ne faisais qu'exprimer une opinion vis-à-vis du pays de Québec en général.

— Le pays, c'est tous nous autres, répond Samuel Chapdelaine.

— C'est différent..., assure le Français.

Ces derniers mots ne rassérènent pas le père Chapdelaine, au contraire; s'il y a un point sur lequel les gens d'ici sont susceptibles, c'est bien d'être perçus différemment de ceux des régions plus anciennement colonisées de la vallée du Saint-Laurent. Cette différence, lorsqu'elle est exprimée par un étranger, est reçue généralement de façon négative. Cette fois, il répond avec irritation:

— Différent! C'est pas parce qu'on reste plus proche du bois qu'on est plus gnochons que les autres! Vous autres de l'Europe, vous aimez ben ça dire aux autres comment que vous les trouvez, mais dès qu'à notre tour on vous dit votre fait, ça va plus, vous voilà insultés ben noir. Y a rien d'insultant à dire son fait à quelqu'un; en tout cas, ça vaut mieux que d'y mentir en pleine face et de le flatter dans le sens du poil. C'est vrai que les Français y sont courailleux, c'est vrai qu'ils se pensent si fins qu'ils s'imaginent pouvoir se passer de la religion, pis c'est vrai itou que, parce que vous formez vos mots pointus, vous vous pensez un brin plus haut que les autres. Mais que c'est que vous avez donc fait qui vous fait vous sentir si haut? (Se calmant, et de nouveau avec un éclat rusé et rieur au coin de l'œil, il ajoute:) Évidemment là,

77

je parle des Français de France en général, vous, c'est différent...

Le pensionnaire, d'abord légèrement hésitant, se décide à sourire sans arrière-pensée:

— Vous avez raison, monsieur Chapdelaine, nous n'avons rien fait qui vaille la peine de se sentir mieux que les autres. Pour tout vous dire, je vous avoue que je suis parti parce que j'en avais assez de la vieille Europe, de ses manières faussement sophistiquées, de ses préjugés mesquins, de sa décrépitude morale, de ses fausses grandeurs; du reste, je ne suis même pas resté à Montréal que je trouvais encore trop européenne...

Se rendant compte que ses interlocuteurs ne le suivent plus du tout, il se tait subitement. Selon lui, les cinq paires d'yeux qui l'observent ont l'air de se demander: «Quel genre d'homme est-ce là qui quitte son pays et en fait le procès devant des étrangers?»

Il se méprend sur leurs réactions; Maria en son for intérieur se dit seulement qu'il a dû y passer une jeunesse bien malheureuse pour ainsi *«décrier son pays»*.

Ghislaine, qui a le plus parlé avec lui, croit pouvoir interpréter aux autres ce qu'il a voulu dire:

— Il préfère ça par icitte parce qu'il aime mieux la nature que les villes; il trouve que c'est plus sain.

Ils opinent vaguement, ne comprenant pas au fond ce qu'il peut y avoir de si terrible dans ces villes que leur imagination se figure baignant dans un halo féerique. Antoinette Bouchard, se dépêchant de changer le cours d'une conversation qui risque de gâcher la soirée, se tourne vers son beau-frère:

— Pis, à part de ça, qu'est-ce que ça dit à Honfleur?

Ce soir, puisqu'il ne s'agissait plus de «grandes retrouvailles», il n'y a pas eu de volaille au menu; simplement des patates fricassées et des trempettes de sirop. Sitôt le souper terminé, Samuel Chapdelaine s'est levé en annonçant qu'il allait voir si Idola n'avait pas «perdu sa jasette», puis, se tournant vers le Français, il a ajouté: «Vous devriez le rencontrer un de ces jours pour le convaincre. Il n'aime pas les Anglais pantoute; le pire, c'est que je ne suis même pas sûr qu'il en ait déjà rencontré un.»

Après son départ, Chantale est montée à sa chambre en prétextant un mal de tête qui avait l'air bien réel à en juger par ses traits tirés et sa pâleur. Comme s'il profitait de l'occasion, dérogeant à son habitude de toujours monter après le repas, le pensionnaire est resté assis à table, bourrant tranquillement sa pipe de bruyère pendant que Maria et Ghislaine commençaient la vaisselle.

— J'ai trop parlé, dit-il comme pour lui-même. On ne devrait jamais exposer ses idées; de toute façon, elles ont toujours leurs contre-parties tout aussi justes, et elles ne font que susciter des chicanes, comme vous dites ici.

— Ça, c'est ben vrai! l'approuve Antoinette Bouchard; les grandes idées, on devrait laisser ça aux politiciens pour qu'ils fassent leur beurre avec; autrement, ça sert juste à faire des embrouilles entre les braves gens.

Maria écoute d'une oreille distraite, les pensées écartelées entre le fait de savoir son père qui en ce moment doit être en présence de la Pâquerette, et, assis dans son dos, l'étranger auquel elle vient de découvrir en imagination un passé malheureux dans un pays qui l'intrigue. Pour la première fois, elle pense à lui en tant qu'homme et se rend compte qu'elle vient de passer plusieurs jours sous le même toit que lui, et parce que cette constatation la fait se sentir plus proche de lui, elle se demande pourquoi elle n'a pas cherché à lui parler davantage. Il vient d'un autre pays, presque d'un autre monde, il est seul et, excepté une question ou un mot par-ci, par-là, personne ne fait attention à lui. À cette constatation, elle éprouve une compassion que tempère une morale fixant des limites aux relations *acceptables* entre un homme et une femme que l'âge pourrait rendre susceptibles de ressentir une quelconque attirance.

— Pis? allez-vous faire un livre? demande-t-elle sur le ton de la simple conversation polie.

— Je crois que c'est sur la bonne voie... En tout cas, si jamais cela se concrétise, je vous promets de vous en envoyer un exemplaire.

— C'est bien aimable, refuse-t-elle sans faux-semblant, mais je sais pas lire.

Elle ne s'est pas retournée et ne peut le voir qui l'observe avec une surprise non dissimulée:

— Ah! mais vous êtes jeune, vous n'êtes pas allée à l'école?

— On est toujours restés trop loin pour ça. Et pis, à quoi ça servirait, j'ambitionne pas de faire un professeur.

— Il y a autre chose, ne serait-ce que le plaisir de lire...

Cette fois, elle se retourne, étonnée:

— À quoi ça sert de lire si on est pas professeur ou prêtre, ou ben notaire?

— Eh bien!... à apprendre, à vivre des histoires différentes de la nôtre.

— D'après ce que je sais, ça se résume toujours à des histoires pour faire pleurer; on a de reste de la misère comme ça sans aller en chercher dans les livres. Tout ce que j'ai besoin d'apprendre, je crois pas que ce soit dans les livres, ou ben alors Monsieur le curé nous en parle à la messe.

— Moi, je sais lire, fait Ghislaine avec une certaine fatuité, même que j'ai lu pas mal de livres, surtout des aventures. (Puis, s'adressant principalement à Maria:) C'est pas toujours triste les livres, tu sais, au contraire; y a des fois où tu pars avec les personnages dans des aventures qui justement te font oublier certains jours où ce que ça paraît gris en verrat.

— Pour ça, y a la prière, croit devoir signaler Maria. Et pis je me demande si c'est vraiment catholique d'écornifler de même la vie de gens qui ont seulement pas existé pour vrai.

— Oh! mais il y a des prêtres qui ont écrit des livres d'aventures, affirme le pensionnaire.

— Peut-être ben... de toute façon, commencer à apprendre astheure, juste pour lire quelques livres...

— Quoi qu'il en soit, si le mien se fait, je vous en enverrai un; ce sera un souvenir.

— Un souvenir de quoi?

Maria ne comprend pas pourquoi cet homme, qu'au fond elle ne connaît pas, voudrait lui envoyer un souvenir. Cette promesse qu'elle trouve d'une intimité presque déplacée la désarçonne un peu. Elle se demande si son père n'a pas eu raison tout à l'heure en laissant entendre que les Français étaient des «chanteux de pomme». Cette hypothèse, contre laquelle elle voudrait s'indigner; une certaine rougeur envahit ses joues.

— Moi, ça me plairait, assure Ghislaine. Est-ce que vous allez parler de nous?

— Peut-être..., répond-il avec un peu de mystère. (Puis à Maria, pour répondre à sa question:) Un souvenir des quelques jours que nous avons passés ensemble dans cette maison.

«*C'est ben un chanteux de pomme*», se dit Maria, qui est cependant loin d'être convaincue par sa propre affirmation vis-à-vis de cet homme autrement d'attitude si réservée. «*À moins que ce soit la manière d'être des Français?*»

La vaisselle terminée, il n'y a rien d'autre à faire que de s'asseoir autour de la table. Ratant de nouveau une patience, Antoinette Bouchard ramasse les cartes dans un soupir et propose aux autres de jouer au Trente et un. Le pensionnaire hésite un instant avant d'acquiescer:

— Il y a longtemps que j'ai joué...

— Vous jousiez pas chez vous? demande Antoinette Bouchard en «brassant» les cartes.

— Pas souvent; mes parents sont fort occupés.

— Votre père est comme une sorte de professeur, je crois? questionne Ghislaine.

— En quelque sorte...

— J'aimerais ça aller en France, rêve Ghislaine en soupirant. Il paraît que, là-bas, l'hiver est pas pantoute comme le nôtre, surtout si, comme vous le disiez l'autre jour, il y a des palmiers dans le Sud. Tu nous y vois-tu, Maria... le soleil, la mer bleue, les belles villas... Peut-être même que je rencontrerais quelqu'un... On sait jamais...

— Arrête donc de rêver, lui conseille sa mère sur un ton quelque peu désillusionné; on est pas si mal icitte.

— Et ce n'est pas toujours comme dans les romans d'aventures, l'appuie le pensionnaire, loin de là...

Bientôt la conversation s'essouffle, on entend plus que des annonces «trente et un!» ou quelques remarques à propos du temps, d'une douleur passagère, d'une idée qui passe par la tête. Ayant perdu ses trois vies la première, Antoinette Bouchard bâille et annonce qu'elle «monte au lit». Un peu plus tard, Ghislaine prend le même chemin après avoir bourré le poêle. Maria, mal à l'aise de devoir rester seule avec le pensionnaire, voudrait pouvoir en faire autant, mais la politesse commande de finir la partie. Sans en prendre vraiment conscience, elle a la sensation que l'éclairage a diminué, puis, brusquement, elle a l'impression de visualiser la scène dont elle fait elle-même partie: environnés par les ténèbres et l'hiver, dans la faible lueur orangée d'une lampe, un homme et une femme sont assis, seuls, autour d'une table. Cette vision lui fait battre le cœur plus fort, et, comme pour augmenter son trouble, tel au premier jour, son regard tombe en arrêt sur les mains de son vis-à-vis. Elle voudrait bien que la partie se termine pour aller se réfugier là-haut sous les draps, en finir avec cette intimité à laquelle elle n'est pas habituée et surtout à laquelle elle craint de trouver un certain plaisir.

— Ainsi, vous repartez demain, dit-il.

— Oui...

— Moi aussi, je vais bientôt repartir.

— Pour la France? demande-t-elle, parlant en partie parce qu'elle vient de s'apercevoir que les mots peuvent procurer un excellent refuge.

— Je ne pense pas, non, je vais plutôt aller dans l'Ouest, dans les Prairies; et de là, qui sait, peut-être en Australie.

— Vous aimez voyager.

— En fait, je crois surtout que je cherche quelque chose.

— Vous ne vous ennuyez pas de votre parenté?

— Si, si, bien sûr, mais il se peut que nous nous appréciions davantage de loin. Et puis il y en a d'autres dont on est séparé par des forces sans pitié... (D'habitude, presque indifférent, son visage se contracte, exprimant une détresse cachée. Il semble hésiter avant d'ajouter:) Il y a aussi une petite fille...

— Ah! vous êtes marié!

Pour Maria, c'est presque un soulagement, cette perspective normalise quelque peu la situation.

— Non.

Elle le regarde sans plus oser de question. Elle ne comprend pas pourquoi ce «non» le rapproche d'elle, ni pourquoi, en fin de compte, elle commence à apprécier ce tête-à-tête. Pas plus que cette soudaine odeur d'humus dans ses narines.

— Ça vous choque? demande-t-il.

— Ben!...

— D'ordinaire, je n'aime pas beaucoup me confier, je l'ai fait à vous, Maria, car, comme on dit chez vous, vous avez l'air d'avoir plein de bon sens.

— Je ne sais pas si j'ai du bon sens, mais j'ai pour mon dire qu'une femme qui a eu un enfant d'un homme, elle mérite que cet homme-là s'occupe d'elle pis de l'enfant. Elle mérite qu'il la marie.

— Et s'il ne peut l'épouser? Ne doit-il pas partir à la recherche d'un pays, d'une occasion qui lui permettra d'élever son enfant dans des conditions qui lui paraîtront favorables?

— Si c'est comme vous dites, si c'est pas des accrères qu'il se fait...

— Je l'ignore, dit-il à présent comme s'il parlait pour lui-même. À quoi bon imaginer, à quoi bon espérer?

Malgré l'interrogation que semblent suggérer ces mots, il est évident pour Maria qu'il ne pose pas la question; il ne fait que se convaincre d'un état qui doit correspondre à sa vision du monde. Maria essaie de s'imaginer seule sur un autre continent et croit que l'attitude pessimiste du pensionnaire doit nécessairement découler de son déracinement. Comment pourrait-on être heureux loin de son chez-soi?

— Je crois que vous devez vous ennuyer de chez vous, dit-elle.

— Chez moi... (Brusquement, il semble s'absorber dans un songe, et ses premiers mots n'ont aucun sens pour Maria:) N'avez-vous jamais entendu un orchestre, Maria, ou plutôt non, un violon, oui, c'est cela, un violon solitaire qui pleure au coin d'un trottoir mouillé, qui éclabousse la nuit de notes d'amour, des notes qui montent le long des murs de briques noircies, le long des façades de ciment lézardé, s'accrochent aux persiennes et parfois s'insinuent jusque dans la chambre d'une belle qui écoute, ses petits pieds posés sur la douceur d'un tapis de soie? N'avez-vous jamais entendu, Maria, le chant cassé du poivrot qui, à trois heures dans la nuit, lorsque tout est gris et sale, lorsque les pavés de la rue brillent d'humidité froide, ne l'avez-vous jamais entendu qui réclame sa part de tendresse, un cœur qui l'aimerait? N'avez-vous jamais entendu son chant s'éteindre dans un sanglot de rage, confiné à jamais dans l'étreinte glacée de la solitude et des rues sombres où tout, jusqu'à l'avenir, est indistinctement laid? Voilà ce qu'est *chez moi*.

Maria secoue la tête avec désapprobation, cessant rapidement de s'attacher aux mots du pensionnaire, car elle a saisi le sens de ce qui le ronge et, à présent, toute gêne oubliée, elle l'exprime en image:

— Icitte, lorsque le printemps nous renvoie le surouêt, c'est toujours la terre qui a été travaillée par les hommes qui se réchauffe en premier. Dans le fond du bois, là où il n'y a pas de miséricorde, la neige s'éternise.

— Voulez-vous dire que j'ai le cœur sauvage, Maria?

— Pas parce qu'il est mauvais, sûr que non; juste qu'il est peut-être ben en friche; ses épinettes à lui sont des peurs; il craint et évite les autres parce qu'ils sont pas parfaits comme il voudrait qu'ils le soient. Quand on attend moins, on risque moins d'être désappointé.

— Comment savez-vous tout cela, Maria?

— Je vous ai juste écouté, à part de ça je sais rien pantoute, moi. Je lis pas de livres et je suis jamais allée ben loin. (Elle regarde vers l'horloge.) Il commence à se faire tard, pis je crois que j'ai perdu la partie.

— Je ne vous oublierai jamais, Maria.

— Mais si! Vous allez partir dans l'Ouest pis vous vous retournerez même pas. Pourtant, à ce que je sache, y a personne qui vous attend à Winnipeg. (Elle se lève, étonnée et fâchée du regret qu'elle éprouve maintenant à le faire.) Bonsoir, monsieur Le Breton.

— Bonsoir! Maria.

IV

Le soleil émergeait à peine au-dessus de la ligne des arbres lorsqu'ils ont quitté Mistassini. Comme Maria devait partir de bonne heure, Antoinette Bouchard, sa fille et sa petite-fille se sont levées plus tôt qu'à l'habitude. Samuel Chapdelaine est arrivé, il venait de déjeuner chez Idola Villeneuve, mais, sous prétexte de se «caler la panse pour la route», il a accepté bien volontiers une «platée de bines» gardées au chaud toute la nuit dans le fourneau du poêle. Ghislaine y est allée d'une plaisanterie sur la présence de Pâquerette chez Idola. Maria a regardé plusieurs fois en direction de l'escalier en se demandant si le pensionnaire allait descendre avant son départ. On s'est promis de se revoir plus souvent, il a même été question, «si les chemins étaient pas trop vilains», que les trois femmes se déplacent pour la noce, «mais faites pas de projet, on est pas sorteuses». Puis, comme si quelque chose d'impérieux avait poussé les Chapdelaine, ils se sont retrouvés dans la carriole, et, tandis que le grand soleil pâle montait dans le ciel en inondant le monde d'une aveuglante lumière néanmoins privée de chaleur, le profond silence de la forêt a rapidement pris la place du brouhaha nerveux précédant le départ.

Maria songe à ses parentes «pas badrées», à leur maison «riche», au pensionnaire, cet homme «pas ordinaire» avec qui elle a passé un bout de soirée à propos de laquelle elle ne sait si c'est la soirée elle-même ou le personnage qui lui laisse ainsi un souvenir au goût mélancolique du temps qui passe et ne revient pas. Elle repense à toutes ces étranges journées qu'elle vient de vivre et qui, par quelque tour de passe-passe de la mémoire, apparaissent déjà débarrassées de toutes leurs zones d'ombre. À présent qu'elle regagne la maison dont elle s'est ennuyée, elle regrette presque de ne pas avoir su profiter de chaque seconde passée à Mistassini. Bien sûr, elle est contente de retourner chez elle, mais, quelque part, elle pressent que demain la routine reprendra ses droits et que chaque jour s'écoulera immuable, absorbé par des tâches sans cesse à recommencer. Oh! elle ne se le dit pas avec des mots, non, c'est uniquement une impression qui lui laisse un arrière-goût de regret. Et puis, il y a la foi pour donner un sens à tout cela. Comment se plaindre si, lorsque le besoin se fait sentir, on peut évoquer les souffrances que la petite Thérèse de Lisieux a endurées, subissant ses épreuves comme autant de grâces? Après tout, le bonheur ne doit pas être un but dans cette vie, seulement un état passager que Dieu dispense à ceux qui justement ne courent pas derrière. Réconfortée par ces pensées, elle regarde en avant avec plus d'optimisme. Et comme pour prouver que les choses reprennent désormais leur cours, Samuel Chapdelaine parle de l'ouvrage qui l'attend:

— Demain, avec les garçons, on va commencer à fendre le bois. Si on tarde plus longtemps, j'ai comme l'idée qu'on pourrait être surpris par le dégel.

— Faudra dire aux garçons qu'ils n'épargnent pas les petites bûches comme ça leur arrive; des fois, les bûches rondes finissent par étouffer le feu.

— Je leur dirai. (Il lui adresse un clin d'œil.) Il faudra aussi prévenir Eutrope; l'hiver prochain, tu seras devant un autre poêle, Maria.

— C'est pourtant vrai... Il y a des fois que j'oublie.

— Ne va pas dire ça à Eutrope, le pauvre pourrait se sentir offensé.

— Oh! il saurait ben que c'est pas à cause de...

— Tu sais, Maria, les jeunes hommes, ils ont leur petit orgueil.

«*Leur petit orgueil*», répète-t-elle dans sa tête. Puis, se tournant de côté, elle observe son père de profil:

— Pis? son père, comment qu'elle a trouvé votre nouvel habit, la Pâquerette?

Il hausse les épaules avec un mélange d'ignorance et de passivité.

— J'en sais rien, elle a rien dit.

— Elle est-ti d'adon?

— Pas pire...

— Elle est-ti juste en visite chez son frère ou ben est-ce qu'elle retourne à Québec?

— Elle sait pas encore.

— Vous..., vous aimeriez-ti mieux qu'elle reste?

Avant même qu'elle ne pose cette dernière question, Samuel Chapdelaine a compris où veut en venir Maria. Il pourrait contourner le sujet, mais sait fort bien que, s'il se défile un jour, elle lui sera posée à nouveau jusqu'à ce qu'il réponde. Et puis, il a toujours eu pour son dire qu'il «vaut mieux percer les aboutis avant qu'ils n'aboutissent»:

— Ben!... Et toi, qu'est-ce que t'en penses?

— Moi, je la connais point, son père.

— De fait... (Se rendant compte que quelque chose ne va pas, il fronce les sourcils et s'adresse au cheval:) Qu'est-ce qui te prend, Charles-Eugène?! Avance donc! Marche!

Sans qu'ils comprennent pourquoi, le cheval a notablement ralenti l'allure.

— Mais qu'est-ce que tu fais, vieux cheval sans génie?! Arrête-toué pas! Envoye, envoye! Charles-Eugène!

Malgré les commandements, Charles-Eugène s'est maintenant complètement arrêté. Commençant à comprendre l'irrémédiable, Samuel Chapdelaine élève la voix comme si celle-ci pouvait renverser l'ordre des choses:

— Mausus de bonguienne! Tu vas-ti grouiller de d'là?

Dans un geste apaisant, Maria pose sa main sur celle de son père qui, fâché, s'apprête à faire cingler les cordeaux sur le dos de la bête:

— Ça sert à rien, son père; on dirait que Charles-Eugène est pas ben.

Elle descend du traîneau en même temps que son père et se dirige à l'avant. Immédiatement, elle remarque que la robe du cheval est anormalement mouillée. Il a la tête dressée très droite, les oreilles pointées vers le haut comme lorsqu'il a peur. En arrivant près de sa tête, Maria rencontre son grand œil marron et, sur-le-champ, elle est bouleversée par l'éclat de détresse qui en jaillit. Elle sait sans plus douter que Charles-Eugène n'ira pas plus loin. Elle sait aussi que le cheval l'a compris et, peut-être pour la première fois, au-delà de l'idée que d'une certaine façon il fait partie de la famille, elle se rend compte pleinement qu'il s'agit d'un être vivant soumis à des émotions. Traversée par une douleur, la gorge nouée, elle ôte sa mitaine et pose sa main sur l'encolure.

— Ça va, mon beau, ça va aller; on est là avec toué. On est là, Charles-Eugène. Pis pourquoi c'est faire aussi qu'on t'a donné ce nom-là?... On aurait pu t'appeler Beau ou Fort. T'es un bon cheval... bon cheval...

Les mots ont l'air de faire leur œuvre; elle croit discerner moins de détresse dans la prunelle du cheval, plus d'attente, plus de résignation et presque... de la reconnaissance.

— Watche-toué, Maria! Recule!

Maria a compris. Elle s'écarte en arrière comme Charles-Eugène s'affaisse. Un instant, elle a la certitude qu'il lutte pour ne pas la toucher, puis, n'en pouvant plus, il s'écroule net.

— Charles-Eugène!

C'est un cri unique que poussent le père et la fille. Et si celui de l'homme est quand même teinté de dépit, celui de Maria n'exprime que de la peine. Bien sûr, à présent, ce n'est pas le genre à se mettre à genoux près de l'animal et à se lamenter; mais lorsqu'elle se détourne vers la lisière du bois, tournant le dos à son père, c'est bien pour lui cacher les grimaces d'un sanglot. Samuel Chapdelaine le sait et c'est pour ça, pour couper court au chagrin, qu'il dit d'un ton presque bourru:

— Ben! nous v'là ben...

Une fois certaine que les marques de l'émotion se sont retirées de son visage, Maria se retourne:

— Qu'est-ce que c'est qu'on va faire, son père? Il y a encore un bon bout jusqu'à la plus proche maison.

— Il reste pus rien qu'à marcher, batêche! On va dételer, mettre la carriole sur le côté pis marcher, il finira ben par passer quelqu'un.

— Pas de gros mots, son père.

— Y a des fois que, pour un homme, ça part tout seul.

Malgré le tourment causé par la situation, il ne peut s'empêcher de penser que Maria a bien vieilli depuis quelques mois. «*La voilà qui commence à me reprendre, elle s'en vient pareille comme Laura; une vraie grande bonne femme.*» Il a une bouffée de fierté qui, du reste, atténue quelque peu le souci.

En s'écroulant, le cheval a renversé le traîneau. Tous les deux entreprennent de découpler les menoires, puis de redresser le véhicule qu'ils garent sur le côté du chemin de neige. Pendant que Maria ramasse le carton contenant sa robe de mariée ainsi que le sac de voyage en toile projetés dans la neige, son père s'affaire à récupérer les harnais de Charles-Eugène.

— Il aurait tout de même pu attendre d'être chez nous, lance-t-il.

— On peut pas rien lui reprocher, son père, il a fait ce qu'il a pu.

— Je sais ben... mais toute cette carcasse... ça aurait pu faire de la viande pour Chien pis du suif pour le savon.

— Je crois que je préfère autant qu'il serve de pâture aux ours.

Il faut bien partir puisqu'il n'y a plus rien à faire ici. Maria ne peut réprimer un dernier regard en direction du cheval. Que de souvenirs! Plus forte que toutes les autres, une image s'impose à elle: c'était un soir d'été, toute la famille se trouvait dans le champ, le broque à la main, chargeant le foin sur la waguine que conduisait sa mère debout à l'avant, les poignets posés sur la ridelle, les cordeaux entre les doigts. Trop occupés, ils n'avaient pas remarqué Égide Gagnon qui s'en venait sur le chemin, juché sur une voiture à laquelle était attelée la jument qu'il venait d'acheter à Alma. Personne ne l'avait aperçu, mais Charles-Eugène, lui, avait bien senti la femelle. Sans s'occuper davantage de la waguine à laquelle il était attelé, pas plus du voyage de foin ni de la passagère, n'écoutant que l'appel des sens, il s'était élancé en direction de la nouvelle venue, si brusquement que sa mère en avait lâché les cordeaux et s'était retrouvée étendue dans le voyage de foin qui, dans la course effrénée, s'éparpillait à travers le champ. Son père s'était aussitôt lancé à la poursuite de l'équipage, hurlant à Charles-Eugène de s'arrêter. Maria revoit encore le cheval sauter par-dessus un trait de

labour, la waguine s'élever dans les airs avant de retomber brutalement
tandis que sa mère s'accrochait tant bien que mal à la ridelle, invecti-
vant elle aussi Charles-Eugène qui, bien sûr, n'écoutait rien d'autre que
l'appel silencieux, mais combien plus impérieux que la jument laissait
dans le vent de son sillage. Elle se revoit comme clouée sur place avec
ses frères, Alma-Rose et aussi Edwige Légaré, ne sachant s'il fallait rire
ou s'affoler de ce qu'ils voyaient, car, tout de même, la situation de leur
mère paraissait préoccupante tandis que là-bas, se laissant distancer,
son père, les bras levés vers le ciel, hurlait à présent les pires impréca-
tions de son existence: «Arié! J'vas t'tuer! Reviens icitte, maudit
cheval vicieux! Arrête-toué tout suite, grand malavenant! R'tiens-toué,
Laura! Oh! j'vas t'assommer, Charles-Eugène! Arié! Arié! Sapré! Y
va-ti s'arrêter, l'couillon!» Mais Charles-Eugène ne s'était arrêté qu'arrivé à la hauteur de la fringante jument, comme brusquement intimidé
par cette rare beauté. La mère avait alors sauté de la waguine, indemne!
Soulagés, ils avaient pu se laisser aller à un fou rire qui n'attendait que
ce dénouement pour s'exprimer. Quelle belle journée! Il y a des
moments comme ceux-là où chaque chose de la vie se trouve exactement à la place où elle doit être pour former un instant de joie pure, sans
artifice ni préméditation. Oui, une belle journée d'été! Y en aura-t-il
d'autres maintenant que sa mère est partie? Y aura-t-il un autre Charles-
Eugène pour s'élancer fougueusement à la poursuite d'une jument de
passage? Même si, à la suite de cet incident, imitant en cela la plupart
des autres cultivateurs, son père, qui s'y était jusqu'alors refusé, sans
que l'on sache très bien pourquoi, fit castrer Charles-Eugène. Y aura-
t-il d'autres soirées d'été dans la bonne odeur du foin, lorsque sous le
grand ciel bleu de juillet, la sueur colle la terre sur le visage et les bras,
que l'humus promet une récolte et que, au dépit passager de ses maîtres,
un cheval décide de courir la prétentaine? «Oui! se persuade-t-elle; *oh!*
c'est certain que plus rien sera jamais comme avant, mais je vais me
marier avec Eutrope, on aura des enfants à notre tour, une terre à
défricher, et il y aura d'autres soirées d'été, d'autres veillées d'hiver,
d'autres Noëls! La seule différence, c'est que je ne suis plus une enfant
puis que c'est peut-être ben moi qui serais bardassée sur une waguine.
Plus vieux, on ne voit pas les choses pareil. Hein? sa mère, qu'il y en

aura d'autres?...»

— Ce serait ben le diable s'il passait personne! remarque Samuel Chapdelaine alors que la carcasse de Charles-Eugène n'est plus qu'un monticule à peine discernable dans leur dos.

— Vaut mieux pas y penser. (Elle se tait un instant, puis, comme pour valider ses dernières pensées, elle change de sujet:) Eutrope est-ti venu durant que j'étais à Mistassini?

— Une couple de fois. Il avait un peu l'air d'un chien qui a perdu son os.

— Son père!

— Ben quoi? Ça devrait te faire plaisir. J'ai toujours eu pour mon dire que les femmes aimaient ben qu'on se morfonde un peu pour elles.

— Pas les hommes?

— Hum!... ça serait faux que de prétendre le contraire.

— Justement, la tante Toinette et Ghislaine m'ont un peu parlé des hommes...

— Eh ben!... j'imagine... T'as toujours pas été croire tout ce qu'elles ont pu te raconter quand même?

— Pourquoi non?

— C'est comme qui dirait de ces femmes qui n'aiment chez les hommes que ce qu'ils leur rapportent. Tiens, quand on restait à Mistassini, Ghislaine avait carrément demandé à ta mère de l'aider à monter un plan pour séduire l'agent de colonisation. Il paraît qu'elle y avait demandé ça tout naturellement, comme si qu'elle lui aurait demandé une nouvelle recette de tourtière.

Maria rit:

— Je crois bien que Chantale m'a demandé la même affaire pour séduire le Français qui pensionne chez eux.

— Non!

— Aussi vrai que je vous le dis, son père.

— Pas créyable!

— Vous avez sans doute raison, je suis peut-être mieux de pas trop faire de cas de ce qu'elles m'ont dit.

— J'ignore ce qu'elles ont pu te dire, mais, à mon avis, ça doit pas être ben ben catholique.

Il voudrait lui expliquer: «*Ta mère avait pour son dire qu'il fallait laisser faire la nature, que l'enseignement des choses de la vie arrivera de lui-même. Pour toi, je sais qu'elle voulait t'endurcir à la douleur du corps, que tu apprennes à supporter sans te lamenter tous les petits bobos qui vont avec le fait que tu sois une femme, pour que tu deviennes forte et que tu puisses donner toute ton âme à l'amour sans attacher d'importance aux désagréments qui accompagnent parfois le bonheur.*» Il respire un bon coup. Pourquoi est-il si difficile de parler, et encore plus à ses enfants?

S'il n'y avait pas la douleur d'une perte et le souci d'une route trop longue, cette marche serait agréable. Le ciel est clair, la neige étincelle, épinettes et sapins baumiers sont parés d'un vert tirant sur le bronze pour les premières et sur le bleu pour les seconds. Et puis, n'est-il pas agréable de se trouver ainsi, le père et la fille, côte à côte le long d'un chemin, avec l'occasion de se parler ou tout au moins d'être ensemble? Une heure passe puis une autre sans que personne n'apparaisse.

— Je crois ben qui va falloir se résigner à demander de l'aide en chemin, fait le père; on approche des quelques maisons qui sont par là, on s'arrêtera à la première.

— Vous connaissez-ti les gens?

Il secoue négativement la tête:

— Juste qu'il paraît que ce doit être un Potvin qui reste là, et que ça aurait l'air qu'il serait farouche. Tu trembles, t'as-tu frette?

— Pantoute, son père. Rongez-vous pas les sangs pour moi, ça va ben; j'en profite pour jongler à toutes sortes d'affaires...

— On est encore chanceux qu'il ne nous arrive pas une tempête sur le dos (puis, réfléchissant aux derniers mots qu'elle a prononcés:) À quoi que tu songes?

— Ben! par exemple, je me demandais comment la tante Antoinette avait fait pour avoir une si jolie maison.

— T'as rien remarqué de spécial durant que t'étais là?

— Non... rien de particulier.

— Elles vont à la messe pis toute, sûrement parce qu'elles craignent d'aller griller dans les flammes de l'enfer, mais à côté de ça, elles peuvent être ben lâches vis-à-vis des commandements de l'Église.

— Astheure que vous le dites...

— Tu as la réponse à ta question...

— Je comprends point, son père.

— Quand on ne travaille pas pour le Bon Dieu, même si on fait pas par exprès, on se range du côté du Malin; et le Malin, il aime ben ça nous avoir de son bord, et c'est peut-être pour nous y garder qu'il nous fait des faveurs – comme une belle cabane...

— Vous y allez fort! son père. J'ai pas eu l'impression que la tante ou les cousines étaient des suppôts de Satan.

— J'ai pas dit ça, Maria, j'ai juste dit que ceusses qui faisaient mal leur religion, ils jouaient son jeu.

— Alors, tous ceux qui ont une belle maison, ce serait des damnés? J'ai du mal à...

— J'ai pas dit ça non plus; ce que j'ai voulu dire, c'est que le diable, qui connaît ben son monde, il se pourrait qu'il s'arrange pour envoyer des faveurs à ceusses qui se relâchent afin qu'ils croient que tout va ben pareil même s'ils s'écartent des commandements de l'Église.

— J'aurais plutôt cru que le diable, il envoyait les malédictions.

— Il les envoie itou, mais comme il est pas fou non plus, il tient pas à ce que ce soit mis sur son dos. Tu comprends, ça rentre dans son jeu si, quand il arrive un malheur, on est tenté de sacrer pis de varger vers le ciel.

— Pourtant elles ont pas l'air méchantes.

— Elles sont pas méchantes non plus, c'est ça qui est mêlant, elles sont même ben d'adon. Comme quoi il faut pas porter de jugement, on sait rien. Tiens! regarde là-bas, ça doit être la fumée de la maison des Potvin. Je suis pas contrarié, marcher à pied, ça ne convient pas à un Canayen...

C'est une petite maison carrée en bois rond, lambrissée avec de l'écorce de bouleau jusqu'au niveau de la neige. Deux minuscules fenêtres givrées ainsi qu'une porte de planches grises entrecroisées percent la façade côté chemin où l'un des deux pans du toit descend à hauteur d'homme. Sans que l'on sache pourquoi, alors que jusqu'ici la nature baignait dans une tranquille atmosphère de sérénité, il règne autour de cette pauvre construction un relent de tristesse difficile à identifier. Personne à l'intérieur n'a dû s'approcher d'une fenêtre et ne les aura remarqués, car, en arrivant à la porte, la première chose qu'ils entendent est un éclat de voix accompagnant généralement une chicane. Samuel Chapdelaine cogne deux fois et il faut quelque temps avant que la porte ne s'ouvre sur un homme sec et de haute taille, les cheveux en bataille, vêtu d'un pantalon de grosse étoffe retenu par de larges bretelles passées sur un «corps» en flanelle jaunie par la transpiration. Le front penché, les fixant à travers ses épais sourcils bruns, il les dévisage une seconde sans aménité:

— Ouais?

— On s'excuse de déranger, répond Samuel Chapdelaine, mais en s'en venant de Mistassini, notre cheval a crevé...

Il n'en ajoute pas plus pour le moment, considérant que si lui-même se trouvait à la place de l'homme, il n'aurait pas besoin de plus d'explications pour offrir son aide.

— Pis? demande l'homme.

— Pis, je trouve que pour ma fille ça fait toute une trotte d'icitte à chez nous.

— Où c'que vous restez?

— Proche de Honfleur.

— À ras La Pipe?

— À quelques milles.

— Et que c'est qu'vous voulez que j'y fasse?

Samuel Chapdelaine commence à se rembrunir:

— On veut rien de particulier; il m'a seulement semblé normal dans notre situation de s'arrêter à la première maison rencontrée...

Un bras appuyé contre le chambranle, l'homme est toujours dans l'entrebâillement de la porte, ne faisant aucun geste pour les inviter à entrer. Baissant les yeux, Maria aperçoit une jeune fille dans l'angle formé par l'aisselle de l'homme. Elle est debout au fond de la pièce obscure; leurs regards se croisent et Maria croit y lire une supplique muette. L'homme se retourne pour regarder par-dessus son épaule, puis, revenant à eux, il paraît se composer une nouvelle attitude.

—J'pourrais peut-être ben vous aider, mais c'est sûr que ça va m'causer en masse du trouble...

— Combien? demande le père Chapdelaine assez sèchement, surpris de rencontrer une telle attitude ici, alors que la coutume voudrait plutôt que chacun s'empresse de sauter sur l'occasion finalement assez rare de pouvoir rendre service.

— Cinq piastres.

— Cinq piastres! C'est pas un service ça, c'est du vol! Viens-t'en! Maria, il doit ben y avoir des êtres humains dans le secteur.

— Trois piastres et demie, propose l'homme sans se démonter.

— Rien pantoute! s'obstine le père Chapdelaine en reculant déjà. J'ai toujours eu pour habitude de dédommager un service, mais pas qu'on me le rappelle d'avance. (Il lève les yeux.) Je vois pas d'annonce qui dirait que ce soit une entreprise de transport. Bonjour.

Il fait demi-tour, entraînant Maria par le bras lorsque derrière eux une voix nouvelle supplie:

— Emmenez-moué s'y vous plaît! Laissez-moué pas icitte! Emmenez-moué!

Les Chapdelaine se retournent pour voir la porte se refermer sur l'homme et la jeune fille qui essaie de forcer le passage.

— Tu vas-tu fermer ta gueule? entendent-ils depuis l'intérieur d'une voix d'homme étouffée.

Maria et son père se regardent. Ils haussent les épaules avec impuissance et s'apprêtent à continuer lorsque, encore plus désespéré, jaillit un nouvel appel:

— Emmenez-moué! y va m'tuer! c'est sûr qu'y va m'tuer!

Samuel Chapdelaine aurait peut-être encore une fois passé outre s'il n'avait pas entendu, sans l'ombre d'un doute, le claquement sec d'une main sur un visage suivi d'un:

— Tu vas-ti te taire, ma crisse de vlimeuse?

De nouveau, Samuel Chapdelaine cogne à la porte, de nouveau celle-ci s'ouvre sur l'homme:

— Quoi encore?

— Combien? lui retourne Samuel Chapdelaine.

— J'ai changé d'idée, ça m'intéresse pus.

— Combien pour laisser partir la jeune fille? précise le père de Maria d'une voix contenue, presque froide.

Avec des éclairs violents dans les yeux, l'homme fixe méchamment son vis-à-vis qui ne veut même pas ciller. Puis, brusquement, contre toute attente, il ouvre complètement la porte comme s'il tenait à montrer qu'il n'avait rien à cacher. En plus de la jeune fille, les Chapdelaine découvrent toute la famille, où ce qu'ils en voient, ramassée debout dans un coin de l'unique pièce où maintenant l'homme fait quelques pas pour attraper la première jeune fille par le poignet et la pousser sans ménagement vers Maria et son père:

— C'te guidoune-là? C'est-ti pour elle qu'vous voulez payer? (Il désigne son ventre montrant les signes d'une grossesse avancée.) Parce que si c'est pour elle, vous faites pas une affaire; y a déjà un verrat qui l'a eue sans qu'ça y coûte une maudite cenne noire.

Hormis son ventre proéminent, la jeune fille est d'une maigreur maladive, ses cheveux paille ont de toute évidence été coupés n'importe comment de façon à l'enlaidir, son teint trop pâle accentue la fièvre qui dévore ses prunelles délavées. Comme ils l'observent sans plus savoir que faire, presque hors de lui, l'homme continue:

— Alors? a vous intéresse-ti toujours, la viarge d'enfant d'chienne? Hein? a vous intéresse-ti?

Maria a appris qu'il y a des mécréants partout; elle est persuadée qu'on peut en reconnaître à leur langage; il lui est arrivé parfois d'en entendre çà et là, de même qu'elle s'offusque intérieurement chaque fois qu'Edwige Légaré se laisse aller à des écarts, mais elle n'a encore jamais entendu une telle avalanche ordurière. Prise d'une vague nausée, elle a l'impression très nette que le ciel va s'ouvrir d'un moment à l'autre et qu'un trait de feu va en jaillir pour foudroyer l'individu. Comment peut-il exister des gens comme ça? Détournant le regard, elle jette un nouveau coup d'œil vers la famille composée, d'après ce qu'elle peut en voir, d'une grosse femme à l'air éteint dont la nuque est enveloppée d'un bonnet de coton douteux, de trois garçons à la mine sauvage, âgés entre dix et quinze ans, et de trois autres filles plus jeunes qui la fixent par en dessous. Durant la seconde où elle saisit tout cela, elle se fait la remarque qu'il y a quelque chose dans cette famille qu'une fois encore elle n'a jamais rencontré ailleurs. Elle ignore ce que c'est, mais est certaine qu'il s'agit d'un point important qui ne lui a pas encore été enseigné, et elle sait déjà que cela n'a rien de réjouissant.

— Combien? réitère Samuel Chapdelaine qui, pour l'instant, ne voit d'autre solution que d'arracher cette fille à la fureur de l'homme, et aussi prend le parti de ne pas trop en rajouter pour ne pas alimenter cette même fureur.

— Ah! vous la voulez toujours, ben! emmenez-la, crisse! et bon débarras!

Ce disant, il pousse la jeune fille vers l'extérieur où elle manque de trébucher.

— Almas! fait la femme avec désespoir, c'est not' fille...

— Pis? La belle affaire! J'veux pus voir c'te maudite dévergondée icitte, qu'a sacre son camp!

— A-t-elle un manteau? demande Samuel Chapdelaine qui prend toujours sur lui pour rester calme et d'allure imperturbable.

À cette question, l'homme disparaît un instant derrière la porte et, réapparaissant, jette à l'extérieur une longue capeline d'un noir grisâtre.

— Pis qu'on te revoie pus la face icitte! prévient-il, avant de claquer la porte.

Maria et son père paraissent maintenant encore plus surpris que la jeune fille qui regarde vers la porte comme si elle ne savait plus quoi faire.

— Faut se greyer, réagit Maria en lui tendant la capeline qu'elle vient de ramasser. Moi, c'est Maria et lui, mon père, Samuel Chapdelaine.

En s'éloignant d'un pas encore indécis, ils entendent la femme éclater en sanglots:

— On la r'verra pus, Almas, pus jamais! On la r'verra pus...

— Sacrement! vous allez-ti m'sacrer la paix?

Puis une plainte continue, une plainte qui ne se rebiffe pas, juste une plainte sans espoir. Un peu comme le vent lorsque, par les nuits de glace, il vient de l'Ungava.

— Ça va aller? demande Maria à l'inconnue, va falloir marcher une escousse.

La jeune fille fait signe que «oui» tandis que Maria se penche pour examiner une marque en train de violacer sur sa joue droite. Marchant à leur côté, Samuel Chapdelaine a la tête d'un voyageur venant de se rendre compte qu'il est descendu du train par erreur dans une gare inconnue. «Jamais vu ça», marmonne-t-il.

Un demi-mille plus loin, le temps d'apprendre que la jeune fille se prénomme Lisa et qu'elle a quinze ans, apparaît une autre maison. Bien qu'étant aussi rudimentaire, celle-là dégage une autre atmosphère, et c'est sans aucune appréhension que Samuel Chapdelaine cogne à la porte. Encore une fois, c'est l'homme qui ouvre, mais l'accueil est bien différent; la principale raison étant que les deux hommes se reconnaissent.

— Adélard! Adélard Mailloux!

— Samuel Chapdelaine! Que c'est que tu fais donc par icitte?

Ignorant qu'autrefois les deux hommes avaient travaillé ensemble sur la ligne de chemin de fer entre Lac-Édouard et Chambord, Maria ne comprend pas tout de suite ces marques de reconnaissance enthousiastes.

— Adélard Mailloux! Ben ça!... J'avais ben entendu dire qu'il y avait un Mailloux qui restait dans le boutte, mais j'ai jamais pensé que ça pouvait être toué; tu disais que tu voulais aller aux États...

— Pis toué dans les plaines de l'Ouest!

— Ben! tu vois, astheure je reste dans le boutte de Honfleur, ça doit faire proche dix ans.

— Tu t'es pas plu dans l'Ouest? Mais entre! Entrez donc!

— J'y suis jamais allé, répond Samuel Chapdelaine en le suivant, je me suis contenté d'ouvrir quelques lots autour du lac. Pis toué? Adélard... si je m'attendais...

Pourvue de deux autres fenêtres à l'arrière, la pièce est moins sombre que celle entrevue chez les Potvin. Souriante, apparemment ravie d'avoir de la visite, une grande et forte femme aux traits énergiques s'approche en tendant les mains pour prendre les manteaux.

— Ma femme, Rose-Aimée, la présente Adélard Mailloux. (Il regarde avec interrogation en direction de Maria puis de Lisa.) Tes filles, je suppose?

Samuel Chapdelaine désigne Maria:

— Elle, c'est ma fille, Maria, et voici Lisa. (Voulant éviter tout quiproquo, il se croit obligé de préciser:) Lisa Potvin, de la maison voisine.

— Ah bon! tu connais les voisins? demande Adélard.

— Pantoute!... c'est toute une histoire, je te raconterai. Toué, tu les connais-ti?

— On se salue quand on se croise... Mais dis donc, comment t'as su que je restais icitte?

— J'en savais rien, c'est le hasard, un méchant hasard; on s'en venait de Mistassini, moi pis Maria, pis notre cheval a crevé. Comme on se retrouve comme qui dirait à pied, ben on cherche une bonne âme charitable...

À tour de rôle, Maria adresse des sourires aux enfants, dont une toute petite aux yeux rieurs et aux cheveux d'un blond si clair qu'ils en paraissent blancs, et qui se tient accrochée en retrait de la robe de sa mère.

— Mais elle est bien jolie, cette petite fille-là! affirme Maria.

— Elle est surtout malcommode, répond la mère, sans parvenir à cacher sa fierté.

Dans cette maison aussi, il n'y a qu'une seule grande pièce au milieu de laquelle trône un énorme poêle distribuant une chaleur qui saute au visage lorsqu'on arrive de l'extérieur. D'un seul coup d'œil, ayant elle-même déjà vécu dans des constructions semblables, Maria sait calculer la somme d'ouvrage que représente chaque détail. Les deux récipients d'eau à l'entrée qu'il faut aller puiser chaque matin peu importe la température; le seau derrière le rideau de lin là-bas dans le coin et qu'à chacun son tour en se levant un des enfants doit aller vider sur le tas de fumier en arrière de la grange; les fentes entre les billots du mur où, quand ce ne sont pas les plus jeunes, le vent paraît s'amuser à déloger la mousse ou l'étoupe, et que chaque jour il faut regarnir ici et là; servant de table, le long panneau de bois accroché au mur par des charnières et qu'après chaque repas l'on rabaisse pour faire un peu de place; le plancher de billots sciés sur la longueur et que l'on passe et repasse à la paille de fer dans le vain espoir qu'un jour «ça ait de l'allure»; et tant et tant d'autres détails qui occupent de l'aube jusqu'à la nuit et parfois au-delà. Eutrope vit dans un endroit comme celui-ci;

auront-ils le temps de construire une vraie maison d'ici l'hiver? Il y aura tellement à faire! Ayant peur de répondre à cette question, Maria s'attache à suivre les mots d'Adélard Mailloux:

— ...je crois ben que j'ai ce qu'il te faut pour t'aider, Samuel. On pourrait même dire en quelque sorte que tu tombes à point.

— Ce que ça me prendrait surtout, c'est un bon cheval, mais...

— Justement! c'est de ça que je te parle. J'ai icitte un belge que quand tu l'auras vu, tu te demanderas pus pourquoi le ciel t'a conduit chez moi.

— Je suis raide pauvre, Adélard. Il faut que j'attende que les petits gars redescendent du chantier...

Adélard Mailloux fait signe que «non», en secouant la tête et en agitant ses doigts devant ses yeux:

— Tu me paieras à ce moment-là pis c'est tout; on se connaît...

Samuel Chapdelaine semble soupeser le pour et le contre, ce dernier étant qu'il aurait préféré avoir plus de latitude pour choisir une nouvelle bête, sans compter qu'Adélard n'a pas fait son prix. Il craint d'accepter un montant trop fort parce qu'il ne peut payer comptant. Oh! en puisant dans la caisse de secours, dans «le bas d'laine», il pourrait toujours, mais lui et Laura se sont toujours dit que cela ne devait servir qu'en cas d'absolue nécessité; il a toujours eu l'impression que le jour où il devrait y avoir recours, ce jour-là, il serait à la merci de toutes les catastrophes et incertitudes, que la sécurité même de sa famille ne serait plus assurée; et puis aussi, en puisant dedans à présent, il aurait l'impression de rompre une décision commune, de trahir Laura d'une certaine manière. Sentiment qu'il n'aurait pas éprouvé du vivant de celle-ci.

— Faudrait voir..., dit-il.

— Sûr! On va prendre le thé que Rose-Aimée nous prépare et je vais te montrer ça. (Il observe Maria un court instant puis change de sujet:) Alors, comme ça, t'as pas été dans l'Ouest, tu fais dur. Et moi qui te croyais là-bas et qui me disais: «Samuel, il a pas besoin d'essoucher, il doit déjà être à la tête d'un gros ranch comme ils en ont chez les Anglais. Comme quoi qu'on peut se faire des idées sans rapport avec la réalité vraie.»

— Et moi, je me disais: «Adélard, il doit mener la grande vie dans les rues animées de Boston, même que je te voyais foreman dans une filature, avec une maison de brique pis même un Model T et je te retrouve icitte, sur une terre de la Couronne, en train de manger du pain noir comme tous nous autres.»

— Oh! on y a ben été aux États, mais c'est pas toujours comme on dit. Il y en a qui supportent le mal du pays, pis d'autres pas. Et pis, surtout, pour un bonhomme comme moi, ce qui était le plus dur, c'était de suivre et de faire exactement comme le foreman disait. J'ai jamais pu m'y faire; moi, ça me prend de la place en masse pis ma liberté. Au diable l'argent. Si un homme peut pas vivre comme il l'entend, c'est pus qu'une moitié d'homme, une machine à rapporter des cennes à la maison pis des piastres dans la poche des gros Lawrence, Wainwright et compagnie; et ça sans parler qu'en plus, là-bas, l'évêché nous avait collé un prêtre irlandais, une espèce de tête carrée qui ne voulait pas parler canayen et que j'ai su par après que les autres avaient dû brûler son portrait sur la grand-place pour que l'évêque se décide à nommer un vrai curé, pis ils ont été chanceux, parce qu'il y en a d'autres qui ont dû aller jusqu'à Rome, ioù le Vatican, demander au pape pour qu'il fasse de quoi.

À écouter Adélard Mailloux, Maria commence à se demander si Lorenzo Surprenant ne lui aurait pas juste fait miroiter le bon côté de la vie dans le Sud, s'il ne lui aurait pas sciemment caché tout le reste dont il vient d'être question. Si c'était le cas, faudrait vraiment que ce soit un «vlimeux d'hypocrite», essayer de la berner ainsi afin de l'emmener là-bas, «peut-être ben juste pour faire son fier» vis-à-vis des autres en ramenant une fille du pays, sachant pertinemment qu'une fois qu'elle aurait eu choisi, elle n'aurait pas pu, l'eût-elle voulu, revenir en arrière. Et brusquement, ici, dans cette pauvre cabane entre Mistassini et Péribonka, sur une terre qui n'a pas encore livré tout son lot de misère, elle se rend compte à quoi elle a échappé.

— Et t'as décidé de t'installer icitte? demande Samuel Chapdelaine.

— Ça coûte moins cher, tous les bons lots au bord du lac sont déjà pris; pis j'ai pensé que c'était une bonne place pour faire ce que je voulais faire...

— Et que c'est que tu veux faire?

— M'occuper de chevaux, en faire le commerce.

— Icitte? T'as juste quelques arpents de défrichés!

— J'ai juste besoin d'un peu de pacage et de foin; ce que je veux faire, c'est acheter des chevaux dans l'Ouest pis les garder icitte juste le temps de les revendre dans la région.

— Tu veux faire le maquignon, alors.

— Appelle ça comme tu voudras; tout ce que j'ambitionne, c'est de commercer les chevaux. Parle-moué pas d'aller tirer les vaches à tous les matins pis à tous les soirs.

— Astheure, je comprends pourquoi tu disais tantôt que je tombais à point.

— Oh non! Samuel. Ce cheval-là, je te le cède pour te rendre service. C'est une bonne bête, pas rétif, pas cabochon, jeune, ben dressé, c'est tout ce qu'il te faut, tu trouveras pas mieux. (Il avale d'un trait son restant de thé.) Viens-t'en voir ça. Au ruban, il pèse pas moins de dix-huit cents livres, tout un animal!

En se levant pour le suivre, Samuel Chapdelaine fait signe à Maria de rester dans la maison. Elle acquiesce d'un mouvement de paupières, consciente que les hommes préfèrent rester entre eux pour parler affaires, ce qui pourra les autoriser par la suite à se targuer, chacun de son côté, d'avoir fait «un bon barguine». S'il est un point sur lequel un habitant est bien susceptible vis-à-vis des siens, c'est bien celui qui pourrait laisser entendre qu'il ne sait pas mener ses affaires. Elle réalise en plus que son père va certainement aborder la question de Lisa et demander conseil; elle-même ne sait que penser au sujet de ce qu'il doit advenir de la jeune fille qui, en ce moment, est assise sur un tabouret, les jambes ramenées en arrière de chaque côté de celui-ci, tête penchée vers le plancher, sans que l'on puisse voir son expression. Maria remarque que la femme d'Adélard regarde, elle aussi, la jeune fille avec interrogation et, lorsqu'elle se détourne, son regard croise le sien. Elles se font un signe de muette compréhension.

Dans la petite étable sombre, trois chevaux entravés, une vache et son veau, deux cochons, deux moutons et des poules qui picorent entre les pattes de tout ce petit monde. L'exiguïté des lieux, le foin tassé au-dessus, la neige faisant office d'isolant contre les murs extérieurs, tout contribue à garder à l'endroit une certaine tiédeur humide et ammoniacée. Samuel Chapdelaine est soulagé en inspectant le cheval que lui propose Adélard Mailloux. Il a regardé les pattes et les dents, évalué la musculation, l'ouïe et la vue, a contemplé l'ensemble en tenant la paume de sa main refermée sur son menton, et maintenant il approuve en hochant la tête. Les yeux rieurs de son ancien compagnon de travail semblent se réjouir en une fente qui ne laisse plus apparaître des prunelles qu'un minuscule éclat brillant:

— Tu regretteras pas, Samuel.

— T'es mieux! mon Mailloux, si tu veux que je te fasse un nom par chez nous... S'il fallait que le pitou ait un bouchon dans le troufion...

— Tu peux être tranquille pour ça et le reste... (Il se gratte le lobe de l'oreille avec l'air un peu ennuyé.) Mais dis-moi... euh!... pourquoi c'est faire que la fille à Potvin est avec vous autres? Je sais ben que c'est pas de mes affaires, mais...

À présent, il a vraiment l'air de vouloir partager amicalement le problème qu'il a deviné chez Samuel Chapdelaine.

— Ben! justement, je voulais t'en parler vu que je te rencontre... Je sais vraiment pas quoi faire...

— Si je peux faire quelque chose...

Et le père Chapdelaine lui raconte comment Lisa Potvin s'est retrouvée avec eux. «Un vrai fou braque» achève-t-il en parlant d'Almas Potvin.

Adélard Mailloux a maintenant l'air, lui aussi, de trouver la situation bien préoccupante.

— Si on savait qui est le père..., fait-il comme s'il pensait tout haut.

— Ça changerait pas grand-chose à mon idée; s'il avait voulu faire quoi que ce soit asteure, il l'aurait déjà fait.

— C'est bizarre...

— Quelle affaire?

— Ces gens-là grouillent jamais de chez eux; une fois à tous les deux ou trois mois, le bonhomme va chercher le sirop ou la fleur en ville, mais les autres, ils bougent jamais de d'là. Où est-ce que la fille a ben pu rencontrer le papa?

— Il suffit d'un joli cœur de passage, ça prend pas de temps...

Adélard Mailloux n'a pas l'air convaincu:

— En tout cas, je suis content de pas avoir de gars en âge de... Je me poserais des questions, y a pas d'autre voisin...

— Tu veux dire que...

— Ce sont des affaires qui arrivent.

— Doux Jésus!

— T'avais pas pensé à ça?

— Pantoute! J'en suis tout retourné; penser que cette pauvre fille pourrait... Que c'est que je vas faire?

— Moué, à ta place, j'irais la conduire chez la sorcière.

— La veuve de l'Américain?

Presque tout le monde dans la partie nord du lac connaît «la sorcière», peut-être ainsi surnommée parce qu'elle a l'habitude de se vêtir comme un homme, de faire des travaux réputés pour être ceux d'un homme et d'avoir épousé autrefois un natif du Maine, même si ce dernier était un pur Franco. À moins que ce soit dû au fait qu'elle ne fréquente pas l'église ou surtout qu'elle se fasse, à l'occasion, «faiseuse d'anges». Dans le cas qui occupe Samuel Chapdelaine, il n'est évidemment pas question d'avoir recours à elle pour ce genre de service, mais parce que, toute méprisée qu'elle soit, on sait bien qu'il n'y a qu'elle et personne d'autre qui soit susceptible de prendre la jeune fille en charge durant cette période où tout le monde voudra fermer les yeux.

— Je sais pas..., dit néanmoins Samuel Chapdelaine; je crois que je vais quand même demander au prêtre quoi faire.

Sans ajouter de commentaires, Adélard Mailloux a une moue dubitative qui en dit long sur ce qu'il pense à ce sujet.

— En tout cas, je prends ton cheval, reprend Samuel Chapdelaine comme s'il s'éveillait d'un mauvais songe. Combien tu le fais? Pis vole-moué pas!

Ils s'entendent vite sur le prix, le seul regret du père Chapdelaine est de savoir que, s'il avait eu l'argent en poche, il aurait certainement pu «barguiner» l'animal plus bas:

— Comment t'as dit qu'il s'appelait?

— Blond, on l'appelle Blond.

Samuel Chapdelaine s'approche de nouveau du cheval:

— Salut, Blond, est-ce que ça te dirait de t'appeler Charles-Eugène? (Comme évidemment l'animal ne répond d'autre façon qu'en tournant un œil légèrement soupçonneux et inquiet, le père Chapdelaine poursuit:) Je savais ben que ça te ferait plaisir, Charles-Eugène.

Et il conclut cet accord à sens unique d'une tape du plat de la main sur la croupe.

— Vous allez ben rester dîner avec nous autres? dit Adélard Mailloux sur un ton n'impliquant qu'une réponse affirmative.

Refuser serait faire preuve de goujaterie; d'ailleurs, Samuel Chapdelaine ne songe même pas à le faire:

— Ben! c'est pas de refus; tu me raconteras encore comment que c'était aux États. Entre nous, je crois ben que ma fille a failli se laisser prendre aux beaux discours d'un beau marle qui vit là-bas.

— Dis donc! au fait, comment ça se fait qu'un bonhomme comme toué ait pu nous fabriquer une belle fille de même?

— J'étais point tout seul... Elle se marie au printemps justement. Vous pourriez venir à la noce, toué pis ta femme et tes jeunes!

— Ben! je dis pas non... Une belle fille de même..., y a vraiment des chanceux.

— Sois pas envieux, Adélard, j'ai vu que t'étais ben greyé de femme itou.

— Pour sûr! pour sûr! que c'est une ben bonne femme.

— Eille! dis-moué pas que t'es toujours à rêver sur les créatures? Il me semble que t'étais coton là-dessus, toué!

— On vieillit, on vieillit... Hum!... (Il se racle la gorge.) Qu'est-ce tu dirais d'une p'tite chotte de rye?

Les deux hommes se regardent avec des mines de galopins complotant un mauvais coup.

— T'en a icitte?

Pour toute réponse, Adélard Mailloux va soulever le couvercle d'un bac à moulée, plonge le bras dans l'avoine, ce qui a pour effet immédiat d'attirer les volailles et d'énerver les chevaux, puis le ressort en tenant une bouteille à moitié pleine d'un liquide ambré qui arrache un regard presque religieux aux deux hommes.

— Un petit peu, de temps en temps, ça peut pas nuire, soutient Adélard Mailloux avec sérieux.

— Il y a même des docteurs qui disent que ça en prend, approuve le père Chapdelaine; le tout, c'est comme le reste, faut point en abuser.

De nouveau, les deux murs sylvestres défilent de part et d'autre du chemin. Après le repas, Samuel Chapdelaine est parti chercher le traîneau avec le nouveau cheval. En l'attendant, Maria et Lisa sont restées pour aider à la vaisselle, Lisa enfermée dans un mutisme farouche, Maria parlant avec Rose-Aimée Mailloux du temps, des enfants et de l'hiver avant d'en arriver à un sujet plus précis:

— Vous n'aimiez pas ça aux États?

La grande femme l'a alors regardée avec dans le regard quelque chose signifiant «faut pas charrier».

— Moi, ça allait..., a-t-elle dit.

Ce qui a laissé Maria perplexe.

Maintenant, alors qu'un autre cheval les emporte, comme si de rien n'était, comme si Charles-Eugène, «*le vrai*», n'avait été en définitive absolument rien d'autre qu'une masse musculaire destinée à fournir un travail, elle se demande si la femme d'Adélard Mailloux n'aurait pas préféré, elle, rester dans le Sud. Cette question l'amène à comparer en imagination la vie qu'elle devait mener là-bas et celle qu'elle a trouvée ici. La conclusion paraît évidente. Alors elle se demande si elle a eu son mot à dire dans la décision qui les a amenés ici. Maria sait bien que non et serait tentée de trouver que cela allait de soi, sauf que, quelque part, elle ne comprend pas ce qui peut pousser un homme à emmener toute sa famille loin d'une certaine organisation et de non moins certaines facilités, pour elle juste imaginées, afin de les conduire ici, carrément dans le bois, loin de l'église, des écoles, du monde. Est-ce que l'amour de son pays peut être vraiment si fort ou est-ce un réflexe craintif face à une destinée inconnue? Parce que nos parents l'ont vécue et que l'on sait ce qui nous attend, n'en vient-on pas à choisir une vie que d'avance l'on sait livrée à un combat permanent simplement pour s'assurer l'essentiel, plutôt qu'une autre, en apparence plus facile, mais qui nous livrerait à une destinée inconnue? Où alors est-ce l'appel de la terre qui a alimenté nos os, notre chair et surtout notre mémoire, cette terre sauvage qui, durant quelques mois, prend des allures bienveillantes pour, sitôt octobre, redevenir ce royaume de froid et de solitude, ce continent blanc et noir où, pendant de longs mois, pendant une éternité, l'âme espère, espère, espère le retour d'un rayon de lumière chaude, cette lumière que les hommes essaient de retrouver dans les fêtes qui parsèment tous ces mois de froidure comme autant d'escales sur un parcours d'initiation?

Ce n'est qu'en arrivant en vue des premières habitations de Péribonka que Samuel Chapdelaine prévient Lisa de ce qu'il envisage de faire pour l'instant:

— On va aller voir Monsieur le curé pour lui demander conseil, ça te va?

Elle a un léger signe de tête soumis pour toute réponse.

Au presbytère, c'est Gertrude Levasseur, l'air bougon, qui les accueille:

— C'est pour Monsieur le curé?

— S'il a le temps de nous recevoir, semble s'excuser Samuel Chapdelaine.

Sans répondre, elle pousse un soupir, ouvre la porte pour les laisser passer, les prévient sèchement d'ôter leurs bottes et, comme la semaine dernière, les fait passer dans le bureau. Encore une fois, Maria est subjuguée par la netteté des lieux, encore une fois, les livres l'intimident, mais, cette fois, ils n'ont pas le temps de redétailler le bureau, car déjà le prêtre passe la porte. Samuel Chapdelaine, qui a l'œil vif, se demande pourquoi, en les reconnaissant, le religieux fronce légèrement les sourcils.

— Bonjour, bonjour! fait-il avec une bonhomie affectée.

D'un élan unique, le père et la fille se lèvent pour le saluer, bientôt suivis par Lisa.

— Mon père, je suis ben content de pouvoir vous rencontrer, commence Samuel Chapdelaine qui, sans bouger la tête, lance des regards à droite et à gauche comme s'il cherchait quelque chose. Ça serait-ti possible que je vous parle...

Le prêtre comprend qu'il désire avoir un entretien privé.

— Allons dans le confessionnal à côté. Moi aussi, je voulais justement vous parler...

Le «confessionnal» est en réalité une minuscule pièce lambrissée de bois sombre, peut-être pour créer une intimité propice aux révélations diverses; deux fauteuils en bois d'allure spartiate constituent tout l'ameublement. Cette pièce évite, lorsqu'il lui faut entendre des «confessions urgentes», d'avoir à aller jusqu'à la petite église glacée.

— Eh bien! s'agit-il encore de cette croix sur la lune?

Samuel Chapdelaine secoue vigoureusement le chef, éprouvant la désagréable impression d'être perçu comme un enfant venant embêter les adultes avec des considérations naïves.

— Pantoute! affirme-t-il. Cette fois, il s'agit d'une jeune fille que... qu'on a ramassée sur le chemin...

Le prêtre cache sa surprise sous un masque austère et taciturne, puis il fronce les sourcils et avance sa mâchoire inférieure, ce qui lui donne un air dur:

— Une jeune fille? Sur le chemin?

Une nouvelle fois, Samuel Chapdelaine raconte comment et pourquoi Lisa Potvin s'est retrouvée avec eux. Sans poser de questions, sans se départir un instant de son air inflexible, le prêtre écoute jusqu'au bout, les mains posées bien à plat sur la toile amidonnée et luisante de sa soutane. Le compte rendu terminé, il garde encore le silence quelques instants qui, pour Samuel Chapdelaine, paraissent longs et «*pesants*», puis il secoue lentement la tête de droite à gauche, les lèvres étirées dans un trait sans indulgence.

— Vous avez eu tort, dit-il simplement.

— Hein!?

Samuel Chapdelaine est surpris par ce jugement. Le prêtre laisse encore passer quelques secondes avant de s'expliquer:

— Sur cette terre, le bien et le mal ne sont pas deux états distinctement tranchés; en fait, il n'y a ici-bas que le mal et le moins mal, ce dernier étant ce que l'on peut faire ou ne pas faire pour éviter l'autre.

Sans chercher à s'en cacher, Samuel Chapdelaine ne voit pas du tout où son interlocuteur veut en venir. Il voudrait entendre des mots simples, des explications franches. Au passage, il se demande pourquoi ce prêtre, qui sait «*parler comme tout le monde*» lorsqu'il est dans sa chaire, le fait tout autrement en privé, «*comme si qu'il voudrait nous intimider*».

— Vous dites, mon père, que j'aurais dû la laisser chez eux, que c'était pas une bonne idée que de la retirer de chez ce fou-là?

— Exactement!

— Je comprends point!

— Cette fille est enceinte, elle n'est pas mariée, pas même accotée, ce qui serait néanmoins un égarement scandaleux, bref, il n'y a personne pour s'occuper d'elle puis de l'enfant qui va arriver. Dans l'état où elle est, il est compréhensible que le père se soit un peu... disons fâché; et puis le châtiment n'a jamais tué personne, tandis que...

Aussi loin qu'il peut se souvenir, Samuel Chapdelaine a toujours éprouvé un respect à la fois admirateur et craintif vis-à-vis des prêtres; toujours il a cru, comme l'affirment les mots du Christ rapportés par la bienheureuse Marguerite-Marie: «Je donnerai aux prêtres le talent de toucher les cœurs les plus endurcis»; toujours il a été convaincu que les prêtres étaient les représentants terrestres du Seigneur et donc, d'une certaine manière, étaient investis d'une partie de son pouvoir et de son jugement. Mais là, il ne comprend plus.

— Quel châtiment? demande-t-il d'une voix où perce l'émotion.

— Il est clair qu'elle a fauté...

— Savez-vous où ce qu'elle reste, mon père? Y avez-vous déjà fait une visite?

— Non, non, bien sûr! mais je ne vois pas ce que cela a à voir.

— Ç'a à voir que si elle a fauté, comme vous dites, elle était point toute seule...

— Évidemment!

— Et si vous saviez où ce qu'elle reste, vous vous poseriez les mêmes questions que moi; façon de dire que si elle a fauté, elle y a peut-être ben été forcée, pis qu'il se pourrait que, cette fois, le bras du châtiment, toujours comme vous dites, ce soit aussi çui-là de la faute, si vous voyez ce que je veux dire...

— Il est dit: «Tu ne jugeras point», prononce le prêtre en blêmissant.

— Sans vouloir vous offenser, mon père, je crois ben que c'est vous qui avez jugé. Moi, j'ai juste constaté d'après ce que j'ai vu et ce que je sais.

Son indignation apaisée par ces paroles, Samuel Chapdelaine est effrayé par son comportement envers le religieux et il s'attend à ce que ce dernier lui assène des paroles imparables, irrévocables. En fait, il le voudrait presque, mais au lieu de cela, le prêtre, qui a perdu de son inflexibilité, se contente d'annoncer qu'il va «parler à cette pauvre fille».

— Vous voulez bien lui demander de venir ici? dit-il à Samuel Chapdelaine. Je vous rejoindrai tout à l'heure.

Anticipant peut-être les questions qui vont lui être posées, Lisa a l'air d'un animal traqué en entrant dans le «confessionnal».

— Pis? demande Maria à son père une fois seule avec lui.

— Je comprends pus rien, Maria. Pus rien pantoute...

— Que c'est que vous comprenez pus, son père?

— Il dit que j'aurais dû la laisser chez elle.

— Il a dit ça! Vous lui avez tout expliqué?

— Tout. Il dit que les châtiments ont jamais fait mourir personne.

Maria, qui n'a pas imaginé que la grossesse de Lisa soit le fait d'autre chose que d'une union hors mariage et qui, de tout ce qu'elle sait, ne peut que réprouver un tel acte, est tentée de trouver une certaine pertinence dans les paroles du prêtre:

— On aurait dû la laisser là-bas, alors?

Samuel Chapdelaine fait signe que «non».

— Mais si le prêtre le dit? s'étonne-t-elle de ce que son père puisse avoir une opinion différente de celle de l'homme d'église et surtout s'y entête.

— Il savait pas...

— Qu'est-ce qu'il savait pas, son père?

Samuel Chapdelaine ne se voit pas le moins du monde en train d'expliquer cela à sa fille. Du reste, il est certain qu'elle ne supporterait pas de l'entendre. Lui-même à cette idée se sent présentement en marge du monde, lui qui a toujours pensé que l'innocence est la première arme face au mal. Plus l'homme est confronté à celui-ci, plus, par la force de l'habitude, il est amené, non pas à l'accepter, mais au moins à s'y accoutumer, puis de là, peut-être, à tolérer; et de la tolérance à l'acceptation, il n'y a plus qu'un petit pas... Alors, il se rabat sur une explication boiteuse:

— Il savait pas que le père tapait si méchamment.

Maria accepte cela de bonne foi et se répète même la leçon déjà entendue que, si l'on doit châtier, on doit le faire sans colère.

— Elle va-ti venir chez nous? demande-t-elle.

— Non, Maria, c'est pas sa place..., en tout cas, si on n'a pas le choix, pas plus que quelques jours en attendant de trouver mieux.

Maria approuve:

— Vous avez raison, son père; moi, ça me dérange pas, au contraire, il faut toujours faire la charité, pis c'est plaisant de la faire, mais c'est peut-être pas ben ben édifiant pour Alma-Rose et les petits gars.

— C'est pas de sa faute, Maria.

— Je sais, son père, je sais qu'on doit pas porter de jugement.

De retour, Lisa fait signe à Samuel Chapdelaine:

— Y veut que vous retourniez l'voir.

Il remarque que ses paupières sont cernées de rouge; sûrement a-t-elle pleuré. Il en conclu qu'elle a parlé et que les paroles devaient être dures à sortir.

— Ça va? demande-t-il.

— Pas pire...

Il trouve le prêtre plongé dans un abîme de réflexions; à n'en pas douter, l'homme a été remué. Pourtant, un confesseur doit en entendre de toutes sortes...

— Nous avions tort tous les deux, dit enfin le religieux en revenant à la réalité; moi, d'accuser cette pauvre fille, vous, de penser que le père...

Samuel Chapdelaine ne comprend pas, mais ne sait comment formuler sa question; toutefois, le prêtre lui ôte rapidement ce souci:

— Vous allez me demander qui, mais ne me le demandez pas, car, pour préserver tout le monde, je ne dirai rien.

— Je ne vous aurais pas demandé de trahir un secret de confession! se défend le père Chapdelaine.

— Ce n'était pas une confession, simplement une discussion.

— Alors, qu'est-ce qu'on va faire avec elle?

— Avant, je voudrais que l'on parle de Maria.

— Maria! Mais, mon père, que c'est qu'elle a d'affaire là-dedans?

— Rien, je veux parler d'une autre chose qui m'a été rapportée. Ça aurait l'air qu'elle se serait comportée de manière, disons... impolie avec notre bonne dame Tremblay.

Le père de Maria enregistre mentalement le «notre bonne dame Tremblay». À la façon que le prêtre a de présenter les choses, il est évident que son opinion doit être faite sur ce qui s'est produit au magasin général.

— J'étais là, dit-il, une nouvelle fois, prêt à s'interposer contre ce qu'il estime être une injustice; pis sans vouloir excuser Maria parce qu'elle est ma fille, je dois dire que les torts étaient partagés.

De la main, le prêtre balaie ces considérations:

— Je comprends que vous la défendiez, il n'en reste pas moins qu'elle devait le respect à une aînée. N'est-ce pas?

Samuel Chapdelaine ne peut se défendre à présent contre l'idée que le religieux cherche en quelque sorte «*à se venger pour tout à l'heure*». Pourtant, il ne peut qu'acquiescer à la dernière question.

— J'ai pensé, reprend aussitôt le prêtre, que pour réparer... sa part des torts, Maria pourrait faire... disons une bonne action que je pourrai rapporter à madame Tremblay. Je suis sûr qu'avec sa mansuétude coutumière elle pardonnera et tout rentrera dans l'ordre...

— Une bonne action?

— Maria doit bien se marier au printemps?

— Oui...

— Vous ne croyez pas que ce serait dans son intérêt d'aller suivre des cours à l'école ménagère de Chicoutimi, où elle apprendrait comment tenir une maison.

Bouche bée, Samuel Chapdelaine voudrait lui dire qu'en ce qui concerne l'entretien ménager, Maria pourrait aujourd'hui en remontrer à plusieurs, mais rien ne sort; il ne comprend pas. Le prêtre poursuit:

— En échange, pour payer ses cours et ses repas, elle pourrait travailler un peu à l'Hôtel-Dieu avec les sœurs. Les deux établissements se touchent...

Le père Chapdelaine comprend tout à présent. D'une part, le prêtre a dû avoir Yvette Tremblay sur le dos, d'autre part, il a sûrement entendu dire que les Augustines de Saint-Vallier étaient débordées. Il a donc trouvé la solution aux deux problèmes aux dépens de Maria. Samuel Chapdelaine essaie de protester de façon détournée:

— Chaque solution apporte ses problèmes, mon père. Vous allez peut-être calmer la *bonne dame* Tremblay, les sœurs à Chicoutimi auront de l'aide, mais Maria dans tout ça? Que va-t-elle penser? Comment va-t-elle réagir?

— Pourquoi ne pas lui demander? Je n'exige rien, je fais juste proposer une solution à un petit différend.

— Oh! je suis ben certain qu'elle va dire oui à tout ce que vous lui demanderez, mais vous devez ben savoir qu'à force de tirer sur les cordeaux, des fois, le cheval finit par se cabrer.

— Il est toujours temps alors d'y couper sa ration d'avoine et de le mettre au pas.

— Vous avez peut-être raison, mon père, mais moi, je crois que je préfère la liberté. Les bonnes actions, ça doit venir de soi, autrement elles ont pas gros de valeur aux yeux de Notre-Seigneur.

— Je ne vous savais pas philosophe.

— Je ne sais pas si je suis comme vous dites, mais j'ai appris que chacun avait sa limite d'endurance. Chacun a son idée sur ce qui est juste ou non, et quand la balance penche trop du mauvais côté, il y a quelque chose qui finit par péter, même chez les meilleurs.

— Si j'ai bien compris, dans votre cas, c'est lorsque vous avez entendu ce père battre cette pauvre fille?

— Peut-être ben! Ou peut-être que c'est pas encore arrivé, ou encore que ça arrivera jamais!

— Alors, qu'est-ce qu'on fait?

Ces dernières paroles sont prononcées sur un ton de conciliation, ce qui laisse entendre à Samuel Chapdelaine que finalement le religieux ne peut se tromper et d'ailleurs, il l'a prouvé tout à l'heure, car si ce n'est pas le père qui a fauté, il est compréhensible que celui-ci ait été «fâché».

Il commence à se reprocher ce qu'il prend pour un accès d'orgueil:

— Demandez à Maria si vous croyez vraiment que c'est ce qu'il faut pour elle..., après tout, je suis rien qu'un habitant, je connais pas grand-chose à toutes ces affaires-là; c'est vous le berger, comme on dit.

Prononçant ces paroles, il imagine Maria là-bas, à Chicoutimi, loin, très loin. Alors il se dit qu'elle n'a pas mérité ça. Il regarde le prêtre en se demandant si, quand même, il se pourrait qu'il y ait des prêtres moins bons que d'autres.

— Donc, vous êtes pas contre? fait le prêtre.

Bien sûr qu'il est contre, mais comment le lui expliquer?

— Vous êtes-vous demandé, mon père, qui c'est qui s'occupe de la maison depuis que ma femme nous a quittés? Vous êtes-vous demandé pourquoi qu'en ravalant ses larmes pis en retroussant ses manches, Maria avait entrepris de consoler ses frères et sa sœur, et fait tout son gros possible pour garder la maison comme elle avait vu sa mère le faire? Vous êtes-vous demandé tout ça?

— Elle a fait son devoir...

— Non! M'sieur le curé, il y a tout simplement qu'elle aime. Et quand qu'on aime, il n'y a pas de devoir, pas d'obligation. Et si elle va à Chicoutimi, je la connais, elle va se mettre à travailler comme une folle. Oh! pas par devoir, mais parce qu'elle va se mettre à aimer les malades, les sœurs et je sais pas trop qui.

Malgré ce plaidoyer, le prêtre ne semble pas changer d'opinion; aussi, tandis que Samuel Chapdelaine se lève, il lui demande s'il veut bien lui envoyer Maria.

— Vous comprenez, dit-il sans se rendre compte de ce qu'il éveille chez son interlocuteur, vis-à-vis de madame Tremblay, je dois faire quelque chose; elle est d'un grand soutien pour la paroisse.

— Je vous l'envoie, répond sombrement le père Chapdelaine.

Assise à côté du prêtre, Maria se demande bien pourquoi elle est ici, d'autant plus qu'il commence par lui poser des questions insignifiantes à propos de tout et de rien, tellement qu'elle ne réagit pas immédiatement lorsqu'il aborde le sujet véritable. Il est déjà bien avancé dans son explication lorsqu'elle comprend enfin qu'il lui propose d'aller à

Chicoutimi aider les sœurs Augustines de l'Hôtel-Dieu. Abasourdie, elle ne répond pas immédiatement, cherchant une signification à tout ceci dans les veinures foncées du bois qui brusquement lui font penser à des coulées de sang noir, le sang noir de toutes les fautes entendues ici qui ruisselle dans le bois des murs. «*Je suis virée folle*», se dit-elle, puis de s'imaginer qu'elle s'était endormie et qu'elle vient de se réveiller dans un monde inconnu, un monde étrange qui sent la cire d'abeille et la citronnelle, un monde avec des petites pièces minuscules où des hommes vêtus de noir demandent aux jeunes filles de quitter leur famille, de quitter la maison, pour aller aider des inconnus, et tout cela pour calmer la fatuité d'une dame qui, selon elle, s'en est prise à la mémoire de François Paradis. François... François si gentil, si fort. Comme il fait froid, si froid! Elle voudrait se rebeller, se lever et crier son fait au prêtre, crier son fait au monde entier, crier... Mais il s'agit d'un prêtre.

— À Chicoutimi? demande-t-elle comme pour obtenir une confirmation.

— Oui, tu te rendrais service à toi-même ainsi qu'aux sœurs là-bas qui ont beaucoup d'ouvrage avec les malades; tout ça sans compter qu'aux yeux de Notre-Seigneur, tu rachèterais ton manque de respect vis-à-vis de madame Tremblay. Et, comme tu dois le savoir, qui dit manque de respect dit péché d'orgueil.

— Mais je vous assure que madame Tremblay avait dit du mal d'un mort...

— Peut-être l'as-tu cru; madame Tremblay est une très bonne personne. Tu vois, tu ne veux pas encore admettre ta faute. C'est sérieux, Maria...

— Et si je vais là-bas, qu'est-ce qu'ils vont faire chez nous? Qui c'est qui va préparer les repas pis tenir la maison?

— Si tu te maries ce printemps, il faudra bien qu'ils le fassent sans toi. À part de ça, ton futur mari sera bien content que tu aies appris les arts ménagers à la bonne école.

— Alors, vous croyez que c'est le mieux?

— Pour tout le monde, Maria.

Elle n'arrive pas à le croire, mais se remémore soudain une phrase que sa mère répétait souvent, une phrase de la Bible qu'elle disait avoir entendue lorsqu'elle était petite et qu'elle avait toujours retenue: «Qui es-tu pour oser répondre à Dieu? Le vase dira-t-il au potier: pourquoi m'avez-vous façonné?» Et le prêtre n'est-il pas l'émissaire de Dieu?

— Bon!..., dit-elle sans plus d'hésitation, j'irai, d'abord.

Lorsque le prêtre rapporte sa *victoire* à Samuel Chapdelaine, ce dernier, abattu, demande:

— Et pour Lisa, mon père?

— Agissez pour le mieux, je vous fais confiance.

Alors Samuel Chapdelaine tombe en arrêt sur les livres, en parcourt les rangées d'un regard où l'absence d'expression cherche à cacher l'amertume. À quoi bon tous ces livres si toute la science que l'on en retire est celle-ci? Puis, en regardant Lisa, toute frêle, toute déchirée autour de son ventre, lui aussi a envie de crier.

En quittant le presbytère avec, à la main, une lettre que Maria devra remettre à la mère supérieure de Saint-Vallier, il pense à la «sorcière» chez qui il a décidé de conduire Lisa et se dit, effaré, qu'il risque de mieux s'entendre avec celle-ci qu'avec le résidant du presbytère. Puis, presque pour s'absoudre lui-même de ses pensées «*païennes*», il repasse en mémoire tous ces miracles dont les récits peuplent les veillées et dont tel ou tel prêtre était le protagoniste: celui qui d'une prière avait arrêté le vent qui poussait un feu d'herbe «échappé» vers un village; celui qui était apparu en plein hiver dans un chantier sans que personne n'ait été le chercher pour la bonne raison que tout le monde était malade et que plusieurs, victimes d'hallucinations contagieuses, avaient fini par croire dur comme fer que le diable lui-même avait pris ses quartiers dans le campement. Le prêtre était donc arrivé, avait aspergé les murs d'eau bénite et, le lendemain, tout le monde était à l'ouvrage. Il se rappelle encore celui dont parlait le ramancheur qui était venu pour Laura et qui avait évoqué cette fois l'histoire où le prêtre avait mis sa main sur le bordage d'une chaloupe afin de la déprendre d'un banc de sable gelé, réussissant par ce geste ce que quatre hommes «pas manchots» avaient manqué. Tout cela lui remonte à la mémoire comme autant d'images sacrées. Il en vient même à se dire qu'il s'est spirituellement égaré, qu'il a été la victime de son propre orgueil en refusant de croire que le prêtre avait raison. En s'installant dans la carriole, il décide que, pour se racheter, il devra aller se confesser... au prêtre de Péribonka lui-même.

La maison de Claire Bélanger est située au bord de la rivière Péribonca, en direction de Vauvert. Petite, elle le paraît encore davantage à côté de deux immenses pins miraculeusement épargnés par les grands feux – et encore plus par la main de l'homme. C'est une construction basse, étroite et allongée, en planches autrefois badigeonnées de chaux, mais dont il ne reste que quelques plaques qui s'écaillent. C'est son mari, Gaston Bélanger lui-même, «l'Américain», qui, à l'instar de presque tout le monde par ici, a bâti sa maison. De lui les gens gardent le souvenir d'un original, autrement dit d'un type «un peu maboul», doublé d'un alcoolique invétéré dont l'existence a été partagée entre des inventions farfelues et des comas éthyliques. L'un d'eux, le dernier, s'est très mal terminé. Petit au point d'en paraître malingre, parfois vindicatif parce que sa femme s'occupait de toutes les tâches habituellement dévolues à l'homme, il pouvait s'adonner entièrement à ce qu'il appelait ses «recherches», qui n'étaient pour l'essentiel d'aucune utilité apparente ni pour ses concitoyens ni pour le reste de l'humanité. L'une d'elles, que l'on ne peut remarquer à présent à cause du remblai de neige, avait consisté à poser les lisses d'assise de sa maison, non pas sur un vide sanitaire comme le veut l'usage, mais sur une série d'énormes ressorts d'acier qui, selon lui, doivent éviter à la maison de «suivre les mouvements de terrain causés par le gel et le dégel». Si l'invention est utile, personne n'a encore pu le déterminer; cependant, elle a pour inconvénient tangible de garder le plancher glacé tout au long de la saison froide. D'autre part, sans l'avoir jamais vu puisqu'il n'est jamais rentré, Samuel Chapdelaine a toutefois entendu bien des ironies à propos du système de «chauffage central» constitué par une série de tuyaux passant dans le foyer du poêle et s'élançant ensuite, telles les branches d'un arbre, dans l'espace aérien de la maison. Sans oublier la «machine à steam» située dans une cabane à l'arrière de la maison et qui, du vivant de Gaston Bélanger, actionnait une turbine produisant un courant alimentant lui-même des résistances à l'intérieur d'une caisse de métal qu'il avait présentée à un journaliste du *Progrès* comme étant un «four électrique».

— Est-ce que c'est pour moué qu'on est icitte? demande Lisa qui paraît sortir d'un songe alors que Samuel Chapdelaine ordonne au cheval de s'arrêter.

— Il y a quelqu'un icitte qui pourrait peut-être ben t'aider...

— Mais j'veux pas déranger personne! fait soudain la jeune fille qui, sans que les Chapdelaine comprennent pourquoi, semble soudain s'animer telle une poupée mécanique que l'on viendrait de remonter. Tout ce que j'demande, c'est qu'on me laisse ioù ce que passent les gros chars pour que j'aille à la grand-ville.

— Y connais-tu quelqu'un?

— Non, mais j'ai souvent entendu l'père qui disait qu'là-bas y avait de l'ouvrage pour tous ceusses qui en voulaient.

— Mais qu'est-ce que tu ferais en arrivant là-bas? T'as pas de maison, pas d'argent, personne, rien...

— Faut ben s'en remettre à la chance...

Samuel Chapdelaine voudrait lui faire remarquer que, jusqu'ici, la «chance» ne semble pas s'être occupée d'elle, mais il se contente de lui expliquer que, dans son «état», ce serait plutôt hasardeux.

Réfléchissant à tout cela, tout en étant préoccupée par son départ pour Chicoutimi, Maria a une idée:

— Pourquoi que tu viendrais pas avec moi à Chicoutimi?

Interrompant la conversation, celle que tout le monde appelle «la sorcière» ouvre la porte de sa maison:

— C'est moi que vous cherchez?

Tout en faisant «oui» de la tête, Samuel Chapdelaine se rend compte qu'il ne sait pas du tout comment présenter le motif de sa visite.

— Pas trop frette aujourd'hui, pas vrai? remarque-t-il en descendant du traîneau suivi de Maria puis, sans qu'ils se rendent compte du recul qu'elle y met, de Lisa.

La femme est vêtue d'un pantalon et d'une veste de grosse étoffe brune. Une tuque de laine blanc-jaune est posée sur le haut de son crâne et l'on devine qu'elle doit y rester en permanence, couvrant à peine une masse compacte de cheveux d'un gris poivre uniforme lui tombant jusqu'aux épaules. Tous trois remarquent la pause prolongée de son regard bleu délavé en direction du ventre de Lisa.

— C'est la raison de votre visite? demande-t-elle sans détour et sur un ton de constatation qui n'appelle pas tellement de réponse.

— Elle ne sait pas où aller, explique Samuel Chapdelaine avec un certain embarras, elle est dehors de chez eux et...

— Ça va, ça va..., entrez donc, la maison est après refroidir.

Ils la suivent dans la cuisine, étonnés de constater que les murs de planches sont aussi gris à l'intérieur qu'au-dehors. Ils sont totalement déroutés par l'arborescence de tuyaux composant le «chauffage central». Avant qu'ils n'aient le temps de se reprendre, Claire Bélanger résume déjà la situation:

— Donc, la petite demoiselle est en famille et, comme j'imagine que le responsable n'y a pas proposé d'épousailles, le papa s'est contrarié pis y l'a jetée dehors. Là, bons samaritains, vous avez ramassé la brebis égarée, mais comme ça vous viendrait pas à l'idée de garder la preuve vivante du *péché* dans une maison chrétienne, ben vous avez pensé à la sorcière, pas vrai?

— Ben!... Il y a de ça...

— Je comprends donc qu'y a de ça! Je gage même que vous êtes d'abord passés voir le curé (comme pour réfuter toute contradiction, elle lève une main décharnée devant son visage parcheminé qui, lui aussi, ne paraît qu'os et peau), enfin... je connais tout ça...

Comme personne ne sait que dire, elle s'approche de Lisa et, en écartant sa capeline, pose sa main sur le ventre arrondi.

— Évidemment, il est trop tard pour faire de quoi, dit-elle d'une voix âpre, provoquant par ces mots une réaction d'horreur dans l'esprit de Maria qui vient de comprendre à quoi elle fait allusion. (Puis elle poursuit en s'adressant directement à Lisa:) Tu vas-ti vouloir le garder ou ben le placer?

— Le garder? Le placer? fait Lisa.

Ayant d'abord attribué le comportement de Lisa à ce qu'elle venait de vivre, Maria se demande à présent si la jeune fille n'est pas un peu simple d'esprit.

— Tu veux-tu l'élever, cet enfant-là? reprend Claire Bélanger.

— Ben sûr!

— Avec quoi?

— J'vas travailler; j'vas aller à la grand-ville pis j'vas travailler. C'est ce que j'disais tantôt, y a qu'à m'laisser ioù les gros chars.

— Ton état est pas mal avancé pour partir à l'inconnu, veut l'éclairer la femme; il aurait fallu que tu t'y prennes avant, ma fille. (Elle se tourne vers le père Chapdelaine.) Elle peut accoucher n'importe quand; à sa place, je m'embarquerais pas trop loin. (Elle pousse un profond soupir comme si elle venait de surseoir à sa propre volonté.) En tout cas, t'as point de l'air d'une méchante fille... (À nouveau pour Samuel Chapdelaine:) Voilà ce que je peux proposer: je la garde icitte le temps qu'elle mette l'enfant au monde pis qu'elle se relève; ça coûtera vingt cordes de bois franc.

— Pis après, quand elle aura eu le bébé, s'interroge tout haut le père Chapdelaine, que c'est qui se passera?

— Ben! je suppose qu'elle partira à la ville si c'est ça qu'elle veut. De toute façon, elle aura pas grand choix, les filles mères, dans nos petites paroisses... Même que moi, à sa place, je filerais drette jusqu'aux États.

— Parfait! décide Samuel Chapdelaine, la semaine prochaine, je reviendrai avec mes deux jeunes pis on vous fera du bouleau; abattu, mis en bûches, amené dans la cour, fendu et cordé.

— Contentez-vous de l'amener dans la cour, je le fendrai moi-même, chus capable...

Voulant considérer le problème comme réglé, Samuel Chapdelaine se tourne déjà vers Maria pour lui faire signe qu'ils s'en vont, mais Claire Bélanger l'interrompt dans son mouvement:

— Avant que vous vous sauviez, j'aimerais que vous expliquiez à elle pis à moi, surtout à elle pour son éducation, pourquoi que vous avez point voulu la prendre chez vous. Y a-t-il un commandement chrétien qui l'interdit? Un mauvais exemple qu'a pourrait donner?

Un instant, Samuel Chapdelaine est embarrassé. Il répond néanmoins franchement:

— Peut-être qu'il faut pas chercher à réveiller le bobo qui est au fond de tous nous autres.

— Qui c'est qui vous empêche d'y faire face?

— La peur du Malin, je crés ben, rien d'autre; pis j'espère que ça va continuer parce qu'il est ratoureux pis qu'il a plus d'un tour dans son sac, le mausus. Tu t'en viens-ti, Maria? il y a encore un bon boutte de chemin. (Il sourit tristement à Lisa.) Rappelle-toué, jeune fille, que tu y es pour rien; pis bonne chance!

Se retournant une dernière fois vers elle, Maria croise son regard et trouve qu'il a bien changé depuis la première fois chez elle. Là-bas, il n'était que supplication. Que s'est-il passé pour qu'il ne devienne que lassitude? Plein d'un vide aussi gris que les murs ou les cheveux de la «sorcière», une absence totale d'espoir, pas même le désespoir qui tient en lui les germes de l'espoir, non, le vide.

«Qu'est-ce qu'elle a dû être malheureuse!» se dit-elle en frissonnant.

Car maintenant que la porte se referme, peut-être parce qu'elle reconnaît, dans cette détresse, le même courant glacé qui, depuis un soir de la Saint-Sylvestre, court parfois dans ses veines, elle voudrait, dans un geste de réconfort, refermer ses bras autour des épaules de Lisa, lui assurer que tout va bien aller, que quelqu'un, un jour, finira bien par l'aimer.

Car c'est juste cela qui a manqué. Sans avoir besoin de se le formuler comme tel, elle le sait. Et elle en souffre.

V

Au cœur de la nuit, à mi-chemin entre hier et le chant du coq, alors que tout juste une haleine vaporeuse s'échappe de la cheminée surmontant la maison de bois dressée telle une sentinelle gardant le faible «morceau de terre faite» menacé par le rempart sombre des épinettes, Maria ne dort pas. Elle se demande si elle le pourra avant que le matin l'emporte vers Chicoutimi. Hier soir, en se couchant, elle s'est endormie comme d'habitude, mais il y a au moins une heure à présent qu'elle s'est brusquement réveillée, sans pourtant que son souvenir ne garde la moindre réminiscence d'un rêve pénible qui en expliquerait la cause. Elle a les idées aussi claires qu'en milieu de journée, davantage même, comme si le silence de la nuit leur apportait netteté et transparence. Des idées qui lui rappellent qu'en toute connaissance de cause, il s'agit là de la dernière nuit qu'elle passe sous le toit familial en tant qu'enfant attachée à cette maison. Tout à l'heure, elle va partir pour une ville inconnue, s'installer entre des murs inconnus et, lorsqu'elle reviendra, ce sera pour épouser Eutrope, et prendre maison. Elle n'est pas triste, après tout, elle ne doute pas de son avenir; elle n'a pas peur non plus. N'a-t-elle pas choisi la route la mieux balisée? Non, elle s'étonne simplement que sa jeunesse, qui parfois lui a paru si longue, se soit écoulée si vite. Elle regarde autour d'elle, mais l'obscurité l'empêche de voir les bruits qu'elle perçoit. Elle les connaît cependant; à côté d'elle, Alma-Rose qui parfois fait claquer sa langue comme si elle mangeait; là-bas, de l'autre côté du poêle, ses frères Tit'Bé et Télesphore dont les longues inspirations roulent presque comme des ronflements, mais qui n'en sont pas, si l'on doit les comparer à ceux qui parviennent de l'autre côté de la cloison où dort son père. Sa famille. Il manque, bien sûr, Esdras et Da'Bé, mais eux, c'est comme s'ils étaient déjà détachés du noyau familial, comme elle va le faire aujourd'hui. Cherchant peut-être à lui rappeler qu'il compte lui aussi, près du poêle, Chien bâille bruyamment.

— Tu dors pas, toi?... souffle Maria.

Chien a compris; elle l'entend se dresser puis s'avancer vers elle, les griffes de ses pattes claquant sèchement sur le plancher. Elle baisse le bras, il est là, au pied du lit, perpétuel consolateur des cœurs qui s'éveillent esseulés dans la nuit. Elle a posé sa main sur la tête de l'animal dont la simple chaleur semble dire: «je suis là, t'es pas toute seule».

— Bon Chien... Bon Chien..., murmure-t-elle en guise de merci, car effectivement elle se sent un peu moins seule.

Seule. C'est bien le mot qui, de son point de vue actuel, caractérise la nouvelle vie dans laquelle elle va entrer. Évidemment, il y a Eutrope. Eutrope dont elle se sait aimée ou, en tout cas, comme elle le ressent davantage, à la fois convoitée et admirée. Il l'attendait lorsqu'elle est revenue l'autre jour de Mistassini, inquiet parce qu'ils n'étaient pas en avance, et même s'il ne l'aurait avoué pour rien au monde, le soulagement qu'elle avait lu sur son visage en était garant. Ensuite, il avait bien fallu tout lui expliquer, jusqu'à la «suggestion» du prêtre de Péribonka à propos de l'hôpital de Chicoutimi, et aussi ses motifs. Dans la soirée du lendemain, il avait demandé, en s'adressant tout autant à elle qu'au père, si elle ne désirait pas «prendre une petite marche». Consciente qu'il voulait certainement lui réclamer des explications personnelles – la première fois en réalité qu'il demandait à être seul avec elle depuis sa demande en mariage où elle avait dit «le printemps d'après ce printemps-ci» –, elle avait d'abord regardé son père pour s'assurer que le silence de celui-ci était une autorisation, puis, ayant en quelque sorte obtenu sa permission tacite, avait fait signe que «oui» à Eutrope en se souvenant avec un certain amusement de son tête-à-tête avec le pensionnaire sans qu'elle n'ait eu à demander aucune permission. S'il fallait qu'Eutrope apprenne cela... Un peu plus tard, ils ont marché côte à côte, lui les mains profondément enfoncées dans les poches, regardant parfois furtivement vers elle avant de tourner les yeux vers le sol où la neige craquait sous leurs pas; elle, les mains dans un manchon de fourrure ayant appartenu à sa mère, la tête relevée, fixant son regard droit devant elle.

— J'avais pensé que vous auriez oublié, a-t-il dit simplement en ouvrant la conversation.

Elle savait à qui il faisait allusion, elle savait qu'il savait qu'elle le savait, mais pourtant, sur le coup, uniquement pour lui, elle avait demandé:

— Oublié?

— Vous savez ben que je veux parler de François Paradis, Maria.

Elle a aimé qu'il lui parle de François Paradis comme si officiellement ils avaient été quelque chose l'un pour l'autre.

— Vous auriez-ti donc voulu que j'oublie au point de ne pas réagir lorsque quelqu'un dirait des médisances sur son dos? J'y devais ben ça, avait-elle ajouté sur une impulsion qu'elle aurait voulu dominer.

Comme si, malgré elle, elle avait voulu faire comprendre à Eutrope qu'il serait son mari, le père de ses enfants, qu'elle lui serait fidèle, attentionnée et dévouée, mais qu'il ne pouvait escompter d'elle qu'elle oublie tout à fait un serment échangé un après-midi d'été. Pas plus qu'à un court moment de sa vie, elle avait cru à un bonheur dur, fort et sans complication; cet espoir qu'un jour, sans aucune arrière-pensée, elle ne ferait qu'un avec le garçon qui, sans faire autre chose qu'être lui-même, avait touché son cœur. Ceci lui appartenait désormais et même son respect pour l'amour-propre d'Eutrope ne pourrait le lui ôter.

Même s'il ne pouvait les formuler en termes absolus et que cela puisse induire en erreur certains «étrangers» fortifiés dans la croyance que «ce qui se conçoit bien s'énonce clairement», Eutrope, habitué à lire dans les nuances du temps, de l'espace et des gens, avait parfaitement saisi toutes ces abstractions et n'en avait que davantage admiré Maria.

— Non, avait-il répondu. Je sais ben..., mais vous verrez, Maria, je ferai tout mon gros possible pour que vous soyez heureuse.

— Je sais ben, Eutrope, je sais ben...

Et il fut transporté de joie, car jamais encore elle n'avait prononcé son prénom de cette façon-là, de cette façon que l'on a de prononcer le prénom de celui que l'on adopte dans son intimité. Maria également avait ressenti son attachement envers lui se propager à ce moment précis. Mais était-ce avant ou après?

Elle sourit dans l'obscurité en repensant à ce petit bonheur qu'elle lui avait donné, ainsi finalement qu'à elle-même; et Chien remue la tête comme s'il l'approuvait. Toujours en claquant la langue dans un bruit de salive, Alma-Rose se retourne, attirant, comme elle en a l'habitude, les couvertures sur elle et arrachant du même coup un autre sourire à Maria, aujourd'hui indulgente, car elle sait que cette manie de sa sœur ne sera bientôt plus pour elle qu'un souvenir. Cette habitude n'a pourtant rien de réjouissant, surtout à cette heure où le poêle, même s'il a été bien chargé, ne conserve plus que quelques tisons qui serviront surtout à le «repartir» tout à l'heure au lever, mais qui, pour le moment, sont totalement impuissants à réchauffer la maison dont seuls les murs à cette heure sont encore en mesure de protéger du froid qui dehors guette, implacable. Non, rien de bien agréable, mais Alma-Rose, cette sœur avec qui elle a tant partagé, n'y est pour rien... En riant dans sa tête, elle se souvient de ce jour où, encore toute petite, Alma-Rose, en courant dehors, était tombée et s'était cogné le genou sur un caillou dont l'arête vive lui avait enlevé un morceau de peau et de chair grand comme un trente sous; elle était rentrée en hurlant dans la maison avec assez d'effets que Maria, elle aussi, avait commencé à paniquer, à tel point que leur mère, sûrement pour éviter toute réaction en chaîne, l'avait envoyée dehors:

— Maria, va donc voir si tu retrouves pas le morceau qui manque, qu'on y recouse ça...

Certaine de jouer un rôle majeur dans le drame, elle était partie à la recherche du morceau manquant.

«*Fallait-ti que je sois niaiseuse un peu!*»

Emportée par un flot d'images d'un passé qui s'enfuit rapidement,

elle évoque à présent d'autres souvenirs dans lesquels, toujours, interviennent parents et enfants de la famille Samuel Chapdelaine. Souvenirs marqués le plus souvent par les saisons; la plus longue, presque la seule, la reine impitoyable, celle de toutes les rigueurs. Comment oubliera-t-elle jamais cette famille venant se rassurer autant que se chauffer autour des ronflements du poêle devenu maître de cérémonie pour de longs mois durant lesquels, chacun, quand il ressent la morsure d'une angoisse mal définie, va voir les cordes de bois qui diminuent dans la «shed» et se demande s'il y en aura assez, si, comme cela en a l'air, l'hiver doit durer toujours. Et puis... telle une fille prodigue ramenant avec elle l'espoir, un beau matin, arrive la Lumineuse qui chamboule tout, ravive les sens atrophiés, distille douceur et parfums dans le vent, ouvre toutes grandes les fenêtres, ôte la suie des murs, danse sur les lacs et les rivières, change les grands miroirs blancs pour des ondoiements pailletés d'or et d'argent. Mais, comme elle est un peu folle et terriblement insouciante, pour le plus grand regret de tous ceux qui en tombent amoureux, elle est promptement chassée par l'Industrieuse qui balaie rapidement toutes ces folâtreries, en commençant par assommer tout le monde de deux ou trois traits de canicule, puis met toute la création au travail, car le temps presse; vite, vite, réchauffer, croître, récolter, engranger, empoter, se prémunir... Si elle le permet parfois, on s'arrête à la tombée du jour, on s'installe dans une berçante sur la galerie et, satisfait, on contemple son ouvrage en jouissant de la douceur d'un soir mauve et violet dans le réveil lancinant des grillons et le coassement des grenouilles, mais pas plus, car il faut faire vite, vite avant que n'arrive la Sorcière, l'ambassadrice de la reine, qui, en ricanant, commence par cogner fort à la porte du nord jusqu'à ce qu'il se réveille et se fâche, puis étend ses hardes sombres devant le soleil, lance aux arbres feuillus des traits mortels, les condamne à tendre leurs longs bras noirs et décharnés vers un ciel de mercure, couvre le sol de leurs enfants de l'été, répand son venin dans le cœur des hommes et les invite aux noces du sang et de la terre jusqu'à ce que la reine, elle-même écœurée par tant de tristesse, revienne sur le trône, usurpé il n'y a pas si longtemps par la fille prodigue, et commande à ses armées de bien vite cacher toute cette vilaine terre noire et rouille sous un épais tapis immaculé. «*C'est là le pays que j'ai choisi*, songe Maria. *Ou alors... c'est lui qui m'aura choisie? À moins que lui et moi, non, lui et nous, ce soit la même chose?*»

«Au revoir, son père, pis faites attention à vous!»

Son sac de voyage à la main, Maria n'est pas très rassurée en montant dans le wagon. Venu la conduire à Hébertville-Station où passe la ligne Chambord-Chicoutimi de la *Québec-Lac-Saint-Jean*, son père, sur le quai de bois, n'a pas l'air plus enthousiaste. Il essaie bien de sourire, de hocher la tête dans une attitude qui se veut encourageante, mais il est visible que le moral n'y est pas. Pourquoi d'ailleurs y serait-il alors que sa plus vieille quitte la maison? Il la revoit encore, toute petite sous son grand chapeau de paille, dans sa robe pastel, chaussée de ses souliers bruns à lacets, courir à travers le foin aussi haut qu'elle sur la terre de Mistassini alors qu'elle ne devait pas avoir huit ans. C'est déjà fini? Où est parti ce temps-là? Allez! assez d'apitoiement! Maria s'en va. Il faut avoir l'air fort, tout va bien! Elle s'installe près de la fenêtre et lui fait signe de la main. Il lui répond. *«Bonguienne!»* Cette boule ridicule au fond de la gorge... Elle ne s'en va pas au bout du monde après tout; Chicoutimi, c'est juste à côté... À côté peut-être, mais loin des yeux. Il lève les siens vers le ciel, c'est une belle journée, l'azur est pur, léger. Il ne fait pas chaud, même pas doux, mais il y a déjà cette luminosité qui essaie d'annoncer quelque chose. Il a regardé la date sur le calendrier de la cuisine, ce matin, et il s'est dit que c'était une date à retenir, mais sans pouvoir déterminer dans quelle section, heureuse ou malheureuse. Évidemment, il se convainc lui-même et se répète que c'est une bonne date; l'on a des enfants et on les élève afin qu'à leur tour ils partent, qu'ils aient des enfants et les éduquent. Bien sûr! mais quand même..., c'était bien lorsqu'elle était petite et qu'elle courait en riant dans le foin à Mistassini. Pourquoi se souvient-il de cette image, lui qui a l'impression d'avoir foncé à travers toutes ces années sans rien regarder, sans rien se rappeler, seulement qu'il fallait survivre, continuer, faire de la terre, avancer; mais avancer où? Eh bien, à aujourd'hui, à cette fille accomplie qui, sans l'ombre d'un doute, saura perpétuer le meilleur de ce que lui et Laura lui ont légué.

Il y a d'autres personnes sur le quai, principalement des hommes; dans les wagons aussi, il y a beaucoup d'hommes, très peu de femmes, et celles-ci sont toutes dans la force de l'âge. Aucune jeune fille, mise à part Maria. Il aurait peut-être dû l'accompagner jusque là-bas. Observant chacun tour à tour, il leur trouve soudain à tous des attitudes qui prêtent au souci. Celui-là, avec son large col cassé, son paletot de laine noir, son melon, sa cravate de soie fleurie, ses petits yeux noirs pétillants du contentement de soi et ses moustaches! Pourquoi ont-ils tous des moustaches? Le père Chapdelaine a l'impression que toutes ces moustaches sont là pour séduire Maria; pour l'emmener encore plus loin.

Des volutes de vapeur se dégagent de sous les wagons, les enveloppent partiellement et masquent parfois les passagers derrière les fenêtres. À l'avant, il n'est pas besoin de beaucoup d'imagination pour se figurer que la locomotive de métal luisant est une bête noire surgie des enfers, prête à tout anéantir sur son passage. Elle souffle noir par sa cheminée, blanc par sa prise de vapeur, des grondements s'échappent de son corps cylindrique allongé, bielles d'accouplement et bielles motrices incarnent de formidables membres au repos, des membres invincibles.

Un coup de sifflet. Les gens sur le quai reculent. Maria agite la main derrière sa vitre, aux prises encore avec cette malavenante de boule dans la gorge. Vite! que le train parte! Qu'elle ne le voit pas flancher! Mais lui voit le regard de Maria crispé dans un sourire douloureux. Il lève alors la main, mais pas trop, ça aurait l'air de quoi? Les membres de la machine se réveillent, bougent, impriment leur mouvement aux grandes roues à rayons, puis le convoi s'ébranle, avance, s'éloigne, Maria se retourne et agite la main plus rapidement. Qu'importent les autres, il lui répond en levant la sienne bien haut: «*Au revoir! Maria, à bientôt! ma grande fille!*»

Le train est parti, Samuel Chapdelaine pousse un soupir, se détourne pour que personne n'aperçoive sa grimace, pousse un autre profond soupir. «*Allons!* se commande-t-il, *les autres attendent à la maison. Alma-Rose aura préparé le souper... C'est pas fini. Oh! Laura, pourquoi que t'es partie si vite?*»

Dans le wagon, Maria reste le visage tourné vers la vitre, le temps que ses émotions retombent. Elle s'est assise en face d'une femme et ne veut pas lui montrer un visage défait. Tout à l'heure, lorsque ça ira mieux, elle se détournera et lui adressera un sourire aimable, comme si de rien n'était. Et qu'y a-t-il au fond? N'est-il pas normal qu'un jour l'on quitte sa maison, que l'on monte dans un train comme tous ces gens autour d'elle qui parlent avec animation ou regardent le paysage?

Comme il est curieux ce paysage qui défile tandis que l'on est assis à l'abri derrière une vitre, comme si l'on se trouvait dans une maison sur roues. Rapidement, l'étonnement puis une certaine excitation prennent le pas sur l'arrachement du départ; qu'il est agréable de contempler ainsi le paysage assis confortablement sans s'occuper de rien! Pas loin de craquer, il y a quelques minutes, elle commence déjà à se dire qu'après tout le prêtre de Péribonka devait savoir ce qu'il faisait. Et puis, il faut bien qu'elle aille voir un peu «le monde» avant d'épouser Eutrope. Elle se souvient avoir entendu dire que c'est avant le mariage qu'il fallait découvrir les choses nouvelles, qu'après, il était trop tard. Détournant son regard, comme prévu, elle croise celui de sa voisine d'en face et lui adresse un sourire poli. Sans se départir d'une certaine condescendance, la femme lui répond. Dans la quarantaine, «*habillée chic*», un large visage avec de longues bajoues, elle tient entre ses jambes un carton à chaussures marqué *Thomas Dussault, bottier, fashionable* et l'adresse sur la rue Sainte-Catherine à Montréal; elle a placé la raison sociale en évidence, mais évidemment, Maria n'y voit que des signes sans signification.

— Une excellente maison, affirme la femme qui a suivi le regard de Maria.

— Comment?

— Thomas Dussault, une excellente maison.

— Ah!

— J'y retourne chaque année.

Se rendant compte que tout cela doit avoir rapport avec ce qui est imprimé sur le carton, Maria hoche la tête sans rien ajouter. Mais pour la première fois de sa vie, elle regrette vraiment de ne pas savoir lire, et commence à réaliser ce qui risque de lui manquer.

— Y êtes-vous déjà allée? continue la femme.

— Où?

— À Montréal, bien sûr!

— Ah! Montréal, non, non, jamais.

— Vous êtes d'Hébertville?

— Non, je suis née à Normandin, mais astheure je reste à ras Honfleur.

— Honfleur?

— Oui, je sais, ce n'est pas encore une vraie paroisse. C'est à côté de La Pipe.

— La Pipe?

— C'est le nom qu'on donne à Saint-Henri-de-Taillon.

— Ah oui!... Saint-Henri... Il me semble avoir entendu ce nom. Et vous allez à Chicoutimi?

— Oui, c'est la première fois.

— Oh! vous ne connaissez pas Chicoutimi non plus. Vous allez chez de la parenté, j'imagine?

— Non, je vais travailler à l'Hôtel-Dieu.

— Ah tiens! par exemple! J'ignorais qu'ils prenaient des jeunes filles laïques. Honfleur... Honfleur? Qu'est-ce qu'on y fait à Honfleur?

— À part faire de la terre, pas grand-chose.

— Je ne connais pas tellement le Lac; mon mari, lui, vient de Saint-Prime, mais nous avons toujours vécu à Chicoutimi, du moins depuis que nous sommes mariés. Il est contremaître chez Price à Jonquière.

— Je connais Saint-Prime, il y a de la famille de ma mère qui y reste; c'était une Bouchard.

— Ah! par exemple! mon mari aussi est un Bouchard. Jean, fils de Gaston.

Maria fait signe que cela ne lui dit rien:

— Moi, je connais Johnny, Alfred, Éphrem, pis il y a aussi de la famille à Saint-Gédéon: Ferdinand, Wilfrid?

C'est au tour de la femme de marquer son ignorance. Elle hausse les épaules.

— Peu importe, dit-elle, ça doit bien être parent, y en a tellement... Moi, je viens de Québec, ajoute-t-elle avec une fierté non dissimulée.

— Vous avez beaucoup voyagé, trouve Maria, impressionnée par les noms de lieux inconnus d'elle qui entrent dans la conversation.

— Pas mal... Il n'y a pas à se plaindre, acquiesce son interlocutrice avec un contentement de soi observé par Maria qui trouve cela tout à fait «*normal*» chez une personne ayant «*autant voyagé*» et qui, de ce fait, se sent intimidée.

Cette réaction n'échappe pas à la femme et la met en de bonnes dispositions vis-à-vis de Maria.

— Et qu'allez-vous faire à Saint-Vallier? questionne-t-elle avec ce qui ressemble à de l'attention pour sa voisine.

— J'en sais rien.

— Ah bien! voilà qui est étrange... Voulez-vous dire que vous êtes engagée sans savoir ce que vous allez faire?

— On m'a juste dit que j'allais aider les sœurs.

— Quelle expérience avez-vous?

— Rien, répond candidement Maria, mais l'ouvrage me fait pas peur.

— Et comme études?

— Rien non plus, poursuit Maria dans la même veine, je suis jamais allée à l'école.

Cette fois la femme est réellement surprise:

— Jamais à l'école! Mais pourquoi?

— On habite trop loin.

— Mais alors... Vous savez lire quand même?

— Pantoute!

— Pantoute!... fait la femme en écho. Eh bien! je savais qu'il y avait beaucoup de personnes de ma génération qui ne savaient pas lire, mais chez les jeunes gens... On ne s'imagine pas quand on reste en ville... Je suis vraiment surprise. Il faudrait que le gouvernement fasse quelque chose.

Maria ne comprend pas ce que cela pourrait faire au gouvernement qu'elle sache ou ne sache pas lire. En quoi cela pourrait-il le concerner? D'après tout ce qu'elle a entendu, le gouvernement, c'est une assemblée de quelques «gros messieurs» à Québec et à Ottawa qui décident si, ici ou là, il y a assez de monde pour voter pour eux et assez d'argent pour faire un pont, une route ou une école. On vote pour eux et, s'ils sont bons, ils donnent des contrats dans la région et c'est tout. Qu'est-ce que cela peut bien leur faire de savoir si les gens savent lire ou non? Cela concerne les parents, pas les gouvernements. Toutefois, ne voulant pas contredire la femme, qui de toute évidence doit en savoir beaucoup plus qu'elle, elle ne dit rien et se contente d'un bref mouvement de la tête qui n'est ni oui ni non, avant de regarder brièvement à droite, où a pris place un homme dans la quarantaine. Il est vêtu d'un impeccable costume gris anthracite, s'active à bourrer une pipe, tient son dos très droit et a la jambe droite posée sur le genou gauche – une position qu'elle n'a pas rencontrée souvent chez les hommes de son milieu et à laquelle elle ne peut s'empêcher de trouver un petit côté *fefolle*. Gênée par sa propre pensée, elle se tourne à nouveau vers la fenêtre et observe le paysage qui, depuis le départ d'Hébertville-Station, s'est déjà modifié. Laissant derrière lui des champs couverts de neige, le train avance à présent en plein bois, à travers un relief escarpé de sombres rochers granitiques. Une région qui ne sera jamais propice à l'agriculture. Il serait étonnant qu'un jour se dressent par ici des villages entourés de champs. Inconsciemment, elle fait une moue, dédaignant par nature ce que son père lui-même appellerait une «terre de Caïn».

— Comment avez-vous trouvé ce travail? demande la femme.

— C'est Monsieur le curé à Péribonka... Mais ce n'est pas tellement un travail, j'y vais juste pour quelques semaines, c'est un moyen pour payer ma pension pendant que je suivrai les cours à l'école ménagère.

— Pour apprendre la cuisine et tout ça?...

Au ton, Maria comprend que le «tout ça» n'entretient pas une très haute considération dans l'opinion de la femme; n'en comprenant pas la raison, elle s'interroge sur l'établissement.

— Vous connaissez? demande-t-elle.

— Notre employée de maison en vient, ça fait partie de l'orphelinat Saint-Antoine où elle était placée.

— Je ne savais pas qu'il y avait un orphelinat.

— Oh! mais oui! et un très bon. C'est très pratique quand on a besoin de quelqu'un. Généralement, sauf quelques inévitables têtes brûlées, les orphelines ne sont pas des enfants gâtées, elles ont appris ce qu'est le travail...

Encore une fois, Maria ne comprend pas très bien ce que veut dire la femme, ou plutôt elle a peur de le comprendre et préfère l'ignorer. Elle sait qu'il arrive parfois que des gens emploient des mots identiques dans un sens différent, cela doit être le cas. De nouveau, elle regarde le plus discrètement possible dans la direction de l'homme au complet anthracite qui baigne maintenant dans un nuage de fumée bleue odorante. Que peut-il bien faire dans la vie? Elle sait qu'il y a des gens qui vivent en dehors de la terre, comme ses tantes, mais elle n'arrive toujours pas à comprendre comment ils vivent. Celui-ci par exemple, elle essaie de l'imaginer derrière un bureau, noircissant du papier toute la journée. Mais qu'est-ce que ça peut bien donner? Ça ne rapporte ni viande, ni légumes, ni céréales, ni bois pour se chauffer, ni lin ou laine pour se vêtir. Pourtant, elle est certaine que lui aussi doit vivre dans une gentille maison, qu'il doit toujours porter des beaux habits, qu'il se promène régulièrement dans les trains qui sont en passe de devenir pour elle le symbole d'une vie facile et passionnante, alors?

Sentant peut-être l'attention de Maria, l'homme tourne si brusquement la tête vers elle qu'elle n'a pas le temps de détourner les yeux. Il lui adresse un sourire courtois, découvrant deux rangées de dents parfaites entre lesquelles il tient sa pipe serrée sur le côté droit, et incline imperceptiblement la tête:

— *Miss.*

Un Anglais! Maria, les yeux ronds, ne sait plus quelle contenance adopter. La femme vient à son secours:

— *She don't speak English, Sir.*

L'homme a un signe de compréhension amusé:

— *I see... a country girl...*

— *Yes, she is,* opine la femme en baissant les paupières comme pour marquer une indulgence. *She has never left her woods.*

Contrairement à l'effet recherché, la repartie gouaillante semble déplaire à l'homme qui, aussitôt, perd son sourire et, reprenant sa position initiale, regarde droit devant lui en s'absorbant dans son nuage de fumée bleue.

Maria, si elle n'a saisi aucun mot, a néanmoins compris que la femme l'avait raillée devant cet Anglais. Qu'a-t-elle pu lui dire? Elle n'en sait rien, mais se doute que cela n'avait rien de gentil et, sans en avoir aucune preuve, s'en trouve blessée. Cette blessure, associée à la vue de tous ces tristes rochers erratiques perdus au milieu d'arbres rabougris, rouvre celle, toute fraîche, de la séparation.

Chicoutimi. Le site naturel est magnifique, Maria ne peut prétendre le contraire; la vue embrase d'un seul coup d'œil une partie de la ville descendant jusqu'à la rivière et, sur l'autre rive, l'ondulation massive d'une chaîne de collines qui, dans le lointain, apparaît d'une teinte uniformément fauve. Pourtant, depuis que le train a franchi les premières constructions jusqu'à ce qu'il s'arrête dans la petite gare de clabord gris, puis à présent dans les rues de la ville, toutes ces maisons grises, brunes ou noires, toute cette neige sale, les poteaux du télégraphe et de l'électricité qui ressemblent à des arbres décapités, tout lui semble triste et laid. Elle s'attendait à une ville comme Roberval en un peu plus grand; mais non, ici, tout est différent. Alors que, dans la petite ville jeannoise, les maisons tendent à être attrayantes, ici, elle a l'impression qu'elles ne sont bâties que pour abriter; comme si les gens s'y étaient installés avec la vague prémonition de n'y rester que temporairement, et que cette idée de transition ne se soit jamais éteinte. Son sac à bout de bras, elle grimpe dans la direction que lui a indiquée une femme «*bizarre*» à l'air cynique.

«Ah ouais! les bonnes sœurs Augustines! Tu continues tout drette, pis tu montes...»

Elle *monte* lorsque, entendant le bruit d'un moteur, elle s'arrête et se tourne pour observer le véhicule qui grimpe la côte. Étonnée, hésitant entre l'admiration et la crainte, elle se demande quel effet cela peut procurer de conduire cet engin. Elle s'imagine que l'on doit se sentir terriblement libre. Puis, une fois l'automobile complètement disparue, elle reprend l'ascension de la rue, se demandant toujours ce qui pousse des gens à venir s'installer ici plutôt que de rester sur une terre. «*Peut-être ben qu'y rêvent d'avoir une automobile?*»

Elle est arrivée. Parcourant du regard la longue enfilade de bâtisses accolées et disparates, elle ne sait où se présenter. En fait, elle n'a pas du tout envie de se présenter. Tous ces hauts murs de brique sang-de-bœuf l'écrasent et l'oppressent. Il y a, dans l'air, une odeur qu'elle ne peut définir, sinon qu'elle lui rappelle vaguement l'oignon. Elle a envie de retourner chez elle, mais, habituée à obéir à une volonté qu'elle n'analyse même pas, elle se dirige vers un large escalier extérieur donnant directement dans l'ancien hôpital maritime. En entrant, elle est aussitôt frappée par une odeur de formol ou d'éther. Les fibres de son cœur s'affligent du jaune terne et sans éclat des murs jusqu'à ce que, venant vers elle au centre d'un couloir, elle aperçoive la première Augustine qu'elle ait jamais vue, en fait la première religieuse.

— Mademoiselle?

Maria est impressionnée par la longue tenue blanche, et peut-être parce que, dans son subconscient, elle n'a jamais évoqué la Vierge sans le sien, le grand voile contribue à ses yeux à donner à la femme une autorité morale qu'à ce jour Maria n'accordait *de facto* qu'aux prêtres. Pourtant, la religieuse est toute petite – Maria doit faire une tête de plus qu'elle – et ronde avec un sourire à la fois grave et espiègle.

— Euh!... Est-ce que je dois dire «ma sœur»? C'est comme ça qu'on dit?

Le sourire de la petite femme s'épanouit jusqu'à découvrir ses dents:

— Bien!... je crois que c'est la formule. Vous cherchez quelqu'un? Un parent?

Maria a déjà sorti de son sac la lettre que lui a remise le prêtre de Péribonka et qu'elle tend à la sœur:

— Monsieur le curé de Péribonka m'a donné ça pour vous.

Le regard étonné de la religieuse va de la lettre à Maria:

— Pour moi?

— Ben! il m'a dit de la remettre quand j'arriverai. C'est l'Hôtel-Dieu icitte?

— Oui, bien entendu! mais pourquoi ce prêtre vous a-t-il envoyée ici?

— Pour vous aider.

— Oh! je vois..., il me semble que c'est plutôt de la compétence de la mère supérieure. Venez avec moi, mademoiselle, je vais vous conduire.

À la suite de la sœur, Maria parcourt une série de longs couloirs en se disant que jamais elle ne parviendrait à se retrouver si on la laissait seule. Tout en marchant, elle aperçoit des dortoirs dont les lits sont occupés, croise deux autres sœurs qui saluent la première et des gens qui vont et viennent, certains avec des pansements; d'autres, bien qu'adultes, ont des regards d'enfants.

— Vous n'êtes pas de la région, remarque la sœur comme si c'était une évidence.

— Non, j'habite près de Saint-Henri-de-Taillon, répond Maria qui ne veut plus se risquer à nommer Sainte-Monique-de-Honfleur.

— Ah! vous venez du Lac-Saint-Jean.

— Vous connaissez? demande Maria, qui se sentant bien loin de tout ce qu'elle connaît espère qu'elle répondra oui.

— Non, malheureusement. Moi, je viens de Rivière-du-Loup, de l'autre côté du fleuve.

— Je connais pas, avoue Maria.

— Oh! c'est un tout autre pays, beaucoup plus vieux. Ici, c'est tout neuf, nous sommes des pionniers.

Maria n'en revient pas. Honfleur, Péribonka, oui, ça, c'est tout neuf! Mais Chicoutimi? Cette immense bâtisse a dû prendre des années à construire, la «*gigantesque*» église de pierre qu'elle a vue en passant, toutes ces rues... Elle n'ose imaginer Rivière-du-Loup, qui serait encore plus vieille. La sœur s'arrête devant une porte et frappe doucement.

— Entrez, lance une voix ferme.

La supérieure, qui prend place derrière une longue table couverte de papiers, est tout le contraire de la sœur qui vient d'accompagner Maria: elle est de grande taille, même assise, et son visage est profondément sérieux.

— Je m'excuse, ma mère, explique la «*sœur au sourire*», mais il semblerait que l'abbé de Péribonka nous envoie cette jeune fille...

Entrant, Maria approuve de la tête, essayant, dans le même mouvement, d'inclure un bonjour. Une nouvelle fois, elle tend sa lettre. La supérieure la prend sans un seul commentaire, l'ouvre à l'aide d'un coupe-papier en forme de dague et en fait rapidement la lecture sans que son visage n'exprime quoi que ce soit. «Je vois...», dit-elle bientôt en reposant la feuille. Puis, joignant les mains sous le menton, elle prend tout son temps pour détailler Maria en silence.

— Je pourrais, bien sûr, vous placer à la buanderie, poursuit-elle enfin tout haut sa réflexion, ce serait certainement plus simple, mais je crois qu'il y a autre chose qui vous serait d'un plus grand apport sur le plan spirituel; que diriez-vous de nous aider à soigner nos pauvres?

L'idée plaît à Maria. Combien de fois à l'église a-t-elle entendu dire qu'il n'y avait pas de plus grande joie que de se consacrer aux «*malheureux*»?

— Oh! ça me plairait bien!

— J'apprécie cet élan spontané; en retour, vous pourrez assister aux cours de cuisine à Saint-Antoine.

— Aux cours de cuisine...

Cette fois, Maria semble déçue.

— Cela ne vous convient pas?

Le ton de la supérieure est étonné:

— J'aurais préféré apprendre à lire.

Elle n'y a jamais pensé avant cet instant. Elle a presque l'impression que c'est une autre qui vient de parler à sa place. Pourquoi a-t-elle dit cela?

— Qu'espérez-vous apprendre par la lecture? demande la supérieure.

— À lire sur les boîtes, répond Maria.

À présent, la mère supérieure passe de l'étonnement au soupçon:

— Sur les boîtes... et c'est tout? Vous ne songeriez pas également à vous remplir la tête de feuilletons? Il me semble que la cuisine...

— Non, je veux juste pouvoir lire ce qui m'entoure. La cuisine, je la fais depuis que je suis haute comme ça.

Du plat de la main, elle désigne une hauteur lui arrivant à peu près à la taille, ce qui semble exagéré, mais ne l'est pas réellement.

— Je vois, je vois, soliloque presque la supérieure avant de décider: eh bien! on va voir ce qu'on peut faire pour la lecture. En attendant (du menton elle désigne la sœur restée en arrière), sœur Saint-Dominique

139

va vous guider... (S'adressant à la sœur Saint-Dominique:) Vous la conduirez à la salle Sainte-Famille et demanderez à sœur Saint-Edmond de lui trouver un lit. Il faudra aussi prévoir un couvert de plus. Parlez-en à sœur Marie-de-la-Consolation. (De nouveau à Maria:) Sœur Saint-Edmond sera votre supérieure, c'est elle qui vous dira quoi faire. Je la verrai au souper.

Signifiant que l'entretien est terminé, elle incline la tête vers ses papiers. Cependant, juste comme Maria passe la porte, elle ajoute doucement:

— Les premiers temps vous paraîtront sûrement un peu... disons difficiles, mais vous verrez, ça s'arrangera...

La première image que Maria a de sœur Saint-Edmond est celle, monolithique, d'un voile noir incliné au-dessus d'un lit où une très vieille femme paraît regarder fixement le plafond. Se redressant en les entendant, la religieuse regarde dans leur direction et s'adresse à sœur Saint-Dominique:

— Elle est partie...

Maria baisse de nouveau les yeux vers la vieille femme et, en se référant à l'aspect mortuaire de sa propre mère, ne peut que constater l'absurde évidence.

— Oh! c'est affreux! s'exclame-t-elle.

— Qui sait? se demande doucement sœur Saint-Dominique en lui prenant le bras, je crois que cette pauvre femme était prête depuis longtemps.

— Mais... mourir ici, loin de chez elle, loin de sa famille...

Ignorant qui est Maria et la raison de sa présence à ses côtés, sœur Saint-Edmond interroge sa collègue du regard. Petite elle aussi, elle est cependant beaucoup plus maigre et, tandis que le visage de sœur Saint-Dominique respire la bonhomie, le sien, sec et parcheminé, même si la situation ne s'y prête pas, paraît incapable d'exprimer quoi que ce soit de joyeux, et la forte pilosité sur sa lèvre supérieure n'aide en rien à lui trouver un abord commode. Il n'y a que son regard où transparaît un mélange d'énergie et de lumière.

— Elle n'avait plus de famille, explique-t-elle à Maria sans rien mettre de dramatique dans sa voix. Sur je ne sais combien d'enfants, elle a juste réchappé deux garçons qui se sont dépêchés de disparaître aux États-Unis. Quant à son mari, il se serait noyé, voilà bien longtemps, en essayant de traverser un lac ou une rivière alors que la glace était pourrie; et pour finir, notre Imelda qui s'était retrouvée seule avait perdu l'usage de ses deux jambes.

— Elle est morte toute seule..., s'afflige Maria.

— Elle devait dormir, je crois qu'elle est partie dans son sommeil... Vous cherchez quelqu'un?

— C'est la mère supérieure qui vous l'envoie, explique promptement sœur Saint-Dominique; elle vient du Lac-Saint-Jean pour nous offrir son aide.

Sœur Saint-Edmond ne montre aucune joie à cette nouvelle, ni même de satisfaction; tout au plus de l'étonnement:

— Nous aider? Ici?

Maria ne comprend pas comment font les sœurs pour discuter ainsi de choses à son avis superficielles alors qu'il y a, là, sous leurs yeux, une femme qui vient de mourir. Est-ce que les religieuses connaissent sur la mort des choses que les autres ignorent?

— De l'aide allégera votre tâche, assure sœur Saint-Dominique à sa collègue; si vous continuez de même, vous allez fondre complètement, on vous verra plus.

— Il n'y a que la graisse qui fond. (Puis, s'adressant à Maria:) Vous avez idée de ce qui vous attend ici?

— S'occuper des pauvres, non?

— Oui, s'occuper des pauvres... Tiens, voulez-vous commencer tout de suite?

— Ben sûr!

— Eh bien! vous allez pouvoir m'aider à préparer madame Cyr pour son dernier repos.

— La préparer..., balbutie Maria.

— Oui, faire sa toilette. Vous ne voudriez tout de même pas qu'elle se présente devant saint Pierre sans être lavée...

— C'est que...

— Vous n'avez pas peur des morts, au moins?

— C'est que j'ai pas l'habitude.

— C'est compréhensible, mais, vous savez, ils sont beaucoup moins dangereux que les vivants.

Désemparée, Maria regarde autour d'elle, essayant de prendre contact avec cette salle où elle doit «aider». C'est une pièce de taille moyenne, un dortoir en fait, au plancher de bois luisant et impeccable, aux murs blancs, tout aussi impeccables. Par les fenêtres, la lumière grise de cette fin de journée jette des ombres tristes entre les quatre rangées de petits lits en tubes métalliques ivoire, presque tous occupés, certains par des fillettes ou des jeunes femmes, mais la majorité par des personnes d'un certain âge, telle cette femme qui, comme beaucoup d'autres en ce moment, les observe sans rien dire, une femme au visage étroit, encadré par des cheveux d'un gris-jaune qui tombent raides sur ses épaules, habité par des yeux noirs et méfiants enfoncés loin au fond des orbites, et une bouche amère qui lui donne une apparence presque hargneuse. Elle ne voyait pas les «pauvres» ainsi. Pourquoi cette femme prend-elle cet air *«bougon»* puisqu'on s'occupe d'elle, qu'on la soigne et qu'on la loge? Pourquoi aussi, alors qu'elle-même vient *«gentiment»* pour aider, cette sœur, sans lui laisser le temps de se retourner, lui demande-t-elle de l'aider à «préparer» cette femme? *«Je veux pas toucher aux morts!»* s'insurge-t-elle intérieurement. Mais, devinant peut-être ce qui se passe en elle, sœur Saint-Edmond ajoute:

— Autant que vous vous y mettiez tout de suite; ce qui est fait n'est plus à faire. Sœur Dominique, en repartant, pourriez-vous demander au docteur de venir constater le décès?

— Bien sûr!... Ah, oui! sœur supérieure demande que vous trouviez un lit pour... (Elle regarde Maria.)

— Je m'appelle Maria.

— Un bien joli nom! fait sœur Saint-Edmond. Eh bien! posez votre sac ici, Maria, puisque ce lit sera vacant, vous pourrez l'occuper. (Comme Maria ouvre de grands yeux, elle ajoute:) D'une façon comme d'une autre, je ne pense pas qu'il y ait dans cette salle un seul lit qui n'ait pas déjà été un lit de mort. Tenez, voulez-vous installer autour du lit les paravents de toile qui sont là, contre le mur; moi, je vais aller chercher ce qu'il faut pour la toilette.

Les paravents installés, Maria se retrouve seule avec la dépouille dans la lumière déclinante. Elle a envie de fuir, de pleurer aussi, mais ne fait ni l'un ni l'autre. «*Je dois rester! s'ordonne-t-elle. Si tout ça m'arrive, c'est que je dois l'avoir mérité; je dois accepter et surmonter l'épreuve. Mon bon ange gardien, il faut que vous m'aidiez; toute seule, je sais pas si je serai capable...*»

La sœur revient avec une bassine d'eau fumante et, coincés sous le bras, divers tissus ainsi qu'une barre de savon vert. Elle dépose le tout sur une petite table de bois peinte en blanc, juste comme se présente le docteur qui ne devait pas être loin. De taille moyenne, sans que son physique ne se distingue en quoi que ce soit, il émane de lui une autorité et une science qui d'emblée frappent Maria.

— C'est notre bonne Imelda, découvre-t-il sans surprise. Avait-elle repris conscience?

— Je ne crois pas, répond sœur Saint-Edmond.

Le médecin se penche sur la vieille femme comme pour examiner un point particulier de son visage. Maria constate qu'elle est morte sans personne à son chevet immédiat. Se figurant un départ pour l'éternité sans personne à ses côtés pour la soutenir, imaginant l'effroyable détresse et la peur que l'on doit concevoir à ce moment, même si elle ne l'a pas connue, elle est malheureuse pour cette petite vieille. Le médecin se redresse, enfonce ses poings au fond des poches de son tablier blanc et hausse vaguement les épaules.

— Je remplirai les papiers, dit-il. Rien d'autre?

— C'est tout, docteur, du moins pour le moment.

Le décès constaté, il repart comme il est venu, et sœur Saint-Edmond rabat draps et couvertures sur les pieds du cadavre. Maria frissonne à la vue de tant de souffrance gravée dans les chairs éteintes. La religieuse commence par tremper une bandelette de coton dans l'eau, ferme enfin les yeux de la femme et lui applique le tissu autour de la tête «*comme pour jouer à colin-maillard*».

— Ça évite que les paupières ne se rouvrent, explique-t-elle à Maria. Bon, maintenant, je vais la mettre sur le côté pour lui dénouer sa jaquette, vous la maintiendrez comme ça, une main sur l'épaule, l'autre sur la hanche.

Elle renverse la dépouille pour défaire les cordons et, comme indiqué, cherchant en vain à s'évader par la pensée, Maria la retient avec l'impression qu'un courant glacé parcourt ses muscles. Alors que la tête de la femme penche un peu plus vers le matelas, un flot de sang noir s'écoule de sa bouche pour se répandre sur le drap.

— OOOH! NON! NON! gémit Maria.

— Ah, zut! fait la sœur. Bon! laissez-la aller, on va la rallonger le temps d'arranger ça. Bien! Ça ne va pas? Remettez-vous, c'est rien que du sang. Tout ceci n'est plus que l'image d'Imelda.

— Ce... ça fait curieux, s'exprime Maria avec des mots bien au-dessous de la débâcle qui a lieu en elle.

Mais elle n'est pas au bout de ses émotions, car, à présent, la sœur a pris d'autres bandelettes et, du bout de l'index, les enfonce méthodiquement en boule au fond du gosier. Pour finir, appuyant sur la tête d'une main et sous le menton de l'autre, elle ferme la bouche et, passant une nouvelle bandelette sous la mâchoire, l'attache serrée sur le dessus de la tête, *«comme un œuf de Pâques»*. Le cœur au bord des lèvres, Maria est persuadée que désormais elle aura toujours devant les yeux cette image de la sœur Saint-Edmond bourrant la bouche de la femme. La raison a beau lui affirmer que cela ne peut plus rien changer, sa sensibilité, elle, n'accepte pas.

Puis il y a le déshabillage, la toilette, l'essuyage, et enfin elles rhabillent la femme d'une chemise de nuit propre.

— Je vais demander qu'on vienne la chercher, dit sœur Saint-Edmond. Tenez, aidez-moi à remettre les paravents à leur place. (Puis, ce faisant:) Alors, comme ça, vous voulez travailler ici?

Maria croit surprendre une lueur d'ironie dans son regard. La sœur l'aurait-elle invitée si vite à cette *«toilette»* pour l'éprouver?

— Je suis venue pour aider, répond-elle en cherchant à faire comprendre qu'elle n'est pas ici en tant qu'employée salariée.

— C'est un élan de générosité comme ça, demande la religieuse, ou l'espoir d'acheter votre ciel?

Maria se demande comment prendre cela et, parce que cette sœur lui en impose par son choix d'existence et par sa rigueur, choisit d'en ignorer le côté brutal:

— C'est Monsieur le curé de Péribonka qui m'a demandé si je voulais venir...

— Alors, c'est pour racheter quelque chose, une forme de pénitence?

— Et vous? demande Maria qui, sans en comprendre la raison puisque c'est vrai, se sent blessée.

— Moi aussi, répond sœur Saint-Edmond sur un ton indifférent. Bien, je vais vous expliquer en gros ce qu'on fait ici et vous me direz ensuite si vous voulez toujours purger cette... pénitence. (Elle sourit finalement, puis a un mouvement du bras désignant tout le dortoir.) Vous êtes ici dans la salle Sainte-Famille, celle qui est réservée aux femmes. Plus loin, il y a la salle Saint-Dominique réservée aux hommes et la salle Saint-François-Xavier pour les religieux, mais ce n'est pas notre rayon, le nôtre est ici. (Elle baisse le ton.) Comme vous pourrez rapidement le constater, la plupart des femmes présentes sont des personnes à qui j'imagine que Notre-Seigneur a voulu éviter les soucis quotidiens; je veux dire par là que beaucoup n'ont pas toute leur tête, qu'il faut les aider à manger, à se laver et même à faire leurs besoins. Les jeunes filles et les fillettes, elles, sont généralement de passage; elles viennent principalement de Saint-Antoine, l'orphelinat, et se trouvent ici à cause de diarrhée, de pneumonie, de croup ou de toute autre maladie infantile; évidemment, il faut s'en occuper également. Il y a aussi toutes nos vieilles abandonnées, comme Imelda, qui n'ont plus personne et ne peuvent aller ailleurs. Enfin, la routine: nettoyer, nettoyer et encore nettoyer. En fait, c'est la base. Toujours intéressée à faire pénitence?

— Toujours, ma sœur.

— Bien! alors quelques mots qui résumeront tout: notre tâche consiste non seulement à assister nos gens dans les besoins quotidiens que je viens de mentionner, mais aussi et surtout à préparer à mieux vivre ceux qui vont guérir, à soutenir ceux qui se croient abandonnés et à aider à bien mourir ceux qui nous quittent. En fait, c'est pas dur; il suffit de se mettre à leur place et d'imaginer ce qui peut être le mieux pour eux. Ça va toujours?

— Toujours, ma sœur.

— Parfait! Allons souper, car, tout à l'heure, ce sera le tour de ceux qui ne peuvent le faire tout seul.

Maria suit du regard plusieurs personnes quittant le dortoir dans une direction qu'elle ignore:

— Souper...

Après ce qu'elle vient de vivre, elle a l'impression que rien ne pourra passer. Perspicace, sœur Saint-Edmond le devine:

— Il le faut, jeune fille, nous avons souvent de la mortalité ici; si nous nous arrêtons de manger à chaque fois, nous ne pourrons plus nous occuper des vivants; et je vous assure qu'il y a parfois des membres de la famille qui s'arrangent pour vous couper autrement l'appétit que notre Imelda.

— De la famille?

— Nous sommes tous une grande famille, non?

— Oui... je crois.

— Il faut en être certaine, sinon vous ne tiendrez pas. Et, un petit secret: ça ne vient pas tout seul, il faut se le répéter sans arrêt, car nous sommes faibles.

À côté de cette sœur d'un abord plutôt rude, mais capable de donner autant sans l'afficher, Maria a vraiment l'impression d'être faible.

Par tablées de huit ou dix, les religieuses, les malades et les pensionnaires se glissent devant leur banc tandis que des novices apportent des soupières au milieu de chaque table. À l'exemple de la supérieure qui vient justement de s'entretenir quelques instants avec sœur Saint-Edmond, tout le monde récite le *Benedicite* puis s'assoit dans un bruit de bois raclant le plancher. Le menu est frugal: soupe, pain et fromage. Maria, assise en face de sœur Saint-Edmond, est encadrée par deux femmes dans la quarantaine dont l'une, affligée d'un tic, ne cesse de secouer vivement la tête. Elle attend que tout le monde se soit servi pour, à son tour, prendre dans la soupière une louche d'un bouillon épais où surnagent quelques légumes ainsi que des bulles jaunes de gras. À ses côtés, la femme qui a un tic doit, à chaque cuillerée, lever l'ustensile, attendre que le mouvement cesse et se dépêcher d'en gober le contenu. À part quelques paroles, on entend surtout le bruit des

146

couverts raclant le fond des assiettes. Essayant de ne pas penser, Maria avale sa soupe. Elle voit bien des religieuses qui rient ou qui sourient, quelques pensionnaires aussi, mais pourquoi est-ce si triste? À moins que ce ne soit triste que dans sa tête? Il y aurait de quoi, car cette journée a commencé par un réveil au milieu de la nuit sur l'idée que sa jeunesse était finie, s'est poursuivie dans les au revoir, la séparation, le voyage à travers un paysage «*déprimant*», assise en face d'une «*m'as-tu-vu*», la traversée d'une ville où elle ne se sent pas chez elle et ne croit pas pouvoir le faire demain ou plus tard, la toilette d'Imelda et maintenant ce repas entre des inconnus dans une ambiance morne. Encore une fois, il lui faut prendre sur elle pour ne pas fuir, pour ne pas se lever brusquement et sortir de ce réfectoire qui sent l'eau de vaisselle, fuir dehors dans la nuit, respirer l'air pur, courir, courir, retrouver sa maison, là-bas, si loin.

— De ioù c'que tu viens, toué, la jeune, demande sa voisine de droite.

En se tournant, Maria se heurte à la surface immobile d'immenses prunelles gris-jaune qu'elle soutient à peine une seconde avant de découvrir, plus bas, des lèvres tordues dans une grimace qui n'est ni un sourire ni une douleur, juste un rictus cynique.

— Du Lac-Saint-Jean, du côté de Saint-Henri.

— D'une famille de colons...

Dans la bouche de la femme, le terme est nettement péjoratif. Maria ne sait comment y répondre autrement qu'en cherchant à comprendre:

— Vous avez pas l'air d'aimer les colons.

La grimace de la femme s'accentue davantage jusqu'à prendre une apparence haineuse:

— Faire d'la terre! Faire d'la terre! Y z'ont qu'ça dans 'a gueule. C'te mautadite terre-là m'a pris mon bonhomme pis tous mes flots, tous!

Plusieurs religieuses ont levé la tête, l'une d'entre elles, avec l'air peiné, rappelle la femme à l'ordre:

— Pas de vilains mots, madame Prévost.

— Pas d'vilains mots! Y n'empêche qu'on s'est fait couillonner en étole.

— Madame Prévost!

— Ça va, ça va...

Elle a une figure lunaire rougeaude, une mèche de cheveux d'un blond presque blanc lui tombe à présent devant le visage et elle passe sa main pour la ramener en arrière. Elle ne semble pas en mauvaise santé. Maria ne comprend pas ce qu'elle fait ici.

Le repas est vite terminé. Assise à une table placée perpendiculairement aux autres, la supérieure se lève et tout le monde l'imite pour réciter les grâces.

— Venez, lui dit sœur Saint-Edmond en l'entraînant vers la sortie, je vais vous présenter les sœurs tourières qui œuvrent avec nous à Sainte-Famille.

— Les tourières?

— Ce sont des religieuses non cloîtrées; elles peuvent donc aller à l'extérieur faire tout ce que nous ne pouvons pas faire.

— Vous pouvez pas sortir d'icitte jamais?

— Jamais.

— Mais c'est terrible!

— Pas du tout! nous l'avons toutes voulu ainsi. Et puis... Dieu est bon, il nous rappelle vite à lui.

Maria l'observe avec stupeur:

— Qu'est-ce que vous voulez dire?

— Rien de plus que ce que j'ai dit.

— Mais vous avez dit que Dieu vous rappelait vite à lui?

— D'après mes calculs, nous atteignons l'âge moyen de trente-six ans. Évidemment, si un jour on pouvait soigner efficacement la tuberculose, les chiffres changeraient.

— Vous essayez de me faire changer d'avis?

— Pas du tout! Maria, et je crois même que souvent ça doit être beaucoup plus dur dehors. Il suffit de penser à votre voisine de table tout à l'heure, dont l'histoire est encore bien plus tragique que celle de notre pauvre Imelda. Le seul enfant qu'elle a pu réchapper est mort de la gangrène juste pour s'être planté un broque à fumier dans le pied, et son mari buvait et la frappait tellement qu'elle a un peu perdu l'esprit.

Elle n'ajoute rien, mais Maria comprend qu'il s'est passé quelque chose de spécial. Au cours de certaines veillées, entre un récit de chasse-galerie et l'évocation d'une apparition démoniaque, elle a entendu ce genre d'histoire où la misère, l'alcool, les privations ou la proximité du bois sauvage conduisent parfois certains à fixer le Grand Œil Noir et à commettre des actes déments.

En arrivant au seuil du dortoir, sœur Saint-Edmond secoue la tête de droite à gauche.

— Vous allez bientôt tout comprendre, dit-elle à Maria, je vais vous faire un cadeau...

— Un cadeau?

— Oui, ce soir, c'est vous qui donnerez le repas à Blanche-Aimée St-Pierre.

Tandis que les pensionnaires autonomes retournent vers leurs lits, sœur Saint-Edmond va à la rencontre de deux autres religieuses portant chacune un grand tablier gris.

— Sœur Marie-de-la-Croix et sœur Marie-de-la-Rédemption, les présente-t-elle à Maria. En plus de travailler à la ferme, de faire le tour des paroisses environnantes pour recueillir les dons, d'étendre à domicile les soins de l'Hôtel-Dieu et de faire les commissions, elles veillent également sur nos pauvres, sans oublier qu'elles me remplacent avantageusement lorsque je vais rejoindre ma place dans le chœur, bref elles sont indispensables.

Répondant à leur sourire de bienvenue, Maria s'incline légèrement, étonnée que de si jeunes femmes puissent être religieuses. Elle s'était toujours imaginée qu'une religieuse était nécessairement une femme d'un certain âge.

Sœur Saint-Edmond leur explique le motif de sa présence.

— C'est un cadeau du Seigneur! s'exclame sœur Marie-de-la-Rédemption. Nous avons déjà eu des dons en argent, en bois de chauffage, en briques, en animaux de ferme, en nourriture, voici maintenant l'offrande d'un cœur avec des bras.

Maria est décontenancée par l'exaltation de la jeune religieuse. Comment lui dire qu'elle n'est ici que parce qu'on lui a dit de venir. Elle ne se sent pas le droit d'accepter cette forme de compliment.

— Oh! c'est rien, affirme-t-elle, et pis je ne suis là que pour quelques semaines.

— Quand c'est qu'on soupe icitte?

Les quatre femmes tournent la tête vers la patiente qui vient de se plaindre. Maria reconnaît celle qui la fixait de ses yeux noirs lorsqu'elle est arrivée.

— On s'en occupe, madame Leclerc, lui répond gentiment sœur Marie-de-la-Rédemption.

Encore une fois, Maria s'étonne de tant de chaleur en réponse à des paroles revêches. Déjà les tourières retournent à leurs occupations tandis que sœur Saint-Edmond conduit Maria au pied du lit d'une femme étendue complètement à l'horizontal.

— Si vous le voulez bien, demande la religieuse à voix basse, vous commencerez par lui donner un peu de soupe, mais ne la forcez pas; si elle dit qu'elle n'en veut plus, ne lui en donnez plus, elle le prendrait contre son gré, uniquement pour ne pas vous ennuyer ou ne pas vous vexer.

Depuis son arrivée à Saint-Vallier, Maria a déjà rencontré beaucoup de personnes trop maigres à son goût, surtout des religieuses, mais celle-ci, qui pour l'instant a les paupières closes et les bras allongés le long du corps, n'a plus à proprement parler de chair sur les os. Ceux-ci saillissent sous une peau diaphane d'apparence fragile, laissant l'impression qu'au seul fait de la toucher, elle pourrait se déchirer tel du papier de soie. Son épaisse chevelure brune, qui autrefois a dû être magnifique, paraît aujourd'hui disproportionnée et trop lourde, étendue en éventail sous la nuque. À l'endroit des tempes, de profondes dépressions se sont creusées, parcourues de vaisseaux bleus et carmins palpitants sous la trop fine peau. L'absence de chair sur les pommettes fait ressortir celles-ci et donnerait à la femme une apparence asiatique si le menton, lui aussi dépourvu de tissus, ne se découpait pas en arêtes vives au bas du visage. Loin au fond des orbites, les paupières closes sont elles aussi parcourues de fines veinules bleues. Sur ses lèvres, sans pourtant qu'elle ne grimace en aucune façon (est-ce une ombre ou un pli?), se lit toute l'histoire d'une trop longue souffrance. Plus bas, entre le drap et le menton, le cou s'est creusé jusqu'à ce que les artères carotides et les veines jugulaires forment deux lignes en relief de chaque côté de la gorge. Sur la couverture, les manches de la chemise de nuit ne laissent apparaître que deux traits filiformes, comme en témoignent les poignets, avant que ne s'imposent au regard les pauvres mains pathétiques. Pourtant, malgré tout cela, malgré toute l'horreur que peut inspirer un tel état chez un être humain – ou même chez un animal –, le premier choc passé, Maria sait qu'elle est en présence d'une belle personne et, qui plus est, d'une personne que la maladie a élevée aux plus hauts niveaux. Elle n'analyse pas ce brusque besoin qu'elle éprouve de vouloir passer son bras sous les frêles épaules et de rester là, sans désirer autre chose que de lui procurer un quelconque réconfort. En sachant dès à présent que, lorsqu'elle le fera, ce réconfort ne sera pas à sens unique.

Sœur Saint-Edmond se penche vers la femme:

— Blanche? Blanche-Aimée?

Lentement, la femme soulève les paupières et, sur-le-champ, Maria est éblouie par la chaleur du regard débordant d'une incroyable bonne humeur, mais aussi d'un mélange de timidité et d'amabilité. Comme si cela n'était pas suffisant, voici les lèvres elles-mêmes qui s'épanouissent en un sourire plein de commisération, un sourire où Maria voit sans l'ombre d'une hésitation que le souci de cette femme n'est pas sa maladie, mais le dérangement que celle-ci peut causer aux autres.

— Ah! ma sœur..., dit-elle simplement avec cependant beaucoup plus de contenu dans le ton que dans les mots.

— Bonsoir! Blanche-Aimée. J'ai du nouveau pour vous, ce soir; j'ai quelqu'un à vous présenter; elle s'appelle Maria. C'est elle qui va vous donner votre soupe.

La femme se tourne lentement vers elle et Maria rencontre directement la chaleur des prunelles marron qui ont l'air de dire: «Ne vous dérangez pas pour moi, ce n'est pas grave.»

— Bonjour! chuchote Maria dans la crainte confuse que de parler plus fort pourrait blesser la femme. Je suis heureuse de vous connaître.

— Moi aussi, retourne Blanche-Aimée sans que Maria n'ait l'impression – au contraire – qu'il ne s'agisse là que d'un retour de politesse. Vous êtes une nouvelle novice?

— Non, non, madame; rien du tout. Je suis juste venue aider durant quelque temps.

— Ça, c'est vraiment gentil!

Portant une assiette de soupe qu'elle dépose sur la petite table de chevet, sœur Marie-de-la-Croix salue à son tour la malade:

— Alors, madame St-Pierre, comment allez-vous ce soir?

— Très bien, ma sœur... Hum...! C'est la soupe qui sent bon comme ça?

Le regard de Blanche-Aimée semble en effet exprimer à présent la plus profonde satisfaction au fumet de la soupe que Maria trouve bien ordinaire. Sœur Marie-de-la-Croix fait un signe ambivalent de la tête et s'excuse avant de repartir vers d'autres malades tandis que sœur Saint-Edmond passe un bras derrière les épaules de Blanche-Aimée:

— On va vous aider à vous redresser pour manger.

Maria saute sur l'occasion et, se sentant un peu gauche, s'emploie aussi à aider la femme qui, bien qu'affichant résolument le plus charmant sourire, ne peut empêcher la douleur de briller au fond de ses yeux.

— C'est trop gentil, dit-elle encore. J'ai bien l'impression de ne pas être bonne à grand-chose.

À présent, le dos appuyé sur l'oreiller, remonté contre la tête du lit, elle regarde les deux femmes qui l'entourent avec un air confus, prenant visiblement sur elle pour leur cacher l'épreuve que lui impose cette position. Émue, Maria a le cœur gros et sent un nœud dans sa gorge. D'un mouvement imperceptible en direction de l'assiette, sœur Saint-Edmond lui fait signe qu'elle peut commencer.

— Bien! je vous laisse, dit-elle à la femme, je crois que vous êtes entre bonnes mains.

Maria la regarde s'éloigner, à la fois effrayée et heureuse de la responsabilité qui lui incombe:

— Vous voulez-ti commencer tout de suite?

— Oui, ça sent tellement bon!

D'une main légèrement tremblante, Maria amène une cuillerée à la hauteur des lèvres de la femme et se ravise:

— Oups! c'est peut-être trop chaud?

Pour vérifier, elle en fait tomber une goutte sur l'intérieur de son poignet comme autrefois elle a vu faire sa mère lorsqu'elle donnait ses bouillies à Télesphore, bébé:

— Je crois que ça va.

Blanche-Aimée sourit un remerciement pour cette prévenance et avance ses lèvres vers la cuillère puis en avale le contenu avec des efforts qu'elle masque par autant de sourires ennuyés. Après la cinquième cuillerée, il est visible qu'elle n'en peut plus; Maria prend conscience que si elle ne manifeste aucun refus, c'est pour ne pas déranger.

— En voulez-vous encore? demande-t-elle.

— Oh!... je crois que c'est assez...

— Vous n'avez plus faim, vous voulez pas autre chose?

Maria n'a rien d'autre sous la main, mais elle se sent capable de retourner toute la ville si cette femme lui demandait quoi que ce soit.

— Non, merci! c'était très bien, vous êtes vraiment très gentille!

— Vous voulez-ti que je vous aide à vous rallonger?

— S'il vous plaît... Je crois que je suis un peu faible.

Cette fois, Maria passe complètement son bras sous les épaules, lui enlève l'oreiller, donne son autre main à la femme afin qu'elle s'y accroche et la laisse doucement aller vers le matelas. Mais, dans le mouvement, Blanche-Aimée St-Pierre ne peut retenir une vive grimace de douleur.

— Je vous ai fait mal? s'affole Maria.

— Non, non, assure Blanche-Aimée qui se veut catégorique, c'est rien du tout.

— Vous avez pourtant eu l'air d'avoir mal.

— C'est rien, je vous assure; juste le talon...

— Le talon?

— C'est fini maintenant.

— Je vais regarder, décide Maria qui sait à présent que cette femme ne se plaindra jamais.

— Oh!... ce n'est pas la peine...

Mais Maria veut savoir ce qui fait souffrir sa patiente, de toutes ses forces elle veut y remédier. C'est pourquoi, n'écoutant que cette autorité, elle va au pied du lit et déborde la couverture et le drap de façon à dégager les pieds:

— Mon doux!

Traversée d'une douleur aiguë au bas-ventre, Maria fixe les plaies de lit. Déjà, elle a entendu parler des escarres, mais n'en avait jamais vu jusqu'à ce soir. Peu au fait, elle croyait qu'il s'agissait simplement d'irritations dues au frottement répété des points d'appui du corps durant un alitement trop prolongé. Elle était loin de la vérité; ce qu'elle imaginait comme de banales irritations sont en fait de véritables trous à vif de la taille d'une pièce de cinquante cennes situés sur chaque talon.

— Ça doit vous faire mal, dit-elle tout en se sentant stupide et cherchant à masquer son désarroi et ses atermoiements sur ce qu'il convient de faire.

— À l'air, comme ça, ça va déjà mieux.

— Je vais demander à sœur Saint-Edmond ce qu'il faut faire.

— Non, non, ne vous dérangez pas, c'est déjà passé; je vous assure...

— Je ne pensais pas que les plaies de lit pouvaient être aussi...

— Ça paraît pire que c'est, ce sont de petits inconvénients.

Maria ne comprend pas une telle résignation en présence de la douleur; elle veut en savoir plus sur cette femme qu'elle n'est pas loin de considérer comme une sainte:

— Y a-ti longtemps que vous êtes là?

— Quelques mois.

— Quelques mois! Mais c'est long, vous ne seriez pas mieux chez vous?

Comme elle prononce ces mots, Maria a conscience de dire des absurdités. Pourtant, d'après tout ce qu'elle sait, un établissement comme celui-ci est un endroit où viennent se réfugier les indigents, les simples d'esprit, un lieu où les étrangers de passage peuvent se faire soigner, les orphelins, trouver un refuge; mais dans une maladie comme celle de Blanche-Aimée, la meilleure place n'est-elle pas chez soi, au milieu des siens? Il doit y avoir une raison à sa présence ici, une triste raison.

— J'en avais plus la force, explique la femme. Alors j'ai pris le train puis une voiture et je suis arrivée ici. Je regrette un peu, ça cause bien du tracas...

— Mais non!

— Faut pas se le cacher.

— Mais non! je vous dis. (Maria semble chercher réponse à une question.) Ce que je ne comprends pas, c'est que votre famille vous ait laissée icitte...

De nouveau Maria regrette ses derniers mots; ce n'est pas parce qu'il lui paraît impensable de ne pouvoir compter sur la famille que la chose l'est obligatoirement.

— Je n'ai que mon garçon et il est monté aux chantiers depuis octobre. Il reviendra en mai...

Maria sent toute la tristesse qui se cache derrière cette dernière phrase. Blanche-Aimée St-Pierre doit s'imaginer la peine de son fils qui, au retour, ne trouvera qu'une maison vide, et combien doit-elle souffrir de son absence!

— Il sait pas que vous êtes là?

— À quoi bon! ça ne ferait que du mal à tout le monde, répond la femme avec le dessin d'une certaine mélancolie aux commissures des lèvres. À lui qui perdrait ses gages de l'hiver parce que, s'il savait où je suis, il viendrait tout de suite et que chez Price, ils ne paient qu'une fois l'engagement terminé au complet; et à moi, qui serais malheureuse de le voir malheureux pour moi. Non, quand il reviendra, tout sera fini, et pour lui ce sera plus court.

— Moi, en tout cas, j'aurais pas aimé si ma mère était partie sans que je sois là, à côté d'elle.

— Je crois qu'il n'aimera pas non plus, mais j'y ai pensé et, même sans parler de ses gages, je crois que je préfère qu'il ne me voie pas dans cet état; oh! pas par orgueil! non, mais parce que j'ai l'impression que ce souvenir pourrait... comment dire, gâcher sa joie de vivre. Voyez-vous ce que je veux dire?

— Je crois... oui. Mais je crois aussi que vous le privez d'un cadeau irremplaçable.

— Oh! pas grand-chose... (Puis, changeant volontairement le cours de la conversation:) Vous êtes de la région?

155

— Du Lac-Saint-Jean.

— Ah! moi aussi, d'Hébertville, enfin, depuis quelques années.

— Vous êtes du Lac! se réjouit Maria, c'est différent d'ici, hein?
Blanche-Aimée St-Pierre hausse les sourcils d'un air rêveur.

— Je crois comprendre ce que vous voulez dire, oui, c'est différent. Pourtant, quand nous sommes arrivés, nous pensions que le
Saguenay et le Lac-Saint-Jean étaient une seule et même chose...

— Donc, vous venez pas d'Hébertville?

— Non, non, pas du tout...

Maria voudrait en savoir plus, elle voudrait rester ici et lui jaser sans
arrêt, l'écouter parler de sa vie de sa belle voix douce, mais elle
comprend que la femme puise directement dans ce qui lui reste d'énergie pour répondre à ses questions.

— Je vais demander à sœur Saint-Edmond ce qu'il faut faire pour
vos talons.

— Ce n'est pas la peine, ne vous dérangez pas.

— Je ne veux plus vous entendre dire de ne pas me déranger,
madame St-Pierre. Et pis je vais pas vous laisser souffrir de même, ça
a pas de bon sens cette affaire-là. Je reviens.

— Vous êtes trop gentille, entend-elle dans son dos.

Sœur Saint-Edmond est occupée, quelques lits plus loin, à donner
la soupe à une autre femme alitée. Maria la rejoint, salue et observe une
seconde la petite vieille toute menue et toute blanche, assise contre son
oreiller et qui, elle aussi, la détaille d'un œil à la fois amusé et rusé.

— Vous avez terminé avec madame St-Pierre? demande sœur
Saint-Edmond.

— Pour la soupe, oui, mais j'ai vu qu'elle avait de grosses plaies
sur les talons, elle a l'air de pâtir pour vrai.

— Je sais, je sais; tout à l'heure, je lui mettrai du bicarbonate de
soude, comme d'habitude.

— Je peux le faire; où ça se trouve?

— Non, non, Maria, c'est pas à vous de le faire et je vous explique-
rai pourquoi plus tard.

— Ah bon!..., je vais retourner à côté d'elle, d'abord.

La religieuse a un imperceptible sourire de compréhension attristée.

— Non, Maria, je sais ce que vous devez ressentir, mais il y a d'autres patients qui ont tout autant besoin. (Elle regarde autour d'elle.) Tenez, demandez à sœur Marie-de-la-Croix, là-bas, les deux personnes à côté de celle qu'elle est en train de nourrir n'ont pas encore soupé.

Maria lance un regard désolé en direction du lit de Blanche-Aimée St-Pierre, mais fait comme lui a demandé la religieuse. Elle comprend que les soins doivent être donnés à tous sans distinction; cependant, elle ne peut s'empêcher de regretter d'avoir à laisser celle pour qui déjà elle éprouve un attachement qui, hormis François Paradis en une toute autre façon, n'a jamais été aussi immédiat en dehors des membres de sa proche famille. Quelque part dans la région des souhaits jamais formulés, elle se demande même s'il ne lui serait pas possible de s'occuper exclusivement de Blanche-Aimée St-Pierre.

Prénommée Raymonde, l'autre patiente est d'un genre tout différent; dans la cinquantaine, visage étroit, petits yeux noirs sans cesse en interrogation, elle fait penser à une enfant capricieuse qui aurait pris le corps d'une femme usée.

— Qu'est-ce qu'on mange? demande-t-elle d'emblée à Maria sans autre forme de présentation.

— De la soupe.

— Ah! de la soupe... Quelle heure qu'il est?

— Il doit être six heures.

— Six heures...

Comme Maria, essayant d'y mettre un maximum de prévenance, semble aller trop lentement au goût de la femme, celle-ci fait un mouvement rotatif de la main pour lui signifier d'accélérer.

— Quelle heure qu'il est?

— Un peu plus de six heures, répond Maria étonnée.

Au bout de trois minutes, la femme pose à nouveau la même question. Intriguée, Maria se tourne vers sœur Marie-de-la-Croix. Du regard, celle-ci lui fait comprendre de ne pas s'en faire.

Finalement, pendant qu'elle avalait son dîner, Raymonde lui a demandé l'heure au moins dix fois.

— Pourquoi qu'elle demande l'heure tout le temps? s'enquiert

Maria alors qu'elle rejoint la tourière afin de s'enquérir s'il n'y a pas d'autres personnes à nourrir.

— Elle a perdu la mémoire. Elle se rappelle ce qui s'est passé il y a trente ans, mais après, plus rien; elle vit tout le temps l'instant présent sans seulement se souvenir que la minute passée a existé.

— La pauvre...

— Qui sait? Pour elle, c'est peut-être une bénédiction; la mémoire ne conserve pas toujours que des bons souvenirs. Il y a peut-être un événement qu'elle n'est plus capable de vivre.

Maria essaie de se représenter ce que ça peut être de toujours vivre le même instant, quelle peut en être l'utilité, mais ses pensées sont interrompues par sœur Saint-Edmond qui vient vers elle en regardant alentour si tout va bien:

— Eh bien! Maria, je crois que vous en avez eu assez pour une première journée; que diriez-vous de préparer votre lit et ensuite de venir à la chapelle pour l'office du soir?

— Ben! justement, ma sœur, j'ai vu que le lit à droite de madame St-Pierre était libre, ce serait-ti possible que je prenne celui-là à la place de l'autre?

— Je me doutais un peu que vous me le demanderiez, mais êtes-vous sûre de vraiment le désirer?

— Certain!

— J'ai bien peur que vous ne risquiez de vous attacher plus que ne le voudrait ce qui vous a conduit ici. Avez-vous songé que, si vous vous penchez trop sur un patient en particulier, il faut vous attendre à de grandes épreuves?

— Ça me paraît mieux que l'indifférence. J'imagine qu'il n'y a pas de joie sans chagrin, et je voudrais tellement aider cette femme!

— Je dois dire que j'apprécie votre réponse; elle me redonne même un peu d'espoir...

— Comment ça?

— Oh!... c'est une longue histoire. Vous savez, c'est au XIIᵉ siècle, à Dieppe en France, que notre ordre a été fondé, selon la règle de saint Augustin. Nous faisons bien sûr le vœu de pauvreté, de chasteté et d'obéissance, mais aussi d'hospitalité. Les premiers hôtels-Dieu étaient d'abord des asiles pour les pèlerins, puis ils sont devenus un lieu où les pauvres recevaient les soins corporels et spirituels, l'un n'allant pas sans l'autre. Un havre pour les abandonnés et les délaissés, dont la fonction première était surtout évangélisatrice. Aujourd'hui, avec l'arrivée de nouvelles méthodes, de ces médecins qui ne nous reconnaissent parfois même pas le droit de gérer ce qui nous appartient (il s'en est même trouvé un ici pour s'élever contre le fait que nous donnions nous-mêmes les médicaments), oui, je crains que...

Elle se tait, mais comme Maria l'interroge du regard, elle semble contente de poursuivre:

— Je crains que les gens se mettent à considérer l'Hôtel-Dieu comme une espèce d'usine de réparation, qu'ils ne viennent ici que pour les soins du corps et repartent en estimant que c'est rien que normal d'être soigné. Je ne suis pas prophète, et surtout je ne suis pas là pour juger, mais je vois déjà le jour où, parce que l'on aura peur de ce que nous sommes, l'on n'aura plus besoin de nous. On nous mettra de côté parce que notre œuvre est avant tout spirituelle. Il est à prévoir qu'avec le temps, surtout avec une meilleure alimentation, les gens vivront de plus en plus vieux et ils auront de moins en moins peur de la mort parce qu'ils vivront mieux, ils se la cacheront et, n'en ayant plus peur, j'imagine qu'ils écarteront tout ce qui pourrait la leur rappeler – dont la religion, jusqu'au jour où ils s'apercevront que, quoi qu'ils fassent, ils ne sont toujours pas éternels. Ce jour-là, ils trouveront sûrement autre chose, qui sait... Ils inventeront peut-être des vies après la mort. (Elle paraît soudain revenir à une réalité plus immédiate et regarde Maria.) Mais je m'égare, je parle, je parle. Vous devez rien comprendre à mes folles histoires.

— Ben!... j'ai du mal à imaginer que des malades qui ont de la famille et tout ça viendraient icitte pour se faire soigner.

— Il y en a pourtant de plus en plus. J'ai même entendu un docteur réclamer un département pour les femmes enceintes. Ils vont bientôt nous dire que la maternité est une maladie.

— Vous voulez dire que les femmes pourraient avoir leur bébé icitte?

— Oui... c'est une époque bizarre.

— Mais pourquoi vous disiez que ma réponse vous redonnait de l'espoir?

— Parce que vous êtes jeune et que vous semblez quand même tenir à faire passer vos sentiments devant la peur de souffrir. Ça me console. Il m'arrive d'imaginer qu'un jour nos maisons seront transformées en mouroirs où l'on enverra ceux qui vont partir, comme si c'était contagieux.

Maria ne semble pas convaincue par cette vision:

— J'ai du mal à imaginer que des gens voudraient volontairement aller mourir loin de chez eux et, encore plus, que leurs proches le désirent. Ce serait terrible!

— C'est vrai que, des fois, j'ai tendance à laisser libre cours à mon imagination, mais tout change tellement vite... Tenez, lorsque j'étais jeune fille, c'est pourtant pas si loin, on pensait encore que la maladie était la conséquence des péchés humains; aujourd'hui, c'est devenu une conséquence du hasard, comme si le hasard pouvait exister! ou une conséquence du milieu, ou de l'hérédité. Pfutt!

Maria ne s'est jamais posé la question, mais se souvient que, sans chercher à en savoir davantage, elle a attribué la maladie de sa mère à quelque volonté supérieure et, plus inconsciemment encore, que cette même maladie devait sanctionner quelque chose. Quoi? Elle ne se l'est jamais demandé et, par avance, se le refuse.

La chapelle est pleine de clairs-obscurs; alors que les bancs de l'assistance baignent dans une nappe d'ombre, sur l'autel en avant, la nappe immaculée semble réfléchir la lumière de mille feux. De chaque côté du tabernacle, des candélabres scintillent et leur éclat doré contribue à donner à l'atmosphère un ton surnaturel. Toute cette lumière se condense ensuite sur la sainte Véronique vêtue entièrement de blanc qui se tient au milieu de l'immense tableau situé au fond du chœur et qui la représente tenant le linge où s'est imprimé le visage du Christ. Agenouillée derrière une rangée de voiles noirs, pour la première fois depuis qu'elle a quitté son père à la gare d'Hébertville-Station, Maria a le sentiment de retrouver quelque chose de familier et elle se souvient que Dieu est partout, qu'Il voit tout, donc qu'Il est là, près d'elle, ainsi que la Vierge Marie. Elle n'est donc pas toute seule comme elle l'a pensé jusqu'à maintenant. Lorsque les religieuses se mettent à chanter en latin: *Te Deum laudamus, te dominum confitemur...*, son cœur ne fait qu'un bond; que c'est beau! Bien sûr, elle ne comprend pas le sens des paroles, mais se sent pénétrée par leur esprit. Dans cette exaltation, elle repense soudain à Blanche-Aimée St-Pierre et se persuade que finalement sa présence ici ne doit pas découler d'un hasard, qu'il doit y avoir une excellente raison à cela. Cherchant cette raison, elle se demande si Dieu ne l'a pas placée là pour adoucir le dernier parcours de la pauvre femme. Ne trouvant d'autre cause plus impérieuse, ou ne voulant pas en trouver, elle s'en persuade et cela lui fait apparaître toute cette «*immense et affreuse*» bâtisse sous un autre jour. Reprenant timidement des fins de couplets, elle joint sa voix à celles des religieuses, lançant dans les airs de la chapelle des mots qui, surtout parce qu'ils n'ont aucune signification matérielle pour elle, portent vers la voûte des prières et des grâces qu'elle ne saurait exprimer en mots de tous les jours.

Sitôt l'office terminé, ayant perdu de vue sœur Saint-Edmond, Maria décide de retrouver la salle Sainte-Famille par ses propres moyens et s'égare. Longeant un couloir désert, angoissée par l'inconnu meublé du bruit de ses pas, elle passe devant une pièce dont la porte ouverte lui permet d'entrevoir des étagères où sont alignés des bocaux dont le contenu l'intrigue. Elle s'arrête, avance la tête par le chambranle et aperçoit, lui tournant le dos, assis devant un bureau de bois appuyé contre le mur du fond, un homme vêtu d'un tablier blanc. Elle s'apprête à continuer son chemin, mais l'homme se retourne et l'aperçoit à son tour. Elle reconnaît le médecin venu constater le décès de la vieille Imelda Cyr:

— Bonsoir! Vous cherchez quelque chose?

— Heu! non, enfin oui, la salle Sainte-Famille...

— Vous êtes à Sainte-Famille?

— Oui.

Il l'observe une seconde d'un œil interrogateur:

— Je dirais qu'à première vue vous n'avez pourtant pas l'air malade.

— Je ne le suis pas, je suis juste venue aider les sœurs.

— Ah! j'ignorais qu'on avait engagé une infirmière...

— Je ne le suis pas non plus, je suis juste icitte pour quelques semaines.

Le médecin secoue lentement la tête d'un air affligé.

— C'est pas sérieux..., dit-il pour lui-même.

— C'est vrai, rétorque-t-elle, croyant qu'il pense qu'elle plaisante.

— Oh! mais je vous crois, non, c'est autre chose qui ne me paraît pas sérieux. Mais ne le prenez pas pour vous, cela n'a rien à voir.... (Il se retourne vers son bureau.) J'en ai pour une minute avant de finir, ensuite je vous montrerai le chemin; je dois aussi me rendre à Sainte-Famille.

Le ton comporte une autorité naturelle à laquelle elle n'est pas habituée. Elle fait «oui» de la tête et de nouveau regarde les bocaux où, baignant dans un liquide incolore, et pour avoir assez souvent «fait boucherie» avec sa mère, puis seule, elle reconnaît des organes sans pour autant se rappeler que ce puisse être ceux de bœuf ou de porc. Elle ne comprend pas ce qu'ils font là. Le médecin, qui a jeté un coup d'œil par-dessus son épaule, note l'interrogation inscrite sur son visage.

— Vous n'avez jamais vu d'organes humains? demande-t-il.

Maria blêmit.

— Hein! Vous voulez-ti dire que c'est des morceaux de vrai monde?

— Oui, oui, de *vrai monde.*

Maria a peur de poser d'autres questions; elle essaie de comprendre comment ces «morceaux» ont pu arriver là et, regardant le médecin à la dérobée, elle l'imagine allant la nuit dans les cimetières pour déterrer les morts, les ouvrir et arracher un foie, un cœur ou une cervelle avant de les plonger dans ces horribles bocaux. Elle l'imagine, mais sa raison lui affirme qu'il doit y avoir une raison plus naturelle, plus rationnelle; enfin, jusqu'à ce que son regard tombe sur un bocal où, debout dans le formol, elle voit ce qu'elle prend pour un bébé minuscule, mais tellement bien fait qu'elle ne voit pas d'autre moyen que de s'affirmer que, malgré sa taille, c'est réellement un vrai bébé.

— Et ça! demande-t-elle d'une voix à la fois horrifiée et indignée.

— Ça, c'est un fœtus. Vous savez ce qu'est un fœtus?

162

— Un fœtus... Oui, mais... Comment...?

— Tout simplement le résultat d'une fausse couche. Il est plus utile à la science dans ce bocal que si on l'avait jeté à la poubelle.

Maria a l'impression d'être en face d'une curiosité malsaine, même si, dans la bouche du médecin, le mot «science» a des connotations presque religieuses.

— Et tous ces morceaux? demande-t-elle surtout pour masquer une sensation de chute libre.

— Des gens qui ont donné leur corps à la science.

À la «science», encore ce mot. Qu'en sait-elle? C'est ce qui rend possible le classement des plantes et des bêtes, c'est ce qui explique la lune, les étoiles et les saisons, c'est ce qui a permis de faire les «chars», le télégraphe, la lumière électrique, mais quoi d'autre? Est-ce qu'on ne pourrait pas s'en passer? Est-ce assez important pour exposer ainsi des «morceaux» d'êtres humains? Encore sous le choc de ce qu'elle vient de voir, elle ne peut l'accepter. Quelque part, elle a le sentiment que quelque chose de divin a été outragé, qu'une loi mystérieuse a été transgressée, et elle ne peut s'empêcher de l'exprimer:

— C'est peut-être pas très catholique..., murmure-t-elle.

— Ça ne le serait pas si c'était pour s'amuser, mais ces organes sont là pour être étudiés et, peut-être, pour permettre de soigner des maladies.

— Je sais pas...

Il a un bref rire silencieux:

— C'est parce que vous n'êtes pas habituée; la première fois, oui, c'est vrai, je comprends que cela puisse être un choc. (Encore une fois, comme pour lui-même, il ajoute:) Moi, j'ai vu tellement pire...

Et là, sans qu'elle s'y attende, ces quelques mots lui font penser à *pire;* à François Paradis. Elle ne peut retenir un gémissement étouffé.

— Ça ne va pas? demande le médecin.

— Oh! c'est rien... rien pantoute, une pensée...

Au-delà des vitres carrées de l'unique fenêtre de la pièce, le ciel est noir et ce noir porte beaucoup plus loin que le jour; il laisse apparaître la ville, puis la grande rivière, puis les collines, puis le bois, le bois, encore le bois; l'immense solitude où, quelque part, une bande de coyotes efflanqués se disputent des os déjà blanchis. Les os de François. Elle se sent soudain seule au milieu de tous ces bocaux infects. Elle a froid, d'un froid que nulle flamme ne peut réchauffer. «POURQUOI?» En réponse à cette effrayante question, d'abord une lueur, puis de plus en plus lumineuse, de plus en plus chaude, une autre question: Et Blanche-Aimée St-Pierre? De nouveau la fenêtre redevient fenêtre, la nuit se referme sur elle-même et Maria, debout au milieu de cette pièce affreuse, ne pense plus qu'à retourner vers le dortoir.

— Il ne faut pas penser, dit le médecin, d'ailleurs, c'est toujours source de chagrin. Ce qu'il faut, c'est savoir.

— Non, dit-elle.

Elle est plus effrayée par son «non» que lui est surpris d'être repris par une «*jeune sans connaissances*».

— Quoi donc alors?

Maria a les mots sur les lèvres, mais il lui faut prendre sur elle-même pour répondre à cet homme qui, de toute évidence, en sait beaucoup plus qu'elle:

— Faut pas savoir, faut aimer.

— Oh! ça! oui, bien sûr...

Rien n'est plus étrange que de se retrouver entre des draps inconnus, dans un lit inconnu, entouré d'inconnus, au cœur d'une ville inconnue. C'est ce que se dit Maria, étendue sur le dos, les yeux grands ouverts, cherchant un point de repère dans les ombres grises du plafond. Essayant surtout de ne pas regarder comme elle le voudrait vers Blanche-Aimée St-Pierre de peur qu'un simple regard attentif ne l'incommode. C'est dans cet état, sans s'en rendre compte, que terrassée par la fatigue de cette journée fertile en événements, elle s'endort brusquement.

Il y a là son père, Alma-Rose, Télesphore et Tit'Bé, tous réunis autour du lit de Laura Chapdelaine; leurs regards chargés de reproches sont rivés sur Maria qui, malgré leurs protestations et celles, plaintives, de sa mère, a ouvert le ventre de cette dernière avec une grosse paire de ciseaux et, un à un, en sort les organes, puis les plonge dans les bocaux qui parsèment le plancher. «*Pleurez pas, sa mère, c'est pour la science.*»

Mais Laura Chapdelaine continue de pleurer doucement, comme si ça lui faisait mal; c'est énervant.

Maria ouvre les yeux, se demande où elle se trouve, ce qui se passe, pourquoi les gémissements continuent alors que l'affreux cauchemar est fini; puis elle se rappelle. Regardant sur sa gauche d'où proviennent les plaintes, elle aperçoit Blanche-Aimée St-Pierre qui s'agite dans son sommeil. Toutes traces du cauchemar brusquement dissipées, Maria se lève et s'approche de sa voisine dont le sommeil a muselé la volonté. Dans la pénombre, Maria peut lire à présent toute l'étendue désolée de la souffrance sur ce visage qui, privé de tout contrôle, se fait le miroir du combat sans issue que chaque cellule de ce corps livre à un ennemi implacable. Ses lèvres s'étirent vers le bas dans un continuel rictus de douleur; de chaque côté des yeux, des sillons se creusent au point que les bords de chacun d'eux se referment l'un sur l'autre; sur le front, une moiteur reflète la faible lueur orangée des veilleuses; de la bouche s'échappe une plainte de gorge qui, plus que le reste, plonge Maria dans les affres de son impuissance à faire quoi que ce soit pour lutter contre le mal. Elle voudrait la réveiller pour l'encourager, mais elle sait que, si elle le fait, la plainte cessera immédiatement, mais ne serait-ce pas pire en profondeur? Ne vaut-il pas mieux la laisser exprimer sa douleur, donner à celle-ci le loisir de sortir, de se faire connaître, et ainsi, peut-être, de libérer ce corps meurtri par une trop lourde charge?

De l'autre côté du lit de Maria, la voix ensommeillée d'une pensionnaire indigente s'élève en maugréant:

— Mautadit! v'la qu'a r'commence, la fatigante...

Indignée, Maria se retourne et souffle à voix contenue:

— Elle souffre, vous entendez pas?

— Ben! que c'est qu'a l'attend pour crever? a souffrira pus!

Cette fois, Maria voudrait hurler à cette femme de se taire. Comment? Comment peut-on être aussi indifférent? Pourquoi ne pas lui dire, lui enfoncer dans le crâne à elle aussi que, pour ce qu'elle vaut, elle n'a qu'à crever, que ce serait un fameux débarras. Mais, comme toujours chez Maria, revient l'idée qu'il ne faut pas juger. Alors elle s'en veut pour cette pensée forgée par la colère, puis essaie d'oublier la «pisse-vinaigre». Elle concentre de nouveau son attention sur Blanche-Aimée St-Pierre, continuant à ne pouvoir faire autrement que de constater son impuissance. Que faire, sinon prier? Mais, à présent, elle a des doutes sur la puissance de sa prière, non pas sur celle de la prière elle-même. De cela elle ne doute pas. Ce dont elle doute, puisque cette souffrance lui fait repenser à François Paradis et à sa mère, c'est de sa capacité à intercéder auprès du Seigneur ou de la Vierge. Et puis pourquoi tant de souffrance? Avec cette question apparaît inévitablement tout le cortège des autres qui y sont rattachées. Pour François Paradis, pour sa mère, il n'y avait pas eu ces questions, peut-être avait-elle trop de chagrin? Mais cette nuit, au chevet de cette femme si douce, elles se bousculent les unes derrière les autres, s'entassent dans sa tête et la harcèlent. Pourquoi doit-on souffrir? Pourquoi ce sont toujours «*les meilleurs*»? Pourquoi la maladie? Pourquoi la mort? À ces questions, il y a bien la réponse toute prête du péché originel facile à accepter en d'autres circonstances, mais là, dans la semi-obscurité de ce dortoir, le «*croquage de la pomme*» paraît bien dérisoire à côté des souffrances de cette femme. Elle ne veut pas le reconnaître, mais soudain Dieu Lui-même lui paraît bien sévère. Maria se surprend même à se dire que ce «*serait moins pire*» si c'était la geignarde d'à côté qui devait endurer tout cela. Pourquoi Blanche-Aimée St-Pierre? Se pourrait-il qu'elle ait à racheter quelque abomination? Est-ce possible venant d'une personne comme elle?

La plainte se fait plus aiguë, la malade s'arc-boute sur elle-même comme pour échapper à son propre corps, à son tourment. Ne sachant toujours que faire, Maria pose sa main sur celle de la femme et aussitôt le contact des pauvres doigts diminués, froids et secs, mais néanmoins d'une grande douceur lui transmet la cognition de sa détresse physique et peut-être morale. Cherchant à la réchauffer, à lui donner un peu de vigueur, de réconfort, Maria resserre ses propres doigts sur la main abandonnée. Elle a le cœur lourd, les yeux humides, anéantie de se savoir impuissante. Alors, parce que tout ceci finit par appeler la colère, une autre question surgit, primordiale celle-ci: «*Et si on nous avait raconté des histoires? Et si y avait rien là-haut?*» Mais aussitôt elle réfute de toutes ses forces cette effrayante hypothèse et se concentre à imaginer que toute cette souffrance ne peut être autre chose qu'un test de passage. Cette idée la soulage et lui permet d'imaginer avec espoir que Blanche-Aimée St-Pierre le passe avec succès. Quand tout sera terminé, elle partira directement dans la grande clarté du ciel, escortée et guidée par des anges de lumière qui chanteront son entrée au paradis. Elle se dit encore que, parce que Blanche-Aimée est naturellement bonne, Dieu, au lieu de la faire passer par le purgatoire, lui inflige les épreuves de purification directement sur cette terre. L'explication agrée à Maria; elle n'épargne en rien sa souffrance à regarder celle de cette femme, mais au moins a le mérite de ne pas la laisser désespérer.

Comme pour l'appuyer dans ses convictions de par ce qu'elle représente, mais, en réalité, parce qu'il est déjà temps de se lever, sœur Saint-Edmond s'approche dans le froissement cotonneux de sa longue robe.

— Elle ne va pas bien? chuchote à voix ténue la religieuse.

— Elle souffre.

— Je sais.

— On ne peut rien faire? Y a pas de calmant?

— Jusqu'à présent elle a refusé. Elle dit qu'elle veut garder les idées claires. Mais aujourd'hui je vais essayer de lui faire admettre que la douleur aussi brouille les idées. Il vient toujours un moment où ils ne peuvent plus refuser.

— Je comprends pas, ma sœur, je comprends pus rien pantoute; elle est là, elle souffre, je souffre pour elle, pis, malgré tout, je voudrais pas être ailleurs. Je ne comprends pas, ma sœur!

— Je connais ça, jeune fille... (Elle observe silencieusement la main de Maria sur celle de la malade.) C'est un beau cadeau qu'elle nous fait, hein?

Les mots pourraient sembler absurdes, mais Maria approuve:

— Oui. Je ne regrette pas d'être là.

Peut-être pour ramener la conversation à un niveau plus trivial, la religieuse secoue la tête d'un air sceptique avant d'ajouter:

— Oh! sur ce point, attendez donc de voir un peu; je viens justement vous annoncer qu'il est temps de se lever, le travail nous attend. Moi, je vais commencer par aller à la chapelle, mais vous, j'imagine que vous ne tenez peut-être pas à assister à tous les offices...

— Ça me dérange pas, au contraire, mais il y a peut-être d'autre chose de plus utile.

— Non, rien n'est plus utile, mais cependant il y a des travaux qui doivent être faits. Enfin... pour l'instant je vous conseille surtout d'aller avaler quelque chose au réfectoire. Quand je reviendrai, je vous indiquerai par quoi commencer.

Maria regarde toujours Blanche-Aimée St-Pierre:

— Est-ce que je pourrai lui donner son déjeuner?

— Bien sûr, mais je ne voudrais pas que vous oubliiez les autres. (Elle baisse encore le ton.) En réalité, Blanche-Aimée est peut-être celle qui a le moins besoin de nous, ici.

— C'est peut-être bien moi qui a besoin d'elle...

— Ça, ce serait pas mal plus vrai, mais ne sommes-nous pas là pour les autres?

Maria fait signe que «oui» puis, avec l'impression de perdre quelque chose, relâche la main de la malade.

Les malades nourris, certains lits changés, la journée est encore jeune et le ciel est une flaque de feu de l'autre côté des fenêtres, à l'extérieur. Tandis que les sœurs Saint-Edmond et Marie-de-la-Rédemption procèdent aux ablutions des impotentes, à genoux côte à côte avec sœur Marie-de-la-Croix, Maria encaustique le parquet d'un coin de la salle qu'elles ont préalablement dégagé. Comme le lui a montré la tourière, elle passe le chiffon imbibé d'une solution de cire et d'essence minérale dans le sens des fibres du bois. Très volubile, la religieuse ne cesse de parler, presque à sens unique, car, beaucoup moins loquace, Maria le plus souvent ne fait qu'acquiescer par des «oui» ou des «ah!». Sœur Marie-de-la-Croix lui a déjà raconté avoir fait un stage à Québec, lui a décrit tout ce qui l'avait étonnée là-bas: l'agencement de l'Hôtel-Dieu du Précieux-Sang, les différences avec Saint-Vallier, et elle en est à présent à expliquer l'origine du nom *Précieux-Sang* donné à l'établissement:

— ...une histoire extraordinaire! Tout a commencé lorsque Joseph d'Arimathie et son oncle Nicodème, qui étaient chargés d'ensevelir le corps de Notre-Seigneur, recueillirent quelques gouttes de son précieux sang. Nicodème garda précieusement ce trésor et le transmit à son neveu Isaac qui aussitôt en retira de nombreux bienfaits, jusqu'au jour où une vision l'avertit que les Romains allaient envahir la Judée. Isaac, qui ne voulait pas que son trésor tombe entre des mains impies, enferma alors les reliques dans un étui de plomb, le cacha dans le tronc d'un figuier qu'il jeta à la mer. Des années plus tard, ce tronc, déposé par une grande marée, resta sur la côte gauloise, et c'est là qu'un nommé Bozon, un saint homme envoyé pour évangéliser les Calètes, remarqua d'abord une source, puis des pousses de figuier, ce qui n'était pas naturel dans cette région. Il creusa dans la vase et découvrit le tronc du figuier qu'il voulut emporter chez lui, mais plus il s'avançait, plus le tronc s'alourdissait, si bien qu'il l'abandonna là où beaucoup plus tard s'élèverait une abbaye. Quelques siècles après, un seigneur qui chassait par là tomba en arrêt devant un cerf tout blanc, certainement un albinos, qui tournait en rond autour du tronc; impressionné, le chasseur a vu là un signe du ciel lui indiquant qu'il fallait construire un sanctuaire. Il traça un repère, mais mourut avant d'exécuter son projet.

— Ils étaient pas chanceux.

— Non, pas du tout, parce que ce n'est que dans les années 600 qu'un gouverneur de la région redécouvrit le fameux tronc et, inspiré par une vision, fit construire une abbaye consacrée à la Sainte-Trinité. Pendant deux siècles, tout alla bien, mais soudain, débarquant de leurs drakkars, les terribles Vikings saccagèrent le monastère tandis que, pour échapper à leur convoitise, les religieuses se lacérèrent le visage; furieux, les barbares les massacrèrent. Environ un siècle plus tard, voulant peut-être réparer le mal qu'avaient fait ses ancêtres, autrement dit un peu les nôtres parce que, si j'ai bien compris l'histoire, nous autres, ici, on descendrait pour beaucoup des Normands qui ne sont, eux, que les descendants de ces Vikings – d'ailleurs, à côté de cette abbaye dont je vous parle, il y avait un quartier qui s'appelait le Canada, ce qui voulait dire camp danois.

— Ah!

— Oui, en tout cas... Un de leurs petits ou arrière-petits-fils fit construire une forteresse et rebâtir l'église, et son œuvre fut poursuivie par ses héritiers, dont Guillaume le Conquérant, celui qui a vaincu les Anglais, et c'est à cette époque que les chanoines de l'abbaye firent construire un hôpital pour les lépreux et l'assistance aux malades. C'est aussi depuis cette époque que des pèlerins qui se rendent à la source du *Précieux-Sang* se voient souvent accorder des faveurs et parfois des miracles.

Emportée par cette histoire que l'éloignement dans l'espace et le temps lui fait apparaître sous un éclairage habituellement dévolu aux contes fantastiques, Maria se sent entraînée bien loin de Chicoutimi. La voici qui rêve à des pays et à des événements lointains: la Judée, la Gaule, le sang du Christ, les Vikings, les miracles... Pourquoi personne ne parle jamais de tout ceci chez elle?... Des miracles! Pourquoi n'y a-t-elle pas songé?

— Ça veut dire, soumet-elle à la tourière, que si l'on prie assez fort et avec l'aide d'une sainte relique, on peut obtenir des guérisons?

— Bien sûr! l'histoire est pleine de témoignages.

Immédiatement Maria pense à Blanche-Aimée St-Pierre. A-t- lle le droit de demander un miracle pour elle? Avant même de se répondre, elle se demande par l'entremise de quelle relique elle pourrait se faire entendre du ciel. Répondant à cette question, il ne lui faut que quelques secondes pour penser à l'eau de Pâques, cette eau qu'en compagnie de son père, d'Alma-Rose et de ses frères, il lui est arrivé d'aller puiser le matin pascal. Chaque fois, ils partaient durant la nuit pour rejoindre la rive de la Péribonca avant que le soleil ne se lève. Car ce n'était qu'à l'instant où celui-ci montrait son premier éclat de feu à l'horizon qu'aussitôt, au cœur d'une minute presque irréelle à force de plénitude, ils plongeaient bouteilles et cruchons dans l'eau glacée qui, récoltée à ce moment et conservée précieusement, doit rester incorruptible et protéger des affections bénignes ou les guérir. Mais est-ce assez fort pour guérir une maladie comme celle de madame St-Pierre? Maria décide qu'avec ce qu'il faut d'offrandes et d'oraisons, la grâce est certainement envisageable. Plus elle se le dit, plus elle s'en convainc. «*Si elle peut vivre jusqu'à Pâques, j'irai chercher l'eau, elle en boira et, si Dieu le veut, elle guérira.*»

Tout en passant son chiffon sur les lattes de bois, Maria revient à la question de savoir si elle ne fait pas montre de présomption en se prévalant du droit de demander et d'espérer un miracle. Mais est-ce un hasard si sœur Marie-de-la-Croix lui a justement parlé du Précieux-Sang? Et n'est-ce pas sœur Saint-Edmond qui affirmait hier que le hasard n'existe pas?

Il semble que rien n'est jamais fini. Toujours nettoyer, faire reluire, essuyer, frotter; chaque fois que Maria a cru que le temps était venu de souffler un peu, aussitôt, suivant sœur Saint-Edmond ou l'une des tourières, elle s'est retrouvée devant une autre tâche. Si les religieuses ne participaient pas elles aussi sans prendre aucun repos, elle pourrait être tentée de croire que l'on profite de sa présence pour effectuer tout ce qui n'aurait pas été fait. Au terme de cette première journée, elle se rend compte que «s'occuper des malheureux», c'est avant tout se charger de l'entretien de leur milieu et que sont plutôt rares les moments privilégiés où il est possible d'établir des contacts directs, et donc, vis-à-vis d'eux, d'avoir le sentiment de les aider. Mais, pour l'instant, Maria est contente, car revenant elle-même de souper, elle sait que c'est à présent le tour de Blanche-Aimée St-Pierre.

Au milieu du couloir, elles croisent le médecin qui s'arrête:

— Ah! sœur Saint-Edmond, je viens juste de faire transférer une toute jeune fille chez vous, elle est de Saint-Antoine. Je vais justement consulter mes livres, son cas m'intrigue quelque peu.

— C'est pas contagieux, au moins?

— Non, bien sûr que non, je ne l'aurais pas placée dans le dortoir. Il y a simplement que lorsqu'elle s'allonge sur le dos, elle semble paniquer. Elle affirme que tout s'efface dans sa tête. Elle a aussi du mal à tenir son équilibre.

— Oh! bah! j'ai déjà eu ça! déclare Maria, c'est pas ben grave...

Ils se tournent vers elle, interrogateurs.

— Il y a longtemps? demande le médecin.

— Oh! oui, pas mal, je devais avoir douze ou treize ans.

— Et qu'est-ce que cela vous faisait?

— Comme vous venez de le dire, debout j'étais tout étourdie et je manquais tomber, pis quand je venais pour m'allonger, on aurait dit que tout se brouillait dans ma tête.

— Comme si vous alliez perdre connaissance?

171

— Pas vraiment, non, comme si qu'on arrivait plus à mettre de l'ordre dans ses pensées, comme si elles étaient toutes mêlées.

— Et qu'avez-vous fait?

— Ben... on a attendu, pis ça s'est passé; il n'y avait rien d'autre à faire.

— Attendu, comme cela, sans rien?

— Sans rien. À l'époque, je me souviens que la mère disait que je devais être morfondue. Je suis restée quelques jours sans trop grouiller pis ça a été mieux.

Cette conclusion semble laisser le médecin sceptique, comme si, vu sa simplicité, il doutait qu'elle puisse s'appliquer au cas qui l'occupe.

— À cette époque, demande-t-il néanmoins, y a-t-il eu quelque chose, un événement qui a marqué votre vie?

Maria regarde le médecin sans que son visage ne trahisse d'étonnement et pas davantage de recherche dans le passé:

— Non..., rien de spécial.

— Cela ne vous dérangerait pas de parler à cette jeune fille, de voir avec elle si ses symptômes ressemblent à ceux que vous avez eus?

— J'y parlerai ce soir, accepte Maria.

Elle ne veut pas courir le risque de manquer l'occasion de donner son repas à Blanche-Aimée St-Pierre. En outre, elle veut remettre de l'ordre dans son esprit, car, même si elle n'en laisse rien paraître, elle a été troublée par la question du médecin qui a réveillé un pan de sa mémoire qu'elle pensait endormi à jamais.

Repartant vers le dortoir, marchant tête baissée, elle est tout entière sous l'emprise de ce rappel du passé, ne comprenant toujours pas plus aujourd'hui, non pas ce qui s'était passé, mais pourquoi elle en avait été le témoin. C'était le milieu du printemps; excepté où elle s'était accumulée dans quelques dépressions naturelles sous le couvert de la forêt, la neige était fondue; là où les champs avaient été fauchés, pâturés ou brûlés, les jeunes pousses d'herbe formaient un tapis d'un vert très tendre; plusieurs pluies avaient arraché à la terre une puissante odeur d'humus; aux branches des saules, les «minous» étaient éclos et de jeunes feuilles commençaient à bruire dans la brise étonnamment tiède pour cette époque; les alouettes nourrissaient déjà leurs couvées et leurs cris emplissaient le ciel. Ce jour-là, comme cela lui arrivait parfois jusqu'à ces dernières années, Tit'Bé, pour des raisons inconnues, avait de la misère à respirer. Ne connaissant comme remède à cet état que les infusions d'écorce de mélèze, Laura Chapdelaine avait dit à Maria:

— Va donc me chercher de l'écorce d'épinette rouge, qu'on y fasse un sirop.

Elle s'était rendue à la lisière du bois, au bout de la terre faite. Les mélèzes étaient disséminés. Aussi, n'en trouvant pas de suffisamment gros, elle s'était enfoncée davantage puis, apercevant un écureuil, s'était immobilisée pour l'observer sans risquer de l'effrayer. Ce n'est qu'au bout de quelques secondes qu'elle avait entendu un halètement vivement répété. Attribuant immédiatement ce bruit à un animal et, vu sa situation et la crainte qu'elle en avait, particulièrement à un ours. Tout d'abord, elle avait ressenti le flot brûlant de la peur lui parcourir le ventre et, sans réfléchir, s'était accroupie sur elle-même, essayant de se faire toute petite, le regard braqué dans la direction du bruit. En premier lieu, scrutant chaque ouverture entre les troncs bruns, elle ne vit rien; aussi elle huma l'air profondément, car elle avait entendu dire que les ours dégageaient toujours une odeur qui immanquablement signalait leur présence. Rien. Rien sinon l'entêtante odeur de l'humus et des résineux. Elle commençait à se ressaisir lorsqu'elle l'aperçut, complètement à l'opposé d'où elle avait cru entendre le bruit, mais ce n'était pas un ours. Étendu sur un affleurement du cran granitique, les genoux en l'air, le pantalon grand ouvert, Esdras, les doigts refermés sur son pénis, agitait frénétiquement son poignet. D'abord ahurie, elle s'était détournée. «*Y se fait cailler le pipi*», s'était-elle dit, répétant des mots qu'elle avait justement surpris entre Esdras et Da'Bé commentant les agissements du bouc de Ludovic Bluteau qui avait la manie de se frotter contre les planches de son clos. Accroupie dans son coin, elle se répétait très fort que ça n'existait pas, qu'il ne fallait surtout pas regarder, que c'était une illusion créée par les esprits malins du bois. Mais elle ne s'était pas écoutée et avait de nouveau regardé, partagée entre la répulsion face à un comportement qui, déjà irritant chez les animaux, commandait de se cacher dans le bois pour être perpétré, et quelque chose qui n'était ni de la curiosité, ni du plaisir, ni de la faim, ni de la douleur, mais qui avait un peu de tout cela. Lequel de ces deux sentiments lui avait commandé de se lever? Le premier pour ordonner à son frère de cesser, ou le second pour... pour quoi? Toujours est-il qu'à un moment donné, incapable de demeurer davantage dans cette position sans réagir, elle s'était redressée et, en quelques enjambées, était arrivée devant lui en criant:

— Qu'est-ce tu fais là, Esdras?

Mais il était trop tard et, tandis qu'aussi surpris l'un que l'autre, ils restaient là, leurs regards accrochés dans une commune supplique muette, il n'avait rien pu faire contre lui-même et avait explosé, faisant du même coup voler en éclat quelque chose ne portant aucun nom et qui en une particule de temps avait atteint son apogée avant anéantissement. Et pendant que Maria ressentait comme un grand vide gris, lui s'était retourné sur le côté en se cachant, recroquevillé en chien de fusil, hurlant après sa sœur:

— T'avais pas d'affaire là! T'avais pas d'affaire à me suivre! T'as rien vu! T'as rien vu!

— Non, non, j'ai rien vu.

C'est le surlendemain que les vertiges étaient apparus; et, jusqu'à cette question du médecin, elle n'avait jamais rapproché les deux faits. Du reste, jusqu'à présent, se disant qu'elle avait surpris un acte qui devait être «normal», mais auquel il était «anormal» d'assister, elle avait englouti ce souvenir.

En pénétrant dans le dortoir, elle a brusquement envie de se sauver, de tout abandonner. Quelqu'un d'autre, quelqu'un de plus qualifié s'occupera de Blanche-Aimée St-Pierre. Le curé de Péribonka pensera ce qu'il voudra, Yvette Tremblay et les autres aussi. C'est trop triste! Toutes ces femmes qui toussent, bavent, pètent, rotent, font leurs besoins et geignent dans cette affreuse odeur que l'encaustique n'arrive pas à supplanter, dans cette lumière pisseuse, derrière ces vitres noires, qu'est-ce qu'elles font toutes ici? À quoi ça sert? C'est trop triste! Mais ce qui, observé de l'extérieur, pourrait passer pour un sursaut de volonté n'est en réalité qu'un abandon; elle n'ose pas s'enfuir.

Ce n'est que lorsqu'elle se retrouve au chevet de Blanche-Aimée

St-Pierre, qu'une nouvelle fois elle se sent irradiée par la lumière invisible qui émane de la malade, qu'elle se sent «lâche» d'avoir seulement songé à fuir. Cependant, ce soir, même si ses yeux sont ouverts, la malheureuse ne semble pas la voir, ou plutôt paraît voir à travers elle. Intriguée, Maria interroge sœur Saint-Edmond du regard.

— Aujourd'hui, elle a accepté de prendre un calmant, explique la religieuse.

Maria se penche vers le lit, décontenancée par l'état dans lequel est plongée *sa* patiente:

— Madame St-Pierre? C'est l'heure de la soupe.

La femme sourit, toujours avec autant de gentillesse qu'à l'ordinaire, mais les mots ne semblent pas l'atteindre.

— La maison... La maison..., dit-elle soudain en donnant l'impression de voir ce dont elle parle.

Maria se sent perdue. À son tour, la religieuse se penche vers la malade:

— Quelle maison, Blanche-Aimée? De quelle maison parlez-vous?

— Eh bien! de la maison, voyons! répond-elle sur un ton de reproche aimable.

Certaine qu'elle essaie d'exprimer un souhait, de toutes ses forces Maria essaie de comprendre, en vain.

— Qu'est-ce qu'il y a dans la maison? demande sœur Saint-Edmond.

— Il faut une chambre pour mon garçon.

— Il en a une, il en a une, assure la religieuse.

— Oui... Ah!... C'est bien, d'abord! C'est bien comme ça...

Mais cela n'en a pas l'air. Brusquement, cherchant à cacher son regard, elle porte devant ses yeux sa pauvre main si amaigrie que tous les vaisseaux sont visibles à travers une peau qui, comme tout le reste, se fragilise de plus en plus, mais qui, en même temps, devient de plus en plus précieuse, car, en diminuant, cet organisme se révèle bien l'écrin d'un esprit lumineux que l'on refuse de voir s'en aller où cependant il est appelé. Est-ce pour cette raison que les lèvres se tordent à présent dans un appel silencieux, puis s'étirent en exprimant une détresse si intense que Maria se sent douloureusement transpercée?

— Oh! là! là! Je ne comprends plus rien! s'écrie Blanche-Aimée avec le ton que pourrait avoir une petite fille perdue au fond d'une forêt la nuit.

Cette fois, Maria ne peut rien contre les larmes qui lui montent aux yeux. Essayant de se maîtriser, elle se mord les lèvres au moment où son regard croise celui de la religieuse qui lui adresse un signe de compréhension, avec un certain relâchement des lèvres qui, sur son visage impavide, suggère un sourire d'encouragement.

— Je vous laisse avec elle, dit-elle, il faut que j'aille m'occuper des autres. (Elle se tait une seconde avant d'ajouter:) Faites ce qu'il faut, Maria, je vous fais confiance.

Maria comprend que la sœur lui laisse le loisir de rester auprès de cette malade le temps qu'elle jugera bon. Sitôt seule, comme si elle n'avait attendu que ce signal pour oser donner le seul réconfort dont elle se sente capable, elle prend la main de Blanche-Aimée:

— Je suis là, madame St-Pierre; c'est moi, Maria.

Ces mots, chargés d'une telle volonté d'apporter un quelconque soutien, semblent sortir la malade du domaine trouble où l'a entraînée la morphine. Ses yeux, d'abord étonnés, reprennent conscience de ce qui l'entoure réellement, puis, chargés de gentillesse, se posent sur Maria.

— Maria, fait-elle en retrouvant sa voix si douce et si posée, vous avez un joli nom, il vous va bien.

— Le vôtre aussi, madame St-Pierre.

— Oh!... quand j'étais jeune, je le trouvais un peu long; j'aurais bien aimé quelque chose comme Élisabeth ou Virginie, vous voyez, mais aujourd'hui il faut croire que je me suis habituée, je remercie ma mère de me l'avoir donné.

Maria a du mal à lui imaginer une mère. Elle se demande soudain quel âge elle peut avoir; est-ce la maladie qui la fait paraître vieille? Quelque chose appuie cette première impression.

— Votre mère a bien choisi, approuve Maria.

— Pauvre maman..., je l'ai si peu connue...

— Elle est morte quand vous étiez jeune? comprend Maria.

— Douze ans, et comme j'étais la seule fille, je suis restée seule avec mon père. Pauvre papa...

— Où étiez-vous avant de venir à Hébertville?

— Cacouna, enfin mon mari venait de là et nous y avons vécu plusieurs années. Moi, je viens d'une autre petite paroisse de l'autre côté du Saint-Laurent appelée Notre-Dame-du-Portage. Ça sent la mer, et les couchers de soleil sur le fleuve y sont incroyables.

Elles se tournent pour voir s'approcher sœur Marie-de-la-Rédemption portant une assiette fumante.

— Voilà la soupe, madame St-Pierre, annonce-t-elle, l'air enjoué.

— Elle sent toujours aussi bon. Je suis vraiment gâtée.

Maria se demande où la malade va chercher le courage de prononcer de tels mots.

— On va vous aider à vous redresser, dit la religieuse.

Blanche-Aimée ne semble pas se réjouir de cette hypothèse. Maria s'en inquiète:

— Vous voulez pas vous asseoir?

— Je ne sais pas..., je me sens bien comme ça. Je ne voudrais pas risquer que ça change.

— Vous voulez pas un peu de soupe?

— Oh!... j'aimerais bien, mais ça ne passe pas. Non, vous tracassez pas pour moi.

— Vous voulez-ti autre chose?

Les yeux de la malade se font un brin rêveurs:

— Bien... si c'était possible, un peu de fromage à la crème, vous savez, du *Meadow Sweet*.

Maria et la sœur se regardent un instant avec interrogation.

— Je ne pense pas qu'il y en ait ici, dit doucement la sœur.

Mais Maria ne peut accepter l'hypothèse qu'une personne si proche de la mort puisse se voir refuser un si petit plaisir sous prétexte qu'il n'y en a pas sur place.

— Je vais en chercher, décide-t-elle fermement.

Blanche-Aimée se rend compte que sa demande sort du cadre de l'ordinaire. Son visage exprime l'embarras:

— Je disais des bêtises, affirme-t-elle, vous dérangez surtout pas, il ne faut pas!

— Ça me dérange pas, madame St-Pierre, assure Maria, au contraire, ça me fait plaisir de pouvoir faire de quoi.

L'entraînant discrètement un peu plus loin, la tourière lui fait remarquer qu'elle n'en trouvera pas aux cuisines:

— Vous perdez votre temps.

— Ben! j'irai en ville.

— Pour un peu de fromage...

— Pour donner ce qu'elle veut à madame St-Pierre.

— Oui, je comprends bien, mais vous vous faites une montagne de pas grand-chose. Elle a pris de la morphine aujourd'hui, elle ne sait plus très bien ce qu'elle dit; et puis imaginez si tout le monde se mettait à réclamer comme ça...

— Tout le monde n'est pas dans son état, et pis ça me paraît pas si terrible de donner au moins une fois aux gens ce qui pourrait leur faire plaisir.

— Elle ne le mangera peut-être même pas.

— L'important, c'est qu'elle sache qu'on lui en donne, non?

— Pis moué! On m'donne-ti quèque chose à moué!

Interloquées, Maria et la religieuse regardent l'autre voisine de lit de Maria qui, un rictus cynique aux lèvres et une lueur sarcastique dans les yeux leur rend leur regard.

— Voulez-vous quelque chose? demande la religieuse d'un ton neutre.

— Si j'veux quèque chose! Certain! Redonnez-moué les fesses que j'avais à vingt ans, vous verrez ce que j'veux; c'te fois, j'vous jure ben que j'me laisserai pas enfirouaper par l'premier fier-pet qui passera.

Sans pourtant qu'elle n'y voit au fond rien de drôle, les mots de la femme font sourire Maria. Pas la tourière.

— Vous devriez avoir honte, fait celle-ci à la façon d'une mère grondant son enfant.

— Honte! Pour qui faire que j'devrais avoir honte? Parce que j'ai point tout le temps le sourire niaiseux de l'autre à côté? (Elle mime grotesquement le sourire de Blanche-Aimée.) Agnagna! Agnagna!

Chus la sainte d'la place. Agnagna! j'm'en vas t'au ciel avec le p'tit zézus. Non, mais pour qui qu'a veut nous faire passer, celle-là?

Maria s'aperçoit avec horreur que Blanche-Aimée a tourné la tête et que, à en juger par la peine qui brille dans ses prunelles, elle a entendu et compris tout ce qu'a dit l'autre femme. Mais la réponse qu'elle fait la frappe d'étonnement:

— Je m'excuse si mon comportement dérange, ça doit être les calmants...

Peut-être parce qu'elle ne pensait pas être entendue tout à l'heure, ou bien réellement parce qu'elle est contrite par ses paroles, l'autre femme paraît aussitôt se radoucir:

— Mais non! mais non! c'est moi qui est tannée d'être icitte sans rien ni personne, ça vient vieux! Vous au moins vous savez que vous en avez pus pour longtemps.

Surtout parce qu'elle paraît vraiment penser ce qu'elle dit, Maria est atterrée. Elle voudrait rattraper les paroles, les cacher avant qu'elles n'atteignent les oreilles de Blanche-Aimée, mais évidemment elles y sont parvenues en même temps qu'aux siennes. Encore une fois, la réponse la déconcerte:

— Je voudrais bien vous dire que vous avez raison, mais j'ai justement trop peur de me retrouver vraiment toute seule là où je vais.

Sœur Marie-de-la-Rédemption s'interpose, mais pas contre l'autre femme comme Maria l'aurait supposé:

— Madame St-Pierre! vous m'étonnez, vous qui avez été institutrice, vous savez bien que c'est ici-bas que nous sommes le plus seul.

— Je sais, je sais, ma sœur, mais je ne peux pas vous dire non plus que j'en sois sûre...

— C'est vrai que, quand qu'on y pense, c'est un brin épeurant, l'approuve l'autre femme comme si, à présent, elle et Blanche-Aimée St-Pierre se soutenaient face à la religieuse. Ouais... ça m'fait peur itou des fois, même qu'y m'arrive de m'dire que j'aimerais mieux savoir que j'vas aller jaser avec d'autres sans desseins comme moué dans les bonnes vieilles flammes de l'enfer que d'imaginer ce grand vide noir sans rien pantoute. Y m'semble donc qu'ça doit-ti être frette... C'est ça qu'ça vous fait, hein?

Blanche-Aimée a un signe d'approbation. Pas la sœur; celle-ci affiche à présent la plus totale réprobation:

— Bien! laissez-moi vous dire que je trouve que vous manquez de foi terriblement. Qu'est-ce que c'est que ces idées de se rendre malheureux à imaginer ce qu'il peut y avoir de l'autre côté? J'espère bien que Notre-Seigneur était occupé ailleurs et qu'Il ne vous a pas entendues; imaginez-vous sa peine autrement?

— Y a beau temps qu'Y nous entend pus, fait la femme.

— Ce n'est pas plutôt vous qui ne L'écoutez plus?

La question demeure sans réponse; de son côté, croyant échapper aux regards, Blanche-Aimée reporte le sien vers le plafond et serre les lèvres en tâchant d'éviter qu'une expression de douleur n'envahisse ses traits. Mais Maria, toujours vigilante à son sujet, devine que l'effet de la morphine doit aller en diminuant.

— Je vais chercher votre fromage, annonce-t-elle en se dirigeant vers son casier pour y prendre sa pèlerine.

La religieuse la rattrape:

— Avez-vous de l'argent?

— Je dois avoir ce qu'il faut.

— Je vous demandais ça parce qu'autrement...

Maria se rend compte qu'il y a presque un timbre envieux dans la voix de la religieuse. Elle réalise soudain que la sœur aimerait sûrement être à sa place, de pouvoir débourser de *son* argent et d'être à même ainsi de donner des attentions qui paraîtraient plus personnelles. Mais, bien entendu, la religieuse n'a pas d'argent, et Maria comprend que son geste, si spontané soit-il, peut d'autre part provoquer ceux qui voudraient agir comme elle, mais qui, de par leurs vœux, ne le peuvent pas. Elle réalise également toute l'injustice qu'il y a à se satisfaire de pouvoir donner si peu alors que d'autres ne peuvent le faire, car ils ont déjà tout donné. Comment redonner à la tourière ce qu'elle vient de lui retirer dans une impulsion de générosité qu'elle aurait cru parfaite?

— Moi, c'est tout ce que je peux faire, dit-elle humblement.

Elle a réussi, le message est passé; la sœur incline le visage avec un sourire teinté d'indulgence.

Comme c'est agréable de sortir! Sitôt à l'extérieur, Maria hume la brise à pleins poumons avec l'impression de se laver l'intérieur de tous les miasmes du dortoir. Il y a bien, dans l'air, les odeurs de la ville – et surtout des moulins –, mais aussi, portées par le vent, celles des sapins et des épinettes, celles des sous-bois enneigés et des fenils chargés de foin qui, longeant d'ouest en est le ruban immaculé de la rivière, viennent lui parler du Lac-Saint-Jean, son pays, là-bas.

Dans la lumière violette de la soirée, parce que ce n'est déjà plus nouveau, elle ne regarde plus tout à fait la ville avec les yeux de l'étonnement, mais un peu ceux du propriétaire ou, tout au moins, du locataire. Déjà accoutumée aux «*grosses bâtisses*», d'autant plus que, l'an passé, elle a vu le couvent des Ursulines à Roberval, elle observe, avec une curiosité sans trop d'étonnement, le pensionnat du Bon-Pasteur et le Château Saguenay; cependant, elle est toujours fascinée par la cathédrale de pierre. Elle a du mal à imaginer comment de simples humains ont pu construire cet édifice dont la flèche dépasse en hauteur tout ce qu'elle avait imaginé. Puis, c'est la rue commerçante qui s'étire entre les façades à deux étages presque toutes surchargées de grands balcons en bois ouvragé. La chaussée est encombrée de carrioles, de *buggys*, de traîneaux et même de quelques automobiles. Çà et là, des enseignes qui ne disent rien à Maria et qui, même si elle savait lire, ne lui en apprendraient pas beaucoup plus, car, pour la plupart, elles sont imprimées en Ontario ou aux États-Unis, et le sont en anglais. Plantés directement dans le caniveau à intervalles rapprochés, les poteaux électriques s'élèvent au-dessus des toits, de nombreux fils s'entrecroisent dans le ciel; tout cela, ajouté à la circulation et aux lumières, donne, dans l'esprit de Maria, un cachet de grande effervescence à la rue qui soudain simule pour elle ce que doivent être les villes du Massachusetts ou du Maine. Et tous ces gens qui entrent et sortent des boutiques en se saluant sont visiblement à l'aise dans ce milieu. Comme tout a l'air simple et facile dans cette rue!

Prise par l'ambiance, elle s'arrête devant les devantures où sont exposées des toilettes dont elle n'a jamais supposé l'existence. Derrière une autre vitrine, elle tombe en arrêt devant une cuisinière à bois entièrement en chrome travaillé; comme ce serait beau chez elle! Elle a l'impression que les tartes et pâtés qui sortiraient de ce four seraient bien meilleurs. Elle tombe aussi en arrêt devant une vitrine où, disposés sur des collines de satin blanc, scintillent une profusion de bijoux réfléchissant de toutes leurs facettes les lumières de la vitrine. Elle ralentit devant le barbier pour observer le plus discrètement possible les messieurs qui, installés dans de hauts fauteuils sur pied, se laissent «*taponner la face*» puis demeurent la tête penchée en arrière, le visage sous des serviettes fumantes. Plus loin, les mains dans les poches, deux jeunes hommes à la mine faraude et portant des casquettes négligemment rabattues sur l'œil sont adossés au mur de la salle de billard et la regardent passer avec, sur les lèvres, un sourire ironique et veule. Fâchée contre eux et contre elle-même, Maria se sent rougir.

— Hé! mam'zelle! on peut-ti vous aider? entend-elle dans son dos.

N'ayant jamais appris que des hommes peuvent proposer leur aide aux femmes par simple opportunisme, ne faisant que le supputer, Maria répond candidement: «Non, merci» et ne comprend pas pourquoi ces deux «*sans-génie*»-là s'esclaffent nerveusement.

Elle n'a jamais vu un aussi gros magasin d'alimentation que celui où elle entre. Illuminées par de nombreuses lumières, des montagnes d'aliments dont elle n'a seulement jamais eu idée s'offrent à son regard; des étiquettes sur les conserves représentent des tomates, des petits pois verts, mais aussi des pêches ou des ananas.

— Mademoiselle?

Un commis en tablier gris, se tenant les mains et souriant courtoisement sous d'énormes moustaches lustrées, s'informe de ce qu'elle désire.

— Je cherche du fromage à la crème, du *Meadow Sweet*, s'il vous plaît.

Le commis s'empresse de la servir:

— Et avec ceci?

Ainsi, il suffit de demander ce que l'on veut! Maria se demande si elle doit oser ou non, elle en a entendu parler l'an passé à Saint-Prime; ce serait une folie... quoique dans cette rue, toutes les folies semblent si naturelles.

— Avez-vous du beurre de pistache? demande-t-elle résolument.

— Bien sûr! Autre chose?

— Non, non! merci.

À cause de cette facilité à laquelle elle n'a certes pas été habituée, Maria passe en revue tous les péchés capitaux. Elle a un peu l'impression de s'être laissée aller à quelque mollesse gourmande. C'est tellement facile. On entre dans un magasin, on demande ce que l'on désire et l'on repart avec; cela paraît incroyable! Mais c'est bien agréable, même si ça coûte trente sous.

Les deux gars sont toujours devant la salle de billard. En les apercevant, Maria voudrait changer de trottoir, mais elle se fait la réflexion que ce serait leur signifier trop d'attention. Elle passe comme s'ils étaient invisibles.

— Ben! dis donc! elle a pas besoin des tablettes à Myriam Dubreuil, celle-là, entend-elle dans son dos.

Ignorant qu'il s'agit d'un traitement dont le slogan promet: «EMBELLISSEZ VOTRE POITRINE EN VINGT-CINQ JOURS», elle ne s'offusque pas de la remarque, imagine qu'il doit s'agir d'un compliment «*niaiseux*» et se demande simplement qui peut être cette Dubreuil.

Comme le ciel s'obscurcit rapidement, elle hâte le pas. Repassant devant le Château Saguenay, elle en voit sortir un homme «*habillé chic*», vêtu d'un pantalon rayé gris et noir, d'une cravate gris perle, d'un gilet bordeaux à goussets, d'une veste noire et d'un élégant feutre dans la même teinte. Mais l'élégance s'arrête là. Sans aucun doute possible, l'individu a du mal à se tenir debout. Il est ivre. Maria ne comprend pas qu'un homme habillé ainsi puisse s'être «*laissé aller à la boisson*». S'appuyant sur le mur pour ne pas tomber, il lève la tête vers le ciel bleu de Prusse à présent, tend le bras dans la même direction et se met à chanter – ou plutôt à se lamenter: «Bel-le nuit... nuit cruel-le... nuit d'amour...» Puis il aperçoit Maria : «Ho! ho! ma-de-moi-zelle, vous voyez un homme seul, si seul qu'il n'a plus rien que les étoiles pour l'écouter...»

— Je peux pas rien faire pour vous, répond-elle, partagée entre un certain amusement – il n'a pas l'air dangereux –, la tentation d'essayer de le comprendre et celle de le condamner.

— Elles peuvent rien faire, personne! s'écrie-t-il en prenant le ciel à témoin. Elles sont toutes pareilles les créatures, pas une once de cœur... Nuit cruel-le...

Maria accélère le pas. Pourquoi dit-il cela? C'est faux!

— Toujours seul! Toujours sacrément seul! entend-elle encore dans son dos.

De nouveau la cathédrale dont elle aperçoit l'intérieur chaudement illuminé lorsqu'une vieille femme en pousse le portail. Un instant elle hésite, elle voudrait entrer, mais ayant toujours Blanche-Aimée à l'esprit, elle continue sa route et monte la côte dans une obscurité qui va rapidement croissant. Au milieu de la montée, ne pouvant plus lutter contre la tentation, elle s'arrête pour ouvrir son pot de beurre d'arachide, puisque c'est de cela qu'il s'agit, y trempe le doigt pour le ramener à sa bouche, puis recommence une autre fois en faisant tout haut des «hum!»

Tel que l'avait prévu la sœur tourière, Blanche-Aimée St-Pierre, d'abord enthousiaste en apercevant le pot de fromage, a du mal à dissimuler la grimace d'un haut-le-cœur sitôt une cuillerée avalée et mâche longtemps avant de déglutir avec peine. Maria, un peu déçue sans vouloir l'admettre, s'en rend compte:

— Une autre cuillerée, madame St-Pierre?

— Bien... peut-être demain; c'est très, très bon, mais... Oh! je suis désolée!

— Mais non, faut pas!

— Oh oui! je sais que vous êtes allée jusqu'en ville pour ce fromage.

— Ça m'a fait une sortie. J'avais jamais vu une rue de même; c'est étourdissant en péché. (Se faisant plus confidente, elle ajoute:) Je me suis même offert du beurre de pistache.

— C'est très bon.

— En voulez-vous?

— Oh non! merci, je ne pourrais pas.

— Il faudrait pourtant que vous mangiez plus que ça si vous voulez reprendre des forces.

— Pour quoi faire, Maria?

— Ben!... pour aller mieux, c't'affaire!

Blanche-Aimée a un sourire triste qui paraît osciller entre le calme et une angoisse qui, elle, brille au fond de ses prunelles:

— Pourquoi se raconter des histoires...

— C'est pas des histoires! assure Maria fermement.

Courageusement, alors qu'elle aimerait bien parler franchement de ce qui l'attend, comme si, à le faire, elle pourrait banaliser la chose, Blanche-Aimée St-Pierre ne cherche pas à imposer toutes les impressions morbides qui la tenaillent et la font souffrir, tout autant que les morsures du monstre qui a investi sa chair et s'en nourrit.

— C'est pas des histoires, répète Maria, ça va s'arranger, je le sais.

— C'est impossible, Maria...

— Mais oui, c'est possible! Faut y croire, c'est tout.

Maria le pense en même temps qu'elle le prononce. Il suffit d'y croire! Si l'on s'en persuade suffisamment, le succès est assuré.

Mais vient le souvenir des mille Avé récités voici plus d'un an, n'était-ce pas assez? Les aurait-elle récités si elle n'y avait pas cru? «*Ça doit qu'il devait y avoir une raison plus forte pour que ce soit autrement que ce que j'aurais voulu*», se répète-t-elle, comme elle le fait régulièrement depuis. Oui, elle les réciterait encore, sans douter, car elle n'imagine pas ne pas pouvoir y croire.

— Mais si, moi, je n'y crois pas tellement? fait Blanche-Aimée plus comme une assertion que comme une question.

— Vous ne croyez pas que vous pouvez guérir?

— On ne guérit pas de ce que j'ai, je ne crois pas.

— Si Dieu le veut, on guérit de n'importe quoi! s'exclame Maria, dévoilant le fond de sa pensée.

— Je n'attends aucun miracle, Maria. Je ne dis pas que j'aimerais pas, non, mais je n'en attends pas.

— Ça existe pourtant.

— Je sais, nous sommes là, vous, moi et les autres.

— Je vous aime bien, madame St-Pierre, dit Maria, cherchant à mettre dans ces quelques mots tout ce qu'elle voudrait donner à cette «*grande dame*», à cette femme dont la peau est devenue si diaphane qu'elle dévoile le réseau dense de ses vaisseaux violacés où coule un sang de plus en plus impuissant à alimenter ce corps qui cependant recèle et témoigne de tant d'amour. Soudain, en la considérant si fragile qu'elle a l'impression qu'un cri trop fort suffirait à l'anéantir, Maria conçoit qu'il ne peut sûrement y avoir de plus grand bonheur que de servir ceux que l'on aime, mais aussi qu'il ne doit pas y avoir pire souffrance que de les trahir.

— Moi aussi, Maria, je vous aime bien; et, c'est curieux, j'ai même le sentiment qu'il y a très longtemps que nous nous connaissons.

Maria également. S'interrogeant sur les raisons, elle se demande si ce n'est pas parce qu'elles se ressembleraient un peu. «*Sûrement pas!* se répond-elle, *sinon j'aurais pas répondu comme je l'ai fait à Yvette Tremblay, je suis loin de la valoir!*»

Apercevant sœur Saint-Edmond qui doit revenir de l'office, elle se rend compte que, ce soir, elle ne s'est occupée que de Blanche-Aimée St-Pierre et qu'elle n'a pas encore, comme le lui a demandé le médecin, été parler avec la jeune fille qui a des vertiges. Malgré tout son désir de rester auprès de la femme, de l'écouter davantage, de lui parler et ainsi, pendant ce temps, de lui faire un peu oublier les affres de l'inconnu qui sans cesse se précise sans se révéler, elle se résout à s'écarter et s'excuse de la laisser.

— Faut que j'aille voir un peu aux autres, précise-t-elle en laissant entendre par le ton que c'est à regret.

— Bien sûr! de toute façon, il faut que je dorme un peu, assure Blanche-Aimée, oubliant ce qu'elle a dit plus tôt et s'évertuant surtout à ce que sa jeune amie ne prenne pas mauvaise conscience de la laisser.

Un peu déchirée, sentant quelque part que chaque seconde loin de cette femme anticipe une autre séparation, Maria s'éloigne entre les lits en direction de la religieuse.

— Comment va-t-elle? demande cette dernière.

— Moi, j'ai l'impression qu'elle va mieux qu'hier, elle parle plus...

— C'est la potion Saint-Christophe qui fait ça; au début, les patients se sentent un peu mieux, ils donnent l'impression de retrouver un peu de vigueur, ils montrent moins qu'ils souffrent; et là, je ne veux pas vous décourager, au contraire! juste vous prévenir que très vite ils deviennent apathiques, répondent à côté des questions, puis finalement plus du tout...

Les espoirs de Maria sont bousculés. Elle a l'impression que quelqu'un vient de baisser l'éclairage pourtant déjà très faible. Le dortoir tout entier semble baigner dans une triste grisaille mouvante. Trop triste! Encore une fois, elle ressent ce brusque besoin de se sauver.

— Vous... Enfin, croyez-vous que ce sera de même pour madame St-Pierre?

— Je crains qu'il n'y ait pas de raison pour qu'il en soit autrement. Vous savez, Maria, elle souffre au-delà de tout ce que vous pouvez imaginer. Je sais bien qu'il y a des gens comme elle que l'on voudrait peut-être plus que d'autres pouvoir garder avec soi le plus longtemps possible, mais n'est-ce pas un peu égoïste? Ne sera-t-elle pas mieux lorsqu'elle retrouvera Notre-Seigneur?

— Oui..., concède Maria presque à contrecœur. (Puis paraissant penser à autre chose:) C'est quoi sa maladie?

— Oh!... disons qu'il arrive un moment où tout ce que l'on est pas capable d'accepter finit par grossir en nous pis nous ronge.

— Vous voulez-ti dire qu'à force de se ronger les sangs, il y aurait comme une bibite qui s'installerait en nous?

— Oui, une bibite née dans notre chair et qui se nourrit de cette même chair.

— Ben alors! j'arrête tout de suite de me faire du mouron!

— Dans ce cas, c'est votre âme qui risque d'être malade.

Maria y pense un instant, puis approuve:

— De toute façon, je crois pas que je serais capable de ne pas m'en faire pour madame St-Pierre, pis pareil pour les autres. (Elle a les traits de celui qui vient de faire une découverte.) Bon!..., astheure, je vais aller voir à la jeune fille là-bas.

Pendant un court instant, sœur Saint-Edmond la regarde s'éloigner avec un petit sourire que jamais personne ne lui voit, puis elle reprend son habituelle attitude sans compromis.

— Salut!

— Salut.

Elle doit avoir treize ans, elle est assise dans son lit, le tronc faisant un angle droit avec les jambes, les mains croisées sur les genoux. Elle a les cheveux blond clair réunis dans le dos par une queue de cheval, le teint pâle et anémique, un grand front bombé, les yeux d'un bleu délavé à l'expression presque autiste, et une petite moue inexpressive sur les lèvres.

— Je m'appelle Maria.

— Moué, Aliette.

— J'ai entendu le docteur dire ce que t'avais; j'ai ben l'impression que j'ai déjà eu la même chose quand j'avais ton âge.

Le regard d'Aliette reflète soudain un certain intérêt:

— C'est vrai? Toué aussi ça s'en venait tout brouillé, tout noir quand tu te couchais?

— Pareil! j'osais même pus m'allonger.

— Comme moué; chaque fois que j'essaie, ça r'commence.

Maria ne sait trop comment poser la question suivante:

— Heu!... t'as-ti eu des troubles ces derniers temps?

— Non, pourquoi que j'en aurais eu?

— C'est une question, comme ça... Ça fait longtemps que t'es à Saint-Antoine?

— Quèques jours.

— Seulement! Mais alors...

— Qu'est-ce qu'y a?

— Tu... tu viens de perdre tes parents, c'est terrible!

— Pourquoi que tu dis ça, j'ai pas perdu mes parents pantoute, y a juste que des fois, comme ça, que ça leur prend de nous placer icitte. On doit déranger faut crère...

Maria ne comprend pas; selon elle, un orphelinat est un endroit où ne vont que les orphelins:

— Tu veux dire que ce sont tes parents qui t'ont placée icitte?

— C'est pas moué certain!

— Mais pourquoi?

— Je viens de te le dire: on dérange. Le père y travaille dans les chantiers et y l'est pas là, pis la mère, a travaille dans un restaurant dans le bas d'la ville, ce qui fait qu'a l'a pas l'temps ben ben de voir à nous autres...

— Qui c'est qui s'occupe de vous alors?

— Personne, c'est pour ça qu'on est là.

— T'es pas toute seule?

— Y a mes deux sœurs, les frères y sont au chantier avec le père pis Jos, le bébé, y est mort de la picote v'là une couple d'années.

Maria est totalement abasourdie. Comment une mère peut-elle placer ses enfants à l'orphelinat pour aller travailler dans un restaurant? Elle a entendu des histoires concernant certaines femmes «sans moralité» qui auraient abandonné leur famille pour partir à l'étranger avec un «beau parleur» de passage dont elles se seraient «emmourachées», mais pour aller travailler dans un restaurant! Il doit y avoir une bonne raison; ils ont peut-être perdu toute la récolte, ou bien le feu les aura *«jetés tout nu dans le chemin»*?

— Tu restes dans quelle paroisse? demande-t-elle.

— Les parents ont un loyer icitte, en ville.

Maria comprend de moins en moins. Elle n'a jamais entendu dire qu'on pouvait être pauvre en ville, même si elle a remarqué que bien des maisons ne paient pas de mine.

— Je croyais que vous restiez sur une terre, dit-elle.

— Dans le temps, oui, du temps de pépère et mémère, à Laterrière. Ça allait ben, dans ce temps-là...

— Pis, que c'est qu'y a eu?

— Ben! y sont morts.

Elle le dit comme si cela devait tout expliquer à Maria; ce n'est pas le cas:

— Mais pourquoi c'est faire que vous vous êtes envenus en ville?

— Ben! l'père, il voulait pas continuer sur la terre, alors il l'a vendue pour s'en aller en ville, mais comme il prend un coup pas mal, pis la mère itou depuis quelque temps, alors...

Cette fois, Maria comprend tout. La boisson. Personnellement, elle a eu la chance de ne jamais être confrontée aux malheurs qu'elle procure, mais combien de fois a-t-elle entendu conter ses méfaits... Elle n'a plus besoin de chercher pour savoir d'où viennent les troubles d'Aliette. *«Sainte Vierge, quand c'est que les gens comprendront que ça fait des malheureux, quand c'est qu'ils réaliseront qu'ils font des malheureux?»*

— Est-ce qu'il y en a beaucoup qui ne sont pas orphelines à Saint-Antoine?

— Bah! quasiment tout le monde, mais d'où c'est que tu débarques, toué?

— Du Lac-Saint-Jean.

— C'est l'bois là-bas...

— Oui, c'est le bois, confirme Maria en se demandant pour la première fois de sa vie si ce n'est pas préférable à la ville.

Puis elle se souvient de la jeune Lisa Potvin et se fait la réflexion que le bonheur et le malheur ne sont peut-être pas une question de bois ou de ville, ça doit être autre chose; mais quoi?

Prenant conscience que la jeune fille reste toujours dans sa position assise, elle se souvient de ce que cela lui faisait il y a quelques années quand...

— As-tu essayé de t'allonger en te penchant de côté? demande-t-elle en même temps qu'elle le suggère.

— Ça fait de quoi?

— C'est moins pire. Toi, quand t'es allongée, ça arrête-ti de se bousculer dans ta tête?

— Oui, mais je trouve que ça prend du temps en cochon! Pis des fois, ça recommence, comme ça, pour rien.

— Moi, je me souviens que ça faisait comme si toutes mes idées étaient aspirées dans un trou pis qu'elles se mélangeaient.

— Ouais, c'est la même affaire... Toué, c'était quoi ton problème?

— Pourquoi que tu me demandes ça puisque tu viens de me dire que t'en avais pas?

Aliette baisse la tête et donne l'impression de se refermer sur elle-même. Maria se *«fesserait»* d'avoir posé cette question; le problème, n'est-il pas la boisson? N'est-ce pas pour elle que le père a dû vendre sa ferme en commençant peut-être par le codinde, ensuite un cochon, pis une vache, jusqu'au cheval, monnayant chacun contre du gros gin, espérant dans les brumes de son ivresse qu'*une autre fois*, quand ça irait mieux, il pourrait «se reprendre».

— En tout cas, t'inquiète pas, poursuit Maria sans s'offenser du silence de la jeune fille, dans deux ou trois jours, ce sera fini et tu pourras retourner avec les autres.

— Retourner avec les autres... J'aime autant icitte, avoue Aliette sans vergogne. Moué, me faire chialer par les bonnes sœurs à la journée longue...

— Ben voyons!... les sœurs sont là pour aider.

— Tu parles! Toujours en train de chialer, fais pas ci, fais pas ça, dis pas ci, c'est pas beau... pis de nous chauffer les oreilles avec des histoires de religion à pus finir. A z'ont jusque fait peur à ma sœur en lui racontant que, si elle entendait craquer la nuit, c'étaient les morts qui réclamaient des prières. Seulement, elle est jeune, ma sœur, et elle a pris ça pour du vrai, pis astheure, chaque fois que ça craque à quèque part durant la nuit, a s'imagine qu'y a des squelettes qu'y s'en viennent vers son lit pour la tirer par les orteils, si ben qu'au lieu de prier, parce qu'a l'a trop peur, a fait juste hurler pis a réveille tous les autres; des folleries de même...

— Les sœurs ont pas dû dire ça pour mal faire, ça devait juste être une façon de dire qu'il vaut mieux prier que d'avoir peur.

Aliette hausse les épaules:

— De toute façon, moué, ce que je veux, c'est m'en retourner chez nous; ou ben, je vas me sauver.

Elle jette cette menace à Maria comme si cette dernière pouvait changer quelque chose:

— Où-ce que t'irais? Tu l'as-ti dit à ta mère?

— À ma mère!... a l'écoute rien pantoute. De toute façon, a l'est toujours en boisson. Je pourrais tout aussi ben partir à Québec qu'a s'en rendrait pas compte... Tiens! v'là le docteur.

Maria se retourne et adresse un signe de tête au médecin qui s'appuie de ses deux mains sur le tube métallique blanc arrondi formant le pied de lit. Un instant, elle tombe en arrêt sur ses mains vigoureuses et s'étonne qu'il n'ait pas des mains comme celles du pensionnaire de Mistassini. Qu'est-il devenu, lui? Pourquoi pense-t-elle à lui maintenant? Et pourquoi se prend-elle à regretter qu'il ne passe pas par ici faire un tour?

— Alors? demande le médecin à Maria même s'il regarde dans la direction d'Aliette, est-ce que ça ressemble à ce que vous aviez eu?

— C'est pas mal pareil, docteur.

Il approuve machinalement de la tête en ayant l'air de signifier que cela confirme son idée.

— Peux-tu te lever, jeune fille, demande-t-il à Aliette; tu vas faire quelques pas dans l'allée.

Il se place devant elle et lui fait signe d'approcher dans sa direction. Aussitôt, elle étend les bras pour essayer de reprendre son équilibre et vacille d'un côté et de l'autre. Une nouvelle fois, le médecin a un signe de compréhension, puis indique que cela suffit:

— À présent, tu vas te remettre sur le lit et t'allonger complètement.

— Complètement?

Aliette le regarde avec crainte.

— C'est nécessaire, affirme-t-il.

Elle s'exécute lentement, de l'appréhension dans le regard, puis, alors qu'elle est presque à l'horizontale, se prend vivement la tête entre les mains tandis que son regard devient un embrasement de panique et de confusion. Elle veut se redresser, mais le médecin la maintient jusqu'à ce que la crise cesse.

— Ça va mieux? demande-t-il.

— Ouais...

— Bien! maintenant, tu vas essayer de m'expliquer exactement ce qui s'est passé dans ta tête, ça va aller?

— Ben! c'est comme je vous ai déjà dit, c'est comme si que toutes les pensées partaient.

Elle a des larmes dans les yeux. Maria trouve le médecin «rough pas ordinaire».

— Je sais, fait celui-ci comme s'il avait lui-même expérimenté l'état, je vais t'expliquer ce que tu as; c'est pas grand-chose. Nous avons tous derrière l'oreille comme un petit niveau qui sert à nous donner l'équilibre; dans ton cas, il doit y avoir une infection de ce côté-là et c'est pour ça que tu as l'impression que tout tourne.

— Ça tourne pas vraiment, ça...

— Oui, oui, enfin, c'est ce que l'on appelle un vertige. Dans quelques jours, tout sera rentré dans l'ordre.

Maria aussi croit savoir que, pour ce qui est des vertiges, ils cesseront rapidement; par contre, pour ce qui est de rentrer dans l'ordre... Selon elle, le mieux serait que la mère reste à la maison, reprenne ses filles et cesse de boire, et, toujours selon elle, le médecin, puisqu'il a fait de grandes études, devrait pouvoir régler ce problème en parlant à la femme.

Alors qu'il s'en va, elle l'accompagne quelques pas et lui fait part de son idée:

— Je crois que vous devriez parler à sa mère, peut-être ben que ça ferait de quoi...

— Maria, c'est votre nom n'est-ce pas? je n'ai vraiment pas le temps de m'occuper des problèmes familiaux ou spirituels de chacun. Ce qui importe ici, et tout le monde devrait se mettre ça dans la tête une fois pour toutes, c'est que la maladie est une disfonction biologique, et que c'est cela et rien d'autre qu'il faut traiter! Le reste n'est que vœux pieux.

Maria se dit bien que la «disfonction biologique» doit avoir une cause, mais, puisque le médecin parle ainsi, il doit avoir de bonnes raisons. Comment pourrait-elle prétendre le contraire, elle qui ne sait même pas lire alors que lui a étudié la science à Paris et a dû fréquenter tous ces endroits d'où arrivent les chars, les autos, la lumière électrique, les médicaments, les pêches en boîte et le beurre de pistache. Il doit savoir ce qu'il dit.

La science. Encore ce mot qui revient; il semble entouré d'un halo mystérieux et s'accompagne d'un pouvoir aux limites du surnaturel qui le rattache presque aux choses de la religion.

Retournant vers Aliette, elle lui adresse un signe d'encouragement.

— Tu vois, dit-elle, le docteur va te sortir de là.

Elle voudrait bien qu'il en fasse autant pour Blanche-Aimée St-Pierre, mais conçoit pour cela, en attendant que la science progresse, qu'il faut continuer à espérer un miracle. Pas un instant, elle ne se rend compte de l'opportunisme de son raisonnement; ce qui importe, c'est que Blanche-Aimée ne souffre plus, que plus personne ne souffre et, par ricochet, elle non plus.

VI

Lorsqu'elle l'a vue pour la première fois, Maria s'est demandé comment Blanche-Aimée St-Pierre pouvait vivre dans l'état où elle était; pourtant, tandis que chaque seconde prétend la suivante impossible, des jours et des semaines se sont écoulés, prolongeant d'autant un inimaginable calvaire. Comme l'a prévu sœur Saint-Edmond, au début, le composé d'éther-morphine a, en diminuant la souffrance, paru redonner à la malade un peu d'allant pour parler. Mais, bien vite, le même composé l'a engloutie dans une confusion d'où elle n'émerge plus qu'en de rares occasions; et la souffrance a réapparu, chaque jour un peu plus féroce.

— Il n'y a donc rien pour calmer la douleur? a demandé Maria à la religieuse.

— Il faudrait augmenter les doses et cela risquerait de la tuer.

Si l'état de confusion mentale a été en empirant avec le passage du temps, les effets des narcotiques sur la douleur ont suivi le sens inverse. Blanche-Aimée St-Pierre passe ses jours et ses nuits à rouler sur elle-même dans son lit, ne trouvant jamais une position adéquate; une plainte inconsciente et presque continuelle s'échappe de sa bouche. Maria occupe ses rares temps libres ainsi qu'une grande partie de ses nuits à la veiller en lui tenant la main, répétant sans cesse qu'elle est là, parlant d'elle, de sa jeunesse et de ses rêves comme elle ne l'a jamais fait, dans l'espoir bien incertain d'arracher la malade à la conscience de son propre corps, qui n'est plus autre chose qu'une source intarissable de douleur.

Avec le temps, malgré les froncements de sourcils du médecin qui voudrait du «personnel qualifié», sœur Saint-Edmond a laissé à Maria de plus en plus de latitude pour soigner la malade. C'est elle maintenant qui la change, la lave, soigne ses escarres aux talons, mais aussi, comme elle l'a découvert par la suite au bas des reins, deux plaies profondes mettant les os à vif et qui, malgré tous les soins attentifs, vont toujours en augmentant.

Et depuis deux jours, c'est elle qui donne à la femme la potion Saint-Christophe.

— Puisque vous dormez à côté d'elle, a dit la sœur, vous serez plus à même de lui donner son calmant. Attention! il ne faut pas dépasser une cuillerée aux quatre heures.

— Qu'est-ce qui se passerait si on lui en donnait davantage?

— On risquerait un arrêt respiratoire.

Maria a reposé la question au médecin, il lui a répondu différemment:

— La médecine nous apprend que, passé un certain seuil de souffrance, il n'y a que la mort pour en venir à bout; il n'existe aucune drogue qui finalement ne soit plus forte que la souffrance sans risquer de tuer le patient.

— Qu'est-ce qu'il faut faire si jamais il y a un arrêt respiratoire?

Il l'a regardée avec une expression mitigée, à mi-chemin entre la passivité et la révolte:

— Pourquoi faudrait-il faire quelque chose?

Cette nuit, comme bien d'autres déjà, Maria est assise sur le bord de son lit, veillant sur Blanche-Aimée qui ne cesse de pousser des «Oh la la!» douloureux.

— Où est-ce que vous avez mal, madame St-Pierre? demande Maria pour la nième fois.

— Nulle part, nulle part, ça va, ça va... Merci.

Et la femme reste la proie de ses souffrances:

— Oh la la!

Il reste deux heures avant la prochaine cuillerée qui, au mieux, n'apportera qu'une petite heure de répit, une heure pendant laquelle les traits de Blanche-Aimée quitteront quelque peu cette crispation qui marque à la fois le combat et l'échec face à la douleur. Vaincue elle aussi au simple constat de ce tourment, Maria se demande si cela changerait quelque chose de donner une cuillerée aux trois heures. Ah! si Pâques pouvait arriver! Mais Blanche-Aimée y arrivera-t-elle? Maria n'ose pas lui souhaiter encore tant de souffrance même si elle reste persuadée que l'eau pascale renverserait la situation. «Et l'eau bénite, se demande-t-elle soudain, *peut-être bien que l'eau bénite pourrait réussir là où la potion Saint-Christophe ne fait plus rien?*» Elle veut tellement y croire qu'au lieu de continuer à se poser la question, elle se lève, décidée à aller jusqu'à la chapelle puiser de l'eau dans le bénitier.

Évitant de faire du bruit susceptible d'éveiller l'attention, elle quitte sa chemise de nuit pour ses vêtements, jugeant qu'il ne serait *«pas correct»* d'entrer dans la chapelle dans cette tenue, puis, s'étant munie d'un verre, éprouvant l'impression confuse d'outrepasser quelque interdiction, elle quitte le dortoir sur la pointe des pieds et s'enfonce, le cœur battant, dans le labyrinthe des couloirs ténébreux, s'attendant à chaque instant à ce qu'une voix impérieuse lui demande: où allez-vous? Devant la porte de bois massif de la chapelle, elle s'arrête une seconde, essayant vainement de calmer les battements désordonnés dans sa poitrine.

En s'ouvrant, la porte grince de telle façon que Maria a l'impression qu'à présent, tout Saint-Vallier doit être réveillé. Elle entre et, doucement, au jugé, dans la nuit peuplée de mystères inquiétants, se dirige à tâtons dans l'allée entre les bancs, attirée vers ce lieu où, en ce monde, elle est certaine de pouvoir approcher Dieu de plus près, vers cette petite partie du chœur éclairée en permanence par la lueur rouge et tremblotante d'un lampion. Rendue à la balustrade qui ceinture le chœur, elle tombe à genoux juste en face du maître-autel et là, seule, certaine de n'être entendue que de Dieu, elle laisse fuser l'énorme plainte qui, depuis des jours et des jours, enfle en son plexus.

Bientôt, dans le silence de la chapelle qui, à cette époque de l'année, vit au rythme de la Passion, tandis que les bougeoirs et les dorures du tabernacle reflètent la lueur rougeoyante du lampion, tandis que, derrière elle, l'ombre de la nuit se referme comme un mur, plus qu'une plainte, plus qu'un cri porteur de la froide solitude laissée par la disparition de François Paradis, chargé de la fuite de l'enfance marquée par le décès de Laura Chapdelaine, et maintenant témoin de la longue et incompréhensible agonie de Blanche-Aimée St-Pierre, c'est un immense et interminable «Oh!» de détresse qui balaie le silence obscur.

Elle n'a jamais crié ou pleuré comme ça; d'ailleurs, elle ne sait pas si c'est l'un ou l'autre, tellement qu'une partie d'elle-même se détache, contemple l'autre et se dit: «*Faut vraiment que je sois à bout pour chialer de même.*» Son appel d'impuissance, de douleur et d'incompréhension est accompagné d'un flot de larmes qui, au fur et à mesure qu'elles roulent sur ses joues, lui donnent l'impression de se délester d'un poids trop lourd pour elle. «*Oh! pourquoi? pourquoi? Oh! mon Dieu! faites que l'eau, Votre eau que je suis venue chercher, faites qu'elle enlève les douleurs de madame St-Pierre, faites d'elle ce que Vous voulez, je ne peux pas choisir, mais ne la laissez plus souffrir, mon Dieu!*»

À genoux, le visage enfoui dans ses mains, alors qu'elle ne trouve plus de mots, Maria croit entendre une voix qui lui propose un marché: «*Fais-toi religieuse, Maria Chapdelaine, fais-toi religieuse et Blanche-Aimée ne souffrira plus.*» Maria relève la tête. Qui a parlé? Est-ce elle qui vient de se formuler cette demande ou est-ce vraiment Dieu? Comment savoir? Et si c'était son imagination, elle ne peut tout de même pas promettre de se faire religieuse sur une proposition qui relève peut-être d'une illusion. Il lui faut une certitude. «*Je le ferai, Seigneur, je le ferai si Blanche-Aimée arrête d'avoir mal quand je lui donnerai l'eau bénite. Si c'est vraiment Vous qui avez parlé, je le saurai et alors je deviendrai religieuse. Vous savez bien que ça me tente pas plus qu'il faut, mais je serai religieuse.*»

Maria voudrait rester plus longtemps; ici, elle a le sentiment d'être à l'abri des souffrances, plus près du réconfort et de la compréhension; ici, elle se sent dans l'intimité de Jésus, qui la connaît comme personne d'autre ne le pourrait et qui, par conséquent, est son meilleur ami. Comme elle voudrait, là, maintenant, qu'Il la prenne dans ses bras et lui dise: «*Ne pleure pas, Maria, ne pleure pas, ma fille, Je suis là, Je suis revenu et désormais Je ne permettrai plus que tu souffres, Je ne*

198

permettrai plus qu'aucun de mes enfants ne souffre.» Mais il n'y a que le silence, si dur et si froid, «*trop dur*», et la cognition qu'il faudra encore pleurer, que ce n'est pas fini.

— Madame St-Pierre?

Maria se penche au-dessus du lit de la femme qui, sans doute parce qu'elle a senti sa présence, cesse de râler et entrouvre les paupières.

— J'ai quelque chose pour vous, madame St-Pierre, poursuit Maria, ça va vous faire du bien.

Comme elle en a pris l'habitude, Maria passe son bras sous les frêles épaules de Blanche-Aimée et, sans autre difficulté que la crainte de lui faire mal tellement elle semble fragile, la redresse et place le verre d'eau bénite devant ses lèvres:

— Buvez, madame St-Pierre.

La malade obtempère, trempant ses lèvres et avalant l'eau à toutes petites gorgées difficiles. Après quelques déglutitions, elle secoue doucement la tête de droite à gauche.

— Je ne peux plus..., fait-elle dans un souffle.

Maria repose le verre, se disant qu'après tout, la quantité n'a rien à voir avec ce remède. Elle laisse aller lentement son bras jusqu'à ce que la femme repose sur le matelas, puis, anxieuse, commence à surveiller chaque geste, chaque réaction de la femme. Celle-ci, fait claquer sa langue sur son palais.

— Ça n'a pas beaucoup de goût! fait-elle.

— C'est normal, répond Maria qui ne veut pas dire que ce n'est que de l'eau, pas plus qu'elle ne voudrait avouer qu'elle est bénite.

— J'ai fait un mauvais rêve, dit Blanche-Aimée les yeux grands ouverts, fixés sur le plafond avant d'ajouter, comme si le rêve se poursuivait toujours: il y a une grosse machine, ça va faire mal; il faut passer dedans...

— Non, non, madame St-Pierre, il n'y a aucune machine.

— En tout cas, je la vois...

Maria n'ose pas lui demander si elle va mieux. «C'est trop tôt», se dit-elle. Mais en vérité elle sait qu'elle redoute surtout la réponse, qu'elle soit positive ou négative.

— Il va falloir appeler quelqu'un, dit la malade.

— Quelqu'un, madame St-Pierre? Qui est-ce que vous voulez que j'appelle?

— Quelqu'un..., répond énigmatiquement la femme.

Cherchant, Maria se dit qu'il ne peut s'agir que de son fils puisqu'elle n'a personne d'autre. Au début, Blanche-Aimée lui a parlé de son garçon nommé Charlemagne, «une pièce d'homme» l'a-t-elle décrit avec fierté. Son seul et unique enfant, car, comme elle l'a aussi raconté avec tristesse, à la suite d'un accouchement difficile, elle n'a jamais pu en avoir d'autre. «J'en aurais tellement voulu! Et pas seulement parce que le contraire nous place toujours un peu en marge des autres; que dire au milieu de toutes ces femmes qui parlent de leurs douze ou même de leurs dix-huit enfants?»

— Voulez-vous parler de Charlemagne? demande Maria qui, s'il le faut, se sent capable d'aller le chercher là où il se trouve.

— Charlemagne? Non, non, il ne faut pas qu'il vienne, mais... (elle se tourne vers Maria et lui agrippe la main) j'ai réfléchi, Maria, il faut lui dire de vendre la terre d'Hébertville, il le faut! Vous lui direz?

— Vendre la terre d'Hébertville?

— Oui, mon mari avait pris une terre pas dispendieuse parce qu'il n'avait pas les moyens pour une autre, mais elle ne vaut vraiment pas cher. Il ne faut pas que Charlemagne s'entête dessus. Dites-moi que vous lui direz!

— Je vous jure que je lui dirai, madame St-Pierre.

— Oh oui! dites-lui de vendre. Avec la terre et la maison, il pourrait en tirer assez pour une belle terre toute nue, même s'il lui faut rebâtir une autre maison. Une vraie bonne terre cette fois.

Maria sait que les bonnes terres sont rares. Combien de fois a-t-elle entendu son père se plaindre des «grosses poches» qui, lorsqu'ils entendent dire qu'un secteur va être ouvert à la colonisation, se dépêchent d'acheter tous les meilleurs lots pour les revendre ensuite avec profit, grugeant ainsi bien souvent les chances de ceux qui parfois viennent d'aussi loin que la Nouvelle-Angleterre et croient pouvoir se refaire une place au Canada au milieu de leurs parents.

— Il le fera, assure Maria.

Puis elle réalise qu'il y a des jours et des jours que Blanche-Aimée n'a pas parlé avec autant de suite dans les idées. L'eau bénite ferait-elle effet, ou plutôt est-ce que Dieu l'a enfin entendue? À cette supposition, elle en conçoit une allégresse mêlée de frayeur. «*C'est-ti possible? Non, pas de question! Faut pas que je doute! faut pas! même si j'ai un peu peur de me retrouver sœur... Si c'est Votre volonté, mon Dieu...*»

Soudain, Blanche-Aimée St-Pierre porte une main devant ses yeux comme pour les cacher, elle se mord la lèvre inférieure et est brusquement agitée d'un tremblement qui ressemble à une cascade de sanglots silencieux. Désemparée, malheureuse, Maria lui pose la main sur le front dans un geste apaisant.

— Qu'est-ce qu'il y a, madame St-Pierre? Faut pas vous faire du mal de même!

Mais Blanche-Aimée St-Pierre se laisse emporter par sa peine:

— Oh la la! malgré tout, j'aurais tant aimé revoir mon petit garçon. Oh la la! J'ai si peur! Si peur!

Déchirée, Maria se sent dépourvue de mots consolateurs.

— Y faut pas, madame St-Pierre, réussit-elle à dire.

— Oh la la! ça va faire mal, la grosse machine.

— Il n'y a pas de machine, madame St-Pierre.

— Oh oui! Vite! vite! vite!

Il y a une terrible lueur de panique dans ses prunelles. Maria, perdue, sait que la femme appelle à présent un dénouement rapide. Plus forte encore que la douleur, la peur lui fait désirer que tout finisse au plus vite, que cesse enfin cette horrible interrogation face à ce qui l'attend, l'affreuse possibilité du néant, de la fin. Elle cherche à la détourner un tant soit peu de ces pensées:

— Je ferai comprendre à votre garçon Charlemagne qu'il faut qu'il vende, que c'est votre volonté.

Aussi soudainement qu'un moment, battue, elle a laissé entrevoir ce qui est en elle, Blanche-Aimée retrouve son calme, réenfouissant l'idée brutale de la mort au plus profond, loin du regard des autres, puis elle tourne son visage empreint de gentillesse vers Maria:

— J'aurais bien aimé avoir une fille comme vous, Maria.

— C'est tout comme, madame St-Pierre, pis d'un autre côté, vous savez, j'ai rien de plus que les autres.

— Oh oui! Maria, vous avez la bonté... C'est dommage... Pauvre Charlemagne...

Maria n'ose pas lui demander ce qui est dommage. Sentant une main se poser sur son épaule, elle se retourne vivement pour rencontrer le regard un peu contrit de sœur Saint-Edmond.

— Oh! bonjour, ma sœur. C'est déjà l'heure du lever, réalise-t-elle.

— Normalement oui, répond la religieuse, mais je suis au courant de vos heures de veille, alors si vous voulez redormir un peu..., on s'en sortira pareil.

— Non, non, c'est correct, refuse Maria.

— C'est comme vous voulez. (La religieuse se penche vers la malade.) Comment allez-vous ce matin, Blanche-Aimée?

— Ça va, ma sœur, ça va.

— Vous êtes incorrigible! Jamais un jour vous ne direz autre chose que *ça va*?

— Bien sûr, ma sœur, le jour où ça n'ira plus.

— Bien sûr...

— Bon!... je vais aller déjeuner, décide Maria. Je reviendrai vous voir avant de commencer, madame St-Pierre.

Elle s'éloigne, suivie des yeux par la religieuse.

— Je crois que vous avez une bonne garde-malade, dit la sœur à Blanche-Aimée St-Pierre.

Le visage de cette dernière s'éclaire d'un faible sourire:

— Elle est trop gentille; elle en souffrira.

C'est au tour de la sœur de lui retourner son sourire:

— Vous en savez quelque chose, n'est-ce pas?

— Vous croyez que cette douleur a quelque chose à voir avec la gentillesse? Moi, je crois que c'est la maladie, rien de plus.

— Vous savez, Blanche-Aimée, les moins gentils ne disent pas *ça va*, ils se plaignent, eux, et c'est curieux, car on ne les voit jamais vraiment souffrir...

— Vous essayez de me dire que c'est une bénédiction, mais, moi, je crois plutôt que c'est peut-être parce que les méchants n'existent pas.

— Si ça n'existe pas, il y en a qui s'arrangent fort bien pour en avoir l'air en tout cas. (Elle regarde autour d'elle dans un mouvement circulaire.) Bien, c'est pas tout ça, il faut que je vous laisse.

Elle fait quelques pas puis revient.

— Heureusement que tout le monde n'est pas comme vous, dit-elle à la malade, si c'était le cas, toutes les femmes voudraient ma place et il n'y aurait plus personne pour perpétuer l'espèce.

Ce compliment lancé d'une voix un peu bourrue, elle fait demi-tour et s'éloigne sans laisser une chance à Blanche-Aimée de la détromper.

La sœur Saint-Edmond se dépêche, elle veut rattraper Maria pour lui dire qu'aujourd'hui il vaudrait mieux qu'elle reste près de Blanche-Aimée St-Pierre. Par expérience, elle sait que le regain de conversation de la malade est un signe qui ne trompe pas. «Comment va réagir la petite?» se demande-t-elle.

Aujourd'hui, pour la première fois depuis des mois, la température autorise l'ouverture des fenêtres pour une période dépassant les quelques minutes hebdomadaires nécessaires au renouvellement de l'oxygène de la pièce. Le ciel est gris de plomb, mais, s'engouffrant par les croisées ouvertes, une brise fraîche et pure, promesse du courant latent de la vie, laisse enfin présager la fin de l'hiver. Parfois Maria a l'impression d'y saisir les effluves du bois, de l'écorce humide, de la gomme de sapin et même, s'il en est une, celle de l'eau vive. Assise au chevet de Blanche-Aimée St-Pierre, elle s'efforce de laisser vagabonder ses idées vers un passé qui aujourd'hui étincelle des feux de l'insouciance. Où sont-ils les jours d'autrefois, d'hier, où, en compagnie d'Alma-Rose et de ses frères, elle parcourait en riant et en criant les champs de neige ramollie par le redoux, tous excités par le retour des corneilles, se demandant, comme cela s'était déjà produit, si, cette année, ils trouveraient un bébé tombé d'un nid qu'ils pourraient nourrir et apprivoiser. Maria se souvient de celle qui, durant tout un été, venait se percher sur son épaule chaque fois qu'elle sortait à l'extérieur; elle pensait bien alors qu'elle et l'oiseau passeraient leur vie ensemble puisqu'on lui avait appris que les corneilles pouvaient vivre jusqu'à quatre-vingts ans, mais, à l'automne, l'oiseau s'était étouffé avec un trop gros morceau de pain que Maria venait de lui tendre. Elle était consciente de ce qui se passait, mais n'avait rien pu faire en le voyant s'étouffer, basculer, puis tomber sur le dos. Mort. Les pattes en l'air, le bec grand ouvert, les yeux fermés dans une ultime crispation. Elle ne se rappelle pas si elle a pleuré; elle le croit. Ce qu'elle sait, c'est que, plus tôt ce matin, elle en a eu très envie lorsqu'en revenant de la salle à manger, elle n'a pu que constater que Blanche-Aimée St-Pierre était retournée à son chemin de douleur, de nouveau roulant sur elle-même, avec ce gémissement continu s'échappant de sa bouche. Au pied du lit, Aliette, pour qui les pronostics du médecin et de Maria se sont révélés erronés puisque ses étourdissements perdurent toujours, regardait Blanche-Aimée avec un air totalement absent.

— A va mourir, hein? a-t-elle demandé à Maria.

Celle-ci lui faisant d'abord signe de se taire en posant son index devant sa bouche, a haussé les épaules en signifiant un peu par là qu'elle préférait l'ignorer. La jeune fille a répondu avec une résignation dramatique pour son âge:

— C'est de valeur, a l'avait de l'air ben d'adon...

Et elle est repartie de son pas chancelant, se tenant aux montants des lits de crainte de tomber. Maria est restée, essayant d'étouffer ses désillusions. Ainsi, cela n'a servi à rien qu'elle aille chercher l'eau bénite. Pourtant, pendant un petit moment, elle a cru que... A-t-elle manqué en quelque chose? Peut-être n'a-t-elle pas fait preuve de suffisamment de foi; elle aurait dû tout de suite dire: oui! je serai religieuse, elle n'aurait pas dû tergiverser, faire de marché. On ne maquignonne pas avec le Bon Dieu. Mais peut-être aussi a-t-elle demandé l'impossible?

Comme si chacune connaissait un fait qu'elle-même ignore, de nombreuses patientes passent et s'arrêtent quelques instants devant le lit. Même Raymonde à présent s'arrête:

— Est blême en péché... Z'avez-ti l'heure?

— Y doit être dix heures, Raymonde.

— Ah! dix heures... Hum..., a devrait voir un bon ramancheur, a pas bonne mine.

Même la seconde voisine qui intervient:

— C'est-ti de valeur... Quand ça sent si bon dehors...

Maria voudrait leur dire à toutes qu'elles se trompent, qu'il n'y a rien de plus ou de moins que d'habitude, qu'elles fichent plutôt la paix à Blanche-Aimée, mais au lieu de cela elle se contente de demander à son autre voisine:

— Pourquoi vous dites ça?

— Bah!... pour jaser, hein? faut ben jaser! Ça doit être à cause de tout ce bon air du dehors qui nous soûle un peu. (Puis, changeant de sujet:) Vous devez être un peu morfondue à vous démener comme vous faites; j'vous vois ben, deboutte à toutes les heures de la nuit; vous allez attraper du mal...

— Oh!... je suis jeune...

— C'est vrai! Je me souviens que quand j'étais une jeunesse, je pouvais en prendre pas mal itou. Tiens! y a qu'à se rappeler du grand feu, çui de 70...

— Vous y étiez?

— Certain que j'y étais! Ah! vous me pensiez point si vieille! En tout cas, ça fait plaisir... Mais pour le feu, ouais, j'y étais, je devais être encore plus jeune que vous... Ouache! que c'était pas drôle! y avait pus rien pantoute, rien à manger, pas de place où dormir, sinon la terre du Bon Dieu; on avait les yeux qui nous brûlaient à tel point que la mère, elle, se tirait du lait pour mettre dans les yeux des plus jeunes, pis l'estomac si vide qu'on grattait l'écorce calcinée des arbres pour en récolter la gomme; on a même fait bouillir ce qu'il restait du cochon à moitié calciné. Mais tout ça, c'était rien à côté de la façon qu'on a retrouvé mon frère, le plus vieux chez nous, sous ce qui restait de la grange-étable; il avait dû vouloir libérer le cheval et çui-là, affolé, l'aura piétiné; en tout cas, il restait pus rien que le tronc, pus de bras, pus de jambes, même pus de tête! Ouache! la misère! Pourquoi c'est faire que l'Bon Dieu a permis ça, j'me demande encore!

— Le Bon Dieu n'y est pour rien..., souffle Blanche-Aimée que Maria croyait pourtant inconsciente.

— Ce n'est pas Notre-Seigneur qui commande? demande Maria en se penchant vers elle et se reprochant de lui avoir manqué d'attention.

— Jésus Lui-même nous a dit que son Royaume n'est pas de ce monde...

— Oh ça! réplique l'autre femme, je suis pas prête à crère que ce soit l'autre grand escogriffe de Lucifer qui mène icitte!

— Pourtant, reprend Blanche-Aimée d'une voix difficile, celui qui mène, c'est celui à qui nous obéissons, nous sommes libres. Oh la la! tout cet air...

— Avez-vous frette? s'inquiète Maria, voulez-vous une autre couverte?

— Non, non, il y a que cette brise me rappelle...

Elle n'en ajoute pas plus et ferme les yeux. Maria n'ose troubler une réminiscence qui au vu des traits de la malade semble adoucir l'instant. Au lieu de cela, elle lance un regard en direction de sœur Marie-de-la-Croix qui, debout sur une chaise, profite de l'ouverture des fenêtres pour nettoyer le côté extérieur des vitres. Elle se sent un peu coupable de ne pas participer à l'ouvrage, pourtant elle sait fort bien que, si elle y allait, elle se reprocherait encore davantage de laisser Blanche-Aimée; et puis, aussi, même si elle se refuse à le reconnaître, elle est fatiguée.

Les fenêtres sont de nouveau fermées. Blanche-Aimée n'a pas reparlé une seule fois, juste quelques râles douloureux. Dehors, le soir teinte le ciel en rose; Maria se dit qu'il devrait faire beau demain. Mais elle craint demain, ainsi que ses lendemains, qui seront, elle le sait à présent, privés de Blanche-Aimée St-Pierre.

Le soir. Pourquoi chaque soir ressemble-t-il un peu à une fin? Maria est triste.

— Maria...

— Hein? Oui, madame St-Pierre?

— Voulez-vous regarder, là, dans le tiroir... c'est ça, le petit carnet brun, vous le voyez?

— Oui.

— À l'intérieur de la page couverture, pouvez-vous lire?

Maria se sent monter des larmes aux yeux:

— Non, madame St-Pierre, vous savez ben...

— Oh! c'est vrai! je m'excuse... Voulez-vous appeler une sœur?

Maria interpelle sœur Marie-de-la-Croix deux rangées plus haut en train de relever la couverture sous le menton d'une vieille femme entrée hier.

— Ça ne va pas? demande la religieuse en s'approchant sans que son visage ne trahisse de surprise à cette possibilité.

— Madame St-Pierre demande si vous pourriez lire ça...

— À propos de lecture, fait cette dernière à la sœur, est-ce qu'il ne serait pas possible de montrer à Maria...?

La sœur paraît réfléchir un instant puis fait «oui» de la tête.

— Je vais en parler à mère supérieure; je pourrais lui enseigner moi-même.

— Je sais que vous le ferez.

La sœur prend le carnet brun, parcourt un instant le texte puis, à voix basse, en fait la lecture:

— *Très long le temps*
Que l'on passe à attendre
Attendre après l'âge adulte.
Très long le temps
Que l'on passe à attendre
L'âme sœur et pour vivre l'amour.
Très court le temps de la vie
Avant de devoir partir.
Très long le temps
Que l'on attend la mort
La délivrance d'une vie
Qui s'éternise et dont
Le corps n'a plus la force
D'attendre une fin désirée.

— C'est beau! fait Maria. C'est triste, mais c'est beau!

— C'est de qui? demande la tourière.

— Une grande femme..., dit Blanche-Aimée. Oh! pas une femme mélancolique, non, seulement une femme comme tant d'autres, qui s'est épuisée pour le bien-être des siens. Ma mère.

Brusquement, toutes ces paroles prononcées à force de courage lui ayant ôté ce qui lui restait d'énergie, sentant le vide s'ouvrir sous elle, Blanche-Aimée ouvre tout grand les yeux:

— Mon corps non plus n'a plus la force...

Elle s'accroche vivement au bras de Maria. Son visage exprime à présent un terrible effroi:

— Il n'a plus la force... Oh!... S'il vous plaît! retenez-moi! retenez-moi, je ne veux pas mourir! Ne me laissez pas!

— Je suis là! je suis là! crie Maria, parcourue d'un long frisson.

— Madame St-Pierre! intervient la tourière, il faut avoir confiance; vous me comprenez?

Mais Blanche-Aimée secoue faiblement la tête de droite à gauche, puis subitement s'évanouit.

— Elle a perdu conscience, constate tout haut la tourière, je vais prévenir le prêtre.

— Le prêtre! s'exclame Maria.

— Il est temps, Maria.

Celle-ci incline la tête, dissimulant des larmes soudaines et inattendues. «*Alors, il est temps... Vous allez me manquer, madame St-Pierre... Pourquoi ne pas le lui dire?*»

Pendant que sœur Marie-de-la-Rédemption s'éloigne, Maria prend encore une fois la pauvre main de Blanche-Aimée dans la sienne et, les lèvres agitées d'un mouvement incontrôlable, la vue embrouillée, elle parle; elle parle comme jamais elle ne s'en serait crue capable; d'une voix feutrée, un peu gênée, elle exprime ses sentiments:

— Vous allez beaucoup me manquer, madame St-Pierre. J'ai pourtant cru que je pourrais faire quelque chose pour vous; ben non! vous voyez, j'ai pas été capable... J'ai peut-être manqué de foi... Je voulais un miracle, mais faut croire que Notre-Seigneur en a décidé autrement.

Elle se souvient des paroles de Blanche-Aimée à propos du royaume de Dieu. Qu'a-t-elle voulu dire? Que le Malin était le maître ici-bas? «*Évidemment, puisqu'on dit dans le* Notre Père: *que votre règne vienne...*» Elle se rend compte qu'elle ne pourra peut-être plus jamais rien lui demander. «*Oh! Mon Dieu! faites donc que je puisse encore l'entendre! Elle sait plein de choses... Pourquoi ça s'est passé si vite?*»

Constatant, comme cela arrive chez les grands malades, qu'un dépôt de minéraux s'est formé dans le creux de la gorge de la femme, elle prend une débarbouillette humide pour la nettoyer. Au début, lorsque le médecin lui a expliqué que ces dépôts que l'on pourrait prendre pour du sel étaient des minéraux de l'organisme laissés là par la sudation, elle en a conçu une espèce de dégoût. Ce n'est qu'avec le temps qu'elle est parvenue à surmonter sa répulsion face à tout ce que l'organisme d'un malade peut rejeter sans que celui-ci soit capable d'y faire face. Parce que, visiblement, c'est ce qui afflige le plus Blanche-Aimée dans son état, elle a surmonté cet état jusqu'à ce qu'elle comprenne, puis accepte que s'occuper d'un malade, c'est cela et rien d'autre. Il est facile de tenir une main, beaucoup moins de nettoyer des selles; mais avant tout, c'est de cette abnégation dont a besoin la personne qui ne peut plus s'occuper d'elle-même et, qui plus est, doit sentir que cela est fait avec un souci de réconfort. Durant ces semaines d'adaptation, sans pourtant jamais avoir tiré de vanité exagérée de son corps, Maria a pris conscience de la puérilité d'un tel sentiment. Bien sûr, elle croit savoir qu'elle est jolie et elle sait également qu'il est agréable et nécessaire de se sentir comme tel, mais elle a aussi compris à tout jamais que la vraie beauté réside ailleurs que dans la forme. Comment pourrait-on qualifier présentement Blanche-Aimée de jolie en la confrontant aux canons du jour? Pourtant, elle rayonne d'une attachante beauté; plus que cela: elle est belle. Peut-être même plus qu'elle ne l'a jamais été. Ce sont des pensées de cet ordre qui traversent l'esprit de Maria alors qu'elle s'apprête à passer une autre nuit au chevet de Blanche-Aimée, comme si celle-ci avait de par sa présence et sa maladie le pouvoir de susciter toutes ces questions.

Blanche-Aimée n'a pas bougé. De temps à autre, une petite plainte à peine perceptible s'échappe de ses lèvres toujours entrouvertes, confirmant à Maria, qui parfois se prend à en douter, qu'elle est toujours de ce monde. Le dortoir est baigné de son habituelle lueur orangée propre au temps nocturne. Le silence semble renforcé par les sempiternels raclements de gorge, grognements, éternuements, râles et ronflements divers, aussi, cette nuit, par le léger sifflement d'un vaporisateur chauffé à l'alcool qui alimente une tente de toile installée à la tête d'un lit où repose une fillette atteinte du croup. Le prêtre est venu. Blanche-Aimée n'a paru se rendre compte de rien en recevant l'extrême-onction. Mais, pour Maria, alors qu'elle attendait du saint sacrement la dissipation divine des doutes comme elle l'avait ressentie pour sa mère, le calme tranquille n'a pas suivi; il s'est bien installé depuis la visite du prêtre un sentiment de tranquille espérance, mais elle se rend compte qu'il n'y a pas pour elle, ce soir, de pacte avec Dieu, et aussi que sa certitude du ciel n'est pas absolue. Si, pour Blanche-Aimée, et donc pour elle et les autres, elle entretient l'espoir du paradis bleu, elle ne peut cependant tout à fait se défaire d'un doute qui parle de ténèbres, de froid, de solitude et d'oubli.

L'aube d'une nuit sans sommeil semble toujours porter en elle une indéfinissable promesse. Les heures se sont écoulées lentes et lourdes sous la lueur gris-orangé du dortoir durant la nuit; l'aube, telle la première brise tiède d'avril, présage une délivrance. Mais quelle pourrait être celle-ci alors que Blanche-Aimée St-Pierre n'a pas refait un seul geste? À présent, ses paupières sont à moitié fermées, barrant en leur juste milieu des iris privés d'expression; les lèvres aussi se sont refermées petit à petit et ont pris le dessin normalement requis pour siffler; les ailes du nez sont plus que jamais distendues, le souffle est à peine perceptible; seul signe de vie, la carotide bat très fort, tout le long du cou.

Sœur Marie-de-la-Croix est venue se joindre à Maria. Elles ont prié puis, comme à son habitude, la tourière s'est mise à parler sans relâche, meublant de ses mots clairs la lugubre veille, offrant une trêve aux pensées, inlassables tisserandes du chagrin. Tandis que, succédant à un firmament violet diapré de diamants, le jour bleuit derrière les vitres, elle parle de saint Joseph:

— Ici, nous lui vouons une dévotion particulière et il nous le rend bien. Tenez, saviez-vous que, malgré les refus obstinés du propriétaire, il a aidé les fondatrices à acquérir un lot dont elles avaient besoin en premier lieu pour le potager et ensuite pour bâtir des annexes?

— Saint Joseph... Le terrain... Mais comment?

La sœur a un sourire presque malicieux.

— Une nuit, avec l'approbation de Monseigneur Racine et l'aide de l'abbé Thomas, les religieuses se sont rendues sur le terrain avec une statue de saint Joseph et, là, elles l'ont enterrée; puis ensuite, pour être bien entendues de lui, en son nom, elles ont accueilli une veuve et son fils épileptique. On se doute bien qu'avec saint Joseph l'affaire n'a pas traîné; le propriétaire récalcitrant est rapidement venu proposer de lui-même la vente de son lot.

«Encore une faveur du ciel», se dit Maria, *«pourquoi pas pour moi, enfin... pour Blanche-Aimée?»* Elle se rend compte que, pour la première fois, elle a pensé à la femme en l'appelant par son prénom, comme si au seuil de la mort Blanche-Aimée acquérait pour elle une intimité que la vie de tous les jours ne pouvait autoriser. De la même façon, lorsqu'elle s'adresse à présent intérieurement à Laura Chapdelaine, elle ne dit plus «sa mère», mais «ma p'tite maman»; de même que François Paradis est devenu «mon François».

La journée s'avance. Une autre parmi une multitude indifférenciée. Le ciel est bleu royal, sœur Marie-de-la-Croix est allée donner les petits déjeuners. *«Les femmes s'agitent plus que de coutume»*, se dit Maria qui n'en comprend pas la raison, elle qui n'a même pas voulu s'absenter pour aller déjeuner. Pour elle, la matinée s'inscrit entre parenthèses dans le temps; pendant qu'ailleurs ce dernier suit son cours insensible, l'espace où se trouve le lit de Blanche-Aimée évolue dans un autre champ. Petit à petit, le caractère de l'angoisse s'est modifié; tout semble calme. En attente. Même si ce qu'évoque ce mot déplaît à Maria qui voudrait réfuter qu'il en soit ainsi. Pourtant, ce sentiment persiste, s'aggravant même d'une idée de délivrance. Délivrance tragique, délivrance qui la déchire, puisque, malgré toute les souffrances dont elle a été témoin, chaque jour, Maria souhaite garder Blanche-Aimée près d'elle. Combien de fois a-t-elle entendu, au cours de conversations, des propos comme: cela valait mieux pour lui ou elle, ses souffrances sont terminées? Combien de fois a-t-elle accepté sans remise en question toute l'évidence d'une telle affirmation? Cependant, ce n'est pas ce qui se produit avec Blanche-Aimée. *«Ça aurait pu si je l'aimais moins... Un autre malade, j'aurais accepté, pas Blanche-Aimée, je voudrais rester avec elle, je suis bien avec elle... Je voudrais rester avec vous, Blanche-Aimée! J'aime bien m'occuper de vous, vous savez; Non, non, non! je veux pas que vous vous en alliez!»*

Quelque chose s'est produit. Maria ignore quoi, mais c'est arrivé. Angoissée, le cœur battant, elle s'est redressée et a pris la main froide et inerte de Blanche-Aimée entre les deux siennes, comme pour la retenir:

— Ça va pas, madame St-Pierre? Ça va pas?

Elle réalise la stupidité et surtout l'inutilité de ses questions.

— Je suis là... Blanche-Aimée, je suis là avec vous. Ayez pas peur je bougerai pas. Non, il ne faut pas que vous ayez peur..., je suis avec vous. Avec vous...

Les yeux agrandis par l'émotion, le cœur emporté par la précipitation des événements, elle surveille l'énorme carotide qu'elle a vue cesser de battre durant un instant. De toutes ses forces, elle voudrait communiquer son énergie au cœur qui faiblit; elle imagine le flux sanguin dans l'artère qui, à chaque battement, va irriguer le cerveau, lui apportant à chaque fois une autre parcelle de vie. Elle veut que cela dure; il ne faut pas que ça s'arrête. Jamais!

Le battement s'est interrompu. Les yeux instantanément noyés, Maria serre encore davantage la main dans les siennes:

— Blanche! Non! non! Blanche-Aimée!...

La carotide a disparu. *«C'est fini!»* se dit Maria qui toutefois ne peut y croire «c'est pas possible!». Comme pour lui donner raison, les yeux de l'agonisante s'ouvrent, presque exorbités, dans un effroyable regard, un regard tout à fait conscient. Tentant certainement de se raccrocher au monde dont elle se sent partir, dans un ultime sursaut, son corps s'arc-boute des pieds à la nuque. Puis, peut-être encore plus terrible que l'intensité du regard qui, dans un seul instant, englobe la vision de toute une vie ainsi que l'épouvante de ce qui advient, les lèvres qui, jusqu'ici, n'ont volontairement exprimé que douceur, s'étirent incroyablement jusqu'aux dents de sagesse dans une position normalement impossible. Tout cela sans un son. Puis le corps retombe, la bouche devient inerte, les prunelles se figent, s'éteignent, comme la dernière flamme d'un feu de joie dans l'aube qui suit la fête. C'est fini.

Maria reste là, serrant toujours la main de Blanche-Aimée qui, sans être plus froide, est cependant différente. Elle lui promet qu'elles se reverront. Des larmes roulent sur ses joues tandis que, sans vraiment se rendre compte que la situation est irréversible, son regard fixe celui qui s'est éteint à jamais. Elle se demande si c'est à elle de fermer les paupières. Elle s'y refuse toutefois parce qu'elle sait avec détresse que c'est absolument tout ce qui reste à faire.

Plus tard – elle ne saurait mesurer le temps qui s'est écoulé – elle sent sur ses épaules un bras qui cherche à la réconforter et à l'entraîner.

— Venez, Maria, dit sœur Saint-Edmond. Venez, ma fille, on va aller prendre un thé.

— Oui, ma sœur.

— Ensuite, vous pourrez aller à l'office avant de vous accorder un bon repos.

— Oui, ma sœur. À l'office? Quel office? Quel jour est-on, ma sœur?

— Mais voyons! Maria, c'est le dimanche de Pâques!

Cette fois, Maria éclate en sanglots.

VII

Un beau jour, le froid a pris congé; en tout lieu, la neige s'est mise à fondre, attaquée sur tous les fronts par la pluie, par le soroît ou directement par le soleil. Dans les rues boueuses, les dernières «falaises» de neige ont pris une teinte noirâtre peu engageante. Dans les champs, au loin, il y a d'abord eu des taches brunes qui sont allées en grandissant, à présent ce sont les taches blanches aux abords des boisés qui font exception et, sur la rivière, les dérives de glace sont de plus en plus rares. Partout, le brun et le noir se disputent le paysage, lui donnant un aspect qui serait désolant si ce n'était l'espérance de ce qui est imminent: le retour de la vie. Mais le plus grand bouleversement se lit sur le visage des gens; d'abord, il fut imperceptible puis, avec le passage des jours, tandis que s'installait la certitude qu'il ne s'agissait pas d'un canular, tandis que dans la tête, telle la montée lente mais irrésistible d'une symphonie, s'enflaient le cuicuitement des oiseaux et le clapotis de l'eau vive, les gens sont devenus plus amènes, les disputes et mots lourds de sens ont fait place à des plaisanteries, les regards maussades, à des contemplations parfois nostalgiques, mais le plus souvent rêveuses. De ce qui se passe ailleurs dans le monde, parfois dans les couloirs il en est vaguement question chez certains pensionnaires masculins, mais, en règle générale, tout le monde ignore les avertissements répétés de Pie X signifiant qu'avec le modernisme, les «forces du Mal» sont à l'œuvre.

215

Pour Maria, prisonnière du sablier des jours sans horizon, le temps s'écoule à errer dans les brumes grises d'une tristesse sans visage. La nuit du décès de Blanche-Aimée, sur une impulsion qui cherchait à conserver le contact avec la disparue, elle a pris ses draps et couvertures, les a installés sur le lit vide et s'y est allongée. Mais elle n'a ressenti aucune présence; Blanche-Aimée était vraiment partie, et, avec elle, la plus grande partie de ce qui pour Maria donnait un sens à sa présence à l'Hôtel-Dieu. Encore à présent, malgré ses activités, malgré les soins diligents qu'elle prodigue sans se ménager, essayant toujours de sourire comme le lui a appris Blanche-Aimée, tout demeure insipide et froid. Les murs mêmes de l'établissement semblent avoir perdu leur âme, comme si, en partant, Blanche-Aimée avait emmené avec elle le bonheur de vivre.

Pourtant, les religieuses ont tout fait pour sortir Maria de l'abîme d'indifférence où elle semble évoluer; comme promis, sœur Marie-de-la-Croix a commencé à lui enseigner l'alphabet, puis les sons et les syllabes; déjà Maria est capable de déchiffrer la plupart des mots et de saisir le sens de phrases simples. En fait, cet apprentissage, qui exige d'elle de la concentration, est la seule activité qui réussit à la sortir du vide dans lequel elle refuse de se débattre.

En ce moment, elle est avec la tourière dans une chambre d'isolation où, profitant d'un peu de temps volé à la sieste en début d'après-midi, elles se retirent pour l'étude. Maria est étonnée par l'orthographe de certains mots dont la phonétique ne correspond pas à la façon dont elle les prononce.

— Alors, BEN, ça s'écrit avec un I comme BIEN; on peut pas écrire BEN?... C'est niaiseux puisque tout le monde dit «ben»! Ils n'ont qu'à ajouter le mot, c'est tout! C'est pas de ma faute s'il existe et qu'ils ne le marquent pas...

— C'est la langue française..., paraît s'excuser la tourière, comme si cela expliquait tout.

— On pourrait pas apprendre le canadien? Ça serait plus utile icitte, non?

— Ça n'existe pas, Maria.

— Ben crère! ma sœur, ça existe certain!

— D'une certaine façon, admet la sœur, soucieuse de ne pas se lancer dans une polémique dont elle ne connaît pas tous les tenants.

— Bon! alors pourquoi est-ce qu'on apprend pas le canadien?

— J'en sais rien, Maria, je ne suis pas un vrai professeur; moi, on m'a toujours dit qu'on apprenait le français.

— J'en ai rencontré des Français; c'est vrai qu'ils causent un peu comme nous autres, mais c'est pas pareil; ils parlent pointu, pis ils doivent écrire pareil.

— Au fond, ce serait bien moins compliqué si nous parlions tous le latin.

— Ça c'est vrai! on pourrait se comprendre avec les Anglais.

La sœur a un mouvement de recul:

— Hum!... les Anglais...

— Ils doivent être comme nous autres, ma sœur.

— Comme nous autres..., on peut le dire par charité chrétienne, mais savez-vous qu'à cause d'eux, à cause de la reine Elizabeth I qui en a décidé ainsi, ici, au Canada, le roi a légalement la suprématie sur la religion?

D'abord interloquée par cette information, Maria répond par une question:

— Sur la religion, ça veut peut-être pas dire sur Dieu?

— Ah!..., ah! bah! j'avais pas pensé à ça comme ça...

— Ben oui! parce que les Anglais, eux autres, ils sont protestants; il ne faudrait pas que leur religion domine sur la nôtre.

— Vous avez peut-être raison... Puis faut dire aussi que c'est justement les Français qui nous ont vendus pour je ne sais trop quelles îles... Ce sont eux aussi qui coupaient la tête des prêtres durant leur révolution et qui ont séparé l'Église de l'État...

— Couper la tête des prêtres!

— Oh! il y a longtemps...

— Oh! bah! Je savais rien de ces histoires-là, mais en tout cas je sais astheure que c'est en canayen que je veux apprendre à lire! Moi..., des gens qui coupent la tête des prêtres... On verrait pas ça par chez nous.

— Pour sûr!

Maria se souvient du pensionnaire de Mistassini et essaie de l'imaginer en coupeur de têtes; l'image ne cadre pas du tout. Peut-être, après tout, il y a très longtemps de cela; les Français d'aujourd'hui doivent être différents. Repensant à lui après tout ce temps, elle réalise qu'elle serait contente de le revoir, de savoir ce qu'il devient, de lui raconter ce qu'elle a vécu. De son côté, revenant à ce qui motive leur présence ici, la tourière pose son doigt sur la page à l'endroit du mot suivant.

Puis, la leçon touche à sa fin. La religieuse observe un instant le ciel de l'autre côté de la fenêtre ouverte et en vient à ce qu'elle a préparé la veille avant de s'endormir:

— Vous avez bien appris, Maria; je crois qu'à présent vous allez pouvoir continuer toute seule, d'autant plus que le printemps s'installe pour de vrai et que vous allez bientôt rentrer chez vous.

— Vous croyez? s'étonne Maria sans que la religieuse puisse déterminer si elle parle de la fin des cours ou du retour chez elle.

— Qu'est-ce que je dois croire?

— Vous croyez que je peux apprendre toute seule, vous croyez que je dois retourner chez moi?

— Oui à la première question, mais je ne comprends pas la seconde...

— Je ne m'ennuie pas de mon fiancé, explique simplement Maria.

Sœur Marie-de-la-Croix ne sait comment prendre cet aveu. Comment peut-on oublier son fiancé? Cette question la plonge dans un flot de souvenirs et surtout lui rappelle une autre fois ce garçon pour qui elle a abdiqué sa vie dans le monde. Tout avait commencé dans l'après-midi d'un vingt-quatre décembre. Depuis l'été, Clermont D'Amours venait régulièrement veiller chez eux dans le but évident de s'asseoir avec elle dans la berçante à deux places sous l'escalier. Ce jour-là, il arriva sur le coup de trois heures, déjà habillé pour fêter. Tandis que les femmes se démenaient dans la cuisine pour finir de préparer tout ce qui ornerait la table du réveillon, il descendit à la cave avec le père sous le prétexte de «couper le fort». Pour remplir deux ou trois carafes, excepté l'intermède du train des animaux, cela leur avait pris le restant de la journée. En fait, le père et le gendre en devenir étaient restés assis autour du calbrette, davantage occupés à se diluer le rye dans le sang que dans les carafes; mais puisque c'était Noël... En fin de soirée, la famille s'était installée dans la carriole tandis que Clermont prenait place sur son cotteur. Tout avait bien été pour se rendre à la messe de minuit. Ç'avait été une vraie belle messe. Sœur Marie-de-la-Croix y pense encore avec émotion, sa mémoire lui restituant les illuminations dorées, le chant grave et solennel de Virgil Gagnon et, surtout, les coups d'œil à la dérobée que lui adressait Clermont. Elle se souvient aussi, à côté de la crèche, de cet ange en bois bleu et blanc dans le dos duquel il suffisait de glisser un sou noir pour qu'il incline la tête en signe de remerciement. Oui, une belle messe! En sortant, tout le monde était contaminé par cette joyeuse humeur propre à l'enfance que la Nativité a le pouvoir de restituer. On s'attardait sur le parvis. À travers mille exclamations accompagnées de panaches de buée, les hommes se lançaient des invitations pour le jour de l'an; toutes les fenêtres de toutes les maisons de la paroisse étaient éclairées; la fête était dans l'air. On salivait à l'idée de ce qui attendait dans le four et sur la table. Dans la carriole, abriée du cou jusqu'aux pieds sous une peau d'ours, elle entendit Clermont lancer à son père sur un ton ironiquement fantasque:

— Chus plus vite que vous, monsieur Lapointe; je vas aller ravigorer le feu dans le poêle pour que vous ayez chaud en arrivant.

— Comment ça, plus vite que moué? C'est ce qu'on va voir, mon jeune fendant!

Son père avait fait semblant de se lancer dans une course folle en sachant pertinemment ne pouvoir rivaliser de vitesse avec le léger cotteur.

Comme elle riait, comme elle était heureuse!

— Va donc! Envoye, Titus! avait lancé Clermont à son cheval.

Malheureusement, en prenant un virage trop large, un patin était monté trop haut sur une congère glacée et le cotteur s'était renversé. Elle revoit une nouvelle fois toute la scène dans sa tête: Clermont est éjecté violemment, il glisse le dos sur la glace du chemin, son père fait «Wow! wow!», mais il est trop tard, le cheval fait une embardée et l'un des gros patins de la carriole vient heurter Clermont qui pousse ce cri affreux qui, encore aujourd'hui, résonne en elle, puis il reste là, ina-nimé, sur le chemin.

Il n'avait pas repris connaissance de la nuit et, c'est au petit matin, alors que toutes les victuailles traînaient, froides, sur la table, que ses yeux lui brûlaient, autant d'avoir pleuré que d'avoir passé la nuit debout dans la fumée des pipes, qu'elle se rendit dans sa chambre et là, à genoux au pied de son lit, fit à Dieu la promesse de devenir religieuse s'Il permettait à Clermont de vivre. Elle n'a pas failli à sa promesse et c'est ainsi que Fernande Lapointe de Grande-Baie est devenue sœur Marie-de-la-Croix. Hormis cette mélancolie douloureuse lorsqu'elle évoque Clermont D'Amours, elle n'en a pas souffert. C'est compréhensible, car, petite fille, elle avait toujours rêvé de devenir sœur et de «s'occuper des malheureux». Il reste à présent que, en regard de ce qu'elle a vécu, elle comprend mal «*l'oubli*» de Maria vis-à-vis de son fiancé.

— Est-ce que c'est un mariage arrangé? demande-t-elle.

— Non, non, pantoute! Il m'a fait sa demande et j'y ai dit oui pour ce printemps.

— Pourquoi? Pourquoi si vous ne l'aimez pas?

— Oh! je l'aime ben, pis c'est un bon garçon, et il m'aime en masse; de ça j'en suis sûre. Y a aussi que ça lui ferait gros de peine si j'y disais non.

— On se marie pas juste pour faire plaisir, Maria.

— Je sais, mais... Je suis pas mal certaine qu'avec le temps, je vas l'aimer davantage, qu'on fera un bon règne.

— Alors, pourquoi vous me demandez si vous devez repartir chez vous?

— Parce que ces derniers temps, j'ai jonglé que ce serait peut-être pas une mauvaise idée d'entrer en religion. Pour Eutrope, ce serait pas pareil que si j'y disais non à cause d'un autre ou parce qu'il me plairait pas.

— Vous songez donc à devenir religieuse?

— J'en sais rien...

— Alors, vous ne voulez pas; on entre pas en religion par dépit ou par hésitation. (Elle observe quelques secondes de silence et regarde Maria face à face.) Je ne comprends toujours pas vos hésitations. Vous vous êtes promise à un garçon, vous croyez que vous ferez une bonne vie avec lui, mais, malgré ça, vous vous demandez si vous ne devriez pas devenir religieuse alors qu'apparemment, ça ne vous tente pas. Non, je ne comprends pas.

— Moi non plus, ma sœur... J'ai... j'ai peur de me tromper. J'ai l'impression qu'il y a autre chose qui m'attend, mais je ne sais pas quoi.

— Je ne peux pas vous aider, Maria; seule la prière le pourra...

— Ça doit, ma sœur.

— Non, non, c'est certain! Oh! autre chose... (La religieuse plonge la main dans la poche de son tablier et en ressort un carton blanc et le tend à Maria.) Je me suis dit que, puisque je vous ai montré le peu que je savais en lecture, c'était également à moi de vous mettre en garde contre certaines lectures dangereuses. Bientôt vous saurez suffisamment lire pour vous attaquer aux livres, à ce moment-là, je voudrais que, chaque fois que vous serez sur le point d'en choisir un, vous relisiez ceci qui vient d'un poète.

Maria prend le carton où, en grosses lettres calligraphiées, la tourière a copié un conseil de Lamartine trouvé sur un signet qu'un oncle prêtre lui a offert le jour de sa communion:

Hélas! si ta main chaste ouvrait le livre infâme
Tu sentirais soudain Dieu mourir en ton âme
Le soir tu pencherais ton front triste et rêveur
Pour voir passer au loin dans quelque verte allée
Les chars étincelants à la route étoilée.
Et demain tu rirais de la Sainte pudeur.

Il faut quelque temps à Maria pour assimiler les vers. Elle les répète lentement à voix haute pour être certaine de ne pas faire d'erreur et aussi prouver à sœur Marie-de-la-Croix qu'elle n'a pas perdu son temps. Sinon qu'il est question d'un vilain livre qui pourrait la perdre, elle ne comprend pas vraiment le sens du texte, mais les mots sonnent agréablement à son esprit:

— C'est beau, ma sœur. Je ne sais pas comment je pourrai jamais vous remercier...

— Ne cherchez pas, j'ai déjà ma récompense.

À cet instant, Maria ne voit rien de plus beau que le service désintéressé des autres. Est-il possible de le pratiquer sans être religieuse?

Dehors, on entend un pépiement. Ensemble les deux femmes tournent leurs regards vers la fenêtre à la rencontre du beau ciel bleu de printemps, et elles se sentent un peu étourdies par tout cet air frais et lumineux qui entre sans discontinuer. Maria se souvient des mots de Blanche-Aimée: «Tout cet air.» Alors, après tous ces jours vides et froids, pour la première fois depuis le départ de la femme, elle réalise qu'elle-même est vivante, que le monde entier lui ouvre les bras et qu'elle n'a qu'à choisir en toute liberté, ce monde où elle pourra propager l'exemple que lui ont donné les Augustines ainsi que la mémoire et l'amour qu'elle a reçus de sa mère, de François Paradis et de Blanche-Aimée St-Pierre, et ainsi, d'une certaine manière, de les perpétuer.

Le vert a gagné sur le brun et le noir; partout, dans tous les tons, il s'impose. Désormais, sauf lorsqu'il pleut, les fenêtres restent ouvertes toute la journée. Les pensionnaires à long terme paraissent mieux se porter. L'état d'Aliette s'est amélioré lorsque ses parents ont repris ses sœurs pour la belle saison; elle est partie aujourd'hui sans une seule fois donner l'impression qu'elle allait s'écrouler au pas suivant. On a eu peur pour sœur Marie-de-la-Rédemption; pendant quelques jours, les symptômes ont fait penser à la phtisie, mais rapidement sa santé s'est rétablie, ce qui laisse entendre qu'il ne s'agissait que d'un mauvais rhume.

Tout comme dans la majorité des maisons familiales, on a attaqué le grand ménage du printemps. Pour l'instant, debout sur un escabeau, Maria est en train de lessiver le plafond, prêtant l'oreille aux propos de sœur Marie-de-la-Croix occupée non loin de là à la même tâche et qui, comme toujours à son habitude, parle et parle sans relâche.

— ...C'est bien beau les hommes forts comme ce Delamarre qui soulève un rail de chemin de fer sur son dos, mais personnellement j'aimerais au moins autant d'admiration pour les prouesses du cœur. Qui a retenu le nom des Ursulines brûlées vives dans l'incendie de leur couvent à Roberval tandis qu'elles essayaient de sauver les archives? Qui?

Maria a un léger sourire. Décidément, la tourière aime bien évoquer les actes héroïques des religieuses à travers l'histoire. Depuis celles qui s'étaient lacéré le visage face aux hordes normandes, elle a eu le droit, au moins une fois par jour, à quelque nouvelle relation des faits et gestes de nonnes courageuses. En plaisantant, elle s'apprête à lui en faire la remarque lorsque sœur Saint-Dominique l'interpelle depuis la porte du dortoir:

— Maria, il y a quelqu'un pour vous à la réception.

Elle se retourne, surprise:

— Quelqu'un pour moi, ma sœur?

Empourprée et essoufflée de s'être pressée, la religieuse a un sourire taquin qui serait incongru sur les lèvres de sœur Saint-Edmond par exemple:

— Oui, un jeune homme...

Maria pense aussitôt à l'un de ses frères, Esdras ou Da'Bé. Elle a l'impression que son cœur s'arrête; il doit s'être passé quelque chose à la maison. Quoi? Qui? En descendant prestement l'escabeau, elle passe en revue tous les membres de sa famille. Non! pas son père, pas Alma-Rose non plus! Ni Télesphore, ni Tit'Bé, ni Da'Bé, ni Esdras. Cet examen terminé, elle s'imagine divers accidents parmi ceux dont on entend le plus souvent parler: noyade, chute d'arbre, cheval fou, coup de feu accidentel ou, le pire, le feu. Mais le visage de sœur Saint-Dominique est trop épanoui pour qu'il s'agisse d'une mauvaise nouvelle. Alors qui?

Maria suit la religieuse en se demandant pourquoi celle-ci prend tout son temps.

— À quoi est-ce qu'il ressemble? demande-t-elle.

— Je vous l'ai dit, c'est un jeune homme...

— Comment il m'a demandé?

— Comment? eh bien! Maria Chapdelaine.

«*Évidemment*, se dit-elle, *je ne suis pas plus avancée.*»

En l'apercevant debout dans l'entrée, tenant sa calotte à deux mains, Maria est suffoquée; pas une seconde elle n'avait imaginé que ce puisse être lui.

— Eutrope! s'exclame-t-elle.

— Bonjour, Maria...

Il paraît gêné; elle le constate immédiatement. Il ne s'agit pas de cette retenue qui l'a toujours caractérisé, non, mais de la gêne de celui qui doit annoncer un fait déplaisant. À nouveau, sans toutefois le laisser paraître, Maria s'imagine le pire.

— Eutrope! répète-t-elle, ça, c'est toute une surprise!

— Je suis ben content de vous revoir, Maria.

Elle comprend que par ces mots il exprime sa joie de la retrouver, mais aussi lui signifie qu'il a trouvé le temps long.

— Je m'attendais pas à ce que vous veniez icitte...

Elle prend conscience du caractère négligé de sa propre tenue; de son tablier de grosse toile, de ses cheveux ramassés en arrière sans façon et de ses mains encore rougies par l'eau de lessive. Tout cela la tracasse un peu.

— Il le fallait, Maria, j'ai des nouvelles affaires à vous rapporter... (Il la détaille des pieds à la tête, son examen paraît concluant:) Ça se dit peut-être pas et ça a d'l'air pas possible, Maria, mais vous êtes encore plus jolie qu'en partant.

Elle se rend compte que ces mots, même s'ils sont sincères, ne sont prononcés que pour retarder ceux qui expliqueront cette visite inattendue. Dans le même temps, elle s'aperçoit que sœur Saint-Dominique est toujours là, comme pour la chaperonner. Elle lui présente Eutrope:

— Mon fiancé, Eutrope Gagnon; on doit se marier ce printemps.

Le jeune homme acquiesce du menton.

— Oh! je vois, fait la religieuse, peut-être que vous voudriez passer au parloir, je pourrais vous y apporter du thé?

— Laissez faire le thé, ma sœur, vous dérangez pas.

— En tout cas... si vous avez besoin de quoi, ne vous gênez pas.

Maria la remercie et accompagne Eutrope dans une pièce lambrissée de bois peint en bleu ciel où les pensionnaires valides peuvent recevoir leur visite ailleurs qu'au dortoir. Il n'y a là qu'un jeune homme à la mine égarée et qui, bouche grande ouverte, écoute sans réagir les propos d'une femme qui doit être sa mère. Eutrope et Maria s'assoient côte à côte sous l'une des deux fenêtres.

— Ça fait rudement plaisir de vous revoir, Eutrope, affirme-t-elle.

— C'est pareil pour moi, Maria, sauf que...

Il cherche ses mots.

— Eutrope, est-ce qu'il y a quelque chose qui ne va pas?

Il dodeline de la tête:

— Ben!... c'est à propos de mon frère Égide...

Immédiatement, même si elle garde une attitude de circonstance, Maria est soulagée; elle connaît à peine le frère d'Eutrope et ne se sent donc pas tellement concernée, d'autant plus que, d'après le ton, il ne s'agit vraisemblablement pas d'un événement tragique. Eutrope aura trouvé un prétexte pour venir la voir, c'est tout; et c'est très gentil! Toutefois, elle feint de se soucier de ce qu'elle prend pour une excuse:

— Égide, il n'y est rien arrivé de désappointant, toujours?

— Ben! c'est-à-dire que... pas à lui directement, enfin, sauf si on veut parler de son âme...

Maria ne comprend plus rien du tout.

— Son âme?

— Ben! voilà, vous saviez qu'il était monté au chantier pour l'hiver (elle hoche la tête); là, ça a ben été jusqu'à ce qu'il se fâche avec son foreman à propos de la façon de mener les chevaux. Faut dire qu'Égide, il prend facilement les bleus. En tout cas, ce qui devait arriver est arrivé, il a été clairé.

— Ah ben!

«Il aurait pu trouver mieux comme excuse», se dit-elle un peu amusée avant de comprendre que ce n'est que le début de l'histoire.

— Clairé, répète Eutrope, mais comme il voulait pas s'en revenir chez nous la queue entre les jambes et qu'il avait entendu dire qu'il y avait un chantier plus au nord, il s'est dit qu'il allait y tenter sa chance. C'est comme ça qu'il est parti en longeant la rivière. Seulement, en chemin, il est arrivé à un campement de sauvages qui étaient tentés là pour trapper. Là, je ne sais pas ce qui s'est passé. Toujours est-il qu'au lieu de continuer à monter vers l'autre chantier comme supposé, il est revenu chez nous. Juste ça, ce serait pas si pire, mais il est point revenu tout seul; il a ramené une sauvagesse à la maison.

Maria sait ce que cela signifie; le cas est assez fréquent chez les hommes de chantier, surtout les célibataires. Un beau jour, peut-être fatigué de la solitude, ou, plus prosaïquement, en mal de passion, l'un ou l'autre rencontre une jeune Montagnaise en passant dans un camp de trappe, et là, sous le charme d'une jeune fille jouissant généralement d'une liberté morale plus grande que celle des Blanches, il succombe et s'aventure souvent dans une union qui reste en dehors des limites du mariage. Pour celui qui s'y engage, il en va à coup sûr d'une réprobation plus ou moins silencieuse des gens de son milieu ainsi qu'une mise à l'index tacite de ses anciens compagnons, sans oublier, dans la plupart des cas, les vitupérations du prêtre en chaire, à la messe du dimanche.

Maria pose la question qui s'impose:

— Ils vont-ti se marier?

— Il veut rien savoir.

Maria s'en doutait un peu. Souvent, peut-être dans l'espoir non formulé de rencontrer ultérieurement une «vraie Canadienne», ces hommes, qui, autrement, sont prêts à tout sacrifier pour une «belle sauvagesse», ces hommes-là refusent de consacrer leur union.

— C'est pas tout, ajoute Eutrope, Égide s'est installé chez nous avec elle et il veut point s'en aller. Il dit que c'est l'argent qu'il a gagné dans les chantiers qui nous a permis de se greyer d'animaux. Là-dessus, il a pas vraiment tort...

— Mais c'est votre travail itou! s'exclame Maria.

— C'est sûr, mais c'est vrai aussi que c'est lui qui a ramené les piastres.

Maria comprend ce que tout cela signifie: elle et Eutrope ne pourront pas s'installer sur une terre où vivent déjà un homme et une femme dans une union que l'Église réprouve. Peut-être Égide a-t-il proposé à son frère de racheter sa part, mais il est évident qu'il ne pourra pas payer tout de suite. En attendant, elle et Eutrope n'ont pas d'endroit où s'établir.

— Et il veut vraiment pas la marier? insiste Maria.

Eutrope baisse la tête et avoue:

— Je devrais point le dire, mais on s'est même battus à cause de ça. Non, cet innocent-là veut rien entendre; pis même, ce serait pas si facile, elle est même pas catholique. (Il secoue la tête.) Il avait-ti besoin de nous ramener ça!

— C'est peut-être pas elle qui est à blâmer, suggère Maria qui sait fort bien que le plus souvent ces filles sont abandonnées à la première ou à la seconde grossesse et qu'elles se retrouvent également rejetées des leurs qui – à moins que ce ne soit le père lui-même qui soit amérindien – refusent d'accueillir les enfants des Blancs et les filles qui ont cohabité avec eux.

— Certain que c'est elle! s'obstine Eutrope en révélant à Maria un côté qu'elle ne lui connaissait pas. Elles sont toutes pareilles, les sauvagesses, elles s'habillent à moitié, pis elles font tout pour exciter le sang des hommes jusqu'à ce qu'ils perdent tout bon sens; et c'est ça qu'elles veulent: se faire faire un p'tit par un Blanc pour ensuite se faire vivre par les religieuses dans les missions.

— Oh! je crois qu'elles vont dans les missions parce qu'elles ont pas d'autres choix.

— Pantoute! elles y vont parce qu'elles sont vaches, c'est juste ça!

— Eutrope!

Maria attribue son emportement au fait que leurs projets à eux soient bouleversés. Elle se rend compte que si la situation n'évolue pas rapidement, c'est leur mariage qui devra probablement être remis. Est-ce cela qu'il est venu lui dire?

— Qu'est-ce qu'y va se passer? demande-t-elle.

— Je le sais point, Maria... Il va falloir que je trouve une solution parce que je ne peux pas vous marier de suite si j'ai pas de place où vous installer. (Son regard se fait presque suppliant.) Peut-être ben qui va falloir attendre, Maria. Calculez-vous que ce soit possible?

Elle apprécie son honnêteté, et approuve la droiture et la raison dont il fait preuve. Mais, quelque part, une voix lui chuchote qu'elle aurait préféré qu'il se gausse de tous ces détails, que, malgré tous les obstacles, il fasse d'elle sa femme, *«comme un vrai homme doit le faire»*:

— Voulez-vous dire qu'on pourra pas se marier ce printemps, Eutrope?

— Ben!... Un homme doit pouvoir faire vivre sa femme, Maria.

Ils se regardent, lui, avec cet air d'admiration et presque de soumission qu'il lui a toujours manifesté, elle, avec celui de l'indulgence attendrie. Il est venu lui dire ce qui se passe. Jamais il n'a douté de sa réponse, car il ignore que le dernier deuil de Maria lui a ôté bien des illusions. En perdant François Paradis puis sa mère, elle s'est inventé des voix qui lui ont dicté le destin qui devait la retenir à ce qu'elle avait toujours connu; en perdant Blanche-Aimée, loin de son univers, elle a compris que les joies sont éphémères et que le chagrin est inévitable; mais aussi qu'il serait sot d'éviter les premières pour se dérober au second sous de faux prétextes.

En ce moment, elle se sent plus proche d'Eutrope qu'elle ne l'a jamais été, mais cela est vrai parce qu'elle sait qu'elle va devoir lui faire de la peine. Ce qui la motive, ce n'est pas de s'exposer à ne pas être heureuse avec lui, elle n'y a même pas pensé. Non, c'est que lui ne le serait pas avec elle et, par anticipation, que leurs enfants en souffriraient. Si, un jour, elle doit se marier et si, un jour, elle devait perdre son mari, elle veut, quand elle devra en parler, avoir dans les yeux cette lueur qui a brillé dans ceux de Blanche-Aimée lorsqu'elle a évoqué son époux. Selon elle, ce serait manquer de la plus élémentaire bienveillance que d'épouser quelqu'un sans avoir au moins cette certitude:

— Vous avez raison, Eutrope, et je veux que vous sachiez que je vous aime ben gros, mais je ne calcule pas d'attendre...

Eutrope se méprend sur le sens des paroles:

— Vous voulez vous marier pareil?

Elle se contente de secouer négativement la tête. Il comprend. Il est vraiment surpris. Son regard brille:

— Mais... Maria!... Je tiens à vous!

Elle croit savoir ce qu'il ressent; elle l'a ressenti elle-même, un certain soir de janvier, cet anéantissement, cette vision d'un interminable cheminement solitaire sur une route de nuit:

— Je sais ben, Eutrope ...

— Je comprends rien, Maria!

Elle pourrait lui dire ce qu'elle ressent, mais aveuglé par sa douleur, il ne pourrait évidemment pas comprendre.

— Je suis ben icitte, Eutrope.

— Icitte! Mais que c'est qu'il y a icitte?

— Des gens qui ont besoin d'aide.

Il a bien envie de crier que, lui aussi, il a *besoin d'aide*, mais une certaine retenue naturelle l'en empêche. Il lui vient cependant une question:

— Et si Égide n'était pas revenu avec sa sauvagesse?

— Je ne sais pas, Eutrope... Je n'aurais peut-être pas osé vous dire...

— Dire quoi?

— Je ne sais pas comment vous expliquer...

Le regard d'Eutrope se fait soudain suspicieux:

— Il y en a-ti un autre? Vous avez rencontré un garçon de la ville?

— Non, Eutrope, je vous jure que non.

Il la croit. Ne trouvant plus d'arguments, il hausse les épaules:

— Je peux pas rien faire, moi, c'est vous qui savez, Maria.

— Faut pas que ça nous empêche de rester amis, Eutrope.

— C'est pas ça que je voulais, pas ça pantoute!

— Je sais.

Il regarde à présent autour de lui comme s'il cherchait une issue. Visiblement, il a une peine à assumer et il est de ces personnes qui, pour rien au monde, ne voudraient faire étalage de leur malheur; il désire être seul. Maria a pitié, elle voudrait revenir sur ses paroles, mais, bien sûr, cela n'aurait aucun sens. Pas plus, comme elle l'éprouve, que cela n'en aurait de s'approcher de lui pour le réconforter, comme une mère réconforte son enfant. Il ne mérite pas cette humiliation.

— Bon!... va falloir que j'y aille, dit-il.

Il est clair qu'il cherche à fuir pour laisser le champ libre à sa peine.

— Eutrope...

— Oui, Maria?

— Merci.

— De quoi?

— De tout. De votre gentillesse; pis j'oublierai jamais que c'est vous qui êtes allé chercher le ramancheur pour sa mère.

— C'était ben normal. Bon!... ben!... bonjour...

— Bonjour... Oh! Eutrope?

— Oui?

— Comment ça va chez nous?

— Ça va. Est-ce que je dois dire à votre père que ça va ben pour vous itou?

Elle fait signe que «oui». Il la regarde avec insistance, un bref instant, puis sort de la pièce sans se retourner.

Restée seule, elle se demande ce qu'elle a fait. Elle s'en veut d'avoir blessé Eutrope, mais, en même temps, sans l'avoir consciemment recherché, elle a l'impression de s'être libérée d'un poids énorme. Venant de l'intérieur d'elle-même, un grand souffle frais l'envahit. *«J'irai voir son père un de ces jours»*, décide-t-elle, surprise de prendre de son propre chef une semblable décision et heureuse d'avoir agi comme elle l'a fait. *«Et j'en profiterai pour passer à Hébertville pour tenir la promesse que je vous ai faite, Blanche-Aimée.»*

De retour au dortoir, sœur Marie-de-la-Croix la regarde avec interrogation:

— De la grand-visite?

— C'était mon ancien fiancé.

— Ancien?

— Oui, ma sœur, c'est fini.

La religieuse la regarde avec étonnement sans dire un mot. Maria porte son regard vers son lit, celui de Blanche-Aimée qu'elle a gardé pour elle de crainte d'y voir une autre personne. *«C'est vous, Blanche-Aimée, c'est vous qui m'avez fait faire ça. Mais pourquoi donc?»*

VIII

Ce matin, Maria a été au premier office dominical. En sortant, elle a salué celles avec qui elle a partagé ces quelques mois et, à la question de sœur Marie-de-la-Croix, si elle allait revenir, elle a répondu l'ignorer, puis elle est partie.

Il fait beau, il fait chaud – trop chaud, dirait-on sous d'autres latitudes où l'on peut se le permettre –, toute la nature semble étinceler. Enivrée de tout cela, Maria est émue en posant le pied sur le quai d'Hébertville-Station, après un voyage qui, aujourd'hui, lui a été un véritable enchantement. Même le bois lui a semblé doux au regard. Dans l'air bleu de juin qui vibre, le cœur étonné de se sentir si léger, elle sait qu'elle est de retour au Lac-Saint-Jean, son pays.

Qu'est-ce qui est différent ici? Est-ce l'air qui paraît plus transparent ou le ciel qui semble plus vaste? Elle observe la rue principale bordée de maisons disparates qui sans être vraiment différentes traduisent ici le souci d'une installation à long terme.

Sauf une vieille femme qui se berce sur la galerie de la maison juste à côté de la voie ferrée, Maria ne voit personne; sûrement qu'à cette heure et par ce temps, tout le monde est à l'ouvrage. Ravie de pouvoir le faire, Maria peut lire *railway crossing* sur un panneau blanc le long de la voie ferrée. Non loin de là, juste en face du bureau de poste, plus haut perché que le modeste clocher de l'église, le drapeau vermeil de la confédération claque dans le ciel cobalt. Elle n'a aucune idée de la façon dont elle va poursuivre son voyage et, étrangement, cette constatation, loin de la préoccuper, la fait sourire. Elle se sent bien.

— Pour aller à Notre-Dame d'Hébertville? demande-t-elle à la femme sur la galerie qui l'observe à travers le nuage de fumée qui s'échappe de sa pipe de maïs.

La femme tend le bras:

— Par là, mais ça fait toute une trotte...

— Oh! je suis pas pressée, pis y fait beau. Merci.

Et le sourire aux lèvres, balançant son sac d'avant en arrière, Maria prend la direction indiquée.

Qu'il fait bon marcher sur la route, soulever la poussière sous ses semelles, sentir la chaleur du soleil à travers ses vêtements, entendre le cri d'un oiseau affairé, croiser le regard placide d'une vache derrière sa clôture, oublier l'entretien quotidien du dortoir, les bassines à déjections et les râles nocturnes! Pourquoi se soucierait-elle de savoir quand elle arrivera puisque le voyage est agréable?

Elle n'a pas vu passer le temps lorsqu'elle découvre la petite vallée où, de part et d'autre des courbes de l'étroite rivière des Aulnaies, se dresse la paroisse pionnière du Lac-Saint-Jean. Juchée sur la plus haute colline, dominant tout le reste, la grande église de pierre coiffée de son clocher argenté symbolise l'éternité en regard de l'aspect temporel et souvent vétuste, mais presque toujours charmant des habitations de bois. Sans attendre, coupant à travers une prairie dont le foin lui monte déjà aux genoux, dérangeant au passage des essaims de mouches, point de mire des frappes-à-bord qu'elle écarte d'une claque, Maria se dirige vers l'église, fébrile, car juste à côté est établi le cimetière où repose Blanche-Aimée St-Pierre.

Elle n'a pas de difficulté à localiser la concession. En entrant, elle repère une croix dont la peinture fraîche ne lui laisse aucun doute. Cette croix, où sont inscrits le nom et deux dates, surplombe un léger monticule de terre entouré de pierres des champs. Il y a également, cloué contre elle, un écriteau de bois, sans doute calligraphié par le fils lui-même, très simplement, mais avec une douleur qui ravive celle de Maria et lui embrume les yeux: À MAMAN QUE J'AIME.

Et, multicolores, quelques fleurs fraîches des sous-bois.

Une brise s'est levée de l'ouest, courbant le foin sur les prairies environnantes. À l'horizon courent de petits nuages blancs floconneux. Maria frissonne. «*Je suis là, Blanche-Aimée, je suis venue parler à votre garçon; seulement, il va falloir que vous m'aidiez à le trouver. (Elle regarde autour d'elle.) Je crois que vous êtes ben icitte, c'est grand pis c'est clair... Je m'ennuie de vous pas mal, vous savez. Les autres pensionnaires, il y en a des gentils, comme vous disiez, mais c'est pas pareil. Ah oui! la mère supérieure m'a dit que votre fils avait envoyé un mot de remerciement ainsi qu'un don en piastres pis qu'elle lui avait répondu, mais j'ai quand même été un peu déçue qu'il ne vienne pas. En tout cas, moi, je suis là. Astheure, je ne sais pas s'il voudra m'écouter.*»

Maria reste encore un long moment dans le bruissement doux du vent, l'odorat émoustillé du parfum de la terre et de la chlorophylle après tous ces mois dans les odeurs d'éther, de maladie et de vieillesse. Elle est étonnée, presque indignée de ne pas ressentir plus de peine alors que là, quelques pieds sous cette terre, repose celle dont le départ la déchire encore. «*C'est parce que je sais que vous êtes pas là-dessous!*» essaie de se convaincre Maria qui, d'autre part, en considérant quelques jeunes pousses d'herbe verte sur le monticule de terre, se demande s'il n'y a pas un peu de Blanche-Aimée en elles.

Non! Blanche-Aimée n'est pas dans la glaise noire, humide et froide; à présent elle est dans la lumière de l'été, elle est dans le vent odorant, elle est libre et elle ne souffre plus; elle ne souffrira plus jamais! «*Le seul défaut, c'est que je ne vous vois plus.*»

C'est à regret qu'elle quitte cet endroit et se dirige vers le presbytère où elle escompte qu'on saura lui indiquer où habite le fils de Blanche-Aimée. Une femme, sûrement la gouvernante, les cheveux gris et le visage parcouru de fins vaisseaux vermeils, lui ouvre et l'observe de ses immenses yeux clairs pleins d'interrogation.

— Bonjour! C'est-ti pour m'sieur l'curé? parce qu'il est point là pour le moment; il sera de retour seulement pour les vêpres.

— Ce serait juste pour un renseignement, répond Maria; je cherche la maison de madame Blanche-Aimée St-Pierre...

— Mais... elle est décédée, vous savez...

— Je sais, madame, c'est justement moi qui la soignais et...

— Oh! vous êtes de l'Hôtel-Dieu, mais alors vous voulez sans doute rencontrer son fils?

— Oui, je dois lui faire un message.

— Ah la la! Le pauvre garçon... Si vous avez soigné sa mère, je suis certaine qu'il sera ben content de vous rencontrer. On imagine point par ioù ce qu'il est passé quand qu'il a su... On se figure pas que, si jeune pis si fort, ça puisse être si sensible. C'est vrai qu'une mère, c'est fort... (Elle regarde autour de Maria.) Comment est-ce que vous êtes venue?

— À pied, je suis descendue du train à Hébertville-Station.

— Oh ben! ma pauvre fille! vous êtes pas rendue; c'est qu'y reste loin à cheval!

Maria, qui jusque-là s'est refusé à y penser, se rend compte de la réalité de sa situation. Elle est à pied, elle ne sait comment se rendre chez le fils de Blanche-Aimée et ignore totalement comment elle va continuer chez elle. Elle est partie sans vouloir y penser, se disant que si elle le faisait, elle ne partirait pas. La gouvernante, le menton appuyé entre son pouce et son index, semble chercher une solution pour elle.

— Je pourrais demander à Raoul qu'il attelle la voiture, pense-t-elle tout haut; il est là à rien faire... (Elle paraît opter pour cette alternative.) Oui! pis en plus, il débarrassera le plancher durant ce temps-là, le grand fanal. Entrez, je vas dire à mon neveu qu'il vous conduise avec la voiture des commissions. (Elle prend le ton de la confidence:) Il est pas ben, ben finaud, mais il sait conduire, pis il a pas une goutte de malice. Raoul!

— Je ne veux pas déranger personne, proteste Maria.

— Tsssst... Quand m'sieur l'curé saura que c'est vous qui avez soigné cette brave femme... Elle a dû pâtir en masse, hein?

— On peut pas imaginer, répond Maria qui profite de l'occasion pour louer Blanche-Aimée, mais elle était courageuse, jamais qu'elle s'est plainte...

— On la connaissait pas tellement icitte; c'étaient des gens d'en dehors, mais on voyait ben que c'était du ben bon monde.

Le vestibule ressemble un peu à celui du presbytère de Péribonka, même odeur de citronnelle et d'encaustique, cependant, l'atmosphère ici est plus chaude, plus cordiale. Maria suit la femme qui lui arrive à peine aux épaules et marche avec les jambes anormalement arquées. Sortant de ce qui doit être la cuisine, un grand gars au sourire innocent s'avance à leur rencontre, regardant Maria avec une espèce d'effarement.

— Raoul, lui explique la gouvernante, tu vas atteler la voiture ben comme il faut, tu m'entends, comme il faut; pis tu vas conduire la demoiselle chez Charlemagne St-Pierre. Tu sais ioù ce qu'il reste, hein?

Le visage du garçon s'éclaire d'une lueur de compréhension ravie:
— Ouais! ouais! je sais!

Visiblement, Raoul est très fier de conduire la voiture. Assis bien droit, il donne au cheval des ordres sur un ton qui veut être entendu de toute la paroisse. Chaque fois qu'ils passent devant une habitation, il fixe droit devant lui sans se détourner d'un pouce, comme s'il voulait démontrer par cette attitude qu'on peut lui faire confiance, que lui, Raoul, est capable de faire ce qu'on lui demande sans que son attention puisse être détournée.

Maria contemple le paysage, curieuse de tout, portée à chercher son appartenance à ce pays dans tous les détails, évitant de penser que, très bientôt, elle rencontrera le fils de Blanche-Aimée.

La petite ferme est située tout au fond d'un rang où, plus ils s'avancent, plus les lots qui le bordent parlent de terres sans promesse. De plus en plus, des affleurements rocheux viennent confirmer qu'ici, la prospérité ne sera jamais agricole. Et, dernier du rang, longeant la lisière du bois sur toute sa longueur, le lot au quart défriché de Charlemagne St-Pierre est sans aucun doute le pire. À une cinquantaine de pieds du chemin, bâtie en rondins recouverts de larges bandes d'écorce de bouleau, percée de deux fenêtres qui ne renvoient que du mystère, la maison est minuscule. Plus loin en arrière, la grange-étable est inachevée. Maria aperçoit celui qui doit être le fils de Blanche-Aimée tout en haut de la construction. En train de braiser les chevrons de la future toiture, son marteau resté à mi-chemin de sa course, il les regarde. Même à cette distance, Maria constate que Blanche-Aimée n'a pas exagéré en affirmant que son fils était «une pièce d'homme». Sans toutefois aucunement laisser l'impression d'être gros, il est «*immense*», aussi bien en hauteur qu'en largeur d'épaules. Elle se demande comment une personne aussi délicate que Blanche-Aimée a pu enfanter celui qui est devenu cet homme. À son image, sa voix est grave et puissante:

— Je peux faire quelque chose pour vous?

— Charlemagne St-Pierre?

— C'est moi...

— Je m'appelle Maria Chapdelaine, j'ai ben connu votre mère et...

— Maman! Vous l'avez connue?

— Oui, à l'Hôtel-Dieu à Chicoutimi.

L'information suffit à l'homme pour qu'il abandonne ses occupations:

— Je viens...

Il descend une échelle et, étonnamment souple pour sa corpulence, s'avance vers eux. Il est encore à bonne distance qu'elle se mord les lèvres en reconnaissant chez cet inconnu le regard marron de Blanche-Aimée. Même regard, même douceur.

— Je m'excuse de déranger, dit-elle rapidement pour cacher son trouble avant qu'il ne parvienne jusqu'à elle, mais j'avais promis à votre mère de vous faire un message de sa part.

— Un message? De maman?

À l'idée que sa mère puisse encore lui livrer un dernier mot, il a un peu l'impression qu'elle n'est plus tout à fait morte. Et, pour que ce sentiment dure, en levant la main, il interrompt Maria qui s'apprête à continuer:

— Qui êtes-vous?

— Je me suis occupée d'elle à Saint-Vallier...

Il semble perplexe:

— Mais vous êtes pas religieuse?

— Non, je suis allée quelques mois à l'Hôtel-Dieu pour rendre service. C'est là, au début de mars, que la responsable de la salle Sainte-Famille – sœur Saint-Edmond – m'a présenté votre mère, et de ce jour-là je ne l'ai plus quittée... Je crois que nous étions devenues très proches... (Elle baisse la tête comme embarrassée par ce qu'elle veut avouer.) Je l'aimais beaucoup.

À son attitude, elle comprend qu'il a des millions de choses à demander; tellement qu'il ne sait par où commencer. Découvrant Raoul resté sur la voiture, il le reconnaît et lui fait signe:

— C'est toi qui as amené la demoiselle, Raoul?...

— Fallait ben! a l'était à pied.

— Je suis venue jusqu'à Hébertville-Station sur le train, explique Maria.

Charlemagne St-Pierre s'étonne:

— Exprès pour me rencontrer?

— J'avais promis à votre mère de vous faire la commission.

— C'est vraiment gentil! Vous me permettez-ti de renvoyer Raoul, je vous raccompagnerai; il y a tellement de choses que je voudrais savoir sur maman et que cette lettre ne dit pas!...

— Y a pas de problème pour moi, fait Maria qui, pas un seul instant, ne pense à trouver étrange d'être là au bout d'un rang, seule avec un inconnu, puisque de toute évidence c'est le fils de Blanche-Aimée.

— Tu peux rentrer, Raoul, je raccompagnerai la demoiselle.

— C'est ben! lance le garçon heureux de relever les cordeaux, j'y vas.

Il fait faire demi-tour au cheval pendant que Maria lui adresse un signe de la main, puis il s'éloigne, toujours en lançant ses commandements à haute voix.

— De quelle lettre vous parliez? demande Maria.

— De celle que m'a envoyée la sœur supérieure. (Il marque une pause avant d'ajouter:) Elle me disait qu'une jeune fille s'était personnellement occupée de maman... (Comme elle ne répond pas, il pose directement la question:) C'était vous?

— Je l'aimais beaucoup, répète-t-elle en guise de réponse.

Alors, s'il s'en était déjà douté, il sait que c'est elle, qu'il a en face de lui la «jeune fille» qui a assisté sa mère jusqu'à la fin et qui, comme le lui a spécifié la supérieure, «*n'a pas seulement agi en soignante, mais véritablement comme la propre fille de votre mère, adoucissant les épreuves de ses derniers moments*».

— Je peux vous offrir du thé et des galettes? propose-t-il.

— Je veux ben.

— Maria? vous m'avez dit?

— Oui, Maria.

À sa suite, elle pénètre dans la petite maison et est immédiatement frappée par la charmante apparence qui contraste avec la rusticité extérieure. Aux fenêtres des rideaux à fleurs multicolores, près de l'une d'elles, deux profonds fauteuils de cuir brun clouté se font face de part et d'autre d'un petit guéridon aux pieds galbés dont le plateau de marbre cerclé d'une fine bordure de cuivre dentelé soutient un bougeoir de laiton ainsi qu'un livre. Sur toute sa longueur, la pièce est traversée par un mur de pièces équarries percé de deux portes qui, suppose Maria, doivent s'ouvrir sur les chambres à coucher. Un poêle à deux ponts occupe le centre de la pièce; non loin se trouve une lourde table de bois franc entourée de quatre chaises aux sièges et dossiers tressés. Dans un angle, de l'autre côté du comptoir, les portes vitrées d'un meuble d'encoignure de même essence que la table laissent apercevoir de la vaisselle comme chez la tante Antoinette, et sur la tablette centrale est posé un daguerréotype représentant une Blanche-Aimée plus jeune posant devant un décor de colonnades antiques. En l'apercevant, Maria s'y dirige immédiatement. Elle tremble en prenant la plaque de métal entre ses doigts; c'est la première fois qu'elle la voit «*en santé*», et c'est dur!

— Qu'elle était belle! s'exclame-t-elle.

Ces mots laissent supposer à Charlemagne St-Pierre qu'il en était certainement devenu tout autrement. Son visage s'assombrit:

— Est-ce qu'elle a beaucoup souffert?

Maria hésite. Répondre «non» serait mentir, le contraire serait cruel:

— Elle est restée forte et souriante jusqu'à la fin; jamais, pas une seconde elle ne s'est plainte de son sort.

— Elle a dû maigrir en masse?

— Oui... (Elle hésite encore.) Oh! elle n'avait plus ce genre de beauté éclatante, mais je vous jure qu'elle en avait une autre, peut-être encore plus...

— Je comprends, dit-il en s'affairant autour d'un réchaud à alcool posé sur le comptoir de l'évier.

Maria s'étonne de la petitesse des tasses en comparaison des mains gigantesques de Charlemagne. De nouveau elle observe son visage, toujours surprise de rencontrer la douceur de Blanche-Aimée dans cette force de la nature dont tous les autres traits parlent d'un caractère qui doit porter ses sentiments à l'extrême, la joie comme la colère, la douceur comme l'intransigeance.

— Maman ne se plaignait jamais, dit-il. Pourtant j'aurais préféré qu'elle me parle de sa maladie, je serais resté près d'elle.

— On en a souvent parlé. Elle disait que, pour vous, c'était mieux ainsi. Elle ne voulait pas que vous souffriez de la voir souffrir.

— Je l'ai compris, mais j'aurais ben voulu lui offrir ça...

Comme si c'était incompatible, elle s'étonne encore qu'un homme de cette force puisse avoir des pensées aussi «*sensibles*».

Il verse l'eau bouillante dans une théière de faïence blanche, puis il apporte les tasses sur la table ainsi qu'une boîte de fer blanc rectangulaire qu'il ouvre en désignant les trois rangées de galettes qu'elle contient.

— Elles ne sont pas terribles, prévient-il, c'est moi qui me suis essayé... Rien à voir avec celles de maman.

Sans succès, Maria essaie d'imaginer son père ou ses frères faisant des galettes. Avec le sentiment de lui témoigner une sorte de confiance, elle en prend une tandis qu'il verse le thé dans les tasses. Elle se rend soudain compte que, elle, la jeune fille, est servie par lui, l'homme. Tout son univers bascule.

— Attendez, dit-elle, je vais le faire.

Mais le thé est déjà versé. Sachant qu'il ne peut plus guère reculer l'instant, Charlemagne St-Pierre demande:

— Vous disiez que maman vous a laissé une commission pour moi?

— Je dirais que c'était plutôt un... pas un ordre vraiment, mais... une recommandation.

— Tous ses conseils étaient bons, je m'en aperçois astheure.

— Blanche... enfin, votre mère voulait que vous vendiez cette terre avec la maison et tout, pis que vous en achetiez une autre plus facile à cultiver.

Il ne s'y attendait pas et est surpris. Les mains posées à plat sur la table, il la regarde avec intensité. Elle sent son regard qui l'évalue, mais, loin d'en être indignée, elle comprend sa réaction et même, usant de sa force mentale, ressentant une émotion ancienne, elle tente d'offrir d'elle la meilleure image.

— La terre de 'pa! dit-il enfin, elle a demandé que je vende la terre de 'pa...

— Et je lui ai dit que vous le feriez, ajoute Maria qui, en mémoire de sa promesse, met dans sa voix à la fois toute la persuasion et toute la fermeté qu'elle puisse trouver.

Il le cache, mais habituée au regard de Blanche-Aimée, Maria le sent très malheureux.

— Qu'est-ce qui me restera d'eux si je le fais?

Elle ignore d'où lui vient la réponse, elle la lance sans réfléchir:

— Il reste vous.

— Moi?

— Vous êtes leur fils, explique-t-elle.

Assis de profil par rapport à la fenêtre, il se détourne vers l'ouverture comme pour fixer un point précis à l'extérieur. Certaine de percevoir une larme briller dans le coin de son œil, Maria baisse les siens et rencontre les mains toujours posées sur la table et agitées d'un tremblement presque imperceptible. Un éclair noir lui traverse la tête, et, croyant perdre momentanément l'esprit, elle prend douloureusement sur elle de s'abstenir, comme le lui commande une brutale impulsion, de poser ses mains sur celles du jeune homme. Geste si souvent répété à l'égard de Blanche-Aimée. Seulement, là, elle sait que, si du moins il ne l'a jamais été, le réconfort ne serait pas à sens unique. Comme pour chasser une fatigue, il passe le creux de sa main sur son visage.

— Parlez-moi un peu d'elle, demande-t-il.

Que dire? Tout d'abord elle ne le sait, puis un mot attire une phrase qui elle restitue un souvenir, puis un autre, et elle se laisse emporter par l'évocation de la femme. Au fur et à mesure que le temps passe, à force de parler d'elle, ils finissent par avoir le sentiment que Blanche-Aimée

243

se trouve là entre eux deux, et cela encourage Maria à poursuivre.

Par déduction, il apprend au passage qu'elle s'était installée auprès de sa mère; il comprend, même si elle n'en fait pas directement mention, qu'elle a passé des nuits à la veiller; il en est ému et reconnaissant. Lorsqu'elle lui parle de cette relation que lui avait faite Blanche-Aimée à propos d'un incident où elle aurait pris fait et cause pour une Malécite qui aurait volé une tablette de chocolat pour le Noël de son fils, Charlemagne St-Pierre sourit à ce souvenir.

— Fallait toujours qu'elle prenne la défense de ceux qu'elle croyait persécutés. Elle ne vous a pas raconté la fois, à Cacouna, où elle est sortie de la messe au beau milieu du sermon pour aller finir d'écouter le reste de l'office dehors alors qu'il devait ben faire trente en bas de zéro?

— Non, jamais!

— Une histoire épouvantable! Il y avait dans la paroisse une femme dont le bébé était mort durant la nuit; seulement, comme son mari travaillait à ce moment-là loin de l'autre bord du fleuve, pis qu'elle avait l'habitude de recevoir des hommes la nuit, c'était assez pour qu'il y en ait un qui parte une rumeur laissant accroire que le bébé serait pas mort si elle s'en était occupé plutôt que..., enfin, vous voyez. Et comme si elle en avait pas eu assez sur le dos, il a fallu que le curé reprenne ça en chaire, encourageant quasiment les *bonnes âmes* à aller mener le charivari devant chez elle. C'est à ce moment-là que maman, drette comme la justice, a redescendu toute l'allée centrale de l'église pis qu'elle est sortie. Elle supportait pas qu'il y en ait qui en fasse souffrir d'autres pour se donner bonne conscience.

— Il me semble que j'oserais pas aller contre un prêtre...

— Oh! ils sont comme les autres, ils peuvent se tromper.

Pour Maria, élevée dans l'idée de l'infaillibilité des gens d'Église, cette assertion frise le blasphème.

— Je dirais pas ça..., rétorque-t-elle.

Cherchant à éviter tout désaccord, même de point de vue, avec celle qui a pris soin de sa mère, il ne réplique pas; au contraire, il donne l'impression de se rendre à l'opinion de Maria.

Le temps passe. À l'extérieur le ciel est toujours bleu, mais perd de sa luminosité au profit d'une teinte plus soutenue. Par la porte restée entrouverte, des mouches vont et viennent; tout à l'heure, une poule impertinente a tenté de jeter un coup d'œil évaluateur mais a été vite dissuadée par un intempestif «Va-t'en chez vous!» de son maître. De sa chaise, Maria aperçoit la fin du rang délimité par la lisière feuillue du bois, ce bois qui, même ce matin depuis les fenêtres du wagon, ne lui paraît plus aussi redoutable, plus aussi hostile qu'il l'était devenu pour elle depuis qu'il lui a pris François Paradis. De nouveau, en présence du bois, elle pense à la ville qu'elle vient de quitter et se demande si le premier n'est pas en fin de compte moins malveillant que ces rues blêmes où, certes, il y a les grands magasins, mais aussi les salles de *pool* sur les murs desquelles s'adossent les «*baveux*» en mal de rires niais et de méchancetés gratuites, les tavernes d'où émergent des hommes qui parfois n'en ont plus l'air, des maisons ennuyeuses où l'on ne se retrouve le soir que pour compter ce qui a été gagné le jour, et d'autres où l'on décide de placer les enfants à Saint-Antoine quand ils «*sont dans les jambes*», et aussi, bien sûr, des hôtels-Dieu tristes en brique et en ciment où se rassemblent les naufragés de la solitude. Pour la première fois de sa vie, peut-être, le bois la rassure; il lui a volé ce qu'elle avait de plus cher, mais finalement elle a grandi dans son ombre. Ici ou ailleurs, il est le même... Ici? Elle réalise que le temps passe, qu'ici elle est loin de la maison même si elle en a retrouvé l'avant-goût. Charlemagne St-Pierre, une main posée sur l'autre, le regard dans le vague, semble plongé dans un passé qui lui tend un léger sourire aux coins des lèvres. Elle n'ose pas lui faire remarquer que le temps passe, elle craint de le ramener trop vite à une réalité où sa mère est absente.

Brusquement, malgré sa carrure, ou peut-être à cause d'elle, il lui paraît cruellement désarmé devant le malheur, solitaire. Durant un bref instant, dans une vision d'une netteté trop vive, elle entrevoit ce que doit être sa condition ici, seul au milieu d'objets qui lui parlent des jours d'autrefois et dont il ne reste que le décor, tous les siens emportés par le temps, travaillant certainement de l'aube à la nuit, davantage pour s'occuper l'esprit que par véritable nécessité, rentrant le soir dans l'obscurité mouvante et grise, se parlant à lui-même pour chasser les fantômes, essayant les recettes de Blanche-Aimée, comme ces galettes, bien plus pour se rappeler que par appétit; tout cela avant de retrouver les ténèbres de sa chambre à coucher, le rempart de ses draps où le temps trop long précédant le sommeil, privé de véritable projet, n'est rempli que du remâchement des souvenirs qui, à force de l'être, en perdent leur caractère pour acquérir celui de l'ennui qui les a appelés. Maria attarde son regard sur le large cou hâlé par le soleil et les vents. Sans s'en rendre compte, elle a cru chercher en lui une partie de l'individu dépourvue de défense, une partie sur laquelle elle pourrait s'apitoyer des yeux. Mais au lieu de cela, ce cou lui signifie qu'elle est assise en face d'un homme qu'elle connaît, sinon qu'elle ne sait d'où ni de quand. Elle l'a rencontré il y a une heure ou deux. Pourtant, elle a le sentiment qu'il fait partie d'elle depuis beaucoup plus longtemps. Et, à cause de tout cela, elle ne peut s'apitoyer sur ce cou qui, de son point de vue, appelle et propose, non pas l'apitoiement, jamais! mais le repos, la quiétude, l'apaisement, la complicité, l'épanchement d'une certaine soif. Évidemment, elle ne s'exprime rien de tout cela, elle ne fait que le ressentir, et c'est pourquoi elle dit cette fois:

— Va falloir que j'y aille...

Arraché à son évocation, il redresse la tête:

— Hein! déjà!

Ce «déjà» atteint Maria au cœur. Elle est convaincue qu'il ne l'a pas dit en réalisant que la dépositaire des derniers mots de sa mère devait partir, non, il l'a dit tout simplement en prenant conscience que, depuis qu'elle est ici, il se sent bien.

— C'est que je ne suis pas rendue chez nous, explique-t-elle.

— C'est vrai... Je vais vous reconduire aux chars.

— Oh! je reprends pas les chars!

— Où est-ce que vous allez?

— Ben! je reste au-dessus de Honfleur, mais je me suis dit que pour aujourd'hui je pourrais peut-être trouver une occasion pour me rendre jusqu'à Saint-Gédéon où j'ai de la parenté.

— Honfleur! mais c'est quasiment au diable au vert ça!...

Elle a un geste d'impuissance. Il paraît peser le pour et le contre:

— Écoutez, icitte j'ai rien qui presse plus qu'il faut, alors je vais aller vous reconduire chez vous.

Maria prend à témoin le ciel:

— Il est ben trop tard! On serait pris dans la noirceur.

Il a prévu cela:

— On partira demain matin.

— Demain...?

Cette fois, il semble un peu embarrassé:

— Je sais ben que vous devez trouver que c'est une situation tannante, mais la chambre de maman est libre et... Et puis ça me ferait plaisir de vous garder encore un peu!

— Mais... Ça se fait pas...

— Qu'est-ce qui vous en empêche?

— Bah!...

Il doit pourtant savoir qu'une jeune fille ne peut rester durant la nuit sous le toit d'un homme seul. Il y a aussi les qu'en-dira-t-on, et comment pourrait-elle expliquer ça chez elle?

— Je sais pas...

Qui pourrait savoir qu'elle passe la nuit ici? Et quand bien même! elle n'aura qu'à expliquer ce qui se sera passé tout simplement, il n'y a pas de mal. Personne n'a rien dit lorsqu'elle a passé une partie de la nuit à discuter avec le Français. Et puis ce n'est pas comme si c'était un véritable inconnu, c'est le fils de Blanche-Aimée!

— C'est pas habituel...

— Maman disait justement qu'il n'y a que les mauvaises habitudes qui ne changent pas.

Elle se rend compte que, quelque part, elle a envie de rester, non seulement parce que ici elle se sent déjà plus «en connaissance» qu'elle ne pourrait l'être chez les Bouchard de Saint-Gédéon qu'elle n'a pour ainsi dire jamais vus, mais aussi parce qu'elle sait que sa présence pourrait, pour une soirée, arracher Charlemagne St-Pierre à sa triste solitude. Elle a envie de lui faire ce cadeau, et pas seulement en mémoire de Blanche-Aimée. Ni seulement pour lui.

— Wow! wow! Baltazar!

Ils tournent ensemble la tête vers la fenêtre pour apercevoir un homme qui descend d'une waguine rouge attelée à un grand percheron pommelé.

— Tiens! voilà cet aigrefin de Louis-René, constate Charlemagne St-Pierre avant de préciser: c'est mon deuxième voisin.

Vêtu «*comme un épouvantail à moineaux*», de taille moyenne, maigre, le visage couleur brique, les cheveux clairsemés, dans les trente-cinq, quarante ans, l'œil noir et brillant; Maria remarque tout cela alors qu'il franchit le seuil. Lui, de son côté, feint un instant de surprise en l'apercevant, mais il est trop bref pour ne pas en conclure qu'il a dû la voir passer avec Raoul, ou qu'il en a eu vent, et que c'est sûrement la curiosité qui l'attire.

— Hein! s'exclame-t-il, t'as d'la visite, mon Charlemagne, pis d'la belle visite à part de ça! Salut, la compagnie!

Son œil vif et ironique va de Maria à son hôte, attendant les présentations qui lui expliqueront qui elle est. Mais Charlemagne St-Pierre est très concis:

— Maria..., Louis-René.

Maria fait un signe de tête. Le visage du visiteur s'éclaire d'un grand sourire blagueur.

— Eh ben! Maria, z'aviez point besoin de venir si loin, z'auriez pu arrêter deux maisons plus tôt. Bateau! c'est point à tous les jours qu'on voit du beau monde de même par icitte! Hein? Charlemagne, tu voulais la garder pour toué tout seul, mon grand escogriffe!

— Entre donc, l'invite le fils de Blanche-Aimée, même si Maria croit comprendre qu'aujourd'hui cette visite lui est importune. Tire-toi une bûche.

— Bon!... mais pas pour longtemps, je passais juste voir pour les piquets de clôture, c'est toujours correct pour demain?

— Ben! ça adonne ben que tu passes, demain je pourrai pas, je vas de l'autre bord du lac.

Il n'ajoute aucun complément d'information, au grand désappointement du voisin dont la curiosité se lit dans l'expression.

— Ah bon!...

— Ça fera pareil après demain, non?

— Après demain, Ti'Joe Rapport sera revenu, je tiens pas à être pris sur la Couronne... C'est de valeur..., de la belle épinette rouge de même, y en a pus che'nous.

248

Charlemagne St-Pierre hausse les épaules avec fatalisme:

— Je pourrais point, Louis.

— Batêche! c'est de valeur...

Gênée, Maria comprend que c'est à cause d'elle si les projets sont bouleversés.

— Dérangez-vous point pour moi, réclame-t-elle, je m'arrangerai ben autrement.

L'œil de Louis-René va de l'un à l'autre, de plus en plus intrigué.

— Non, Maria, décide Charlemagne St-Pierre, j'ai dit que j'irai vous reconduire, et j'irai! (Puis, à l'adresse du voisin:) On ira une autre fois, Louis, quitte à laisser un lot de piquets chez Ti'Joe pour qu'il ferme sa boîte.

— C'est toué qui mène ta barque, Charlemagne... (Il ne peut plus contenir sa curiosité:) À quelle place donc que vous allez demain?

— À ras La Pipe, à Honfleur, le renseigne Charlemagne St-Pierre.

— Crime! c'est un bon boutte!... J'ai des cousins par là-bas, des Gagnon; Eutrope et Égide qu'ils s'appellent, ça aurait de l'air qu'ils ont pris une terre en bois deboutte. (S'adressant directement à Maria qui sent son cœur s'emballer sans vraiment comprendre pourquoi, il ajoute:) Vous les connaissez-ti?

— Ils restent pas loin de chez nous, répond-elle avec l'impression d'avoir quelque chose de faux dans la voix.

— Eh bataille! que l'monde est p'tit! Et que c'est qu'y deviennent? J'ai vu ça, ils étaient encore aux couches (il sourit), enfin, façon de parler...

— Bah!... ils s'occupent de leur terre, j'ai entendu dire qu'Égide était pus tout seul...

— La roue tourne... (Il regarde autour de lui comme s'il cherchait quelque chose.) Je t'ai une soif...

Maria voit passer un certain embarras sur les traits de Charlemagne St-Pierre. Celui-ci n'en a pas conscience.

— Je vas refaire du thé, annonce-t-il.

— Du thé! Batêche non! (Puis réalisant que la présence de Maria a sûrement rapport avec la «*curieuse*» proposition de son voisin, il ajoute avec un naturel affecté:) Je vas juste prendre une tasse d'eau ben frette.

Maria, elle, comprend que dans sa vision, plus tôt, elle a omis d'inclure le détail de la boisson qui, elle s'en rend compte, a peut-être un rôle à jouer dans la solitude de Charlemagne St-Pierre. «*Est-ce qu'il prend un coup pas mal? Blanche-Aimée aimerait pas...*» Mais ce qui occupe surtout ses pensées, c'est le fait que le voisin ait parlé d'Eutrope. Ce doit être un signe! «*Je ne peux pas rester icitte*, se dit-elle, *si Eutrope savait que j'ai passé la nuit dans la maison d'un homme seul... Non, ce serait pas gentil pour lui; il irait s'imaginer que...*» Elle se décide.

— Reconduisez-moi à Saint-Gédéon, s'il vous plaît, demande-t-elle à Charlemagne St-Pierre. Il faut vraiment que j'y aille, j'avais promis de passer faire un tour...

Le ton qu'elle vient d'employer confirme au fils de Blanche-Aimée qu'il ne servirait à rien d'insister. Il regrette ce développement, mais ne veut surtout pas la contrarier.

— Vraiment? demande-t-il néanmoins pour la forme.

— Vraiment, je vous assure.

Se disant, non sans une ironie dissimulée, que son intervention a peut-être perturbé les projets de son voisin, Louis-René veut lui laisser entendre qu'il aura essayé de renverser la situation qu'il a créée:

— Ciboire! j'y pense! demain j'aurais pas pu pour les piquets, je dois rencontrer ce grand étrète de Saint-Amant. Y m'a proposé une de ses femmes. (Devant l'air abasourdi que ses mots provoquent évidemment chez Maria, il explique:) Partez pas en peur, c'est de même qu'on appelle ses vaches dans la paroisse, par rapport que, quand vient le temps du vêlage, il passe toutes ses nuits à l'étable. (De nouveau à Charlemagne St-Pierre:) Batince! ça m'était complètement sorti de la tête.

Comme son interlocuteur ne fait que hocher la tête d'un air vaguement entendu, il se lève:

— Bon! j'ai encore en masse de l'ouvrage, j'vas vous laisser. (Il adresse un clin d'œil espiègle à Maria.) Vous repasserez ben nous voir?

— Je sais pas...

— Bah! en tout cas, en attendant, vous direz salut de ma part aux frères Gagnon... Égide marié, vous dites? bateau! que le temps passe...

Maria juge inutile de préciser la véritable situation d'Égide. Situation qui a peut-être changé le cours de sa vie.

— Je leur dirai, ça arrive qu'ils viennent veiller chez nous.

— Vous êtes une qui?

— Chapdelaine, mon père s'appelle Samuel.

— Pas Samuel Chapdelaine! Batêche! mais je connais ça, moué; je croyais qu'il restait à Mistassini!

— On en est partis, ça fait plusieurs années.

— Ça par exemple! j'ai travaillé dans la même équipe que lui pour les Trappistes. Un sapré bonhomme, votre père! Vous y direz salut itou. (Il rit.) Vous y parlerez de la fois ioù c'que ce grand malavenant de Sylvio Labrecque avait ressoud avec le baril de vin de messe... Ha! Ha! Ça y rappellera des souvenirs fameux... Allez! bonjour! mademoiselle, salut! Charlemagne.

Et, comme il est venu, il repart, les laissant chacun dans l'impression d'un gâchis qu'ils n'identifient pas.

— Je vais aller atteler, dit Charlemagne sur un ton morose.

— Je m'excuse du dérangement, il est tard et...

— Oh! ça me dérange pas pantoute. (Une idée lui traverse l'esprit.) Mais j'y pense! demain je pourrais vous conduire pareil chez vous?

— Mais... Non, je veux pas que vous fassiez tout ce chemin pour rien.

— Pas pour rien, ça me ferait plaisir, Maria. Je vous jure que ça me ferait plus plaisir que de rester icitte... (Une autre idée lui vient.) Attendez! non, j'ai une ben meilleure idée; demain on pourrait aller à Roberval où je ferai passer une annonce dans le *Lac Saint-Jean* pour vendre la terre, pis on traversera le lac sur le steamer. Qu'est-ce que vous en dites?

De tout cela, Maria retient surtout qu'il va mettre la terre en vente, comme elle a promis à Blanche-Aimée qu'il ferait.

— Votre mère sera contente, affirme-t-elle.

— Hum!... c'est pas vendu. Vous n'avez pas répondu à ma proposition!

— Ça va vous faire beaucoup de route, aller et revenir de Saint-Gédéon, pis Roberval, pis le retour...

— Ça me fait plaisir! Alors?

— Ben!... c'est comme vous voulez.

Le visage de Charlemagne montre la joie qu'il éprouve déjà en anticipant celle du lendemain. «Parfait!» dit-il en prenant au milieu de la table sa pipe et une boîte de *Rose Quesnel*.

Maria préférerait rester, elle se le dit, et dans le même prolongement se demande pourquoi tout est si compliqué. Ce serait si simple, ce soir, de préparer un repas pour eux deux, de continuer à parler de celle qui leur manque, de prendre la chambre de Blanche-Aimée, puis de partir demain matin. Mais au lieu de cela, il faut qu'elle aille coucher à Saint-Gédéon chez de la parenté qu'elle ne connaît en partie que de vue.

— Bon! je vais atteler, déclare Charlemagne avant de se faire l'écho des réflexions de Maria. Il y a des fois où c'est pas toujours évident de comprendre pourquoi faut agir comme ci ou comme ça...

Baissant les yeux, elle a un sourire pudique et chargé de compréhension:

— C'est la vie.

Tandis que, manifestement enchanté de sortir de l'étable où la plupart du temps il reste confiné de l'aube à la nuit à cause des mouches noires et des maringouins, le cheval bai répondant au nom de Rouge avance allégrement sur le chemin tandis que la voiture laisse derrière elle un léger halo de poussière jaune en suspension. Maria et Charlemagne n'échangent qu'un minimum de paroles. Sans même prendre conscience de cet état, ils se sentent bien tous les deux. Appuyée sur le dossier de velours vert pomme de la voiture, toute à la joie de revoir *son* lac, Maria laisse vagabonder ses regards sur l'étendue à perte de vue qui scintille dans une opalescence bleutée. Fière d'appartenir à cela et certaine qu'il ne pourra répondre que par la négative, elle demande à Charlemagne:

— C'était pas beau comme ça par chez vous, hein?

Se remémorant le fleuve aux teintes infinies qui a baigné son enfance, les extraordinaires couchers de soleil lorsque le soir, à l'ouest, il descend derrière les montagnes de la rive nord, s'apprêtant à répondre par l'affirmative, il se ravise de justesse, craignant de gâcher le plaisir évident de Maria.

— Pas pareil..., fait-il.

Elle a un signe de tête entendu:

— Je le savais.

Il est content de la modestie dont il vient de faire preuve.

Sachant qu'elle entre dans le village qui a vu se dérouler la jeunesse de sa mère, Maria écarquille les yeux avec l'impression que, quelque part, quelque chose doit avoir retenu l'empreinte de Laura Bouchard. Elle est presque étonnée de ne rien remarquer. Elle admet cependant sans réticence que, selon les paroles de sa mère, c'est «une vraie belle paroisse, et prospère à part de ça!». Pas de bois en vue, juste de «*belles grandes terres ben planches*» dont les multiples variétés de verts s'allient merveilleusement dans le lointain avec les bleus du lac qui épouse le ciel à l'horizon. Plus que jamais, Maria comprend pourquoi sa mère a toujours regretté de ne pas vivre dans une paroisse comme celle-ci. Elle-même se prend à rêver. Comme il serait bon, ce soir, après le train des animaux, après la conclusion des travaux journaliers, de pouvoir s'octroyer une petite heure de balancine sur la galerie et s'offrir la récompense de se réjouir du travail accompli par les hommes de bonne volonté sur la terre du Seigneur rafraîchie par la brunante!

N'ayant pas la moindre idée de l'endroit où se situe la ferme de l'oncle Wilfrid, ils s'arrêtent juste avant le village qui s'étend en longueur de chaque côté de la rue Principale. Maria interpelle un vieil homme dont l'âge a grugé les chairs sans toutefois s'attaquer à l'enveloppe qui, à présent, forme des plis et des poches. Il se berce mollement sur une véranda ouverte, à quelques pieds du chemin.

— Pardon, monsieur, savez-vous où est-ce qu'on peut trouver la ferme de Wilfrid Bouchard, s'il vous plaît?

— Wil Bouchard! Ah ben! ma p'tite, va falloir que tu retournes de par ioù c'que tu viens. (Il se penche en avant et tend le doigt.) Tu vois-tu, là-bas, la grand' bâtisse au toit rouge comme les flammes de l'enfer? Ben! c'est la grand' cabane juste devant, celle-là qui a le toit à quatre eaux. Vous êtes-ti d'la famille ou ben donc?

— Je suis la fille d'une de ses sœurs, le renseigne Maria, de Laura.

— Laura! Ben viande à chien de câline! Laura!... Ça! ça c'était une bonne femme! (Il fixe Maria avec plus d'attention.) Pis dis donc, j'ai pas l'impression que tu dois avoir d'affaire à être envieuse. Laura!... Y va-ti s'péter les bretelles le Wil de voir ar'soudre une belle grand'fille de même!

— Je vous remercie ben gros, fait Maria, un peu embarrassée.

Charlemagne adresse un salut de la main puis, d'un léger mouvement des guides, signifie à Rouge d'avancer.

— À ta place, mon garçon, lui lance le vieil homme dont l'œil pétille, je lâcherais point ta p'tite femme d'une semelle, ça grouille de jolis cœurs pas badrés par icitte.

— Je ferai attention, le père, lui retourne sans le détromper un Charlemagne amusé.

— C'est vrai qu'en te voyant le gabarit, à ben y penser, ils vont peut-être se raviser et s'tenir tranquilles...

Amusée de ces propos, Maria croise le regard de Charlemagne. Elle y lit la fierté d'avoir été pris pour ce qu'il n'est pas, ainsi qu'une complicité muette qui paraît demander: «*Est-ce que ça vous fait le même effet?*» Et soudain, sidérée, elle se rend compte que cet effet-là doit également pouvoir se lire dans ses propres yeux.

Pas de doute, Wilfrid Bouchard est bien installé; presque trop bien pour la modestie naturelle de Maria qui, un peu intimidée par l'opulence apparente de la ferme, se demande si elle a eu raison de venir. Elle regrette que l'oncle Ferdinand qui, lui aussi résidait ici, à Saint-Gédéon, soit décédé quelques semaines après sa mère; on le disait «plus simple».

C'est une grande maison carrée à deux étages revêtue d'un clabord de bois impeccablement blanc tandis que le tour des portes et fenêtres est en rouge. Une immense galerie couverte fait le tour de la bâtisse à côté de laquelle, protégé par une solide clôture de lattes, s'étend le plus grand potager qu'elle ait jamais contemplé. Les ayant aperçus entrer dans la cour, tout en s'essuyant les mains sur un torchon, une femme d'un certain âge aux cheveux brun-gris tirés vers l'arrière s'avance sur la galerie à leur rencontre.

— Vous cherchez quelqu'un? demande-t-elle avec un pli soucieux sur le front.

— Tante Rose? Je suis Maria, Maria Chapdelaine.

La femme exprime à présent la plus totale surprise:

— Maria? Maria, la fille de Laura?

— C'est moi...

Le visage de la femme s'éclaire, puis elle se tourne à demi pour appeler par-dessus son épaule en direction de l'intérieur:

— Wilfrid! Wilfrid! On a de la visite rare! (Puis, à l'adresse de Maria:) Je suis bien la tante Rose... Descendez donc de voiture tous les deux, entrez... Ben ça! par exemple!

Grand et sec, les cheveux noirs clairsemés, le visage osseux, paraissant flotter dans sa chemise de laine brune ainsi que dans ses pantalons soutenus par de très larges bretelles, Wilfrid Bouchard s'avance sur la galerie. Il devait être à table, car il mastique encore. Apercevant Maria qu'il n'a pourtant vue que deux fois – la première lorsqu'elle était toute petite et la seconde, très brièvement, à l'inhumation de sa sœur l'an dernier –, il la reconnaît immédiatement:

— Maria! Tabarnouche! mais c'est Maria! Que c'est qui t'amène par icitte, ma fille?

Tout en attendant la réponse, il tente de déterminer, d'un coup d'œil qui se veut évaluateur, qui peut bien être cette force de la nature en compagnie de sa nièce. De son côté, sans détour, Maria explique la raison de sa présence:

— Bonjour! son oncle, j'étais de passage pis comme il fallait que je passe la nuit à quelque part, ben j'ai pensé à vous...

— T'as eu raison, fille. Mais pour quelle affaire que t'es dans ce boutte-ci? T'es loin de chez vous en tord-vice!

— C'est que j'étais à Chicoutimi depuis le mois de mars, à l'Hôtel-Dieu et...

— T'avais attrapé de quoi?

— Non! non! pantoute! son oncle, faites-vous pas de mauvais sang, je suis pas contaminée. Non, je suis juste allée donner une p'tite poule aux religieuses en attendant la belle saison. (Elle désigne Charlemagne St-Pierre.) Et là-bas j'ai ben connu une dame qui m'a chargée d'une commission pour son fils à Hébertville. Alors, en retournant chez nous, je suis passée par ici, pis voilà. Monsieur St-Pierre va venir me rechercher demain matin pour me conduire à Honfleur. Je dérange pas trop, au moins?

— Ben! je voudrais voir ça! proteste son oncle, s'il fallait que la fille de Laura dérange...

— Maria! ça alors! mais qu'est-ce tu fais là?

Étonnée et surprise, Maria voit s'avancer vers elle une Chantale rayonnante dans une robe vert pastel:

— Chantale! Tu es là aussi!

— Ben oui! tu savais pas?

— Qu'est-ce que je devrais savoir?

— Ben! que je me marie le mois prochain cette affaire! Je pensais que ton père te l'aurait dit.

— Il m'a rien dit... Tu te maries! Mais avec qui?

Dans un geste de fierté totalement involontaire, Chantale redresse légèrement le menton:

— Il s'appelle Robert Tremblay. C'est un garçon de Wilfrid Tremblay qui a le magasin du village pis aussi un autre, plus gros, à Alma. Moi et Robert, on tiendra celui d'Alma. (Avec un sourire entendu, elle ajoute:) Comme il reste au village pis que je m'ennuyais, maman a demandé à oncle Wil si je pouvais venir passer quelques jours de vacances... Mais, toi?

Maria demeure sous le coup de la surprise. Wilfrid Tremblay, elle se rappelle que sa mère en parlait comme d'un prétendant, «*celui qui essayait de parler comme les Français, décidément, avec Chantale...*»

— Moi, répond-elle, eh ben! je reviens de Chicoutimi. Tu savais que j'étais là-bas?

— Ça me dit de quoi..., ton père a dû en parler.

— Tu l'as revu?

Une lueur un brin ironique traverse les prunelles de Chantale:

— Il est revenu une couple de fois à Mistassini depuis cet hiver... (Elle sourit à Charlemagne St-Pierre.) Vous êtes le fiancé de Maria, je suppose?

Il a un sourire contrit:

— Non, pas du tout.

— Ah!...

À n'en pas douter, la curiosité dévore Chantale. Amusée, Maria peut presque lire dans ses yeux les questions qu'elle se pose: «*Il est bel homme, que fait-elle sur le chemin avec lui? Qui est-il?»* De son côté, Charlemagne St-Pierre entame déjà un pas de reculons.

— Bon!..., dit-il, Maria, je repasserai demain matin!

Elle se tourne vers lui, éprouvant un peu de regret à le voir partir:

— Oui, bien sûr, à demain! Merci pour tout.

Elle n'a pas le loisir de s'attarder, l'oncle Wilfrid l'entraîne déjà vers l'intérieur.

— Deux nièces dans ma maison, constate-t-il, c'est pas ordinaire! As-tu soupé, au fait?

— Non, son oncle.

— Et ton... (il désigne Charlemagne St-Pierre) lui?

— Non plus.

Juste avant de passer le seuil, Wilfrid Bouchard se retourne et lance vers la voiture:

— Vous voulez pas souper avec nous autres?

— Je vous remercie ben gros, décline Charlemagne St-Pierre, mais il y a le ménage qui m'attend.

Wilfrid Bouchard a un signe entendu. Évidemment, il ignore qu'en réalité, même si le fils de Blanche-Aimée a laissé entendre par ses mots que des vaches attendaient la traite, il n'avait pour animaux que Rouge, des volailles et quelques porcs à l'engraissement pour des maisons du village, tel le presbytère. Juste avant de partir pour Chicoutimi à l'automne, Blanche-Aimée a vendu les deux vaches et, l'été passé, les quatre brebis à partir desquelles devait se constituer le «troupeau» ont été déchirées à mort par un ours au cours de la même nuit.

Dans la vaste cuisine toute blanche, détaillant Maria de la tête aux pieds, la tante Rose hoche gravement du chef:

— Qu'est-ce que tu ressembles à ta pauvre mère!... Je l'ai bien connue, tu sais, lorsque nous étions jeunes filles.

Maria le sait, sa mère lui a parlé de la Rose Caouette toujours occupée à jouer des tours pendables. Difficile aujourd'hui d'imaginer que cette femme à la mine grave a déjà été une petite fille versant de l'encre dans le bénitier de l'église ou remplissant de mélasse les souliers des garçons pendant qu'ils jouaient sur la patinoire!

Après toutes ces années, la rencontrant pour la première fois, un peu émue, cachant un léger tremblement sous des gestes secs, elle met le couvert pour la fille d'une amie d'enfance disparue. L'oncle Wilfrid, regard épanoui, observe sa nièce en hochant la tête avec une espèce d'approbation qui sous-entend surtout qu'il la trouve «*jolie à croquer*»:

— Pourquoi c'est faire qu'il aura fallu tant d'années avant d'avoir ta visite...? Enfin!... Comment que tu trouves notre paroisse?

— Ça a de l'air plaisant.

— Plaisant! Tu veux rire, c'est le paradis! Y a tout ce qu'il faut à un honnête homme, icitte.

Supposant que son oncle, sûrement sans que ce soit conscient, adresse là un reproche à Samuel Chapdelaine, Maria se rembrunit légèrement:

— C'est sûr que c'est une paroisse sur laquelle on peut prendre exemple, concède-t-elle.

— Chicoutimi..., fait l'oncle en changeant de sujet, à Saint-Vallier... t'as pas dû t'amuser tous les jours, y a rien que des pas-de-génie pis des quêteux dans ces places-là!

— Oh! pas juste ça, il y a aussi beaucoup de malades.

— Des malades! Mais qu'est-ce qu'ils vont faire là?

— Ben! c'est surtout des gens qui ont personne pour les soigner...

— Mouais!... C'est vrai qu'il y a de la misère qu'on imagine point... En tout cas, moi, si j'étais malade, pis tout seul comme un chien, je sais ben ce que je ferais...

— Et quoi donc? lui demande sa femme, t'as jamais été malade pour vrai, tu peux pas savoir...

— Moi, j'irais m'écarter dans le bois, pis bonjour la visite!... Mais c'est sûr qu'il y en a qui ont pas le caractère...

Maria est sceptique.

— Mourir au milieu d'étrangers, dit-elle, c'est pas ben ben drôle, mais tout seul... dans le fond du bois..., peut-être que des hommes sont capables...

— Vous n'avez pas rien de plus réjouissant à conter? fait semblant de s'indigner la tante Rose. (Puis, s'adressant à Maria:) Et à part l'Hôtel-Dieu, il y avait Chicoutimi, c'est déjà la grand' ville; comment que t'as trouvé ça?

— Pas vraiment comme j'avais imaginé, sa tante.

— T'as pas été dans les boutiques, pis tout ça...?

— Oh! j'y suis passée, mais juste regarder ça donne le goût d'acheter, pis pour acheter, ça prend de l'argent, en masse de l'argent, alors...

— Ah! les piastres! fait philosophiquement Wilfrid Bouchard.

— Moi, l'argent, je suis plutôt pour, dit Chantale avec ironie.

Venant juste de servir une pleine assiette de ragoût de pattes à Maria et s'apprêtant à s'asseoir, Rose Bouchard, l'air faussement mécontent, reste debout, les mains posées sur les hanches:

— La maladie, la mort, et astheure voilà les piastres; c'est le boutte du boutte!

— Excusez-moi, fait Maria.

— Oh! je t'accuse pas, ma fille...

— Ben alors! maugrée Wilfrid Bouchard pour la forme, de quoi donc qu'on peut parler? On va toujours ben pas se mettre à parler des autres...

— Ben justement! en parlant des autres, rétorque son épouse, tu sais pas encore ce que ce grand snoreau de Bolduc a été colporter dans le village... Il a été prétendre que si nos vaches donnaient tant de lait, c'est à cause qu'on se serait vendus au diâbe.

— Bah!... il a pas toute sa tête, tout le monde sait ça.

— Peut-être ben, mais quand il s'agit de médisances, il y en a toujours qui sont prêts à crère n'importe quelle niaiserie. Il a même prétendu qu'on avait un crucifix placé la tête en bas dans l'étable; ça, c'est Géraldine Rivard qui elle-même l'a su de Rolande Mercier et qui me l'a dit. Alors, quand c'est rendu là, on sait que ça a déjà fait le tour de la paroisse.

Wilfrid Bouchard éclate de rire:

— Ah ben! saint-cibole! C'est vrai à part de ça! Je l'avais fixé au mur avec un clou dans le bas, pis je suppose qu'avec le temps, le bois a chessé, le clou est devenu slaque et le crucifix a viré de bord. À tous les jours, je me dis que je vas le remettre en place, pis à chaque fois, ça me sort de la tête.

— Ben! je vais y aller, moi, le remettre; je tiens pas à ce qu'on passe pour des suppôts de Satan dans le boutte. C'est ton engagé, Wilfrid, t'es pas pour le laisser conter des menteries sur nous autres.

— C'est bon, j'y parlerai... (S'adressant à Maria:) Dans votre boutte au moins, vous devez pas avoir trop de misère avec les placoteux...

— Oh! il y en a partout, répond Maria en repensant à bien des conversations entendues au magasin général.

— Dans le fond, c'est vrai ce que tu dis là. Je me souviens quand on est arrivés icitte à Grandmont – c'est de même que ça s'appelait dans ce temps-là –, il y avait juste quelques campes, mais il y avait déjà des chicanes à cause des placotages. Tiens! il y a juste à repenser au père, à ton grand-père donc; vu qu'il est arrivé icitte avec ma mère, mais aussi avec sa belle-sœur, parce que les grands-parents étaient morts pis que son mari à elle itou, il avait ben fallu que le père s'en charge. Évidemment, comme qu'elle était encore jeune et présentable, les ragots ont pas tardé comme quoi le père aurait eu deux femmes à sa disposition. Dans son dos, y en a même qui lui avaient trouvé le surnom de Saladin, un roi de l'Arabie ou de quelque place du genre ioù ce qu'ils peuvent avoir plusieurs femmes.

— Ça devait pas être drôle pour lui...

— Oh! pour lui c'était pas si pire, après tout, même si y avait rien de vrai dans tout ça, au fond il en retirait un certain prestige chez les hommes. Non, c'était surtout pas drôle pour ma tante, qui n'a jamais été redemandée en mariage. Tu comprends, même si tout le monde savait que c'étaient rien que des médisances, il reste toujours un doute à quelque part; c'est fait comme ça l'esprit du monde. Finalement, sûrement à cause de ça, la tante a vécu comme une malheureuse.

— D'où est-ce que vous veniez? demande Chantale.

— Acré! vous autres les jeunesses, vous savez même pas d'où viennent vos grands-parents!

— Ben!...

— En tout cas... vaut mieux tard que jamais. Nous autres, on venait de Baie-Saint-Paul dans Charlevoix. C'est là que vos grands-parents sont venus au monde, pis moi avec. Je me rappelle pus très bien comment c'était, j'y suis jamais retourné, mais il me semble que je revois des montagnes, de l'eau... Par contre, je me souviens encore très bien du voyage pour s'en venir icitte, ah ça, oui! Trois voitures. Il y avait trois voitures remplies de tout notre ménage, pis des provisions. Tout l'avoir des parents empaqueté sur trois waguines; le père disait qu'on se sent tout petit quand on réalise que tout ce qu'on a en ce bas monde, les gens et les choses, tout ça tient sur trois malheureuses voitures. Le premier soir, on était rendus pas loin du lac des Martres, il mouillait à siau, on a couché sous les waguines. Le deuxième soir, on était au lac Ha! Ha!, dans un nuage de boucane qu'on entretenait chacun son tour pour point se faire manger tout rond par les mouches que la pluie de la veille avait enragées. Le troisième soir, on a vu le Saguenay. On avait dû manger quelque chose qu'il fallait pas; on avait tous un va-vite à crever (Rose Bouchard fait des «quand même!» du menton en signifiant qu'ils sont à table), en tout cas, on valait pas diâbe. Au quatrième soir, c'était mieux. Un colon nous a prêté sa grange, tout le monde dans la paille, on a dormi jusqu'au matin. Le cinquième soir, on est enfin arrivés dans le campe où ce qu'on allait habiter pour une couple d'années... crotté en bongyeu! Le vieux Hippolyte Hébert y avait hiverné ses cochons. On a passé la cinquième nuit à nettoyer, moi je charriais les chaudières d'eau. (Il a un regard presque nostalgique.) Ah! c'était de la misère en chien! De la vraie misère! Mais si c'était à recommencer..., je suis partant!

— Sa mère nous a jamais conté ça, s'étonne Maria.

— Je pense ben! elle était grosse de même (il écarte les mains l'une de l'autre sur une distance qui ferait honte dans une histoire de pêche). Elle était dans un panier tressé suspendu en travers des arridelles d'une voiture. Sûr qu'elle, elle faisait la belle vie.

— Et pourquoi c'est faire que la famille est partie de Baie-Saint-Paul?

— La terre. Juste la terre. Y en avait pus assez pour tous ceusses qui en voulaient. J'imagine que ça doit aussi être pour ça que le premier ancêtre est parti des vieux pays. Tiens! j'ai justement su par un père des missions qui s'appelle Bouchard itou, que l'ancêtre de la famille, il venait de... acré maudus... (il regarde sa femme), t'en souviens-tu, Rose?

Elle se lève et va regarder sur une page d'un calendrier orné d'une représentation chromatique d'une bande d'angelots potelés gambadant dans ce qui semble être le jardin d'Éden.

— De l'Orne, lit-elle la note inscrite au crayon pour s'en souvenir, de Saint-Cosme-de-Vair.

— Ouais, c'est ça! Saint-Cosme... Je connais pas ce saint-là, mais il doit être tout aussi bon que notre Gédéon...

— Saint-Cosme..., répète Maria songeuse; ça fait curieux de savoir qu'on a de la parenté qui est venue d'aussi loin.

— Faut ben qu'elle vienne d'aussi loin, soutient Rose Bouchard, sinon ça voudrait dire qu'on a du sauvage dans le sang.

— Pas moi! s'exclame Chantale.

— Et comment que t'en es si sûre? demande Wilfrid Bouchard, ironique.

— Ça se saurait, son oncle.

— Ben! moi, ce que je sais, c'est que je connais pas une famille de vrais Canayens qui pourrait prétendre qu'elle en a pas.

— Wilfrid! proteste sa femme.

— Ben quoi? c'est vrai... Pourquoi que je me cacherais que ma grand-mère a été élevée dans une mission?

— Y a rien qui dit qu'elle était indienne.

— Bah! pourquoi qu'elle était dans une mission? Non, à un moment donné, faut ben accepter la réalité comme elle est. Il paraît que la plupart de ceusses qui sont arrivés des vieux pays étaient des hommes, pas des saints, il a ben fallu qu'ils trouvent des femmes à quelque part...

Chantale écarquille les yeux:

— Mais alors...!

— On dirait que ça te reste pris dans le gargoton?

Avant qu'elle ne réponde, Rose Bouchard secoue la tête avec énergie:

— Tout ça, là, c'est rien que des suppositions! Enfin, tu vas pas nous dire qu'on est comme ces gens-là...

— Et ils sont comment ces gens-là? Que c'est qu'ils ont de particulier? Y en a qui disent qu'ils prennent un coup pas mal. Ils sont-ti tout seuls de même? Y en a d'autres qui disent qu'ils se plaisent pas ailleurs que dans le bois, ça leur est-ti particulier itou? Y en a qui disent qu'ils sont vaches, que c'est rien que des grands corps sans âme. Je sais que ma grand-mère a travaillé dur tous les jours de sa vie. Non! il y a eu un temps ou moi non plus je ne voulais pas accepter qu'ils auraient pu avoir quelque rapport avec moi, pis en vieillissant... Faut ben se rendre compte qu'il y a un peu d'eux autres en dedans de beaucoup de nous autres. Et c'est ben comme ça. Ça nous donne des racines plus profondes dans ce pays. (Son visage s'éclaire comme sous le coup d'une bienheureuse révélation.) Dans le fond, on est une nouvelle race; c'est ça le Canayen!

Visiblement, Chantale ne s'est pas laissée convaincre par ces arguments:

— Peut-être ben qu'à un moment donné, il y en a qui ont marié des sauvages, mais astheure ça doit être dilué pas mal. En tout cas, moi, je me sens pas pantoute l'âme d'une sauvagesse. Et toi, Maria?

Maria songe à cette Indienne pour laquelle Blanche-Aimée se serait mis à dos les bonnes gens de sa paroisse. Elle a le sentiment que ce serait renier son geste et faire fi de son courage que de prendre le point de vue de Chantale juste parce que cela serait plus commode:

— Bah!... si mon arrière-grand-mère était indienne, je peux pas aller contre... Pis à vrai dire ça me dérange pas non plus, ça m'ôte rien.

— En tout cas, vaut mieux pas que ça se sache, assure Chantale. On serait vite regardés comme des bons à rien.

— Ça, c'est ben vrai! l'appuie Rose Bouchard. Et pis à quoi ça servirait d'aller se faire passer pour des sauvages? Y a déjà ben assez de placotage à mon goût.

Ayant essuyé son assiette avec du pain, Wilfrid Bouchard la repousse loin devant lui, s'essuie les lèvres du revers de la main, expulse plus ou moins silencieusement l'air de son estomac puis se lève.

— Chacun voit midi à sa porte, dit-il, en guise de conclusion. Ce qui est sûr c'est qu'astheure, faut que j'aille faire le train. Bolduc doit déjà être de retour.

— Oublie pas d'y parler, lui rappelle sa femme.

— Ouais, ouais!... (Il s'adresse plus particulièrement aux filles:) Vous aurez qu'à venir voir le troupeau si ça vous tente. C'est pas pour me vanter, mais des bêtes comme les miennes, vous en verrez pas beaucoup autour du lac. J'en ai une qui, l'an passé, m'a donné 4200 livres de lait. C'est du lait ça, les filles. Faut y voir: une bonne alimentation, une sélection attentive des meilleures races...

— Vous venez de le dire, son oncle, le coupe Chantale, faut sélectionner les meilleures races...

— Ce que j'ai dit, c'est que, quand on fait du lait, il faut sélectionner les meilleures vaches à lait, mais si on fait de la viande, alors ces vaches-là seront bonnes à rien. Il faut de tout pour faire un monde.

Chantale prend cette explication avec bonne humeur:

— C'est bon! son oncle, je vous ostinerai point là-dessus.

Alors qu'il est parti, les trois femmes se retrouvent devant l'évier pour la vaisselle. Avec l'air d'une mère conseillant de ne pas accorder d'importance aux frasques de son plus vieux, Rose Bouchard leur recommande:

— Faites pas attention à ce qu'il dit. Ça lui prend comme ça, des fois, de tout contredire pis d'aller à l'envers du bon sens, juste pour le plaisir d'ostiner. Quand les filles étaient à la maison, il n'arrêtait jamais.

À ccs mots, Maria prend conscience que toute cette grande maison claire n'est habitée que par le couple; toutes leurs filles, car ils n'ont eu que des filles, huit, sont parties vivre leur vie les unes après les autres. Que font-ils seuls dans cette vaste maison? Elle repense à la leur près de Honfleur et se demande pourquoi ils sont tant à être tassés là-bas dans si petit alors qu'ici... Elle essaie d'en trouver les raisons. Bien sûr, il y a son père qui, chaque fois que sa terre commençait à avoir de l'allure, se mettait en tête que les voisins devenaient «tannants» pis déménageait toute la famille plus loin, «où ce sera ben mieux». Il est évident que, dans ces conditions, on ne peut construire quelque chose de stable. Mais arrivée à ce point dans son raisonnement, elle abandonne la recherche des raisons de leur inconfort relatif et se met plutôt à évaluer si, chez Wilfrid, l'on est plus heureux de se retrouver seul au milieu de toutes ces pièces. Maria opte vite pour la chaleur de la petite maison à l'orée du bois. «*Donc*, se dit-elle, *ce qui compte n'est pas ce que l'on a, mais plus la façon dont on est entouré.*» Et, à ce point de sa réflexion, elle ne s'étonne pas – du reste elle n'y pense pas – de ce que ses pensées, tout à coup, dévient pour se fixer sur le fils de Blanche-Aimée.

La vaisselle terminée, Maria et Chantale se dirigent vers l'étable où l'on vient de faire rentrer les bêtes pour la traite. Immédiatement en entrant, tandis que Chantale plisse le nez, Maria est assaillie par un flot de souvenirs diffus réveillés par l'odeur caractéristique qui, puisqu'elle éveille tant dans sa mémoire, n'est plus pour elle une mauvaise odeur, mais simplement celle des étables.

En les apercevant, celui qui doit être Bolduc étire les lèvres dans un immense sourire découvrant deux rangées de dents complètement brunes.

— Hé! boss! lance-t-il, v'là d'la saprée belle visite!...

Et dans un geste à la limite de l'obscénité par ce qu'il cherche à évoquer, il leur adresse un clin d'œil appuyé.

— T'enflamme pas, Ti'Lard, lui recommande sans ménagement Wilfrid Bouchard, ce sont mes nièces.

Il aurait annoncé sainte Anne que cela n'aurait pas d'effet plus inhibitoire. De salace, l'expression de Bolduc devient obséquieuse. Wilfrid Bouchard désigne son troupeau d'un geste circulaire:

— Pas du beau bétail ça, les filles?

Maria approuve sans toutefois savoir quoi penser. Pour dire vrai, elle préfère le profil doux des petites canadiennes auxquelles elle est habituée plutôt que ces «*grandes carcasses à l'air vache*».

— Des Ayrshire, les renseigne fièrement leur propriétaire. Un jour, vous verrez, il n'y aura plus rien que ça. Finies les vaches qui coûtent plus cher à nourrir que ce qu'elles rapportent! Tu sais, Maria, y a longtemps que j'ai conseillé à ton père de s'en greyer, mais, comme d'habitude, je pense pas qu'il m'ait écouté... Il peut pas dire pourtant, et je devrais pas dire ça devant Chantale vu qu'il s'agit de son futur beau-père, mais c'est vrai qu'auprès de Laura j'ai toujours appuyé Samuel aux dépens de Wilfrid Tremblay. Oh! j'avais rien contre lui personnellement, mais je savais qu'il était coureur en calvâce. Il avait plus d'argent que les autres, des façons qui étaient pas d'icitte et ça faisait tourner la tête de ben des créatures. Astheure, quand je dis que j'ai appuyé Samuel, faut pas s'imaginer que j'aurais dit à Laura: «Prends Samuel», non; mais par contre, je sais que j'ai fait de quoi qui était peut-être pas ben correct pour Wilfrid...

— Quoi donc, son oncle? demande Chantale, intriguée, pendant que Maria s'étonne à la simple idée que sa mère aurait pu envisager de prendre un autre mari que son père. Cela lui paraît invraisemblable.

— Hum!... je sais point si je dois le dire... fait à présent Wilfrid Bouchard en tergiversant avec un brin de malice dans les prunelles.

— Oui! oui! insiste Chantale.

Wilfrid Bouchard se rend compte que son engagé, le regard torve, tend l'oreille.

— Je vais y penser, je vais y penser..., répond-il au grand dépit de Chantale et de Maria qui aimeraient bien savoir.

À nouveau Chantale plisse le nez.

— Bah! moi, je sors, dit-elle sur un ton où perce une certaine contrariété. Si je reste icitte, l'odeur va se mettre dans mon linge. Maria, tu viens-ti prendre une marche jusqu'au village?

— Je t'accompagne.

— Comme ça, je te présenterai Robert. Tu me diras ce que tu penses de lui. (Elle rentre la tête dans les épaules en prenant l'air canaille.) Il est beau!...

— Rentrez pas trop tard! leur lance l'oncle, sinon je lance Ti'Lard à vos trousses...

Celui-ci, ne sachant s'il doit s'offusquer ou rire de la remarque, choisit bien vite la seconde solution. «A l'est bonne!» fait-il en grimaçant.

La soirée est douce. On entend déjà, s'élevant du fond des fossés, le coassement des ouaouarons, le grésillage presque lancinant des grillons; immobile dans l'air plane le parfum de l'herbe gorgée de lumière qui, à l'approche du soir, exhale un souffle suave. À l'horizon, de part et d'autre de la ligne de partage, le ciel et le lac se confondent dans les couleurs pourpres et orangées. Le ciel est d'un rose laiteux strié de mauve et, plus haut encore, des raies d'or zèbrent l'azur. Toute cette douceur finit par être un peu triste à Maria qui ne peut s'abstenir d'éprouver un certain remords à aimer la vie alors que François Paradis, Laura Chapdelaine et Blanche-Aimée St-Pierre, eux, ne le pourront plus.

— Alors, dis-moi, demande Chantale, qui c'était?

— Qui c'était qui?

— Bah! celui-là avec qui t'es arrivée.

— Ah! lui, il s'appelle Charlemagne St-Pierre.

— Et puis?

— Puis quoi?

— Maria Chapdelaine, tu te moques de moi!

— Mais non! C'est juste quelqu'un chez qui j'ai été faire une commission à Hébertville.

— Une commission..., comme ça....? Que va dire ton fiancé?

— Je n'ai plus de fiancé, Chantale.

— T'en a plus!?

— C'est comme je te dis.

— Qu'est-ce qui s'est passé? Est-ce que je peux savoir?

— Il n'y a rien à cacher, et pas grand'chose à savoir non plus. Il n'y aura pas de mariage, c'est tout.

Le visage de Chantale passe par la surprise, puis manifeste un certain soulagement:

— Ben! en tout cas, je suis contente pour toi...

Maria n'en demande pas les raisons, elle les connaît. Au lieu de cela, curieuse, elle s'informe de ce qu'est devenu le pensionnaire de Mistassini:

— Ah! celui-là..., fait Chantale, ben imagine-toi donc que c'est un peu grâce à lui si j'ai rencontré Robert. Un peu après que tu sois repartie, cet hiver, il a annoncé qu'il voulait se rendre à Saint-Gédéon; c'est là-dessus que ma mère et ma grand-mère ont décidé de venir faire une visite à la parenté et c'est comme ça, durant une veillée, que j'ai rencontré Robert.

Maria ressent un petit émoi:

— Tu veux dire qu'il est à Saint-Gédéon?

— Qui ça? le Français? Oh non! Il est reparti ce printemps et je sais pas pantoute où est-ce qu'il a pu aller, pis ça m'est complètement égal...

Démentant les mots, Maria perçoit un certain dépit dans la voix de Chantale.

— Je peux ben te l'avouer, aujourd'hui, dit-elle, j'aimais pas trop l'arrangement que t'avais.

Chantale ne répond même pas sur ce point.

— Il n'avait même pas un sou, tu te rends-ti compte? J'ai su qu'il avait même pas pu payer sa pension d'icitte avec de l'argent sonnant; ça a de l'air qu'il aurait laissé des couvertes pis des bottes en gages. Tu y as-ti pensé? Ça arrive de par là-bas avec des airs, ça veut juger son monde, pis ça n'a même pas de quoi payer sa pension. Je tiens ça de la fille de la logeuse, c'est elle qui faisait sa chambre à Saint-Gédéon-Station, juste en face de la *track* des chars.

— Qu'est-ce qu'il faisait là?

— Ça aurait de l'air qu'il écrivait son livre. Lili, c'est la fille de la logeuse, elle m'a dit qu'il faisait rien que ça à la grand' journée, même que le monde commençait à se demander s'il était pas en train de troubler. (Elle adopte le ton de la confidence:) Entre nous, je crois ben que Lili était tombée en amour avec lui, mais qu'elle aurait été désappointée pas mal quand elle aurait appris qu'il y aurait eu de quoi entre le Français pis sa mère; ça, je le tiens de Robert qui lui le tient du responsable au bureau de la malle.

— Ça me paraît pas son genre...

— Non, moi non plus... (Elle garde le silence quelques secondes, puis ajoute:) Il reste quand même qu'un homme dans la force de l'âge, il faut ben qu'il trempe son biscuit de temps en temps.

— Chantale!

— Ben quoi? C'est vrai.

— Je crois que monsieur Le Breton avait plus de moralité que ça.

— Grand-mère dit que ce que les hommes aiment dans la moralité, c'est qu'elle donne du goût au péché.

Maria ne comprend pas cette attitude désabusée dans laquelle elle reconnaît bien l'influence de ses tantes de Mistassini.

— Tu juges sévèrement, dit-elle.

— Tu trouves?! Mais regarde donc autour de toi! Regarde!

— J'ai pas d'affaire à regarder autour, il y a juste moi que je peux juger. Pourquoi veux-tu que le monde soit si terrible que ça? Tiens! Robert que tu vas marier, tu dois ben le trouver correct, lui!

— Oh!... je me fais pas d'illusion, il doit ben être comme les autres... Bon! ça y retire pas qu'il est beau garçon, pis qu'il est fin, pis qu'il a rien d'un quêteux ni d'un branleux, mais je ne m'attends pas à ce que l'Église le canonise un jour. Il sautera ben la clôture comme les autres...

Maria trouve cette attitude désolante, mais ne peut s'empêcher de rire:

— Ça va, tu as de l'espoir...

— J'ai l'espoir que, quand la nature aura raison de lui, il saura garder sa conduite.

— Tu veux parler de la discrétion?

— C'est en plein ça. J'aimerais pas être ridiculisée.

— Si tu fais pas confiance aux autres, tu pourras jamais te faire confiance à toi-même.

— Et pourquoi je devrais me faire confiance?

— Ce qui compte, c'est d'essayer, non?

— Moi, tu vois, je suis plutôt pour la réussite... (Elles arrivent devant le magasin général.) Tiens! regarde derrière le comptoir, c'est le père de Robert (elle a un sourire amusé), l'ancien prétendant de ta mère s'il faut en croire l'oncle Wilfrid.

Tandis qu'elles entrent, accompagnées par le grelot des clochettes de la porte, Maria détaille celui dont sa mère a déjà parlé. Râblé, les cheveux frisés gris sel, l'œil humide et rapide, les lèvres charnues. D'emblée, peut-être parce que par le passé il a prétendu prendre la place qui, selon elle, ne pouvait appartenir à aucun autre que son père, elle le trouve «ben ordinaire».

— Bonjour, monsieur Tremblay, fait Chantale sur un ton joyeux, mais néanmoins préfabriqué. Il a fait chaud aujourd'hui, hein?

— Tiens! tiens! notre reine de beauté... Oh! mais t'es accompagnée aujourd'hui?

Chantale prend un air innocent:

— Son visage ne vous dit rien, monsieur Tremblay?

Évidemment, à la suite de cette question, l'homme se permet de dévisager Maria plus que la politesse ne l'aurait permis autrement. Maria a horreur de cette situation, elle se sent rougir. Confrontée au regard interrogateur, elle baisse rapidement les paupières.

— C'est fort! dit-il, votre face me dit ben de quoi, mais je ne suis pas capable d'y mettre un nom...

Chantale s'empresse de faire les présentations à sa façon:

— C'est Maria Chapdelaine, la fille de Laura Bouchard. Vous avez bien connu Laura Bouchard?

Visiblement, c'est le cas et c'est certainement un déluge de souvenirs qui lui empourpre le visage:

— Laura! C'était donc ça! Ben sûr que je me souviens de Laura! (De nouveau il se permet de redétailler Maria.) Saint-simonac!... ça fait curieux en batince!...

Il se secoue comme pour sortir d'un rêve.

— Bonjour, monsieur Tremblay, dit Maria, surtout pour couper court. Sa mère parlait de vous des fois quand elle parlait de sa jeunesse; elle disait que ça vous arrivait de prendre le parler des Français de France...

— Ah! elle se souvenait de ça... (Son visage se teinte d'une affliction un peu composée), ça m'a fait de quoi quand j'ai appris... (De nouveau son visage reprend l'attitude précédente évoquant vaguement la gourmandise.) Mais je vois qu'elle a pas perdu son temps... tu... tu permets que je dise tu? Tu es aussi mignonne qu'elle pouvait l'être.

Son attitude déplaît de plus en plus à Maria. Comment sa mère avait-elle pu garder le souvenir d'un aussi vilain bonhomme? Son fils est-il du même acabit? Comme pour lui répondre, celui-ci surgit de derrière un îlot de rayonnages, souriant avec ostentation à Chantale.

— Je t'attendais, dit-il.

Soudain Maria le reconnaît. Il n'y a pas de doute, c'est bien lui qui, voici quelques mois, se tenait contre le mur de la salle de billard à Chicoutimi, le même qui a lancé qu'elle n'avait pas besoin des tablettes de Myriam Dubreuil. Au hasard des conversations à Sainte-Famille, elle a appris de quoi il s'agissait.

Chantale fait les présentations.

— Enchanté, répond Robert Tremblay sans aucune trace apparente de la gouaillerie dont il a fait preuve quelques mois plus tôt.

Tout son être lui crie de n'en rien faire, mais, gardant le sourire, Maria ne peut résister:

— Je crois qu'on s'est déjà croisés devant la salle de *pool* à Chicoutimi, c'est-ti possible?

Sans aucun doute, à présent il se souvient. Elle le lit dans son regard.

— La salle de pool à Chicoutimi...? Non, ça me dit rien...

Elle hausse les épaules:

— J'ai dû confondre...

Chantale, qui a suivi l'échange avec un éclat froid dans les prunelles, se dépêche de débrouiller une situation où elle a immédiatement perçu l'affrontement.

— Moi aussi, dit-elle candide, ça m'est arrivé de prendre du monde pour d'autre. (Elle adresse un large sourire plein de confiance à Robert.) Tu nous raccompagnes-ti?

Il paraît hésiter, puis regarde son père dans les yeux au passage:

— J'aimerais ben, mais, ce soir, je pourrai pas, Chantale. Il faut que j'aille livrer des marchandises dans les rangs.

Elle ne se plaint pas, laisse juste ses traits exprimer un chagrin à l'idée de ne pas pouvoir être plus longtemps avec lui, ce soir.

— Bon, ben!... demain? demande-t-elle en ajoutant avant qu'il ne réponde: C'est seulement dommage que tu ne puisses pas connaître Maria, elle repart demain matin.

— Oh oui! c'est dommage..., mais on se reverra sûrement.

— Il n'y a pas de raison autrement, puisque c'est ma cousine, déclare Chantale.

Pendant un très bref instant, l'information fige le regard de Robert Tremblay, mais aussitôt il accorde à Maria son plus charmant sourire.

— Tant mieux! s'exclame-t-il avec chaleur, comme ça je suis certain qu'on va se revoir.

Chantale et lui s'échangent des bons vœux pour la nuit. Pour Maria, il faut encore subir de nouvelles simagrées de la part de Wilfrid Tremblay avant de se retrouver avec soulagement dans la rue. Elles font quelques pas en silence. C'est Chantale qui, la première, rompt un silence un peu chargé:

— T'arriveras-ti à oublier que tu l'as rencontré à Chicoutimi?

Maria est sidérée. La réaction de sa parente lui fait presque peur par ce qu'elle lui révèle. Soudain, elle a hâte à demain afin que Charlemagne St-Pierre l'emmène loin de ces «*agissements sans âme*»:

— Alors, tu ne l'as pas cru!?

— Pourquoi je l'aurais cru? T'avais pas de raison de mentir.

— Et ça ne te fait rien que lui le fasse?

— Ce qui me ferait de quoi, c'est qu'on vienne mettre du trouble dans mes affaires.

Maria ne répond pas. Elle n'a seulement jamais imaginé qu'une telle façon de prendre l'existence puisse exister. À présent, elle a encore bien plus hâte de retrouver cette gentillesse de Blanche-Aimée aujourd'hui rencontrée dans le regard de son fils. Elle se rend compte qu'elle vient de penser à lui comme à un réconfort.

La brise ou, plutôt, l'haleine de la nuit porte les odeurs de l'eau, du bois et du foin vert. L'habillant d'une robe de bal, la lune paillette l'onde obsidienne du lac. Monochromes en bleu ou noir, des ombres glissent, silencieuses, tels de grands oiseaux noctivagues. Comme il est étrange, après tous ces mois de promiscuité, de se retrouver dans une chambre, seule. Accoudée au rebord de la fenêtre, Maria se souvient que, cet hiver à Mistassini, elle n'avait pas tellement apprécié sa solitude d'alors; il en va autrement ce soir. Malgré la brise, il fait chaud, presque lourd. Ses pensées ne se fixent à rien de particulier; elle agite parfois le col ou les pans de sa jaquette en une vaine tentative pour assécher la moiteur qui baigne sa peau, elle laisse vagabonder son regard sur les formes noires et géométriques des toitures du village plus loin d'où, émergeant entre toutes, le clocher, lui, brille d'un vif éclat d'argent. Le cadre de gaze placé dans l'ouverture de la fenêtre pour préserver des insectes ne gâte en rien la vue. «*Comme on est bien!*» se dit-elle en réalisant toute la douceur de cette nuit qui doit s'achever sur un matin où Charlemagne St-Pierre va venir la chercher pour la reconduire chez elle en traversant le lac. Que désirer de plus qu'une nuit comme celle-ci passée dans la perspective d'une belle journée à venir?

On frappe très doucement à la porte. Ce doit être Chantale qui, ne trouvant pas le sommeil, est en mal de conversation. Comment pourrait-elle dormir?

— Oui..., répond Maria.

La porte s'ouvre sur Wilfrid Bouchard dont la pénombre irisée par la lune ne révèle que vaguement l'expression:

— Tout va comme tu veux, Maria?

— Ça va, son oncle..., assure-t-elle, quand même étonnée par cette sollicitude au milieu de la nuit.

— Il fait un peu chaud pour dormir, tu trouves point?

— Un peu, mais ça me gêne pas trop, j'aime ben rester de même...

— Moi aussi, affirme-t-il en refermant la porte et en avançant dans la pièce.

Maria se rend compte qu'il ne porte rien d'autre qu'une grande combinaison de laine. Elle a toujours trouvé étrange cette habitude qu'ont bien des hommes de porter ce vêtement en toute saison, surtout que ce n'est pas une tenue pour se présenter dans la chambre de sa nièce.

— Je vais quand même essayer de dormir, dit-elle, un peu mal à l'aise, il faut que j'me lève de bonne heure...

— Bien sûr!... Je me suis souvenu que je ne t'avais point conté comment j'avais... aidé ton père auprès de ta mère...

Comme il s'approche de la fenêtre, et donc un peu plus de la lumière, Maria remarque une déformation incongrue de son vêtement qui ne lui laisse que peu de doute sur ce qui se passe dans la tête de son oncle. Sa gorge se contracte.

— Je crois que j'aime mieux pas savoir, dit-elle très rapidement.

Il a compris qu'elle a remarqué.

— Tu veux pas savoir? demande-t-il sur un ton rauque.

— Non, son oncle.

S'approchant encore, il se place de profil, et l'excroissance trop localisée à laquelle est soumis son vêtement n'a d'autre effet que d'offrir une image grotesque. Silencieux, il regarde par-delà la fenêtre comme si de rien n'était. Le cœur battant, Maria se détourne vers les ténèbres du mur en coin.

— Dis-moi, Maria, t'as pas peur de ton oncle tout de même?

— Ben non! son oncle.

— Ben alors!... pour quoi faire que tu te dévires de même?

— Oh! pour rien, pour rien pantoute.

Se gardant bien de regarder vers lui, elle jette un coup d'œil du côté de la fenêtre. Une odeur d'humus s'impose à elle, des images de sous-bois passent en kaléidoscope dans sa tête.

— Sais-tu que t'es un vrai beau brin de fille, Maria?

Que veut-il dire? Cherche-t-il à lui faire comprendre qu'elle l'excite? Non! il ne faut pas! Elle s'apprête à le lui dire en termes définitifs, mais lorsqu'elle se détourne, son regard s'arrête sur la forme grise des pieds nus de Wilfrid Bouchard: des pieds étranges, des pieds d'homme. Un peu plus haut, encore une fois, tout l'absurde, tout le grotesque, tout le lancinant mystère de la situation:

— Oh bah!... son oncle!

Comment lui dire de sortir de la chambre sans être impolie? Si au moins ce n'était pas le frère de sa mère! Comment faire pour que tout ceci s'efface sans même laisser l'idée que ça ait pu avoir lieu?

— Bon!..., ben! je vais te laisser dormir, dit-il en la faisant du même coup douter de ce qu'elle a cru.

— Oui, il est tard pas mal, son oncle.

— Mouais!... En tout cas, ça m'a fait plaisir que tu t'adonnes à passer chez nous... Tu sais, je crois ben que, de tous les frères et sœurs, c'était Laura que je préférais...

Maria ne sait plus du tout quoi penser:

— Ça m'a fait plaisir itou, son oncle.

— Eh ben! quand tu repasseras dans le boutte à l'avenir, faudra point hésiter à revenir, on sera toujours heureux de te revoir.

— J'hésiterai point, son oncle.

— Bon!... Allons, faut aller dormir astheure, laisse-moi te donner un bon gros bec comme un mon-oncle à sa p'tite nièce.

Elle n'a pas le temps de réagir qu'il est déjà contre elle, les mains derrière ses épaules, sa bouche sur sa joue, et quelque chose de dur contre son ventre. Il lui donne un «bec» sur une joue, puis sur l'autre, mais l'accolade terminée, loin de se retirer, il reste pressé contre elle qui, dans le mouvement, se retrouve adossée au mur. Il ne se passe pas grand-chose. Il est là, tout contre elle, la figure et le souffle chaud dans son cou, sans bouger, à tel point qu'elle se demande s'il ne s'agit pas d'une simple étreinte affectueuse, d'un besoin de tendresse. Il a un petit cri étouffé, puis vient une forte odeur, un peu comme les sardines en boîte, et quelque chose de chaud et humide s'imprégnant dans les fibres de sa jaquette. Et il s'en va, refermant la porte derrière lui, sans ajouter un mot.

Maria ne bouge pas. Que s'est-il passé? Y a-t-il eu quelque chose ou non? Pourquoi cette sensation de saleté, cette nausée soudaine? Et qu'est-ce qui la brûle à présent au bas-ventre? Et ce vide immense et douloureux?

Dégoûtée, elle se débarrasse de sa jaquette souillée qu'elle laisse choir au pied du mur et se réfugie sous les draps. «*Ô, mon bon ange gardien! faites que ça ne se soit pas passé! Aidez-moi! aidez-moi! Mais qu'est-ce que j'ai? Mon Dieu, aidez-moi à oublier... Il n'y a rien eu, rien! Il m'a donné un bec pis c'est tout!*» Mais elle éprouve encore la dureté du désir de l'homme contre son ventre. Elle se recroqueville, malade d'elle-même, luttant, gardant ses doigts au plus loin de ce qui les réclame, réinventant et livrant le même combat à chaque seconde.

— Il est venu...?

Maria se redresse. Chantale, qu'elle n'a pas entendue entrer, est penchée au-dessus du lit.

— Chantale!?

— Il est venu, hein?

— Oui...

— Je l'ai entendu passer. Il t'a fait le coup du gros bec?

— Oui...

— Le cochon!

— ...il a pas vraiment fait de mal...

— Il a pas fait de mal! Bah! dis donc!... Tiens, laisse-moi un peu de place.

— Non, laisse-moi, s'il te plaît.

Chantale ne comprend pas.

— Mais qu'est-ce que tu as?

— Rien, y a rien, je voudrais juste être seule.

— Tu veux que je m'en aille?

— Oui.

— Ah bon!... Excuse-moi.

— T'excuse pas, t'as été gentille.

— Entre filles, faut ben s'aider... Je voulais juste te faire oublier l'autre vicieux.

— Je sais, Chantale.

Une fois la porte refermée, Maria, la tête enfouie dans le matelas, se laisse aller aux sanglots. Comment aurait-elle pu expliquer à Chantale que sa façon de «faire oublier» ne lui paraissait «*pas normale*»? Mais peut-être que celle-ci le savait déjà?

Quelque part au fond d'elle, Maria découvre, entrouverte, la porte d'un royaume écarlate, un monde chaud, humide, qui bat sur un rythme sans pitié. Un monde qui a le pouvoir de lui remettre en question tout ce qu'elle croit savoir d'elle-même. Un monde qui a déjà répondu à la question précédente. Un monde qui s'est déjà entrouvert, un jour, dans le bois, et a capturé l'odeur de l'humus. Un monde qui lui rappelle déjà que, soudain, au lieu des bras de son oncle, elle a désiré que ce soit ceux d'un homme, un homme bon et fort. Un monde qui lui demande si, en attendant, *en attendant*, le temps d'une infime fraction de seconde, elle n'a pas envisagé de faire semblant. Et comme pour un gala barbare célébrant la perte de l'innocence, dehors une étrange nuée glisse devant la lune et la teinte de rouille et de sang.

Vite! que vienne le matin! Que le soleil referme cette porte!

Un coq a chanté.

Du pain, du beurre. Partout dans l'air, l'arôme stimulant du thé. Sur le mur blanc en face, autour du calendrier aux angelots, des taches blanches de soleil. La nuit s'est enfuie, aspirée par la lumière. Au bout de la table, le regard gris et bienveillant de Rose Bouchard; à ses côtés, son mari, décontracté, avale – ou plutôt dévore – de grandes tranches de pain rôties. Maria mange en maudissant le silence.

Tout le monde redresse la tête en entendant le bruit d'un attelage. Seule Rose Bouchard se lève de sa chaise et regarde par la fenêtre. Wilfrid Bouchard ne profite même pas de cette occasion pour adresser à sa nièce un regard qui au moins demanderait l'indulgence. Rien.

— Tiens! Maria, voilà ton chevalier servant, constate sa tante. Il n'est pas en retard... On peut dire que ta visite aura pas été longue. Il faudra revenir astheure que tu sais où ce qu'on reste. Pis il faut sortir ton père un peu, il grouille pas.

Ces derniers mots rappellent à Maria qu'hier Chantale lui a dit que son père était retourné à Mistassini à plusieurs reprises. Cela aurait-il rapport avec la dénommée Pâquerette? Charlemagne St-Pierre est à la porte. Elle se retourne et l'aperçoit dans son «habit du dimanche».

Elle lui sourit tandis qu'il passe le seuil. Il lui répond. De nouveau, même en sachant pertinemment que c'est son fils, elle est étonnée de retrouver à travers lui la douceur de Blanche-Aimée.

— Bonjour! tout le monde, lance-t-il, enjoué.

— Entrez! entrez! lui fait Wilfrid Bouchard. Il fait un beau temps clair à matin, pas vrai? On devrait être bon pour la première coupe.

Charlemagne St-Pierre a un geste d'assentiment qui s'accompagne d'un doute.

— Ça m'étonnerait pas qu'il fasse encore plus chaud qu'hier, et chaud de même, les orages...

La conversation des hommes se poursuit sur le temps. Tout en finissant son thé, Maria observe le profil de Charlemagne St-Pierre dont la simple présence semble ôter aux réminiscences de la nuit toute autre consistance que celle qui pourrait subsister après un désagréable cauchemar qu'il importe d'oublier. Il est là, debout à côté de la table, les taches blanches du soleil jouent sur sa veste. Il est fort, et ce qui émane de lui parle à Maria de sentiments simples comme elle les a connus jusqu'à hier soir et comme, de toutes ses forces, elle veut qu'ils demeurent. Il rit à présent, sans joie, mais pour répondre à une plaisanterie de Wilfrid Bouchard concernant la chance qu'il a de pouvoir s'offrir toute une journée en compagnie d'un «beau brin de fille comme Maria».

À nouveau, elle regarde son oncle, rien. Rien ne transparaît et, en un sens, c'est presque pire que ce qui s'est produit cette nuit. Il est là «*à faire des farces plates*», parlant de la température et beurrant encore une autre tranche de pain.

— Vous voulez pas un thé? propose Rose Bouchard au visiteur.

Celui-ci regarde dans la direction de Maria et constate qu'elle a terminé le sien.

— Non, je vous remercie. Il va falloir y aller. Êtes-vous prête, Maria?

— Prête! assure-t-elle.

Elle regarde vers l'escalier, se demandant si Chantale va apparaître. Sa tante, qui a suivi son regard, fait «non» de la tête.

— Te fais pas de bile pour elle, j'y dirai au revoir pour toi. Elle ne se lève jamais ben de bonne heure.

— Qu'elle en profite! ajoute Wilfrid Bouchard un peu persifleur. C'est pas quand elle aura à tenir le magasin d'Alma qu'elle pourra paresser au lit le matin.

Maria voudrait défendre sa cousine, mais elle ne trouve absolument rien à répliquer qui pourrait s'accorder avec la présence des autres. Elle se contente de se taire, espérant que ce silence à lui seul saura parler.

Le moment du départ est arrivé, Charlemagne St-Pierre s'empare du sac de Maria qu'elle vient juste de prendre au pied de l'escalier.

— Ben voilà!..., je vous remercie ben gros, dit-elle à haute voix à son oncle et à sa tante, mais intérieurement en s'adressant uniquement à celle-ci.

— Y a pas de quoi! réplique Wilfrid Bouchard, c'est ben normal de recevoir sa petite nièce.

— Certain! appuie sa femme.

Alors seulement, Maria remarque une flamme noire dans l'œil de Rose Bouchard tandis que celle-ci jette un regard de biais à son mari. Sait-elle ce qui s'est passé? La femme tient ses mains sur son ventre, l'une par-dessus l'autre. Maria le remarque et, sans qu'elle en comprenne la raison mystérieuse, cette façon de se tenir parle pour la femme. Elle sait. Maria croise son regard. L'échange est très bref. Pour Rose Bouchard, il dit: *C'est comme ça, je n'y peux rien, j'ai jamais pu rien y faire...*, pour Maria, la surprenant elle-même qui voudrait y mettre de la commisération, il accuse: *Pourquoi n'avez-vous jamais rien fait?*

Ils sortent. Personne ne s'embrasse, d'ailleurs ce n'est pas l'habitude. Charlemagne St-Pierre et Maria montent dans la voiture. Des saluts de la main. Le cheval avance, fait le tour de la cour. En repassant devant la maison, Maria aperçoit Chantale à la fenêtre de sa chambre. Elle semble triste. Maria agite la main dans sa direction alors que le cheval s'engage sur le chemin. Chantale ne répond pas. Wilfrid Bouchard, lui, est déjà retourné à la cuisine.

— Une saprée belle ferme! déclare Charlemagne St-Pierre.

— Oui..., dit-elle.

— Si je pouvais arriver à m'en greyer une de même...

— Oh! c'est pas ce qui est le plus important...

Il la regarde avec interrogation:

— Y a-ti quelque chose qui n'a pas été chez votre oncle?

Elle s'apprête à nier cette supposition, mais une volonté anonyme l'en dissuade; non! elle ne va pas mentir au garçon de Blanche-Aimée.

— En effet, dit-elle.

Comme elle n'ajoute rien, respectant son silence, Charlemagne St-Pierre ne cherche pas à en savoir davantage. Elle se demande ce qu'elle aurait dit si ç'avait été le cas.

Rouge ne faiblit pas. Au fur et à mesure que le chemin s'enfuit derrière eux, que la chaleur monte, que le ciel de bleu passe au blanc aveuglant, qu'elle se convainc de la présence bien réelle de Charlemagne St-Pierre là, tout à côté d'elle, Maria laisse tomber derrière elle les cailloux noirs récoltés au cours d'une nuit pourtant bien commencée. À nouveau, il lui pose des questions sur sa mère et c'est un bonheur pour elle que d'y répondre.

Passé Chambord, déviant lui-même la conversation, il lui demande:

— Il y a une question qui m'a fait jongler toute la nuit, Maria: pourquoi c'est faire que vous vous êtes occupée de ma mère comme vous l'avez fait, enfin, je veux dire plus qu'une autre, je me trompe?

— Parce que je l'aimais! répond-elle spontanément.

— Oui, ça, j'avais ben compris..., je veux dire pourquoi plus qu'une autre?

— Elle n'était pas comme les autres... Elle était... gentille..., enfin je ne sais pas si vous voyez...

— Il y a beaucoup de monde gentil, non?

— De *vraiment* gentil, non, je ne crois pas.

— En tout cas, il y a toujours ben vous...

Elle se sent rougir sous le compliment, qu'elle n'estime pas mériter. Détournant les yeux avec modestie, elle le lui dit:

— Oh non! pas moi!

— C'est pas à vous de juger, Maria.

— Je juge point, je sais.

— Maria...

— Oui?

— Vous voulez bien m'appeler Charlemagne?

Elle ne répond pas immédiatement. Quelque chose dans cette demande dépasse la formulation et elle en est heureuse. Sur sa droite, le lac est d'un bleu tel qu'il lui fait penser à la mer qu'elle ne connaît qu'en rêve. De l'autre côté de la route, le vert sombre des sapins et des épinettes alterne avec le vert tendre des prairies. Au-dessus de sa tête brille le grand soleil jaune. Elle sent la terre immense, infinie et belle sous la caresse du vent qui charrie les senteurs mêlées des cèdres qui çà et là bordent le lac et celles des fruits trop mûrs tombés des framboisiers au creux des fossés.

— Ça me fait rien, accepte-t-elle avec un pincement dans la poitrine.

— Je suis content!

Comme le soleil commence à taper fort, elle ouvre son sac à la recherche d'un foulard. Le posant sur sa tête, elle remarque que Charlemagne, contrairement à la plupart des hommes, ne porte pas de chapeau. À demi tournée vers lui, elle rit.

— Qu'est-ce que j'ai?

— Vous avez oublié votre chapeau.

— J'ai pas de chapeau!

— Pas de chapeau!

Charlemagne rit à son tour:

— Non, pas de chapeau.

Elle en ignore la raison, mais elle aime l'idée qu'il n'en ait pas.

La porte s'est refermée.

Les deux voyageurs sont déjà en vue de Roberval lorsqu'elle lui demande où il aimerait acheter une nouvelle terre lorsqu'il aura vendu la sienne.

— C'est tout vu! révèle-t-il. Je suis passé par là ce printemps, en redescendant du bois. Mais je ne peux pas vous nommer la place parce qu'elle n'a pas encore de nom. Quand j'y suis passé, je ne savais pas ce qui m'attendait, mais je me suis dit que ce serait une bonne place pour s'installer. On ne sait pas pourquoi, un moment donné, sans chercher, on tombe sur une place qui nous plaît, et on peut pas s'expliquer pourquoi. C'est comme ça.

— Ça se trouve où?

— Entre la Mistassini et la rivière aux Rats, ça fait comme une vallée.

— C'est pas loin de Mistassini alors?

— Oh ben! quand même..., il faut passer par Saint-Eugène, il y a ben une vingtaine de milles dans le bois. Mouais!..., j'ai vu là de la vraie bonne terre; pis c'est grand à part de ça! En plus, il n'y a pas un chat, donc il y a de l'avenir.

Maria croit réentendre son père à la veille de quitter la ferme de Mistassini et vantant l'endroit où ils allaient. «*Et y a pas personne, on pourra faire comme on voudra...*» Elle sourit. Il le remarque:

— Pourquoi que vous souriez, Maria?

— Mon père parlait comme vous quand on est partis pour Honfleur.

— Pis? Est-ce qu'il avait raison?

Elle le regarde dans les yeux et se sent toute chose d'avoir eu une pareille audace, car elle a le sentiment d'avoir forcé un domaine privé où il n'est pas besoin de mot pour se comprendre et où elle pourrait trouver ce qui lui manque, mais qu'elle n'est pas même capable de concevoir.

— Il avait raison, répond-elle en le découvrant en même temps qu'elle le dit.

Au même moment, sans vraiment se le formuler comme tel, elle réalise que ce n'était pas tant vers les «vieilles paroisses» que sa mère voulait retourner que vers l'insouciance de sa jeunesse. Mais la pauvre femme n'avait jamais compris que son souhait n'était que la nostalgie d'un état duquel on ne s'échappe qu'une seule fois.

— Moi, ce que je voudrais faire, explique Charlemagne, c'est pas du lait ou du beurre, ça, tout le monde en fait. Non, ce que j'aimerais, c'est faire du bœuf de boucherie.

— Du bœuf de boucherie?

— Oui, quand la vache a son veau, au lieu de le lui ôter pour la tirer comme on a l'habitude de faire, on le laisse après sa mère jusqu'à ce qu'il soit en âge de pâturer.

— Pis comment qu'on gagne?

— On engraisse le veau pis on le vend pour la viande.

— Et comment que vous nourrissez la vache si vous pouvez pas vendre le lait?

— Je vous l'ai dit: en vendant le veau. La vache est ben moins dispendieuse à nourrir vu qu'elle n'a besoin de donner du lait que pour son veau. Le pâturage en été, du foin l'hiver et une chotte de grain dans le temps du vêlage pis des gros froids, ça coûte pour ainsi dire rien, pis le veau non plus. Tout ce que ça prend, ce sont des bras et du cœur au ventre.

— Je connais pas pantoute cette façon de faire...

— C'est de même qu'ils font dans l'Ouest.

— Ah oui?

— Oui, je l'ai lu.

— Ah ben! de même ça doit être bon.

— C'est bon certain!

Comme ils entrent dans Roberval et que leur attention est attirée par tout ce qui se présente au regard, ils ne poursuivent pas la conversation concernant un éventuel établissement de Charlemagne où, derrière chaque mot, se dissimule le fantôme d'un sujet que leur esprit se refuse à envisager, même en hypothèse. Comme chacun sait, même si le Livre est écrit, ces choses-là demandent au temps d'assurer leur valeur.

Lorsque Maria l'aperçoit débarquant du vapeur qui vient d'accoster, Lisa Potvin a un sac de toile en bandoulière et, enroulé dans une couverture blanche, un bébé dans les bras. Regardant autour d'elle de ses grands yeux déconcertés, elle avance, presque effacée, au milieu d'un groupe de passagers.

— Lisa! Lisa!

Entendant son nom, l'interpellée lève la tête dans la direction de Maria qui lui adresse des signes en levant la main. D'abord, elle semble se demander qui c'est, puis, la reconnaissant, elle se dirige vers celle qui, en compagnie de Charlemagne dans le quatre-roues, attend l'embarquement.

— Je vous avais point reconnue, dit Lisa en ayant l'air de s'excuser.

Maria fixe l'enfant.

— Oh ben! la belle p'tite face! C'est un petit gars, hein?

— Oui, je l'ai appelé Lionel.

En l'apercevant, Maria a tout de suite cru qu'elle aurait un million de questions à lui poser, mais à présent qu'elle est là, plus rien; enfin, rien qui ne paraisse bien important. Désarmante, Lisa semble incarner la résignation.

— D'où est-ce que t'arrives de même?

— De Péribonka, j'étais toujours chez madame Bélanger.

— Tu as passé le printemps chez elle?

— Oui, et astheure je pars pour Québec.

Maria se souvient qu'elle avait parlé d'aller dans une grande ville.

— T'as pas personne qui t'attend là-bas?

— Oh! je m'arrangerai ben... J'y vais avec les chars, il paraît qu'il y en a à soir.

Maria s'imagine arriver, ne serait-ce qu'à Chicoutimi, avec un bébé dans les bras, sans argent et sans savoir où aller.

— T'as pas peur? demande-t-elle.

Lisa hausse les épaules avec fatalisme:

— Je suppose que, pour moué, ça va s'arranger; on m'a dit que je trouverais facilement de l'ouvrage dans une facterie ou un restaurant. Quand que ch'rai ben placée et avec un toit sur la tête, j'pourrai commencer à regarder pour quelqu'un qui voudra ben d'moué pis du p'tit.

Elle le dit simplement, sans arrière-pensée mesquine, comme s'il n'y avait rien d'autre à attendre de l'existence qu'un «quelqu'un» qui veuille bien de soi. Quoi d'autre au fond? Maria fait «oui» en hochant la tête:

— Madame Bélanger a-ti été gentille pour toi?

— Oh oui! a l'a été ben fine pour moué; a voulait même que j'reste, mais moué, j'préfère aller dans l'monde.

— T'as pas revu... heu!...

— Les parents? Non, jamais... J'penserais pas qu'ça arrive jamais non plus.

— Y faut les comprendre..., se hasarde Maria, incapable d'imaginer que l'on puisse concevoir de couper définitivement les liens avec ceux de sa chair.

Lisa ne répond pas, elle se tourne vers la ville.

— Bon!..., dit-elle, j'vas aller chercher la station... Ça a de l'air grand en mausus icitte!

— Québec doit être encore beaucoup plus grand, remarque Maria, qui voudrait presque la dissuader.

— Tant mieux! j'ai entendu dire que plus qu'y a d'monde, moins qu'on est badré.

— Bonne chance!

— Merci ben! pour vous itou. (Elle fait un pas puis se retourne.) Vous allez-ti de l'autre bord?

— Oui, je retourne chez nous.

— Si vous vous adonnez à rencontrer Claire Bélanger, vous y direz un gros merci pour moué. J'savais point comment y dire à matin..., j'avais un motton dans le gosier.

— J'y dirai certain, Lisa.

Elle fait un signe de tête et s'éloigne. Maria la suit du regard, se demandant ce qu'il va advenir d'elle. S'apercevant de la curiosité inscrite dans le regard de Charlemagne, elle lui explique comment elle a connu Lisa Potvin. Il paraît vraiment désolé par ce qu'il apprend. La chose semble presque l'atteindre personnellement.

— Ça n'a pas de sens! fait-il en branlant la tête. Mausus! je vas y donner un peu d'argent, ça lui paiera toujours ben une nuit ou deux dans une pension... Jeune de même avec un bébé dans la rue... Seigneur, ça s'peut pas, ça!

Puis, sans attendre, il interpelle Lisa, déjà rendue à l'autre bout du quai:

— Hé! attendez!

Surprise, Maria le voit sauter du quatre-roues et courir vers la jeune fille à grandes enjambées, puis, l'ayant rejointe, sortir son portefeuille, lui donner quelques billets, lui parler, la saluer et revenir sur ses pas sous le regard étonné de Lisa. Maria se rend compte que la «*gentillesse*» du regard, que Charlemagne a hérité de sa mère, n'est pas juste une apparence, mais aussi le reflet d'un réel souci pour autrui. S'en rendant compte, elle est émue, mais aussi, et malgré les reproches qu'elle s'adresse vis-à-vis de sa propre réaction, un peu hésitante. Il lui semble «*dangereux*» de donner ce que l'on a lorsqu'on ne possède pas grand-chose.

— C'est gentil, commente-t-elle lorsqu'il arrive à sa hauteur.

— Oh!... J'aurais bien aimé faire plus. Vous rendez-vous compte? arriver dans une grand' ville sans savoir ioù ce qu'on va se retrouver... Moi, à sa place, je prendrais une chire. Là, j'aurais vraiment l'impression que mon chien est mort... Bonguienne! ça devrait pas exister des affaires de même! (Il regarde vers le vapeur sur lequel ils doivent embarquer.) Ah! ça va être à nous...

— Croyez-vous qu'elle va pouvoir se trouver une job aussi facilement qu'elle croit?

— Je sais pas... En tout cas, il va falloir qu'elle se watche. L'été, en ville, c'est plein de gars de bois qui passent leur temps à la taverne pis qui ont rien d'autre à faire que de séduire les créatures. J'en entends qui parlent des fois l'hiver au chantier... Ils arrivent en ville avec la ronne de tout l'hiver, là, ils s'achètent des chemises colorées, des cravates qu'on voit de loin, un chapeau neuf pis, endimanchés de même, ils passent leur temps à se promener sur les boulevards. On sait ben que les petites filles pas délurées, quand elles les voient faire les coqs, elles s'imaginent que c'est juste pour leurs beaux yeux, pis aussi qu'avec un gars aussi ben checké, la vie doit-ti donc être facile! Elles ne savent pas ce qui les guette. Quand que le beau marle a eu ce qu'il voulait, eh ben! la plupart du temps, il s'en retourne avec les autres se vanter de son exploit en éclusant tout le gros gin de la place.

— Faudrait vraiment être sauvage pour aller rajouter de la misère à cette fille-là!

— Y en a qui ne voient pas ça, ils s'occupent juste d'eux autres.

— Je vas dire comme on dit, elle est peut-être pas sortie du bois...

— Oh! peut-être ben aussi qu'elle va tomber sur quelqu'un de correct. Y a pas de raison... C'est pas obligé qu'elle ait le mauvais œil sur elle.

Un peu par superstition, s'imaginant quelque part qu'il suffit d'en parler pour en être victime, Maria se secoue comme si elle avait froid et regarde vers le vapeur à la recherche d'un autre sujet. Pensant à ce qu'elle fait ici, elle se rend compte que, finalement, elle pourrait très bien s'arranger sans que Charlemagne n'ait besoin de traverser le lac avec elle. Elle croit qu'il serait plus honnête de le lui dire, mais, d'un autre côté, elle craint de le vexer et aussi, sans trop vouloir se l'avouer, elle n'a pas du tout envie de le quitter maintenant. Elle a le sentiment qu'ils ont encore des tas de choses importantes à se dire.

Tous deux accoudés côte à côte sur la main courante du bastingage, ils regardent la ville blanche qui s'amenuise sur fond de collines verdoyantes. Tour à tour, leurs regards sont partagés entre le brassage écumant produit par la roue à aubes et le paysage qu'ils laissent. Malgré son charme pittoresque – surtout en cette belle journée d'été –, ils s'éloignent de la rive, et ont l'impression de se détacher des tracas quotidiens pour entrer dans un royaume bleu, limpide et tranquille dans lequel rien de grave ne peut arriver.

— J'aime assez Roberval, dit Maria dans l'unique dessein de parler, et d'icitte, c'est encore plus joli. Regardez toutes ces petites maisons blanches, de loin on dirait une peinture... On a l'impression que c'est construit exprès pour y être heureux. C'est pas comme à Chicoutimi où l'on a l'impression que justement, c'est construit au mieux en attendant d'être heureux.

— Vous croyez...? demande Charlemagne, perplexe.

— C'est mon impression...

— Vous ne croyez pas qu'il faille s'en méfier des fois?

— De quoi? Des impressions? pourquoi?

— Eh ben! par exemple, j'avais l'impression que maman était éternelle...

Maria repense à sa propre mère, à la petite maison qui avait une âme jusqu'à ce que soudain, après que Laura Bouchard eut une dernière fois lancé un regard effaré sur la vie qu'elle quittait, les murs se mettent à «*refroidir*». C'est vrai que tout était devenu différent et, pourtant, tout était pareil, seule l'impression avait changé. Peut-être que dans le fond, si elle avait découvert Chicoutimi en tant que visiteuse par une belle journée comme aujourd'hui, en compagnie de quelqu'un d'aussi gentil, peut-être l'*impression* aurait-elle été différente? Tout est-il ainsi dans la tête?

— C'est juste..., dit-elle, pensive, avant de laisser son regard s'absorber dans l'écume blanchâtre.

Désignant soudain de l'index la ligne basse de l'île aux Couleuvres sur tribord, Charlemagne se rappelle tout haut:

— Un hiver que j'ai traversé le lac, la nuit, j'ai vu un feu qui se reflétait tout rouge dans le ciel, là, à la pointe de l'île. Ça aurait de l'air, d'après ce qu'on m'en a dit, que c'était une fuite de gaz qui a brûlé pendant quasiment deux ans et ce serait la preuve qu'il y aurait en masse du pétrole sous le lac...

Maria approuve:

— Je sais, son père chez nous a déjà parlé que des gros de New York et de Boston sont venus à Chambord pour faire des recherches.

— Si ça se pouvait..., ce serait du gros bénéfice pour tout le monde par icitte... (Alors qu'elle semble évaluer le pour et surtout le contre de ce raisonnement, il se tourne vers elle et change abruptement de propos:) Et si on allait manger quelque chose? Il paraît que la salle à dîner est bonne sur ce bateau.

— Heu!...

— Laissez-moi vous l'offrir, ça me semble tellement peu...

Elle comprend qu'il fait allusion aux soins donnés à sa mère et s'en offense tout en sachant que c'est parfaitement ridicule.

— Le peu que j'ai fait pour elle, dit-elle un peu sèchement, je l'ai fait uniquement pour elle, pour rien d'autre! (Brusquement, elle revoit Blanche-Aimée s'agrippant à son bras en lui demandant de ne pas la laisser mourir. Elle a envie de pleurer.) J'ai même pas réussi à...

— Oui?

— Rien...

— Je m'excuse, je ne voulais pas dire que...

Brusquement, une douleur monte dans la poitrine de Maria et cherche à s'exprimer. Malgré tous les efforts qu'elle y met, elle ne peut rien contre elle-même.

— Elle ne voulait pas mourir! et j'ai même pas réussi à la garder en vie! Je suis incapable de quoi que ce soit! Incapable!

— Mais... Maria... Vous ne pouviez pas! C'est pas de votre faute!

— Oh oui! oh oui! J'ai pas cru assez fort, j'ai voulu marchander avec Dieu. Si j'avais cru assez fort, je suis certaine qu'aujourd'hui Blanche-Aimée serait encore là. Oh oui! elle serait encore là!

Déconcerté et bouleversé, il ne peut que contempler le profil du visage de Maria qui se tourne résolument vers la proue pour échapper à son regard. Qui est cette fille inconnue arrivée chez lui hier et qui pleure une femme, sa mère à lui? Que faisait-il tous ces mois alors qu'elle s'en occupait et allait jusqu'à invoquer un miracle? Et voilà qu'il lui propose un repas en lui parlant de compensation. Montant à son tour en épingle des paroles prononcées innocemment, il est atterré par son propre comportement. Il tente de se reprendre:

— Maria, c'est pas ce que j'ai voulu dire... (Il se tait un instant, furieux contre les mots incapables de traduire ses sentiments, puis subitement, il a l'impression d'être aveuglé par une idée.) Maria!... Maria!... (Il s'avise qu'il ne peut exprimer ce qu'il vient de découvrir; c'est trop fort. Alors il se rabat sur des mots plus sages qui ne rendent pas compte de ce qui a précédé:) Maria, vous avez fait tout ce qui était possible. Là où vous croyez avoir échoué, vous avez réussi; Maman vit toujours, je vous le jure!

Oubliant de cacher son visage ravagé, elle se tourne vers lui, sans expression, essayant de comprendre ce qu'il vient de dire.

— Charlemagne, je l'ai vue partir..., dit-elle simplement.

— Elle vit, Maria! dit-il énergiquement. Elle vit! et vous lui avez apporté ce que moi-même j'aurais pas pu. L'amour d'un fils, c'est normal, l'amour d'un étranger, y a-t-il une autre preuve de salut? Et ça, c'est vous, Maria, rien que vous!

— Elle était si gentille... ça aurait été n'importe qui, qui se serait trouvé à ma place.

Sans répondre, fixant le large, avec la sensation étrange de boire l'infini, Charlemagne serre ses doigts autour de la main courante. Maria, elle, ferme les yeux, sent la brise engendrée par le déplacement du navire jouer dans ses cheveux, un rayon chaud sur sa joue.

L'impression partagée qu'ils sont eux-mêmes le lac. Les deux ventricules du cœur de ce royaume.

Il bat, le cœur. Il bat. Il bat.

La salle à manger a impressionné Maria tant par le service qui y était prodigué que par le luxe de la vaisselle, de la lingerie et même des boiseries d'acajou et de cerisier. Ils ont commandé du steak dont le maître d'hôtel a spécifié: «coupe Boston». Pour la première fois de sa vie, Maria a pu goûter à la crème glacée, «aux vanilles des îles». Tout au long du repas, épiant alentour la façon de se tenir, elle s'est demandé pourquoi la majorité des autres *«dames»* avaient tant de facilité à exécuter des gestes aussi *«toffes»* que de tenir la fourchette de la main gauche alors que le couteau est dans la droite, et, en plus, sans lever le coude, de parvenir à tenir les dents de la fourchette vers le bas. Chez elle, tout le monde a toujours tenu fermement le manche de la fourchette dans la paume de la main gauche le temps de couper *toute* la viande pour ensuite reprendre la fourchette à droite. Pourquoi ne lui a-t-on jamais montré cette façon qui, sans difficulté apparente, consiste à couper sa viande un seul morceau à la fois? Elle y repense justement alors qu'ils ne sont plus qu'à quelques minutes de chez elle.

En débarquant du *Mistassini* à la Grande-Décharge, Rouge est tout de suite reparti en trottinant vers Sainte-Monique-de-Honfleur.

— Est-ce qu'il y a longtemps que vous n'êtes pas revenue chez vous? demande-t-il.

— Depuis mars.

— Ça doit vous faire drôle...

— Pour dire vrai, ça me gêne quasiment.

Pour avoir quitté souvent sa maison pour les chantiers, Charlemagne sait qu'il ne s'agit pas de «gêne» à proprement parler, mais de la crainte confuse de ne pas retrouver sa place après une si longue absence.

— Ils vont être contents de vous retrouver, assure-t-il.

— Ça doit...

Maria l'espère même si elle se demande toujours comment son père va l'accueillir en regard du refus qu'elle a opposé à Eutrope. De plus, elle ne veut pas le reconnaître, mais elle est un peu embarrassée d'arriver en compagnie de Charlemagne. Que vont-ils penser? Comment va-t-elle le présenter?

Soudain, la maison est là, encore plus petite que dans sa mémoire. D'un seul coup d'œil, elle englobe tout: la maison, la terre faite, le bois, surtout le bois. Alors, c'est ça, chez elle! Tout est là! Elle aperçoit la famille dans la prairie plus loin, occupée à monter des veilloches.

Da'Bé s'arrête un instant pour s'essuyer le front sur son avant-bras et c'est en relevant la tête qu'il les remarque. Maria le voit parler aux autres qui aussitôt se tournent tous vers elle. Elle leur fait signe de la main et descend de la voiture avant de se diriger vers eux tandis qu'ils piquent leurs broques dans les petits tas de foin pour la regarder venir. Sourire aux lèvres, Charlemagne la suit en retrait. Chien, qui vient de se rendre compte qu'il y a un événement dans l'air, reste fixement en arrêt durant quelques secondes avec l'air de chercher à comprendre, puis soudain il pousse un aboiement sec et s'élance vers Maria en bonds joyeux que son âge ne lui autorise plus souvent.

— Bonjour! Chien, bonjour! mon bon gros chien... Tu me reconnais alors...

Après lui, c'est Esdras que Maria rejoint le premier, le visage de celui-ci s'épanouit.

— Natole! de la grand' visite! dit-il en feignant de ne pas laisser trop voir qu'il est heureux de la revoir.

— 'jour! Esdras, comment que tu vas? Arrête-toué pas pour moué!

Puis Alma-Rose se décide à venir au-devant de sa sœur:

— Maria!... Mais, mon doux Seigneur! que c'est qu'ils t'ont fait là-bas en ville?

Maria ne comprend pas ce qu'elle veut dire, mais ne tarde pas à le savoir en entendant la réflexion de son père:

— Étoile, ma fille! elles t'ont pas nourrie, les nonnes?

— Bonjour! son père..., je suis-ti si maigre que ça, donc?

— Maigre! mais bâtisse! y a pus rien! (Un doute douloureux marque son visage.) T'es-tu malade?

— Pantoute, son père, je suis pétante de santé.

Il se frotte le menton, relève son chapeau puis sourit, un peu tristement toutefois:

— T'es ben jolie pareil... Alors, tu nous reviens?

— Ben oui! son père, si vous voulez ben de moi, ben sûr...

Da'Bé, Tit'Bé et Télesphore s'approchent, y allant chacun d'un mot de bienvenue:

— Fait plaisir de te revoir...

— On commençait à se demander si t'allais revenir...

— Moi, je commençais à m'ennuyer de ton ragoût... Dis donc, c'est vrai qu'ils t'ont pas engraissée là-bas..., heureusement qu'y a pas de vent...

Ils ne l'avoueraient pour rien au monde, mais tous, le cœur un peu serré, jubilent de la revoir. Pas une journée ne s'est écoulée sans que chacun, à un moment ou à un autre, ne se demande en silence quand elle reviendrait. En s'approchant enfin, Edwige Légaré aussi y va de son salut:

— Batince! de batince! de cibouère! v'la-ti point la fille prodigue!

— Je vois que vous avez fait de la terre pas mal cette année, remarque-t-elle en constatant que la lisière du bois a reculé.

Mais déjà, tout en le saluant du menton, les regards se concentrent sur le nouveau venu. Maria fait les présentations:

— Je vous présente Charlemagne St-Pierre, c'est lui qui m'a reconduite depuis Hébertville... Heu!... c'est le garçon d'une gentille dame qui était à l'Hôtel-Dieu, une vraie bonne dame, pis... heu!... je crois qu'on est ben amis... Voilà.

Pendant encore une interminable seconde au cours de laquelle Maria se demande surtout comment Charlemagne va prendre le «ben amis», Samuel Chapdelaine semble évaluer le personnage puis, tout à coup, son visage s'éclaire et il lève la main droite en signe de bienvenue:

— Un ami de Maria, ça ne peut qu'être du bon monde! On allait justement laisser l'ouvrage un peu de côté pour aller souper...

— Enchanté, monsieur Chapdelaine, rudement content de connaître les parents de Maria!

Plus ou moins discrètement, les garçons s'échangent des regards interrogatifs. Seule Alma-Rose se pince les lèvres et lance à Maria un regard de connivence comme si elle lui accordait d'avance son aval pour tout ce qui pourrait être ajouté.

Comme il n'est plus question pour l'instant de continuer, d'un accord aussi tacite que silencieux, tout le monde prend tranquillement la direction de la maison. Samuel Chapdelaine s'adresse à Charlemagne:

— Est-ce qu'il y a longtemps que vous connaissez Maria?

Désirant que sa famille accueille Charlemagne comme un véritable «ami», Maria redoutait cette question. Que vont-ils penser lorsqu'ils sauront qu'elle ne l'a rencontré qu'hier après-midi, comment vont-ils comprendre qu'il l'ait raccompagnée aussi loin?

— Maria s'est occupée de ma mère tous ces derniers mois, répond Charlemagne sans rien ajouter.

Maria cherche son regard, leurs yeux se croisent, ils se comprennent.

— Est-ce qu'elle va mieux astheure? demande Samuel Chapdelaine.

Le visage de Charlemagne marque le coup.

— Elle est partie...

— Oh! je comprends... Ce sont des épreuves... pis pas toujours comprenables... On dirait que ce sont toujours les meilleurs qui s'en vont... C'est dur... (Puis, changeant brusquement de sujet et de ton:) Vous restez-ti à Hébertville? Sur une terre?

— Oui, sur une terre, mais je l'ai mise en vente aujourd'hui.

— Ah?

— Oui, je veux m'en acheter une autre ailleurs, un peu comme icitte, là où y a encore rien eu de fait... J'aime ben l'idée d'être le premier.

Ce n'était pas recherché, mais il n'en faut pas davantage pour s'attirer l'estime de Samuel Chapdelaine. Comme il marche la tête baissée, personne ne peut remarquer ses yeux qui s'allument d'un éclat satisfait.

— Bonguienne! qu'il fait soif! dit-il.

Tout en marchant, Maria regarde ses frères à tour de rôle. Tous ont le visage, le cou et les bras luisants de transpiration où s'accrochent poussières de foin et particules de terre, tous ont les yeux brillants de fatigue, et la démarche à la fois énergique et lourde. À chacun elle adresse un sourire qu'ils lui retournent discrètement; c'est là le vrai bonjour. Que c'est bon d'être avec les siens!

La famille étant un peu trop étourdie de fatigue pour vraiment se lancer dans de grandes conversations, le repas n'a été ponctué que de mots destinés à se reconnaître. Et puis, maintenant qu'elle est de retour, on aura tout le temps de lui demander comment c'était. Lorsqu'il a été temps de reprendre le travail, le père Chapdelaine a insisté pour que Charlemagne passe la nuit sur place:

— Il est trop tard pour s'en retourner et pis y a rien qui presse...

Charlemagne a accepté à condition de faire sa part *pour se dégourdir*. Samuel Chapdelaine a désigné son costume:

— Dans cette tenue-là?...

Pour toute réponse, Charlemagne a posé veston et gilet sur le dossier d'une chaise. Alors, se mettant à le tutoyer, le père Chapdelaine a fait semblant de se rendre compte de sa carrure:

— Ben! dis donc! Delamarre n'a pus qu'à ben se tenir; bâti comme t'es là, tu pourrais gagner ta vie en tirant au poignet dans les tavernes...

— Qui c'est qui vous dit que c'est pas ce que je fais? répond Charlemagne, pince-sans-rire.

— Ben crère! je me disais aussi... Tord-vice!

Ils sont tous retournés dans le champ. Maria est restée seule avec Alma-Rose pour la vaisselle. Évidemment, à présent que les hommes sont sortis, Alma-Rose veut savoir ce qui s'est passé avec Eutrope.

— Rien de particulier... Comment il va?

Alma-Rose hausse les épaules en signe d'ignorance:

— Aucune idée; il est passé une fois quand il est revenu de te voir. Depuis, on l'a pas revu. Son père est allé chez eux une escousse par après, mais il nous a rien dit.

— Il devait être en beau maudit contre moi, non?

— Il n'a rien dit...

Maria n'insiste pas. Alma-Rose en profite pour en venir au point qui l'intrigue depuis l'arrivée de Maria:

— Pour Eutrope, ça a-ti rapport avec Charlemagne...?

— Pas du tout voyons! Je le connaissais même pas!

— Il a l'air fin...

Maria n'est pas dupe. Sa sœur essaie de lui soutirer des renseignements. Mais puisqu'il n'y a rien à dire, la situation l'amuse un peu. Peut-être est-ce pour entretenir un mystère qui ne lui déplaît pas qu'elle oriente la conversation ailleurs, sans rien ajouter à ce sujet:

— T'as pas trouvé ça trop dur de t'occuper de la maison?

Alma-Rose a une moue dubitative:

— En tout cas, je suis ben contente que tu reviennes même si...

— Si quoi?

— Bah!... à mon idée ça se pourrait qu'il y ait bientôt quelqu'un...

Maria repense immédiatement au fait que son père soit retourné plusieurs fois à Mistassini, comme le lui a appris Chantale:

— Son père a parlé de quelque chose?

— Des mots comme ça..., pis c'est pas ben dur de comprendre quand on le voit mettre son bel habit neuf pour s'en aller à Mistassini... (Alma-Rose regarde sa sœur comme si celle-ci pouvait faire quelque chose.) J'aime pas trop ça, Maria, cette idée qu'il puisse remplacer sa mère par une étrangère.

Pas plus qu'elle, Maria n'envisage l'idée avec sérénité; pourtant, peut-être pour se convaincre elle-même, elle essaie de se mettre à la place de son père:

— Oh! je pense pas que ce soit pour remplacer sa mère. C'est juste qu'il doit trouver que c'est toffe pas de femme dans la maison.

— On est là, non!?

— On est là, mais on le sera pas toujours, pis un homme sans une femme à lui ça arrête pas de tourner en rond et des fois ça devient bizarre...

— C'est égal! j'aime pas ben ça penser qu'une étrangère pourrait venir me dire quoi faire dans la maison de sa mère.

— J'aime pas ça non plus, mais on y peut rien...

— Mouais!... toi, tu t'en fiches, tu dois avoir des plans avec ce Charlemagne...

— Alma-Rose!

— Ben quoi? Tu vas pas me dire qu'il t'a ramenée icitte par pure politesse...

— Oh! tu peux pas comprendre...

— En tout cas, je sais que tu as lâché Eutrope pis qu'il faisait pitié à voir quand il est revenu nous dire ça! Ça, je peux comprendre!

— Je l'ai pas lâché, Alma-Rose! Il est venu me demander de reporter la noce alors que moi, j'y avais dit ce printemps-ci, pas par après...

— Oh! ce que tu peux être de mauvaise foi, Maria Chapdelaine!

Autrefois, il n'y a pas si longtemps, Maria aurait répliqué sur le même ton; aujourd'hui, sachant qu'Alma-Rose n'a pas vraiment tort, sa réaction est de retenir un sourire.

— Peut-être un peu..., avoue-t-elle en surprenant et désarmant sa sœur.

— Alors, tu reconnais...

— Je reconnais que j'ai blessé Eutrope, mais pas le faire aurait pas été honnête... (Elle marque un silence avant de poursuivre:) Je l'aime pas d'amour, Alma-Rose; il aurait été malheureux avec moi. Mais, dis donc! on dirait ben que tu te fais plus de mauvais sang pour Eutrope que pour moi!

La remarque fige Alma-Rose durant quelques secondes.

— T'es bête! réplique-t-elle enfin.

— T'es sûre que t'as pas un petit béguin de petite fille pour lui?

— T'apprendras, Maria Chapdelaine, que je ne suis plus une petite fille! Tu sauras que c'est moi toute seule qui me suis occupée de la maison pendant que toi, tu voyais des tas d'affaires intéressantes en ville!

Elles s'observent. Le soleil doit être en train de glisser à l'horizon; il fait encore jour, mais à l'intérieur tout baigne dans une pénombre brune qui, en masquant les détails de toute chose, fait ressortir leur présence. Maria est étonnée de constater que tous les objets, qui, dans sa mémoire, s'étaient chargés de l'aura des jours heureux, lui apparaissent, ce soir, bien anodins et même pitoyablement quelconques. Différente également, Alma-Rose qui, incontestablement, a vieilli. Maria a un peu l'impression d'être en face d'elle-même, il n'y a pas si longtemps.

Elle lui sourit, son sourire lui est rendu. Elles éclatent de rire toutes les deux.

IX

Charlemagne est reparti le lendemain matin. Lui et Maria auraient bien aimé pouvoir se dire quelques mots en privé, de ces mots simples que l'on charge de mille significations, mais l'occasion ne s'est pas présentée. Du reste, ils n'auraient pas su quoi se dire.

Durant quelques jours, lors des repas, la famille a posé des questions sur Saint-Gédéon, sur la ferme de Wilfrid Bouchard, sur le vapeur, sur le train et même sur Hébertville, mais, curieusement, très peu sur l'Hôtel-Dieu. Comme si cet endroit mystérieux avait le pouvoir de dresser une démarcation entre Maria et sa famille, surtout après qu'elle leur eût raconté des anecdotes qui, elle s'en doutait, leur arracheraient commentaires et scepticisme. L'histoire des bocaux remplis d'organes les a plongés dans une stupeur craintive que même la croix sur la lune était loin d'avoir provoquée.

— Icitte, on se rend pas compte de ce que c'est que la science, avait-elle commencé. Là-bas, à l'Hôtel-Dieu, j'ai vu un bébé enfermé dans un pot de vitre.

Samuel Chapdelaine avait froncé les sourcils, presque avec remontrance:

— Qu'est-ce que tu racontes, Maria?

— Comme je vous dis, son père. C'était au début, j'étais perdue dans les couloirs et c'est là que je suis arrivée dans le bureau du docteur et que j'ai vu tous les pots.

— Il y en avait donc plusieurs?

— Dans les autres, il y avait des morceaux de monde: cœur, foie, rognons, cerveau...

Sans le montrer, elle s'amusait de la mine presque effrayée des siens. Pour la première fois, elle avait vraiment l'impression d'avoir vécu des événements qui la distinguaient des autres et, malgré elle, elle ne détestait pas ce sentiment.

— Du vrai monde!? s'était exclamé Télesphore.

— Comme je vous dis.

— T'as vu ça, toi! n'en revenait pas Alma-Rose. Y a des affaires de même à Chicoutimi! C'est quasiment pas créyable!... Dans quelle sorte de monde que t'étais donc?

— Pis, cette histoire de bébé en pot? voulut en savoir davantage le père.

— En réalité, c'était un fœtus! Le docteur m'a dit qu'il le gardait comme ça pour l'étudier...

— C'est monstrueux! affirme Samuel Chapdelaine. Une honte! Garder un petit enfant mort dans un bocal... Qui peut avoir le cœur de faire des affaires pareilles? Et t'as rien dit, t'as pas protesté?

— Ben!... il disait que c'était pour trouver le moyen de guérir des maladies.

— À mon avis, ces gens-là de la médecine pis des sciences, ils veulent en savoir de trop, ils n'ont pas de moralité. Qu'est-ce que Notre-Seigneur peut penser en voyant des choses pareilles? Des bébés dans des pots... Le diable doit être passé par là, c'est pas possible autrement... Pis toi, ma fille, t'as vu tout ça! Je me demande si j'ai eu raison de te laisser aller là-bas...

Il ne le disait pas, mais son attitude laissait vaguement entendre qu'elle y avait peut-être été *contaminée*. Les autres n'ajoutaient rien, mais semblaient penser la même chose, à part peut-être Télesphore.

— Quand qu'on est mort, avait-il philosophé, si ça peut servir aux autres...

Son père l'avait regardé avec reproche:

— Je dois-ti comprendre que si je viens à mourir entre leurs mains, tu les laisseras m'ouvrir pour mettre mes morceaux dans des pots?

— Ben non! son père..., c'est pas pareil...

— Qu'est-ce qui n'est pas pareil?

— Ils doivent prendre des morceaux d'orphelins ou de vagabonds que personne connaît. Moi, j'aurais rien eu contre si, à force de regarder des rognons de vrai monde, ils avaient trouvé le moyen de sauver sa mère....

Personne n'a osé le contredire; tout à coup, ils n'étaient plus certains qu'il soit mauvais de vouloir «en savoir de trop».

Dans le même ordre d'idée, ils n'ont pas fait de commentaires lorsqu'ils ont appris que leur sœur savait lire. Puis, avec le temps, le travail absorbant tout le reste, la routine que Maria avait cru abolie a vite repris ses prérogatives, ne lui laissant parfois de son séjour à Chicoutimi que l'impression d'avoir fait un très long rêve où le meilleur côtoyait le pire.

En cette saison trop courte, la nécessité requiert toutes les énergies, c'est une question de survie. Peu ou pas de place pour la distraction à laquelle incitent pourtant les vagues de chaleur du midi ou la douceur des nuits livrées au chant des grillons. Pas de temps pour la contemplation du pluvier kildir qui soudain s'aventure sur le chemin pour se livrer à une marche aussi forcée qu'elle semble inutile. Pendant que les «hommes» œuvrent à l'extérieur de l'aube à la nuit, les «femmes», elles, s'occupent à plein temps de la maison, du potager et portent assistance aux champs lorsque c'est nécessaire. Il n'y a jamais de creux. L'autre jour, même si cette activité est normalement prévue au printemps lorsqu'il y a beaucoup de lard à disposition, Maria, qui pourtant ne l'a appris de sa mère que par l'observation, a entrepris de faire une «batch» de savon. Sous l'œil attentif d'Alma-Rose, elle a fabriqué la «caustique» en remplissant de cendre une vieille bassine émaillée, percée au fond d'un trou minuscule par où peut s'écouler lentement l'eau versée pour infuser la cendre. D'autre part, sur un «foyer» de fortune dressé à l'extérieur, elle a mis à fondre tout le suif disponible. Versant ensuite lentement la soude dans le suif fondu, ajoutant du gros sel et de la «gomme de sapin», elle a remué le mélange jusqu'à ce qu'il épaississe, puis a versé le tout dans un grand moule de tôle et a immédiatement taillé au couteau des pains de savon rectangulaires qu'elle a recouverts de guenilles pour ralentir au maximum le refroidissement. «Voilà! il reste pus rien qu'à espérer!» a-t-elle lancé à Alma-Rose. Car ayant tout fait de mémoire et sans aucune mesure, il n'était pas du tout garanti que le savon allait prendre. Mais, pour leur plus grande fierté, ce fut une réussite. Ce soir-là, il y eut un violent orage qui donna aux hommes une excuse pour venir un peu «souffler» dans la maison. Les filles, elles, en profitèrent pour se casser un œuf sur les cheveux et se faire un shampooing sous les débordements du chéneau. Oui, tout semblait redevenu comme avant pour Maria. Pourtant, certains détails faisaient que l'idée même de pouvoir retrouver cette espèce d'insouciance qui avait caractérisé leur vie autrefois était exclue. Était-ce parce que Laura Chapdelaine n'était plus? Était-ce parce que, plus tôt ce printemps, des voisins, des Caouette, se sont installés deux lots plus loin et que, le samedi soir, Esdras fait une grande toilette pour aller se balanciner une heure chez eux, en compagnie d'Yvonne, l'aînée? Était-ce parce qu'on ne voyait plus Eutrope? Était-ce parce que Samuel Chapdelaine est encore allé passer un dimanche à Mistassini en invoquant des «affaires» chez les Trappistes? Ou parce qu'en train de foncer une tarte aux framboises, ou bien de sarcler les siams, ou encore d'étendre la lessive sur la corde de jute tendue entre la maison et le vieil orme – unique arbre ayant survécu à l'abattage dans les alentours immédiats de la maison –, l'image très nette de l'agonie de Blanche-Aimée lui revient en mémoire? Ou parce que, parfois, se réveillant la nuit dans le silence peuplé des respirations profondes, elle revit malgré elle la visite nocturne de l'oncle Wilfrid, croit encore le sentir contre elle, s'interroge sur le besoin profond qui a poussé son oncle à agir ainsi et se demande avec angoisse s'il n'y a pas de similitude avec celui qu'elle éprouve à se représenter des bras forts se refermant sur elle, des bras forts que, sans aucun exercice d'imagination, elle donne à Charlemagne?

Aujourd'hui, elle n'a toujours pas de réponse à ses questions alors que toute la famille se prépare pour aller à Péribonka célébrer la Sainte-Anne. Seulement une nouvelle question:

— Pourquoi à Péribonka plutôt qu'à La Pipe, son père?

— Une surprise...

301

Personne n'a osé l'interroger plus avant, mais évidemment, entre eux les questions vont bon train. En se levant à l'aube, le firmament d'un rose uni a laissé présager de la pluie; pourtant, une brise du nord-ouest s'est levée, poussant vers l'horizon les lourdes nuées humides et dégageant de grands pans de ciel bleu. Seul Esdras reste ici comme il l'en a prévenu – sans doute pour rendre visite à Yvonne –, les autres s'installent, les jambes pendant de part et d'autre de la waguine attelée à Charles-Eugène *Deux* – comme l'appelle Maria – afin de pouvoir transporter tout le monde, même Chien, qui doit se dire qu'il serait stupide de marcher alors qu'il suffit de grimper sur la plate-forme.

C'est Louis, le fils de Charles Asselin, qui leur fait passer la rivière sur le traversier à cordes installé par son père. Le garçon a l'air un peu idiot. Certains disent – sûrement des mauvaises langues puisque, bien sûr, personne n'a de preuve – que c'est à cause que le bonhomme Asselin aurait épousé sa sœur sans le savoir vu que ceux-ci avaient été donnés étant bébés. Ce qui est certain, c'est que Louis n'est pas bien fin et que le regard d'enfant gourmand devant son gâteau d'anniversaire qu'il porte en ce moment sur le buste de Maria n'est pas pour démentir cette affirmation. Et pour Maria, *«même s'il n'a pas tout son génie»*, c'est agaçant. Cependant, vers le centre de la rivière, elle aperçoit sur l'autre berge une personne qu'elle reconnaîtrait à présent entre toutes: Charlemagne! Le reste de la traverse n'est plus qu'une immense question ponctuée de regards interrogateurs vers son père, mais, pas plus qu'elle, celui-ci n'a l'air de savoir de quoi il retourne.

— Charlemagne!? s'écrie-t-elle dès que Charles-Eugène Deux pose la patte sur l'autre rive, mais que c'est que vous faites dans le boutte?

— Maria! Bah! c'est tout un adon de vous croiser icitte!... Pour la fête de la bonne sainte Anne, je m'étais dit: pourquoi que t'irais pas faire un tour chez les Chapdelaine?... Alors, je suis parti de bonne heure hier pour aller sur la Mistassini revoir le coin de terre dont je vous ai déjà parlé, pis, ce matin, je me suis mis en route pour chez vous... Mais vous, vous partez en visite itou?

— Nous, on va à l'office à Péribonka, le renseigne le père

Chapdelaine, t'as qu'à t'en venir avec nous autres...

— Ben volontiers! monsieur Chapdelaine.

Ce dernier se tourne vers sa plus vieille:

— Tiens, Maria, tu veux-tu monter dans la voiture de Charlemagne? Ce sera moins ennuyant pour lui pis plus confortable pour toi que de te faire barouetter sur la waguine.

Sans que le souci de confort y soit pour quelque chose, Maria ne se fait pas prier, et bientôt, est totalement détachée de tout ce qui l'entoure: du bois, du clapotis d'une source, du chant des oiseaux, du reflet doré de la rivière apparaissant parfois entre les arbres et les aulnes, des mouches noires pourtant tannantes, de ses frères et sœur qui en avant ne cessent de sourire en regardant dans leur direction. Elle n'a d'attention que pour Charlemagne ou, plus exactement, pour sa présence. «*Il est venu me voir!* se répète-t-elle, *il est venu ME voir!*» Jamais, depuis qu'il est reparti, elle n'a osé imaginer qu'il reviendrait; régulièrement, son subconscient l'a conçu, mais cherchant avant tout à s'épargner d'inutiles déceptions, chaque fois, elle a empêché l'idée de prendre corps. Pourtant, ce matin, il est bien là, près d'elle, et du coup, alors que, jusqu'à tout à l'heure au milieu de la rivière, le quotidien semblait s'être figé, immuable, tandis que Louis Asselin la détaillait avidement de ses grands yeux humides, une brèche s'est ouverte dans la tiédeur du présent immobile pour laisser jaillir en mugissant les flots sauvages, vivifiants et glacés de l'avenir. Et maintenant il est là qui parle:

— Comment ça se fait que vous alliez à Péribonka plutôt qu'à La Pipe?

— On le sait point, c'est une surprise.

— Ah!

— C'est gentil de venir nous voir...

— Je me suis dit comme ça que... (il secoue la tête de droite à gauche) non! j'allais dire des menteries, Maria. Non, je me suis simplement dit en retournant à Hébertville, le mois passé, que je voyais pas d'autre bonne excuse avant la Sainte-Anne pour venir vous rendre visite..., et je trouvais ça long en péché!

Que répondre à cela sans passer pour une délurée ou au contraire une pincée? Et ça prend une réponse, car Charlemagne vient ni plus ni moins de lui faire une déclaration.

— C'est ben dommage qu'il y ait si peu de fêtes..., dit-elle en regardant fixement la waguine devant et en se sentant «*rougir affreusement*».

Peut-être pour ne pas qu'elle voit sa réaction, il détourne la tête de côté, ce qui lui permet d'apercevoir plusieurs belles grappes de bleuets juste sur le bord du chemin.

— Mausus! la belle talle! Wow! Rouge! wow!

Rouge s'arrête et son propriétaire saute de la voiture pour aller arracher du terrain sablonneux tout un pied couvert de baies qui, sous le soleil, tirent plus sur le violet que le bleu. Comme il le tend à Maria, celle-ci, par analogie, est brusquement la proie d'un souvenir qui la plonge dans une forme de remords. Elle vient de s'apercevoir qu'il y a deux ans aujourd'hui, en compagnie de François Paradis, ils s'étaient un peu éloignés des autres, pour remplir leurs chaudières, mais aussi et surtout pour s'échanger mutuellement un serment. Serment qu'en ce moment elle a un peu le sentiment de trahir du simple fait de se trouver là avec Charlemagne, et de s'y sentir bien. Elle n'a pas dit un mot ni fait de geste particulier, à peine si, sur son visage, son sourire s'est modifié. Pourtant, Charlemagne sait que quelque chose vient de se produire; en ignorant la nature, il préfère d'abord continuer comme s'il ne s'était rendu compte de rien et s'apprête à lui dire que, lorsqu'il était enfant, de l'autre côté du fleuve, il y avait beaucoup moins de bleuets qu'ici, mais il se ravise en se souvenant que sa mère lui a souvent répété: «Vaut mieux percer un abouti dès son apparition.»

— Racontez-moi ce qui va pas, Maria!

— Ça va..., affirme-t-elle.

— Vous êtes sûre?

Pourquoi lui cacher la vérité? Elle s'apprête à lui révéler tout ce que le pied de bleuets a réveillé en elle, mais un autre dilemme l'assaille. «*Ça va lui faire de la peine si j'y dis. Il est venu d'Hébertville pour te voir et toi, tu irais lui parler de François; c'est pas correct!*» Cette constatation qu'elle ne peut «*tout dire*» est à la fois douleur d'abord parce qu'elle implique une part de silence «*obligatoire*» dont aller à l'encontre ne provoquerait que du chagrin, mais aussi elle est baume en ce sens qu'au-delà de tout cela, et à cause de cela, elle se rend compte que le remords qu'elle vient d'éprouver a résulté de ce que tout ce qu'elle a réellement vécu avec François Paradis tient en ces quelques moments d'un après-midi de la Sainte-Anne. Toute sa tristesse a découlé d'un serment échangé entre deux personnes attirées l'une vers l'autre. Rien de moins, mais aussi, rien de plus. Ce sentiment qu'elle croyait unique ne l'était que parce qu'il changeait d'apparence selon les individus. Et déjà, en fait, depuis qu'elle a croisé son regard à Hébertville, elle sait que, vis-à-vis de Charlemagne, il ne s'agit pas tant de ce que l'on pourrait appeler une attirance inconditionnelle vers un être que l'on sublime, que de l'impression qu'à eux deux ils font partie d'un même tout. Que causer du mal à Charlemagne serait se faire du mal à elle, et réciproquement, et inversement. Et ce sentiment-là est aussi fort et unique que l'autre.

Elle ne se dit pas tous ces mots, elle ne fait que les vivre. C'est pourquoi elle répond très naturellement:

— J'ai eu un peu peur...

— Pas de moi tout de même!

Cette fois, elle a un rire gai:

— Oh non! pas de vous, Charlemagne! Non, juste du temps qui passe...

— Peur de vieillir alors?

— Non..., peur d'oublier...

— Ah! ça, je connais ça... À force de vouloir conserver des images dans ma tête pis de me les repasser, j'ai l'impression qu'elles deviennent floues, un peu comme une blessure qui se referme même si, à quelque part dans notre tête, on voudrait qu'elle reste là pour prouver qu'on a bien été estropié.

— C'est en plein ça..., approuve Maria.

Brusquement, sans du tout savoir pourquoi ni comment elle en arrive à une conclusion, hors des propos actuels, elle devine ce que toute la famille va faire à Péribonka: Samuel Chapdelaine a dû décider de présenter Pâquerette Villeneuve à toute la famille.

Elle ne s'est pas trompée. Tout a été organisé à l'avance. Lorsqu'ils arrivent devant le perron de la petite église, Idola Villeneuve s'y trouve déjà en conversation animée avec des paroissiens qui, les mains dans les poches et le chapeau rejeté vers l'arrière, profitent de la messe dominicale pour exprimer des idées qu'ils ont ressassées durant toute la semaine, en partie pour oublier la monotonie du quotidien, en partie pour prouver qu'ils existent face au monde, représenté pour eux par les voisins qui s'assemblent sur le perron de l'église et au magasin général.

— J'vous l'dis! fait Idola Villeneuve, le danger, c'est pas les Turcs, pantoute! c'est encore les crottés d'Anglais. Vous allez voir c'que j'vous dis, comme qu'ils ont fait pour les Boers. Un bon moment donné, ils vont nous envoyer à la boucherie de l'autre bord pis, quand on aura fait tout leur sale boulot, si on est pas morts, on rentrera chez nous pour travailler dans leurs facteries. C'est encore eux autres qui ramasseront les piastres qu'on aura été défendre contre des gens qu'au fond on a rien contre. Et en plus d'ça, faudra défiler sous l'*Union Jack*. J'vous l'dis! tout ça, c'est des amanchures!

— Moi, je crés point qu'y aura encore de guerre, affirme Nazaire Larouche, tout ça, c'est pour marquer de quoi dans les journaux. La France, l'Angleterre, les États pis nous autres, on est civilisés quand même! J'imagine point qu'on irait s'entre-tuer dans les vieux pays pour faire le jeu de quelques vieilles têtes couronnées; on est pus du temps ioù ce qu'on s'tirait pour un pet de travers, non, je crés point!...

La conversation s'estompe au passage de la famille Chapdelaine. Au cours de la traversée, le père reste avec les hommes sur le perron et lance à Maria:

— Je vous retrouve tout à l'heure. Tu watcheras un peu Télesphore, il est fantasque.

À l'intérieur, sitôt passé devant le bénitier, Charlemagne fait signe qu'il va aller s'asseoir un peu à l'écart. Tout en le regrettant, Maria approuve. À peine agenouillée, elle détaille l'assistance à la recherche de celle qui pourrait être Pâquerette. Elle sursaute légèrement en apercevant Yvette Tremblay qui, elle aussi, vient de l'apercevoir et a dans les prunelles un éclat ironique où Maria croit pouvoir lire: «*T'as vu? les autres sont pour moi...*» Prenant une grande respiration, elle regarde ailleurs et soudain aperçoit la femme de ses préoccupations. Elle est certaine qu'il s'agit d'elle. Pourquoi? Elle ne saurait le dire, sinon qu'elle ne l'a jamais vue ici et aussi que les regards rapides que jette la femme dans tous les sens indiquent une certaine nervosité. Maria est surprise de constater que Pâquerette – si c'est elle – est plus petite qu'elle. Trapue, elle est vêtue d'un manteau couleur d'atocas, un chapeau de paille à large bord orné d'un ruban rose cache sa chevelure, mais laisse cependant remarquer son profil dont le trait principal est un immense front bombé donnant au reste du visage, par ailleurs lymphatique, un air à la fois réfléchi et austère. En toute autre circonstance, Maria n'aurait rien trouvé à lui reprocher, mais savoir que cette femme envisage de prendre la place de sa mère, malgré toutes les objections raisonnables qu'elle essaie d'y mettre, la rend agressive à son égard. Du reste, elle n'est pas toute seule, car, à ses côtés, elle aussi ayant dû deviner le but du voyage à Péribonka, Alma-Rose lui donne une poussée du coude en lui désignant l'inconnue du menton sans manquer d'y ajouter un œil noir.

Charlemagne a choisi un banc à droite. Ils échangent un bref regard où il pourrait être question de la futilité des convenances. Un brouhaha signale que les hommes entrent et vont rejoindre le banc de leur famille. Bientôt le silence tombe sur l'assemblée puis tout le monde se lève tandis que le prêtre traverse le chœur, entouré de deux enfants portant surplis et soutane et jetant de biais sur l'assistance des regards où le solennel s'y dispute avec la facétie. Traversant la vitre dépolie d'une des hautes fenêtres, telle une promesse divine, un rayon de soleil immaculé illumine soudain l'autel.

— *In nomine patris...*

Imaginant le regard de Charlemagne sur elle, Maria essaie sans succès de se concentrer sur le *confiteor*. Puis, sans réussir à se recueillir comme elle le voudrait, à l'instar de tout le monde, elle répond au prêtre dans des mots dont elle ne comprend pas le sens, mais qui, du fait même, s'en trouvent chargés de bien plus de signification qu'ils n'en ont réellement. Et ses oreilles se réjouissent de leur musicalité.

— *Domine, exaudi orationem meam.*

— *Et clamor meus ad te veniat.*

— *Dominus vobiscum.*

— *Et cum spiritu tuo.*

Le prêtre monte à l'autel en demandant à Dieu d'effacer les fautes. Maria ne peut s'empêcher de jeter un regard en direction de Charlemagne.

— *Kyrie eleison. Kyrie eleison. Kyrie eleison.*

«Mon Dieu! faites que j'oublie un petit peu qu'il est là sinon je pourrai pas Vous prier comme il faut!» Et pourtant, malgré les convenances, elle trouve la situation bien agréable. Ils sont là, tous les deux, réunis dans la maison de Dieu où toutes les pensées s'élèvent très haut, où l'air lui-même est chargé d'un parfum «sacré», où les chants «célestes» font frissonner, et où, par-dessus tout, il suffit de baisser les paupières pour sentir la présence du Seigneur dont le rayonnement d'amour fait aussitôt prendre conscience de toutes les fautes commises ou imaginées, et provoque le remords qui «rend propre». Quelle plus belle place pour être en compagnie de celui dont le cœur dit qu'il nous ressemble?

L'Évangile proclamé, selon le rituel, le prêtre annonce à Dieu qu'aux dépens de ses intérêts et même de sa vie, il est prêt à défendre les principes divins contenus dans le saint Évangile. Puis, d'un pas décidé, tête penchée, il se dirige vers la chaire où, s'appuyant de ses paumes contre le rebord de bois verni, il garde le silence un «très long» moment durant lequel, lourd d'un grave sous-entendu, son regard pèse sur l'assemblée:

— Notre bonne sainte Anne doit être triste aujourd'hui... J'ai de bien mauvaises nouvelles. (Il hausse le ton.) Malgré toutes les exhortations du Saint-Père, malgré son encyclique *Communium Rerum* en l'honneur de saint Anselme, chevalier de la lutte contre le modernisme, il apparaît de plus en plus clairement qu'on va vers le gouffre, surtout dans la vieille Europe et aux États. Je sais! je sais! Vous allez dire: nous autres, on n'y peut rien, que c'est loin d'ici... Eh bien! je vous rappelle que l'Afrique du Sud était encore plus loin et qu'on avait vraiment rien de personnel contre les Boers... Oui, je vous le dis, ce qui se prépare n'aura rien à voir avec ce que nous avons connu et ceux qui croient qu'ils n'y peuvent rien se trompent. Non! ils s'aveuglent, ils se cachent la vraie réalité, car, tous autant que nous sommes, nous manquons de foi. Pleins d'orgueil, nous croyons que nous allons pouvoir régler des problèmes humains avec des solutions humaines. Allons donc! seule la prière peut nous aider! Je vous le dis: tous ceux ici qui croient que ce qui se passe dans les vieux pays ne les concerne pas, ceux-là seront les premiers touchés. Et quand je parle d'être concerné, je ne dis pas de prendre parti pour l'expansionnisme de la Duplice d'un côté ou de l'impérialisme de la Triple Entente de l'autre, non! je dis: Priez! priez! priez pour que n'arrive pas le règne du modernisme...

Certains pensent déjà à ce qu'ils vont se dire en sortant: «*Ça doit être vrai ce qu'il dit, mais que ce prêtre-là est donc ben compliqué à comprendre!*» Par la gravité du ton, immédiatement attachée à l'homélie à laquelle elle ne comprend pas grand-chose sinon que des gens dont elle n'a jamais entendu parler, dans des pays dont elle n'a aucune idée, ne font pas les choses «comme il faut», ignorante du décret papal *Lamentabili sane exitu*, ainsi que de l'encyclique *Pascendi dominici gregis*, Maria comprend encore moins ce que le prêtre reproche au «modernisme». Qu'y a-t-il de mal à s'éclairer à l'aide d'une ampoule électrique comme beaucoup de gens de Chicoutimi? C'est tout de même plus pratique que les lampes à huile ou les chandelles! Et puis, les nouveaux médicaments, c'est pas mal non plus! Et le téléphone! cette extraordinaire invention qui permet de parler à quelqu'un qui n'est pas là... Elle en a vu un chez l'oncle Wilfrid. Sûrement que, d'ici quelques années, le courant et le téléphone seront rendus à Honfleur, chez eux! Qu'y a-t-il de mal à cela? Pourquoi faudrait-il prier contre? Bon! tout n'est pas clair dans le «modernisme». Elle n'a pas aimé les bocaux du docteur à Saint-Vallier. À son avis, il y a là quelque chose de «*pas catholique*», mais la lumière électrique et toutes ces choses dont elle a entendu parler, comme les vues animées, ça ne fait de mal à personne, ça fait reculer les ténèbres du bois sauvage, ça l'humanise. En d'autres termes, c'est ce qu'elle se dit jusqu'à ce que tout le monde se lève pour la suite de l'office. Elle profite du mouvement pour jeter un nouveau coup d'œil en direction de Charlemagne et se trouve un peu gênée de croiser le sien. Avec l'amorce d'un sourire qu'elle entrave en se mordant les lèvres, elle se dépêche de regarder droit devant.

— Je t'ai vue, tu sais..., lui souffle Alma-Rose, malicieuse et nullement incommodée par le froncement de sourcils de son père plus loin sur le banc.

— Tais-toi! fait Maria qui, elle aussi, a remarqué l'œil de son père et, découvrant ensuite la direction qu'il prend, trouve choquant qu'il aille vagabonder dans le dos de Pâquerette Villeneuve, assise à côté d'Idola.

L'attention tiraillée entre, d'une part – la plus attrayante – Charlemagne St-Pierre et d'autre part – la plus préoccupante – Pâquerette Villeneuve, Maria se morigène de ne pas parvenir à cet état dans lequel la prière devient facile et, surtout, pensée. Même pendant la communion, ces instants de recueillement entre tous, elle ne peut empêcher, incapable de se concentrer, ses yeux d'aller sans cesse vers la silhouette rassurante de Charlemagne qui marche devant.

C'est déjà fini! L'air satisfait, tous les gens se dirigent, sitôt l'*Ite, missa est* prononcé, vers la sortie en se saluant. Avant que la famille ait quitté son banc, le prêtre est déjà venu vers eux et s'adresse à Samuel Chapdelaine:

— On se retrouve tantôt au presbytère...

Sans surprise, le père Chapdelaine fait signe que «oui». Maria jette un coup d'œil dans la direction de Pâquerette Villeneuve et l'aperçoit justement tournée vers eux, qui les observe, sourire aux lèvres et un soupçon d'inquiétude dans le regard.

«*Pas encore le presbytère!*» se dit Maria.

Pourtant, à la suite du père, n'osant dire un mot, tout le monde s'y dirige – les Villeneuve loin derrière –, louvoyant à travers l'assistance restée sur le perron, peut-être autant pour jaser que pour profiter de l'éclat bleu et scintillant de la rivière.

— Je vas vous attendre là-bas, dit Charlemagne à Maria, ayant compris qu'il s'agit d'une «*affaire de famille*» et désignant la berge de l'autre côté du chemin.

— Vous ne venez pas avec nous autres? proteste Maria qui, voyant en lui un allié moral, aimerait bien qu'il les accompagne. Hein? son père, Charlemagne, il peut venir?

Mais celui-ci devance la réponse de Samuel Chapdelaine et assure qu'il ne peut pas:

— Non, non, Maria, c'est pas ma place. Allez-y, je vous attends...

Elle le regarde en silence, un peu déçue. Puis, poursuivant son chemin, elle se rend compte qu'il a suffi que Charlemagne réapparaisse pour qu'aussitôt elle se mette à réagir comme s'il était venu la délivrer de quelque mystérieuse geôle, mais laquelle? Est-ce de savoir qu'elle risque de se retrouver sous le même toit que Pâquerette Villeneuve? Ou est-ce, tout simplement, qu'avec lui, il a apporté l'avenir comme elle l'a ressenti en l'apercevant depuis le milieu de la rivière?

Toujours le regard soupçonneux de la «bonne du curé», toujours cette incroyable propreté, toujours cette odeur de cire et de citronnelle, sans oublier, incroyablement, le fumet du poulet rôti. De nouveau, le bureau plein de livres, à cette différence que, cette fois, une fenêtre est entrouverte, et que ses frères et sœur sont là. Maria se demande si les circonstances seront plus «joyeuses» que lors de sa dernière visite. Comme il n'y a pas assez de chaises, tout le monde reste debout, mais, avant même que les Villeneuve n'arrivent à leur tour, le prêtre, peut-être intentionnellement, les devance.

— Bonjour! bonjour! lance-t-il sur un ton qu'il veut enjoué tout en se frottant les mains. Eh bien! les enfants, sans y aller par quatre chemins, votre père, qui est d'abord venu chercher conseil, m'a ensuite demandé de vous présenter celle qui va devenir votre nouvelle maman.

Il tend la main vers la porte et, comme s'il s'agissait d'une scène de théâtre longuement répétée, Pâquerette Villeneuve apparaît aussitôt, les bras tendus vers le bas, légèrement écartés, paumes ouvertes, un sourire de bienvenue sur son visage, dans les yeux, une appréhension que renforce la remarque aussi soudaine que brutale de Télesphore:

— J'ai rien qu'une mère pis elle est morte!

— Moi pareillement! ajoute Tit'Bé.

N'osant pas regarder leur père, qui en ce moment a le sentiment pénible de trahir sa famille, Da'Bé, Alma-Rose et Maria regardent leurs frères en escomptant que leur silence soit un appui. Pâquerette Villeneuve laisse retomber ses bras.

Nullement démonté, le prêtre sourit, beaucoup plus conciliant que lors de l'homélie:

— Votre réaction est normale, tout à fait normale! C'est même le

311

contraire qui ne l'aurait pas été... Cependant... regardez votre père, il est tout seul, il a rencontré cette gentille dame, ils s'entendent bien et ils se sont dit que, pour vous, ce serait mieux d'avoir une mère à la maison, une mère qui s'occuperait de vos repas, de votre linge, enfin de tout...

Pâquerette Villeneuve fait un pas, secoue légèrement la tête et parle pour la première fois:

— Je veux pas prendre la place de votre mère, les jeunes, y a juste que, pour vous, ce serait peut-être ben plus d'adon s'il y avait quelqu'un pour s'occuper de vous autres...

— On a Maria pis Alma-Rose, fait Télesphore avec un air de défi.

— Toi, mon garçon, fait le prêtre, je te trouve bien égoïste tout d'un coup. Tu dis que tu as tes sœurs, mais est-ce que tu t'es demandé qui elles avaient, elles?

Maria regarde son père qui a les mains croisées dans le dos et la tête inclinée vers le plancher. Il lui apparaît soudain différent de celui qu'elle a toujours connu. Frappée, elle détaille chaque ride du visage hâlé qui lui raconte soudain toute une épopée. Une histoire qu'elle a toujours ignorée par habitude de voir en lui le roc inexpugnable où arrimer son quotidien, cette assurance contre l'horreur qu'engendrent les tourbillons du temps qui, inexorablement, entraîne toute poussière dans les gouffres de l'oubli. Une histoire gravée par le temps dans le parchemin de la vie. Aux coins des yeux, des sillons parlent d'éblouissement, d'une exposition de plusieurs dizaines d'hivers employés seulement à survivre et d'une confrontation perpétuelle à la réverbération du soleil sur la neige dans les chantiers depuis La Tuque jusqu'au grand lac Péribonca sans oublier Sept-Îles ou les rives de l'Ashuapmouchouane. Les plis aux commissures des lèvres, eux, parlent aussi bien des rires qui, malgré tout, ont ponctué son parcours, que des soucis reliés au bien-être des siens. Et si le tracé en est parfois amer, c'est qu'il faut aussi y lire des tragédies comme cette stupide maladie qui a emporté le petit Joseph dont on évite toujours de parler non pas parce qu'on l'a oublié, oh non! mais parce que quelque part l'ont craint de réveiller les forces malfaisantes qui l'ont ravi et que l'on sait irrémédiablement tapies dans ces zones ténébreuses qu'il faudra peut-être traverser un jour. Et toutes les rides qui vaguent son front parlent d'un pays parfois trop vaste, un pays qui, un instant ou une saison, peut laisser entendre qu'il est dompté, mais où il suffit de s'assoupir, confiant, pour qu'il se cabre et vous renverse. Un pays qui fait le mort durant sept ou huit mois, se laissant engourdir par le froid sidéral pour soudain, un matin, se réveiller en chantant, mais aussitôt, avant même que l'on ait le temps d'en profiter, réclame qu'on lui sacrifie les heures de la belle saison, car il n'offre ses faveurs qu'aux mouches noires, aux maringouins et aux brûlots. Oui! toutes ces rides parlent d'une défaite teintée de fatalisme face à ce qui doit être fait ainsi qu'à ce qui doit être évité; elles parlent d'un grand chagrin plusieurs fois ravalé; elles parlent d'un homme qui, semblable à ses voisins, a réussi à se tenir debout contre le vent, et cela sans y perdre sa foi et son optimisme bon enfant; elles parlent d'un homme qui a aimé tout en sachant ce qu'il en coûte, d'un homme qui, depuis qu'elle l'a revu, garde une certaine distance, sachant au fond très bien que, s'il ne le faisait pas, ses enfants, sans seulement y penser, le condamneraient à la solitude. Car, plus que tout, enfouie au plus profond de la chair, peut-être la chair elle-même, c'est de cela qu'il s'agit. Et c'est la raison pour laquelle Samuel Chapdelaine est là: dans l'espoir pourtant bien incertain que Pâquerette Villeneuve comblera le grand vide autour duquel, parfois encore au milieu de la nuit, ses bras se referment.

Soudain, parce que les rides de son père ont parlé, Maria comprend ce qu'ils font tous ici. Pour la même raison que Charlemagne l'attend dehors, la même encore qui fait qu'elle-même a déjà hâte de le retrouver. A-t-on le droit de refuser cela à quelqu'un, surtout à son père? Même si, comme à présent, elle se rend compte que Pâquerette Villeneuve, qui a cessé de sourire, a la bouche plutôt dure et froide et, au fond des prunelles, quelque chose d'éteint, ou plutôt qui n'a jamais été allumé. Quelque chose qui, bizarrement, évoque pour Maria les murs de brique des institutions de Chicoutimi. Rien de méchant, mais rien de gai non plus.

Avançant d'un pas et donnant ainsi l'exemple aux autres, elle fait un signe de tête entendu à l'adresse de Pâquerette Villeneuve.

— Moi, c'est Maria, se présente-t-elle.

Elle sait fort bien en disant cela qu'elle remet entre les mains de la femme les guides de la maison et que, ce faisant, elle y perd sa place.

L'aurait-elle fait aussi facilement si Charlemagne n'avait pas été dehors?

La réaction des enfants n'était que pure formalité. Ils s'en sont rendu compte lorsqu'ils ont appris que la cérémonie était déjà fixée pour la fin août à l'église de Mistassini. En sortant du presbytère, Samuel Chapdelaine a parlé quelques minutes en tête à tête avec Pâquerette Villeneuve qui, aussitôt après, est montée dans la voiture de son frère et a envoyé un bref signe de la main en direction des enfants partis rejoindre Charlemagne sur la berge.

Avant de prendre à leur tour le chemin du retour, ils s'arrêtent au magasin général pour faire quelques achats et, là, Maria surprend sa famille en décidant de faire l'acquisition d'un cahier et d'un crayon.

— Tu sais écrire aussi? demande son père.

— Je vais apprendre, j'ai déjà commencé à tracer des lettres.

— Heu!... t'aimerais-tu avoir un livre, pour lire?

— Ben!...

— Choisis-en un, dit-il en désignant une petite étagère où sommeillent quelques livres, mais faudra que tu nous racontes...

Le ton ne peut tromper. Même s'il n'y a là que Jean-Eudes Rivard discutant avec Donat Néron et sa femme Marcella, il est évident qu'il n'a pu résister à ce qu'ils apprennent que sa fille sait lire. Hésitant entre plusieurs titres, Maria choisit *Paul et Virginie*, surtout à cause des illustrations à l'encre de Chine figurant des paysages tropicaux tout à fait extraordinaires à ses yeux. Charlemagne approuve son choix.

— Alors, Maria, lui demande Marcella Néron tandis qu'elle s'approche du comptoir, comment t'as trouvé ça, là-bas, à Chicoutimi? Ça aurait l'air que t'étais à Saint-Vallier?

— Oh!... c'était pas pire, mais je suis ben contente d'être revenue. Moi, la ville...

— Je suis bien de ton avis, c'est rien que des troubles... Pis, toi et Eutrope Gagnon, vous deviez commencer à trouver le temps long, pas vrai? C'est pour quand la noce?

— C'est vrai, ça! renchérit Jean-Eudes Rivard sur un ton badin, chus-ti invité moi, le père Chapdelaine?

Celui-ci est pris au dépourvu, mais pas tant que Maria qui voudrait crier à l'erreur pour «rassurer» Charlemagne qui, visiblement, a reçu cette nouvelle comme un coup de poing au ventre.

— Il n'y aura pas de noces..., affirme Maria qui voudrait bien ajouter si c'était possible qu'il doit s'agir d'une méprise.

L'attitude de Jean-Eudes Rivard se fait soudain préoccupée. Un éclair de colère soudaine et presque démente brille dans son regard.

— C'est vrai!..., s'adresse-t-il à Samuel Chapdelaine, ça a-ti rapport avec Égide et sa sauvagesse?

— Non...

— C'est pas normal pareil..., pas correct pantoute... Faut-ti être un maudit écœurant pour ramener *ça* chez soi, chez son frère en plus... Non! je suis chrétien, mais si j'étais Eutrope, ben je crés ben qu'y aurait du brassage dans la cabane... On est pas des bêtes quand même... s'emmouracher d'une sauvagesse... Que c'est qui arriverait si tout le monde faisait de même?... Ce serait plein de bois-brûlé partout, des maudits feignants qui pensent rien qu'à prendre un coup, pis voleurs à part de ça...

— On peut pas juger..., dit Samuel Chapdelaine. Pis ils sont pas tous de même...

Des grosses mouches noires se promènent sur la vitrine inondée de soleil. Maria voudrait se retrouver seule avec Charlemagne pour tout lui expliquer. Lui regarde partout autour de lui en portant une attention exagérée à chaque objet.

Assise derrière le comptoir, se rendant compte qu'elle a peut-être dit quelque chose de trop, Marcella Néron se mord les lèvres comme pour garder un sérieux de circonstance. Son mari remplit une pipe, peu soucieux de se mêler à une conversation où il pourrait être pris à partie sur un sujet autre que la politique, l'élevage, les récoltes ou la température. Tit'Bé regarde les fusils et les carabines enchaînés sur deux râteliers. Alma-Rose fixe Maria puis Charlemagne en se demandant ce qui se passe. Télesphore regarde ostensiblement à l'extérieur, toujours persuadé que toute la famille, Maria en tête, s'est liguée contre le souvenir de sa mère. Da'Bé, entre son père et Jean-Eudes Rivard, voudrait bien, lui, entrer dans la conversation et manifester qu'à son avis, même si celui-ci est tout neuf et encore sans fondement pour l'étayer, il faudrait remettre les «*sauvages à leur place*»; mais, faute de conviction de la part de Samuel Chapdelaine qui se demande surtout ce qui se passe avec Charlemagne et sa fille, la conversation meurt de sa belle mort. Pendant quelques instants qui paraissent une éternité, un silence lourd, tel celui qui s'interpose souvent entre le vent et l'orage, s'abat sur le magasin.

— Bon, ben! je vais y aller..., annonce Charlemagne d'une voix grise.

Maria comprend évidemment qu'il parle de retourner à Hébertville et non à Honfleur, comme il l'a laissé entendre ce matin. Elle voudrait le faire revenir sur son impulsion, avoir une chance de tout lui expliquer, mais lui expliquer quoi? Ayant tout compris et cherchant à lui venir en aide, Alma-Rose pose la question que Maria, par une réserve naturelle dans l'expression de ses sentiments, n'a même pas eu l'intention de formuler:

— Vous deviez pas venir chez nous, Charlemagne?

— Heu!... Oh non!..., il est déjà tard et il faut que je m'en retourne. Je suis pas rendu.

Il a un hochement de tête en guise de salut à l'intention générale, rien de particulier pour Maria, puis, sans rien ajouter, sort et referme la porte derrière lui.

Sans bouger, les mâchoires crispées, Maria s'efforce de regarder nonchalamment une étagère où sont alignées des boîtes de fruits dans le sirop, fortement tentée de se demander ce qu'elle a bien pu faire pour mériter cela, et, quelle qu'en serait la réponse, de crier à l'injustice.

— Il est bâti pour la grosse ouvrage, çui-là! s'exclame Jean-Eudes Rivard en l'observant par la vitrine. Je l'aurais ben invité à tirer du poignet...

— T'aurais perdu, prédit Samuel Chapdelaine, un peu sarcastique.

— Ça, c'est pas certain! Pas certain pantoute!... Y en a comme ça qui paraissent ben plus qu'y sont capables, pis d'autres, c'est tout le contraire. Regardez Delamarre, y a personne, juste à le voir, qui pourrait croire qu'il est fort de même, pareil pour Alexis Lapointe, y a rien qui montre pourquoi qu'il court si vite.

Discernable au léger sourire malicieux qui lui fait plisser les paupières, une idée germe dans la tête de Samuel Chapdelaine:

— Attends voir, Rivard, je m'en vas le rappeler si tu veux tirer au poignet.

Sans lui laisser le loisir de répondre, il rejoint le seuil d'où il interpelle Charlemagne déjà installé dans sa voiture, les cordeaux en mains.

— Ho! Charlemagne! tu peux-tu revenir icitte une minute?...

Sans répondre autrement que par un hochement du menton, le fils de Blanche-Aimée revient en ayant manifestement soin de se garder de toute expression. Comme il entre dans le magasin, ayant hésité entre faire comme si les conserves l'intéressaient toujours énormément ou regarder dans sa direction, Maria choisit une solution intermédiaire qui consiste à se détourner un instant des conserves pour lui jeter un bref coup d'œil avant de se pencher sur les illustrations de son livre tout en se traitant intérieurement de *«mautadite niaiseuse!»*

— Y a Jean-Eudes qui voudrait ben tirer au poignet avec toi, explique le père Chapdelaine à Charlemagne. Ça t'intéresse-ti? je gagerais sur toi.

— Pis moué, sur Rivard, lance Donat Néron, je l'ai encore jamais vu perdre.

Charlemagne paraît soupeser le pour et le contre puis acquiesce d'un mouvement de tête. Les deux concurrents vont s'installer de part et d'autre du comptoir d'où Marcella Néron s'est écartée. Ils prennent lentement leur appui, croisent leurs mains, assurent leur position, s'observent.

— Prêt? demande Jean-Eudes Rivard en avançant la mâchoire inférieure en avant dans l'intention d'afficher un aspect redoutable et vindicatif.

— N'importe quand...

Charlemagne lève un regard absent dans la direction de Maria qui, se décidant cette fois à laisser tomber les conserves, a un imperceptible mouvement des paupières et des lèvres cherchant à signifier qu'elle n'a rien à se reprocher. Lui semble se demander s'il n'a pas réagi trop vite. Les garçons se regroupent autour des adversaires, même Télesphore abandonne son observation butée de la rue. Da'Bé, entrant dans le jeu de son père, convaincu de la victoire de Charlemagne au simple vu de sa carrure, lance sur un ton jovial:

— Pis..., Maria, tu promets-ti un bec au gagnant?

Elle rougit sans répondre, ce qui équivaut à une acceptation tacite.

— Batêche! s'anime Jean-Eudes Rivard, je vas pas manquer ça certain!

Au raidissement perceptible des bras, il est clair pour tous que la joute vient de s'engager. Pour l'instant, seuls les bras, agités d'une vibration continue, en font état.

— T'es un qui, toué? demande Jean-Eudes Rivard sans marquer d'effort particulier.

— Un St-Pierre, de l'autre bord du fleuve.

— Ah bon! t'es pas du Lac! Ben! t'es perdu, d'abord...

— Garde ton souffle, tu vas n'avoir besoin.

— Oh!... t'essaies de me baver.

Leurs visages commencent seulement à se colorer lorsque, faisant son entrée en chantonnant d'une voix nasillarde *Bonsoir, ma chérie, bonsoir, mon amour*, vêtu d'un costume blanc immaculé taillé dans un tissu léger, dans la trentaine, une réputation de bouffon et de «soûlon» nullement démentie par ses paupières lourdes et son visage cramoisi desservi par d'immenses oreilles carrément décollées, le grand Luc Boulianne s'arrête devant Marcella Néron et, les coudes repliés, écarte légèrement les bras, relève les index dans un geste qui réclame l'écoute puis lève une jambe vers l'arrière.

— Luc Boulianne! le prévient l'épicière, mon grand six-pieds malavenant, si tu viens encore me lâcher une vesse icitte, je t'étripe!

Mais le grand «six-pieds» ne prête nulle attention à la mise en garde. Il est de plus en plus cramoisi et ses efforts finissent par porter fruit. Mais bien au-delà de ce qu'il envisageait. Son expression passe de la surprise à la consternation. Il ouvre la bouche pour parler et la referme sans rien dire, puis, le regard hagard, il entame un mouvement de retraite en marchant prudemment à reculons. Derrière lui, d'abord incrédule, Marcella Néron constate et s'écrie:

— Y a chié! J'vous dis qu'y a chié! C'te malavenant-là a chié dans son bel habit!

N'ayant plus grand-chose à dissimuler, Luc Boulianne fait brusquement demi-tour pour s'enfuir, dévoilant du même coup à tout le monde son fond de culotte souillé et provoquant sur-le-champ un gigantesque éclat de rire. Tellement que Charlemagne et son adversaire, eux aussi touchés par l'hilarité, d'un commun accord non formulé, décident d'abandonner la joute un instant. S'appuyant sur des rayonnages, Samuel Chapdelaine a les larmes aux yeux. Maria, une main devant la bouche, a du mal à ne pas s'esclaffer bruyamment comme le font ses frères sans aucune retenue.

— Non mais, vous avez-ti déjà vu un cochon de même! fait Marcella Néron partagée entre le rire et l'indignation. C'est pas créyable! Pis ça pue en plus de ça!... Ça va pas, Donat?!

Elle vient de se rendre compte que le rire inextinguible de son mari s'est transformé en une inquiétante quinte de toux. Brusquement, il donne l'impression que ses genoux ne veulent plus le porter. Peut-être à cause de tous les sentiments qu'il vient d'éprouver, Charlemagne est le premier à prendre sur lui et il se précipite juste à temps pour soutenir le vieil homme qui, en fait, offre pour la première fois l'image de son état. Le visage de Marcella Néron exprime la plus vive inquiétude tandis qu'elle se dirige vers eux:

— Donat! Mon Dieu! Donat!

L'épicier a les paupières mi-closes, le visage d'un gris bilieux et il respire avec difficulté. Charlemagne hésite sur ce qu'il convient de faire et s'adresse à Maria du regard. Celle-ci, durant un bref instant, se demande si c'est son passage à Saint-Vallier qui lui vaut ce regard. Elle s'approche du malade dont elle déboutonne le col de chemise.

— Faut l'installer à l'aise, dit-elle.

Marcella Néron les entraîne à l'arrière du magasin, dans l'escalier qui conduit à la cuisine et aux chambres. Ils sont presque en haut lorsque Maria redescend quelques marches et commande à Tit'Bé qui est le plus proche:

— Va vite chercher monsieur le curé et dis-y que ça presse!

Elle remonte l'escalier, traverse la cuisine et arrive dans la chambre où Charlemagne vient juste d'étendre Donat Néron.

— Qu'est-ce que c'est qu'il a? interroge sa femme, angoissée.

Maria, tu le sais-ti?

Sans répondre, celle-ci dispose les oreillers sous la nuque du vieil homme qui semble reprendre du mieux.

— Batince! geint-il, que c'est qui m'arrive? Je crois ben que ça me prendrait une p'tite chotte de gin.

— Je t'apporte ça, lui répond sa femme en disparaissant dans la cuisine.

Les couleurs commencent à revenir sur le visage qui, en même temps, prend l'expression d'un étonnement presque amusé.

— Acré! un peu plus, pis je mourrais de rire... Batince! faut pus me faire des farces de même... Mourir de rire, ce doit pas être ben vu quand qu'on arrive de l'autre bord...

— Reposez-vous, lui conseille Maria.

Marcella revient avec le petit verre d'alcool promis. Elle l'approche des lèvres de son mari, mais celui-ci, en faisant une grimace contrariée, se redresse et prend le verre.

— Chus encore capable de prendre mon gin, femme. Chus capable...

Il se retourne en apercevant le prêtre qui vient s'encadrer dans la porte de la pièce.

— Ben! mon père... que c'est que vous faites icitte donc?

— ... je passais, Donat... Comment vous vous sentez?

L'épicier lève son verre:

— Un coup que j'aurai pris ça, ça va péter un feu d'enfer!

— D'enfer! hum!...

— Sans cet innocent de Boulianne, ce serait pas arrivé, explique Marcella. Vous savez pas ce qu'il est venu faire dans ma boutique...

Le prêtre fait signe que «oui».

— Oui, on m'a raconté..., dit-il sur un ton qui veut laisser entendre qu'il ne conçoit pas du tout comment l'on peut rire d'une telle inconvenance.

Avalant une gorgée de genièvre, Donat Néron fait claquer sa langue et lève son verre en le regardant presque avec vénération:

— Voilà ce que ça me prenait, mon père! Je vous le dis, une p'tite ponce à tous les jours et je suis encore bon pour un autre tour; c'est le successeur de votre successeur qui devra m'apporter le Saint-Sacrement, pas avant...

— Mouais!... Il est écrit: *Je viendrai la nuit comme un voleur.* Faut toujours être prêt, le père Néron.

Constatant que l'on n'a plus besoin de lui, Charlemagne s'apprête à redescendre lorsque le prêtre s'avise de sa présence:

— Vous, vous n'êtes pas de la paroisse?

Il y a presque un reproche dans la question.

— Non, mon père, je reste à Hébertville.

— Ah! vous êtes de la parenté...

— Non plus, mon père, je suis venu rendre une visite aux Chapdelaine. (Il hésite un court instant puis ajoute, comme pour se jeter à l'eau:) J'étais venu demander à Maria, pis à monsieur Chapdelaine aussi, si ça dérangerait pas que je vienne la visiter régulièrement...

Le prêtre remue la tête d'un air entendu, puis a soudain l'air de se souvenir de quelque chose:

— C'est vrai, au fait! Comment ça a été à Chicoutimi, Maria?

— Très bien, mon père. Je voulais même vous remercier, car, sans vous, j'aurais manqué beaucoup...

En cherchant à retourner à Charlemagne une réponse, elle l'a regardé, avec insistance, en prononçant le «manqué beaucoup».

— Bon! ben! c'est bien, je suis content de voir que ça a bien été... Et... cette jeune fille, qu'est-elle devenue?

— Elle a eu son bébé et elle est partie pour Québec.

— Bon!

Maria songe que si ça tourne bien pour Lisa, le prêtre n'y sera vraiment pour rien. Elle s'effraie presque de son raisonnement.

— C'est pas tout, ça, dit Donat Néron en se relevant, mais on va pas rester couché...

— Tu serais mieux de te reposer un peu, lui conseille sa femme. Tu nous as fait peur.

— Et qui c'est qui va aller soigner les bêtes, hein?

Sachant qu'il n'y aura rien à faire pour le raisonner, elle hausse les épaules et prend le prêtre à témoin:

— Vous voyez, mon père, je croyais pourtant qu'en mariant un homme de cinquante et quelques années, j'en aurais un un peu mature. Ben non! il était encore trop vert pis, ma parole, il l'est encore...

S'étant toujours demandé s'il était bien correct pour une femme de vingt-cinq ans d'épouser un homme qui en avait le double et ajoutant à cette question celle de savoir si elle ne l'avait pas épousé pour la sécurité qu'il représentait, même si, par la suite, elle avait courageusement mis quatorze enfants au monde, le prêtre ne prend même pas la peine de faire un commentaire.

Maria est la première à apparaître dans l'escalier. Tout le monde veut l'interroger.

— Pis, comment qu'il va? demande Jean-Eudes Rivard.

— Il a juste eu un malaise, je crois ben; ça va, astheure, il s'en vient.

— C'est rassurant; je me voyais déjà enfiler l'habit noir et...

— C'est moué qui suivrais ton corbillard, Jean-Eudes Rivard. Des grands jacks comme toué, ça casse au vent, professe Donat Néron qui l'a entendu du haut de l'escalier et qui le met en garde: pis essaie point de te défiler, oublie pas que j'ai gagé une piastre sur toué.

Une minute plus tard, comme si rien ne s'était passé, avec une assistance augmentée de la présence du prêtre qui, les deux mains au fond des poches de sa soutane, observe sans cacher son intérêt, Charlemagne et Jean-Eudes Rivard sont de nouveau face à face. De nouveau les bras vibrent, mais cette fois, chacun ayant préalablement considéré que la victoire ne serait pas facile, il n'y a pas d'échange «baveux». Le temps s'écoule lentement, les visages rosissent puis rougissent, les veines saillissent et enflent dans les deux cous. Ce qui a d'abord été abordé comme un jeu prend des allures graves. Au-delà de la force dont il n'est plus question, il s'agit de l'affrontement de deux volontés. En ce pays, même si toutes les autres vertus devaient disparaître, si toutes les autres devaient devenir objets de risée, tout le temps que, symbolisant un pays à bâtir, la ligne du bois à vaincre demeurera à l'horizon, la volonté, elle, demeurera source de révérence et d'admiration. Du rouge, les visages passent au violacé, les yeux paraissent s'exorbiter et lancent des éclairs, les fronts luisent de transpiration, les bras tremblent sur place et semblent presque animés d'une volonté indépendante de leurs propriétaires ainsi que d'une force mystérieuse qui dépasse celle de l'homme, les lèvres se tendent et se tordent en dévoilant des rangées de dents serrées, les phalanges ont pris la couleur de l'ivoire, les gorges fabriquent et expulsent des sons rauques avec l'air revenant du fond des poitrines. Un instant, l'un a mis l'autre en mauvaise posture, mais celui-ci, dans un «han!» de douleur et d'effort, a réussi à reprendre sa place; puis ça a été au tour de l'autre. Dans l'assistance, tous les regards brillent de respect, chez les jeunes autant que chez les plus âgés. Parfois, peut-être pour alléger l'atmosphère, on entend un «ils ont du nerf!», ou un «câline!», ou encore un «ils vont s'arracher le bras de l'épaule!» Ni Samuel Chapdelaine ni Donat Néron qui ont parié ne songent pour l'instant à favoriser l'un ou l'autre. Il n'y a peut-être que Maria qui, se mettant à la place de Charlemagne, souhaite qu'il ne perde pas devant elle. Pour autant que l'on puisse appeler *perdre* ce qui s'ensuivra à présent, car les deux adversaires ne lâchent pas, rien n'a encore été cédé. C'est Alma-Rose, s'effrayant des proportions que prennent les veines du cou, qui est la première à se faire du souci et à se demander s'il ne faudrait pas arrêter. La sueur maintenant ruisselle de partout, inondant leurs vêtements et roulant de leurs fronts pour les aveugler. Seules leurs gorges doivent être sèches, ils paraissent avoir du mal à déglutir. Le prêtre est fasciné, la bouche entrouverte, voûté en avant, il a sorti les mains de ses poches et les malaxe l'une contre l'autre. Maria, à son tour, s'inquiète. Essayant, d'après ce qu'elle voit, de se représenter ce qui peut se passer dans le corps de Charlemagne, elle imagine des flux de sang circulant lentement dans les vaisseaux gonflés, des muscles dont les tendons sont prêts à claquer et puis le cœur – comme celui qu'elle a vu dans les bocaux du docteur –, le cœur qui faiblit et s'arrête, ou explose. En imagination, elle voit tout cela et se met à y croire. Le regard chargé d'une seule question, elle lorgne vers son père. Celui-ci lui répond des yeux, mais lui a l'air parfaitement tranquille. Pour la première fois de sa vie, elle se demande si les hommes ne sont pas aveugles. Les deux adversaires font à présent des grimaces terribles. Il est évident que l'un va devoir lâcher; il n'est pas possible que cela continue encore long-temps. Pourtant, comme s'il allait chercher des forces là où il ne pouvait plus y en avoir, Charlemagne prend une grande goulée d'air qui gonfle encore davantage son torse. Tous imaginent que l'issue approche. Mais, nullement en reste, Jean-Eudes Rivard fait de même. Ils ont l'air mauvais. L'effort leur dessine des traits haineux. Peut-être cherchent-ils dans la haine la parcelle d'énergie supplémentaire qui ferait la différence. Télesphore et Tit'Bé se regardent avec une mimique admirative qui en dit long sur l'impression qu'ils retirent de ce duel. Maria souffre pour Charlemagne. Elle voudrait lui dire d'arrêter, mais, bien sûr, elle sait que ce serait intervenir dans quelque chose qui, pour les hommes, est presque aussi sacré que la messe. Elle ne peut que s'imaginer le mal et le ressentir presque comme s'il était sien. Cependant, entre la crainte et la douleur, il y a encore en elle aussi de la place pour l'admiration due à l'effort viril, une admiration qu'elle ne voudrait pas éprouver lorsqu'elle la perçoit, mais qui, comme chez toutes les femmes de son peuple, est inscrite dans son subconscient. Une admiration innée pour cette volonté brute qui, alliée à la cognition féminine, peut vaincre tous les obstacles. Les hommes le savent sûrement, sinon pourquoi prendraient-ils tant de peine à en faire étalage? Le prêtre secoue la tête de droite à gauche.

— Je crois qu'il faudrait mieux déclarer le combat nul, suggère-t-il sans conviction.

— J'peux encore l'avoir! gronde Jean-Eudes Rivard entre deux grimaces.

Samuel Chapdelaine et Donat Néron se regardent. Ils ne sont pas loin de se rendre compte que l'orgueil de Rivard est tellement grand que jamais il ne cédera, et ils sont fascinés que ce même orgueil puisse tenir lieu de force pure.

— Ils vont se faire mal, prédit Marcella Néron.

Brusquement, passant outre à tout ce qui lui a été enseigné par les usages ou même par le pressenti, Maria s'approche de Charlemagne et pose sa main sur son épaule. Elle ne dit rien. Du coin de l'œil, il la regarde un bref instant, semble s'interroger puis revient à son adversaire.

— Partie nulle? lui propose-t-il.

— Oh non! j'vas t'avoir... J'vas t'avoir certain!

La réflexion provoque ce qui manquait encore à Charlemagne: la colère.

— Ah oui!

Personne ne voit rien. Brusquement, sans doute aidé par l'irritation que suscite la prétention de Jean-Eudes Rivard, il le casse net. Un instant, le vaincu regarde stupidement son bras plaqué sur la table puis, le regard chargé d'un courroux un peu dément, il fixe Charlemagne:

— T'as profité d'un moment d'inattention...

— J'ai juste profité de ma force ou ben de ta faiblesse; prends-le comme tu veux.

— Je t'aurais eu dans un combat loyal...

Charlemagne ne répond pas. Jean-Eudes Rivard insiste:

— Tu sais pas quoi répondre, hein?

— Il n'y a rien à répondre, fait Maria en s'imaginant que la parole féminine modérera l'humeur de Jean-Eudes Rivard et évitera des ennuis subséquents, ça sert à rien de faire le fou...

Elle n'obtient pas le résultat escompté, tout au contraire:

— Toi, la poudrée, tu fermes ta grand' boîte! Eille!... On commence à te connaître icitte avec tes grands airs!

Et pour dramatiser le tout, il lève la main comme pour lui donner une gifle. Mais Maria n'a pas peur ou, du moins, étonnement et colère la poussent à faire front:

— C'est ça! frappe-moué, Jean-Eudes Rivard! Allez! frappe sur une femme pour montrer combien que t'es fort!

— Ça suffit! tonne le prêtre en levant le bras et en imposant le silence à Charlemagne, Samuel Chapdelaine et Marcella Néron qui, tous trois, s'apprêtaient à se ranger verbalement derrière Maria, ce qui, le prêtre vient de le réaliser, n'aurait pas manqué de pousser Jean-Eudes Rivard dans une de ses fureurs aveugles dont il a la réputation.

Cette fureur cependant n'a pas encore atteint le degré suffisant pour braver la parole d'un prêtre. Il regarde chacun d'un œil mauvais où brille une flamme jaune. Il serre les mâchoires et étire les lèvres jusqu'à les rendre blanches, puis, se dirigeant vers l'entrée, il porte les mains à sa tête et en sortant s'arrache violemment deux pleines poignées de cheveux. Tout le monde reste perplexe sur ce qui se serait passé si le prêtre n'avait pas été là.

— Maudite gang de crisses! l'entendent-ils jurer dans la rue.

— Heureusement que vous étiez là, mon père, fait Marcella Néron. Il est pas méchant, mais il n'a pus tout son génie quand il se croit insulté.

— C'est la première fois que je vois quelqu'un s'arracher les cheveux de la tête, déclare le prêtre; je pensais que c'était juste une façon de parler... Faudrait que j'en parle...

— Oh! il est pas possédé, affirme Donat Néron en devançant sa pensée, je crés point... non, c'est un peu de famille. Tenez, prenez son frère, Joachim, je l'ai déjà vu varger sur son cheval à coups de barre à mine juste parce que la pauvre bête s'était enfargée dans un banc de neige. Pis l'autre, l'coq, je crés ben que c'est l'pire. Lui, c'est point sur son cheval qu'il varge, c'est sur la pauvre Fleurette. Oh! je sais ben que, des fois, y s'en trouve qui donnent une taloche ou deux à leur créature pour la replacer dans la track, mais lui, c'est ben plus que ça... Je vous le dis, c'est dans le sang...

L'esprit ailleurs, Charlemagne et Maria ont déjà abandonné la conversation. Il lui a adressé un regard signifiant à la fois: merci de vous être inquiétée de moi et bravo de lui avoir tenu tête. Elle a baissé les yeux. Il n'ignore pas que, sans doute parce que Jean-Eudes Rivard l'a mise en colère, Maria est encore imprégnée de ce sentiment et que cela déteint sur ses pensées. Elle se demande pourquoi, tout à l'heure, Charlemagne est parti si vite sans même attendre d'explication. Après tout, il ne lui a rien demandé et elle n'avait rien à dire non plus; alors pourquoi a-t-il pris la mouche?

— Vous n'avez pas changé d'idée? lui demande-t-elle à voix basse sur un ton plutôt froid pendant qu'avec les autres le prêtre parle de la colère.

— Changé d'idée?

— Je veux dire: vous repartez toujours chez vous?

— ... Excusez-moi, Maria.

— Pour quelle affaire?

— Vous savez ben...

Chassée par une vague de fraîcheur en dépit de la température ambiante, Maria sent l'irritation glisser sur elle comme l'eau claire sur une roche polie. Elle repense à ce qu'il a dit au prêtre tout à l'heure dans la chambre de Donat Néron. Il veut donc la revoir régulièrement. *«Il va falloir que je lui dise tout*», se murmure-t-elle en réalisant qu'elle ne pourra pas expliquer Eutrope Gagnon sans parler de François Paradis. Elle aurait mieux fait de tout lui confier sur le chemin plus tôt. Elle leur aurait évité à tous deux des tourments encore plus sérieux. «*Ça prouve qu'il ne peut pas y avoir de bonnes cachotteries*», conclut-elle.

— Vous n'avez pas répondu à ma question, lui rappelle-t-elle.

— C'est vous, Maria, qui avez pas répondu...

— Comment ça?

— Si je peux venir vous voir régulièrement...

La vague fraîche devient franchement brûlante. La question est troublante, car elle fait appel à des révélations intimes. Quel est ce besoin de faire durer l'émotion par des mots non dépourvus d'une certaine coquetterie?

— Régulièrement?

— Aussi souvent que je pourrai, Maria.

Sans répondre tout de suite, le cœur battant plus fort, elle regarde son père en train de payer les emplettes alignées sur le comptoir: un paillasson en coco, une époussette en plumes, de la farine *Brodie*, de la poudre à pâte *Cook's Friend*, un gallon de mélasse «des Barbades» ainsi que le livre qu'elle a choisi. «*Aussi souvent qu'il pourra...*» Si elle dit oui, cela équivaudra à la promesse faite, l'an passé, à Eutrope, une promesse déterminée dans le temps, mais, comme l'a fait remarquer Alma-Rose avec justesse, une promesse rompue en jouant sur les mots. A-t-elle le droit de refaire une telle promesse?

— Je sais point, dit-elle franchement.

Ne connaissant rien des pensées de Maria, il se méprend sur cette hésitation et croit devoir l'attribuer à de l'indifférence. Il s'en trouve meurtri, mais sans oublier, comme il l'a fait tout à l'heure, que Maria est celle qui a soigné sa mère.

— En tout cas, dit-il, si jamais vous avez besoin de quelque affaire, hésitez pas...

— Vous repartez à Hébertville?

— Ben!... quoi d'autre?

— C'est vous qui savez...

Pourquoi est-il si difficile de dire ce que l'on ressent avec des mots, pourquoi ceux-ci expriment moins ou même le contraire de ce que l'on veut exprimer? Maria se fustige de ne pas savoir dire ce qu'elle voudrait tant que Charlemagne sache.

Dehors, dans la lumière dorée du début d'après-midi, alors que les eaux de la Péribonca scintillent et invitent au rafraîchissement, tandis que rien du tout ne s'opposerait à ce qu'ils soient heureux, comme ça, pour rien, ils se disent au revoir de cette façon brève et concise de ces gens qui toujours hésitent à laisser paraître leurs sentiments, croyant voir dans ceux-ci le reflet de la faiblesse. Et comme chacun sait, la faiblesse est le contraire de la force.

— Bon!... eh ben salut! tout le monde, fait Charlemagne.

— Salut! lui retourne Maria.

— Salut! mon gars, lance le père Chapdelaine en ajoutant: tu nous as fait toute une tire au poignet, y a pas à critiquer... Dommage que l'autre ait pris ça de même.

Sans même oser se regarder une dernière fois, la waguine a repris la direction de Honfleur et la voiture, celle de Mistassini. «Qu'est-ce qui s'est passé?» se demande Maria, le cœur lourd. Elle se revoit allant poser sa main sur l'épaule de Charlemagne durant le duel. Jusqu'à présent, elle n'avait pas prêté attention à l'énormité du geste. Tous les autres ont dû le remarquer. Qu'ont-ils dû penser? Mais tandis que cette question devrait normalement la mettre mal à l'aise vis-à-vis d'eux, elle se plaît à imaginer qu'ils ont vu l'intimité qui existe entre elle et Charlemagne, et elle en est fière. Seulement, même en se retournant, le village de Péribonka a disparu, le bois s'est refermé autour d'eux, tout juste violé par le chemin et, bien entendu, elle n'aperçoit plus Charlemagne. Alors, elle se demande si elle le reverra et une sorte de rage fleurit en sa poitrine. Une fleur noire se gorgeant de toutes les renonciations faites au nom d'une digne réserve qui doit être la marque des jeunes filles.

X

Aujourd'hui, Samuel Chapdelaine et les garçons ont passé la journée chez les nouveaux voisins. De bonne humeur (surtout Esdras), équipés de marteaux et d'égoïnes, ils sont partis à l'aube pour lever la grange-étable des Caouette. Pendant ce temps, Maria et Alma-Rose ont passé une grande partie de la journée les mains enfouies jusqu'aux poignets dans la pulpe sanguine des framboises sauvages, les malaxant dans le tamis de fer blanc afin d'en extirper le maximum de pépins. Ensuite, peut-être un peu excitées à force de voir rouge, au milieu de rires consécutifs à des anecdotes pourtant déjà cent fois racontées, ça a été la cuisson qui a imprégné toute la maison de l'odeur à la fois âcre et sucrée des confitures. «L'an prochain, ce sera elle qui dirigera les opérations», a dit Alma-Rose en faisant allusion à Pâquerette Villeneuve. Toutes deux se sont retrouvées moroses de penser que, très bientôt, elles vont perdre l'exercice motivant d'une certaine responsabilité pour se retrouver plus ou moins sous la coupe d'une inconnue à laquelle elles ne prêtent déjà que peu de chaleur. Une femme qui apportera des façons de faire différentes de celles qu'a léguées Laura Chapdelaine et dont, inconsciemment, comme pour assurer une certaine survie à la disparue, elles désirent perpétuer l'usage.

Puis les «hommes» sont rentrés, fourbus, mais satisfaits de leur journée, heureux, même s'il a bruiné sans interruption, d'avoir pu rendre service à autrui par l'entremise d'une tradition respectée. Une fois les animaux soignés, la clôture du potager vérifiée, les confitures mises à refroidir dans leurs pots, les mouches et maringouins anéantis à grands coups de tapettes, tout le monde s'est glissé entre les draps de flanellette et s'est endormi rapidement. Totalement ignorant qu'à des milliers de milles de là, sur l'autel du Pouvoir bien campé sur ses assises de bêtise, de cupidité, d'orgueil et de mensonge, des personnages font promesse de sacrifier cent millions de litres d'un sang qui devra être versé dans la bravoure au nom de patries dont on leur a dit qu'elles étaient leur mère. Le sang des hommes pour le festin du diable. Dans la petite maison, la famille Chapdelaine ignore cela et dort tranquille à travers l'odeur persistante de la confiture. Pourtant, peut-être parce que ce qui fait agir les hommes se trouve dans l'air du temps, peut-être que la folie comme l'amour ou la haine est un principe porté par les vents d'un point à l'autre du globe, que ce qui aujourd'hui fait que dans la vieille Europe, l'Autrichien hait le Serbe tandis que le Serbe hait le Turc qui outre le Grec déteste l'Arménien incapable de s'entendre avec l'Azéri, peut-être finalement cela a-t-il les mêmes racines que le mal qui amène Lilas Gill à cogner au cœur de la nuit à la porte des Chapdelaine.

Dormant à l'étage, les garçons n'entendent pas tout de suite, pas plus pour l'instant que Samuel Chapdelaine qui, depuis le décès de sa femme, peut-être dans une absurde tentative voulant empêcher la solitude de prendre trop de place, dort avec le drap et la catalogne rabattus sur sa tête. Chien est déjà devant la porte, les oreilles dressées et la queue fixe lorsque Maria et Alma-Rose s'éveillent en même temps.

— T'as-tu entendu? demande la plus jeune.

— Ouais!... qui ça peut ben être à cet'heure-citte?

Mal réveillée, Maria se demande quoi faire, qui cela peut-il bien être au milieu de la nuit? Les gens honnêtes dorment à ces heures-là. Deux nouveaux coups résonnent sans trop de vigueur. Elle se lève, allume la chandelle posée près du lit et regarde le coin de bois qui tient la porte fermée en se demandant s'il peut résister à l'assaut d'une personne malintentionnée.

— Oui? demande-t-elle en direction de la porte.

Faible, aux intonations marquant l'épuisement, une voix féminine répond:

— Ouvrez-moi, s'il vous plaît... Aidez-moi...

Maria ne reconnaît pas la voix, mais est persuadée que ce n'est pas celle de quelqu'un qui veut du mal. Elle se tourne vers Alma-Rose assise au bord du lit puis regarde à nouveau la porte avec interrogation.

— Réveille son père, lui demande-t-elle.

Et elle va ouvrir.

Elle ne connaît pas la jeune fille qui se tient devant la porte. Elle voit bien qu'il s'agit d'une Indienne seulement vêtue d'une jaquette de flanelle; mais cela passe loin derrière le seul détail qui lui saute vraiment aux yeux: elle est en sang.

— Mon doux Seigneur! Que c'est qui est arrivé? Entrez! entre!

Elle lui tend le bras pour l'aider à franchir le seuil et la conduit jusque sur un banc devant la table. Le père Chapdelaine se présente comme Maria allume la lampe au centre de la table. Pour l'avoir vue une fois, il reconnaît la jeune fille et, dans le même temps, constate aussi qu'elle est ensanglantée; sa bouche forme un O:

— Torpinouche! mais qu'est-ce qui se passe? Qui c'est qui t'est arrivé, ma fille?

La jeune fille a un gros soupir, ses yeux brillent de frayeur:

— Il m'a tiré. Il m'a tiré dans le ventre...

— Égide?

— Non! non, Eutrope...

Maria ne comprend rien ou, plutôt, a peur de comprendre. Elle fait signe à Alma-Rose, stupéfaite devant le poêle:

— Ôte les couvertes du lit, vite!

Elle soutient la jeune fille sous le bras pour la conduire vers le lit. Depuis la poitrine jusqu'aux genoux, le devant de la jaquette est totalement imbibé de sang.

— Apporte-moi les ciseaux, demande Maria à sa sœur.

De son côté, Samuel Chapdelaine, mal réveillé, paraît un peu dépassé par les événements:

— Eutrope... Eutrope qui aurait tiré... marmonne-t-il.

— Son père! le bouscule sa plus vieille en découpant la jaquette de la jeune fille, faudrait aller chercher un médecin...

— Un médecin...

— Ben oui! son père...

— Je peux y aller, propose Esdras en signalant sa présence dans l'escalier avec les autres garçons.

Maria, se rendant compte de l'image qu'offre la jeune fille, se retourne et, impérative comme jamais ils ne l'ont connue, tend le doigt vers l'étage.

— Remontez tout de suite et restez en haut!

Elle écarte le tissu du vêtement de nuit et découvre où la balle est entrée. Sans arrêter de saigner, cela fait un trou gros comme une pièce de dix sous à la hauteur de l'os droit du bassin. Se retournant, elle adresse un regard désemparé à son père.

— Bon! j'y vas, se décide ce dernier. Esdras, tu viens?

Sans oser regarder vers le lit, l'aîné, qui est pourtant un homme, descend l'escalier et traverse la cuisine avant de sortir en compagnie de son père.

— Je vais allumer le poêle et faire chauffer de l'eau pour la nettoyer, décide Alma-Rose.

— Ça va aller, astheure, assure Maria à la jeune fille qui roule des yeux paniqués. Ça va ben aller... Moi, c'est Maria..., toi?

— Lilas.

Maria hésite à poser les questions qui lui brûlent les lèvres. Lilas a dit que c'était Eutrope qui avait tiré, mais ce doit être un accident! Elle connaît Eutrope. Ce n'est certainement pas le genre à tirer sur le monde. Non, ce doit être un accident! Mais si c'en est un, pourquoi est-elle venue seule? Et Égide, où est-il?

— Égide? se décide à demander Maria, prise d'un affreux soupçon.

— Il l'a tiré pareil comme moi, sanglote Lilas. Il est mort!

— Mort!

— C'est Eutrope... Il est devenu fou. Le Wendigo est entré en lui...

— Tu veux-ti dire que c'est Eutrope qui a tiré sur Égide?

La jeune fille ferme les paupières et fait «oui» d'un mouvement de la tête.

— C'est pas possible! s'exclame Maria. Où ce qu'il est, astheure?

— Il s'est tiré aussi, fait Lilas avant de conclure, sinon je serais pas icitte.

— Hein! il est mort aussi?

— Ça, j'sais pas... non, j'sais pas. Quand chus partie, il grouillait encore.

C'est le cauchemar! Ce genre d'histoire n'arrive que chez les inconnus! *«Il grouillait encore qu'elle a dit, mais alors!?»*

— Alma-Rose, peux-tu veiller sur elle? Il faut que j'aille chez les Gagnon.

— Chez les Gagnon! Mais... Maria, je sais pas quoi faire, moi!

— Quand l'eau aura bouilli, t'auras qu'à faire des compresses, y a rien d'autre qu'on puisse faire en attendant le docteur.

Dehors, ils entendent le grincement d'un moyeu de la voiture et les voix d'Esdras et de son père. Maria rabat le drap sur Lilas, surtout pour cacher aux regards la semi-nudité de la pauvre fille, puis elle appelle vers l'étage:

— Da'Bé! il faut que j'aille chez les Gagnon. Si jamais Alma-Rose a besoin de quoi, tu iras, d'accord?

— Tu vas aller là-bas toute seule? s'inquiète-t-il en apparaissant dans l'escalier, et si...

— T'inquiète donc pas, les ours sont gavés de bleuets de ce temps-citte, rien à craindre, lui répond-elle en éludant une menace qui n'est pas celle à laquelle son frère fait allusion.

Elle regarde encore Lilas, étonnée de se faire la réflexion, que la jeune fille est jolie et d'entrevoir ce qui a pu pousser Égide à enfreindre les normes tacites qui sous-tendent la façon même de penser des gens de son monde. Puis elle passe la veste de Tit'Bé par-dessus sa jaquette, ouvre la porte et, presque au pas de course, s'enfonce dans la semi-obscurité pour traverser les deux milles qui la séparent de chez Eutrope.

Derrière les nuages d'argent, il y a juste assez de lune pour qu'elle distingue son chemin. Pas un instant, elle ne songe à l'un de ces dangers que l'imagination ne se prive pas de créer en temps ordinaire lorsque, par hasard, seul, on se retrouve au milieu du bois, la nuit. Tout au plus a-t-elle la sensation que, depuis leurs racines noueuses jusqu'aux cimes qui se découpent noires dans l'encre de la nuit, les épinettes, les sapins, les trembles et les bouleaux ont conscience de son passage au milieu d'eux. Mais ceci n'est pas nouveau.

Haletante, elle arrive à la cabane dont la porte, laissée ouverte, découpe un rectangle orangé dans la vision monochrome bleue qu'elle a des choses.

— Mon Dieu! mon Dieu! implore-t-elle tout haut, avant même d'entrer.

D'un seul coup d'œil, elle découvre la tragédie. Comme chez elle, mais encore en beaucoup plus rudimentaire, il n'y a qu'une seule pièce dont la partie dévolue au sommeil est divisée par une unique cloison faite en planches brutes encore bordées d'écorce. D'un côté, le dos renversé sur la couchette, les pieds traînant sur le sol, complètement nu avec un trou au milieu de la poitrine, Égide est très certainement mort. Sur le plancher, près de la table, vêtu, lui, d'une grande jaquette de lin, affalé sur le ventre en travers d'une carabine, le visage baignant de côté au milieu d'une mare de sang épais au-dessus de laquelle s'agite un nuage de mouches, Eutrope, les yeux grands ouverts, émet un faible «ha!» continu. Sans prendre garde au sang, Maria tombe à genoux à côté de lui, la vue brouillée de larmes:

— Eutrope! Eutrope! mais que c'est que vous avez fait?

Elle conçoit, à la fixité vide du regard, que la balle a dû endommager le cerveau et que, même s'il survit, plus aucune expression ne passera dans ses yeux.

Il faut l'aider, mais que peut-elle faire? Elle n'ose même pas le toucher. Refaisant du regard le tour de la pièce, elle croit comprendre ce qui a dû se produire. Depuis son retour de Chicoutimi, chaque jour, chaque minute, la tristesse de l'avoir perdue, elle, et la rage de les voir ensemble, eux, cause de sa tristesse, tout cela grossissant sans cesse en lui jusqu'à ébranler sa raison, et atteignant un paroxysme cette nuit alors que, la tenue d'Égide le laissant supposer, certains bruits lui auront été inacceptables. C'est tout. Rien de plus que cela, le drame de se retrouver seul après avoir cru que cet état allait prendre fin. La flamme au bout de la nuit qui s'éteint, soufflée par le vent de l'oubli. Se retrouver trop seul dans une promiscuité ne faisant qu'accentuer l'intolérable de cette situation, voilà la racine du mal.

— C'est ma faute! crie-t-elle tout haut. Eutrope, excusez-moi!

Elle ne peut s'empêcher de penser que, si elle n'avait pas en quelque sorte renié sa promesse, le grand gars qui est étendu là par terre serait peut-être en train de dormir paisiblement à ses côtés, avec un sourire d'enfant qui rêve aux coins des lèvres.

Elle est toujours indécise sur ce qu'il convient de faire. Malgré tout ce qu'elle croit, elle craint, si elle va chercher de l'aide, qu'il reprenne conscience et se retrouve encore seul. D'autre part, ayant appris à Saint-Vallier qu'il ne faut pas déplacer les personnes blessées au dos ou à la tête, elle n'ose autrement lui toucher qu'en posant sans les retirer le bout de ses doigts sur sa joue. Elle ne comprend plus rien.

Par la porte, l'humus, le bois et les feuilles gorgés de bruine exhalent un parfum qui s'insinue tranquillement dans la pièce, dissipant petit à petit celle du sang et de la peur.

Plus par réflexe que par décision, Maria étend une couverture sur le corps d'Égide. Au moment de couvrir son visage, elle suspend son geste et, perplexe, détaille les traits privés d'expression de celui qui aurait pu devenir son beau-frère. Elle se demande soudain, avec une angoisse presque douloureuse, si le corps est *vraiment* habité par une âme ou si *tout* n'est pas plutôt contenu dans les limites de la chair. Toutes ces croyances ne seraient-elles pas simplement un conte auquel elle aurait cru tout comme, petite, elle a cru au bonhomme Sept-Heures? On lui a peut-être raconté tout ça pour qu'elle soit sage? La réalité est peut-être différente! Mais la réalité existe-t-elle seulement ou n'est-elle pour chacun qu'une illusion personnelle à laquelle il croit? Pour Égide maintenant, il n'y a peut-être plus de réalité! Presque paniquée par l'univers impitoyable que lui dessinent ses propres questions, elle les rejette brusquement.

— Ridicule! stupide! crie-t-elle tout haut (puis, sur un autre ton:) Aidez-moi, mon bon ange! faites que je garde ma foi, aidez-moi!

Revenant vers Eutrope, elle s'apprête à lui dire des paroles de soulagement, à s'apitoyer sur lui, mais subitement, sans comprendre ni même essayer d'analyser pourquoi, elle se prend à lui en vouloir et même à le considérer comme responsable de tout ce qui ne va pas.

— Non! non! Eutrope, c'est fini! fini! Je suis tannée, là, vraiment tannée! Je suis fatiguée d'avoir mal, tellement que je vas sacrer mon camp! Certain que je vas partir d'icitte, pis de la maison itou! Ouais!... je vas partir avant que la Pâquerette arrive et vienne arnoter sur tout ce qu'on fait... Chus fatiguée... Tiens! regarde donc, le jour commence déjà à se lever; il va encore mouiller toute la journée. Le ciel est bleu foncé, tu sais, comme il est toujours avant d'être gris quand le soleil se lève. Tu m'entends-tu, Eutrope, ou t'es sourd comme un pot? Mais qu'est-ce que c'est que t'as fait là? T'as fait le fou, hein?... Ouais!... t'aurais été ben mieux de venir me trouver, on se serait parlé dans la face pis ce serait fini, mais non! t'as préféré ruminer tout ça... pis voilà! Ton frère flambant nu avec un trou dans le corps, pis l'autre, la Lilas qui vaut pas diâbe mieux. Non!... Moi, là, j'en ai plein mon casque de tout ça! Je t'avais rien demandé non plus... Pourquoi c'est faire que tu t'es cru obligé de me courir après comme le veau après sa vache? Je t'avais rien demandé! C'est quoi ces affaires-là de visiter une fille juste parce qu'elle est la plus proche voisine? C'est ça, hein! C'était même pas du vrai amour, il se trouvait juste que j'étais la plus proche; pis là, tu t'es fait des accrères, tu t'es dit: je l'aime! je l'aime! pis tu y as cru, pis v'là ioù ce qu'on est rendu; c'est pas vargeux! Je parle, je parle, mais ça sert à rien pantoute, comme t'es là, tu comprends pus rien... Oh! pis je suis fatiguée... Je voudrais dormir... dormir... Quand même!... aller tirer sur du vrai monde parce que j'y ai dit non... C'était quand même pas la fin du monde, blasphème! Tiens! v'là que j'vas finir par sacrer comme des gars de bois avec tout ça... Tu veux-tu que je te dise, Eutrope Gagnon, ben! j'vas te le dire: t'es rien qu'un épais! Pis un épais dans le plus mince à part de ça! Dormir... Pis l'autre... Pourquoi c'est faire qu'il est parti comme si qu'il avait le feu au train?... Il pouvait pas attendre? Mautadi! Il pourrait pas être là, avec moi? Ce serait plus facile... Mouais!... Je crés ben que tu te réveilleras pus, Eutrope. Tu m'entends-tu? Non... J'ai envie de dormir... Oh! j'vas pas rester là à brailler comme un veau, non! j'vas aller dormir... Dormir dans un bon lit, ben frais, pis il y aura du soleil, mais il fera pas trop chaud, sa mère s'occupera de toute, oui, de toute! Je serais ben, vraiment ben... pis Charlemagne viendra me voir, avec un petit bouquet, on se fera des sourires, là on se comprendra... Oh oui, alors! on se comprendra pis je serai pus toute seule... C'est vrai, hein? Charlemagne... Dormir... On sera deux... pus toute seule... Ouais!... je crés ben que je suis un peu patraque... j'vas aller m'asseoir..., je suis fatiguée...

Comme elle l'a prévu, le ciel est lourd d'humidité et uniformément gris lorsqu'ils arrivent. Ils la trouvent assise sur le seuil, adossée contre le chambranle, les yeux dans le vague, la bouche entrouverte, les bras ballants.

— Maria? s'inquiète Samuel Chapdelaine.

Mais elle ne répond pas. Elle se repose. Tout au plus, avec la régularité d'une vague du lac qui revient lécher la grève, elle annonce presque avec une voix de petite fille le retour du garçon de Blanche-Aimée.

Pendant un long moment, on entend seulement le raclement des cuillères au fond des assiettes de «granit». De temps à autre, un regard glisse vers les deux rideaux que l'on a installés pour «séparer» les chambres de la cuisine. L'une est occupée par Maria; Lilas occupe l'autre, celle de Samuel Chapdelaine qui, pour l'occasion, s'est installé en haut avec les garçons. Pour cette dernière, on ne se fait plus trop de souci. Le docteur a extrait la balle, laissé des «remèdes à prendre aux repas» et s'est montré optimiste: «Quelques jours de repos sans bouger pis...» Samuel Chapdelaine ne sait pas ce qu'il adviendra d'elle par la suite et, dans un sens, il préfère laisser au temps le soin de décider. Non, les inquiétudes vont surtout vers Maria qui demeure prostrée dans son lit depuis deux jours, sans réagir à rien, avalant mécaniquement les soupes qu'Alma-Rose lui donne à la cuillère, ne répondant à aucune question, que ce soit par la parole ou même par un signe du regard. Comme lorsqu'ils l'ont trouvée, quoique beaucoup moins souvent, elle se contente de dire:

— Charlemagne va arriver...

C'est Esdras, repoussant devant lui son assiette vide, qui se décide enfin à poser la question que tout le monde attend, faute de ne pas oser la formuler:

— Faut-ti aller le chercher ou ben donc on reste là sans rien faire?

Samuel Chapdelaine est content que son plus vieux ait enfin posé la question qu'en sa qualité de père il se voyait mal mettre de l'avant. Pour la forme, il émet cependant quelques objections:

— Mouais! mais ce serait-ti ben correct? Ils sont pas fiancés ni rien...

— Je vois rien de pas correct, son père, argumente Alma-Rose dont les yeux rougis parlent d'une peine qu'elle n'a avouée à personne et dont elle laisse à chacun le loisir de mettre sur le compte de l'état de Maria; ce qui n'est pas faux, bien sûr, mais n'est pas complet non plus, car, depuis longtemps, même alors qu'il était question qu'il épouse Maria, secrètement, elle a toujours apprécié les visites d'Eutrope...

— Je sais pas si ça pourra faire de quoi, reprend le père Chapdelaine en guise d'acquiescement, mais en tout cas, on verra ben... J'irai chez eux après le service.

Il fait allusion aux funérailles d'Égide qui doivent avoir lieu ce matin à La Pipe et pour lesquelles lui, Esdras et Da'Bé sont déjà vêtus de sombre.

— Si vous voulez, son père, je pourrais y aller, propose Da'Bé. Comme ça, vous pourrez rentrer icitte à soir, vous serez plus tranquille pour Maria si vous êtes là...

— Tu saurais te rendre?

— Ben voyons! son père! Faudrait pas être futé pour ne pas pouvoir se rendre à Hébertville.

— Bon!... ben! c'est toi qui iras, mon gars. Tu sauras quoi dire à Charlemagne?

— Faites-vous-en pas, son père...

— Je me serais ben proposé, fait Esdras, mais à cause d'Yvonne... Je veux pas la laisser toute seule...

Le père Chapdelaine fait signe que «oui». En attendant l'arrivée de la mère d'Eutrope, Yvonne Caouette s'est proposée pour veiller sur l'invalide et Esdras fait le trajet matin et soir jusqu'à la cabane en bois rond. Il commence à se demander si le médecin n'avait pas raison lorsqu'il lui a dit:

— Pour lui et pour les autres, faudrait bien mieux qu'il passe tout droit, mais mon devoir est de soigner les gens...

— Il peut vivre avec une balle de 22 dans la tête?

— Ça s'est déjà vu, mais dans son cas, je sais pas si j'appellerais ça vivre...

— Voulez-vous dire qu'il peut rester de même, comme une guenille?

— J'en ai peur.

— Quand je pense que ce garçon-là était bon comme du bon pain... Pis vaillant à part de ça!

Le médecin a fait une réponse qui a un peu choqué le père Chapdelaine:

— Facile d'être bon quand y a rien qui dérange... Ça me fait penser à tous ceusses qui veulent bien crère au paradis sans crère à l'enfer, ou bien, mieux encore, à Dieu sans le diable...

Tout de suite après le repas, non sans que le père Chapdelaine n'ait remarqué de vive voix que «tous ces dérangements retardent pas mal l'ouvrage», les trois hommes sont partis pour Saint-Henri. Ils ne s'attendaient pas en arrivant à trouver encore un autre problème: le prêtre a appris la liaison qu'Égide entretenait avec Lilas et il refuse de l'inhumer en terre bénite. C'est ce que leur explique la mère Gagnon en sortant du presbytère:

— Pis j'ai eu beau y dire que si mon gars avait vécu, il aurait eu en masse le temps de revenir dans le droit chemin, y l'a rien voulu entendre pantoute. Il dit qu'y peut pas donner aux grands pécheurs les mêmes droits qu'aux bons chrétiens. Comme si qu'y aurait rien que des bons chrétiens dans le cimetière... Quand que je pense que, jusque sous la terre, mon Égide va se retrouver seul comme un codinde...

La pauvre femme est tellement menue que, même en ces jours de chaleur, elle porte un gros gilet de laine. Son visage est ratatiné comme un pruneau et ses cheveux d'un blanc jauni semblent vouloir témoigner d'une tragédie vécue au quotidien. Un mari buveur «qui faisait son jars devant tout ce qui portait jupon», violent – «y prenait les bleus dès qu'y l'avait un verre dans le nez» –, et pour finir décédé d'une maladie très certainement contractée en fréquentant les filles à marins de Chicoutimi. Une vie passée dans des huttes dans le bois à «manger tellement de misère noire» que la plupart des enfants n'y survivaient pas; à part ceux qui ont eu la chance de naître durant le printemps: Eutrope, Égide, deux autres partis en Nouvelle-Angleterre sans plus jamais donner de nouvelles et une fille de quatorze ans qui a quitté la famille pour aller dans l'Ouest avec un petit gars pas beaucoup plus vieux qu'elle, tous les autres, onze, sont morts au berceau et cinq en fausses couches. Et voilà à présent qu'Égide est mort, qu'Eutrope ne vaut pas mieux et le prêtre refuse d'enterrer le premier comme un chrétien. Le père Chapdelaine trouve soudain que *«ça en fait gros sur la patate d'une seule femme»*.

— Je vas aller parler au prêtre, dit-il en laissant entendre qu'il va tout arranger.

— Il changera point d'idée, fait la femme, je le connais. Il est têtu comme un âne.

— Madame Gagnon!

— Je sais! je sais que c'est l'curé, mais c'est un homme pareil, non?

— Ouais!... ben sûr!...

— Certain! Pis là, je suis en fusil! Le voir de même, gras dur dans son beau presbytère, à me dire qu'y peut point mettre mon p'tit gars dans la terre du Seigneur, ben j'trouve qu'y l'a du front tout le tour de la tête! Enfin... qui c'est qui a jamais couru la galipote...

— Fâchez-vous point, la mère Gagnon. Je vas aller y parler.

— Allez-y donc! on verra ben...

Samuel Chapdelaine sait qu'elle se fâche surtout pour éviter de rencontrer sa douleur face à face. C'est pour cela qu'il ne s'offusque pas des paroles qu'elle prononce à l'encontre du prêtre. Il se dit qu'en argumentant avec ce dernier, celui-ci prendra une décision *«pleine de bon sens. Il est parlable, lui, il est plus comme nous autres que çui-là de Péribonka»*.

Il rencontre le prêtre dans la pièce de l'harmonium qui lui sert de bureau, où après la disparition de François Paradis, Maria a appris qu'elle ne devait pas porter son deuil. L'homme d'Église, se doutant du motif de cette visite, lui adresse un regard où l'autorité se confond avec la cordialité.

— Eh ben! eh ben! si c'est point le père Chapdelaine..., un jour de semaine...

— Bonjour! mon père...

— Vous devez être venu pour le petit Gagnon; il restait pas loin de chez vous, je crés?

— Ben oui! mon père, pis voilà qu'on me dit qu'il y aurait comme que des empêchements...

— Officiel qu'il y a des empêchements! Vous voudriez tout de même pas que j'enterre les mécréants au milieu du bon monde!?

— Oh! mon père, je le connaissais ben, c'était pas un méchant...

Le prêtre se renverse contre le dossier de son fauteuil de bois, croise les mains sur la bedaine tandis que le reflet noir de ses yeux dément le sourire de ses lèvres. Samuel Chapdelaine est mal à l'aise. Il se demande soudain si le prêtre se souvient d'une certaine confession, il y a quelques années. Puis, l'observant dans son environnement, il se questionne soudain sur ce qui peut pousser un homme à revêtir la soutane. Est-il possible que ce soit pour échapper à une certaine existence?

— Pas méchant! semble s'étonner le prêtre, c'est pas méchant que d'arracher une sauvagesse aux siens pour faire un mariage de chien avec..., pis quand je dis mariage... Pas méchant alors que de rendre tout son monde malheureux pour le seul plaisir des sens... C'est ça que vous appelez pas méchant?

— Ben!... il avait peut-être pas pensé..., il était peut-être aveuglé par... (le mot le gêne en face du prêtre) par la passion.

— Ça, le père Chapdelaine, c'est pas à nous de juger. S'il est innocent comme vous dites, le ciel l'absoudra. Mais moi, je ne peux pas le mettre en sol béni. Ce serait comme de dire aux autres: «faites donc tout ce qui vous passe par la tête, prenez du bon temps, profitez des joies de ce monde, dansez en rond autour d'un baril de gin, prenez toutes les créatures qui passent, mettez-les en famille et allez voir ailleurs...» Non! le père Chapdelaine, c'est pas mon travail...

«*C'est quoi votre travail?*» se demande Samuel Chapdelaine pour qui le mot signifie avant tout suer dans l'effort. Mais évidemment, il ne pose pas la question. Et puis aussi les paroles du prêtre lui paraissent sensées. Il n'y a que pour la pauvre femme qui attend dehors qu'il ne comprend pas l'intransigeance.

— Moi, je pense à la mère Gagnon, dit-il, c'est déjà pas une femme gâtée... Si vous enterrez pas son garçon en terre chrétienne, ça va rajouter à son fardeau... Je vas dire comme on dit: elle a pas mérité ça.

Le prêtre émet un long soupir, voulant laisser entendre qu'il en est lui-même navré:

— Ah la la!... les voies de Dieu sont impénétrables... Ceux qui vivaient autour de Job aussi ont parfois dû dire: «assez! il n'a pas mérité ça.»

Samuel Chapdelaine réalise que, quoi qu'il dise, le prêtre aura un argument inattaquable. Et dans le fond, ça le satisfait, car si les prêtres pouvaient avoir tort...

— J'avais pas vu ça de même, avoue-t-il.

— Je sais... Pis croyez ben que j'y ai pensé une bonne escousse avant de me décider; mais il faut ce qu'il faut.

— Je comprends, mon père.

— Pis ça n'empêche pas qu'on va prier pour lui, ben entendu!

— C'est sûr!

— Oh! à propos, qu'est-ce qu'est devenue la sauvagesse?

— Elle est toujours chez nous. Elle peut pas grouiller pour le moment.

Le prêtre opine.

— Dès qu'elle ira mieux, oubliez pas que vous avez des jeunes hommes chez vous...

— Oh ben! mon père, c'est pas le genre!

— Comme de raison, comme de raison... Mais Égide Gagnon, ça l'était-ti, lui, le genre?

— Qu'est-ce que c'est que je dois faire après, quand elle ira mieux?

— Envoyez-la icitte, on lui trouvera bien une mission dans le nord.

Le soulagement éclaire le visage de Samuel Chapdelaine. Visiblement, il a un souci de moins et là-dessus, il s'accorde avec lui-même pour penser que si les prêtres sont parfois difficiles à comprendre, c'est qu'ils *«jonglent beaucoup plus haut»*.

— Et notre Maria, comment qu'elle va? poursuit le religieux. J'ai entendu rapporter que ça l'avait secouée pas mal, toutes ces affaires-là!

— Le docteur dit qu'il faut rien que de la patience pis de l'attention, que quand elle sera prête, elle reviendra comme avant.

— C'est bien terrible tout ça... On va prier.

Il y a eu une messe, mais le cercueil de planches est resté sur une waguine à l'extérieur. Esdras a pensé qu'avec le soleil et la chaleur qu'il faisait, Égide ne devait pas être beau à voir, et, durant tout l'office, il n'a pu se défaire d'une sarabande d'images macabres que son imagination semblait prendre plaisir à lui imposer. Plus tard, en la seule présence de la mère, on a descendu la caisse de bois dans une fosse au-dessus de laquelle la pauvre femme s'est penchée en regrettant sincèrement de ne pas suivre son garçon. «*Ça m'a tout l'air d'être une terre pareille comme les autres, d'la bonne terre forte ioù c'que l'herbe pousse comme ailleurs*», lui a-t-elle dit en pensée avant d'ajouter: «*Tu sais, je partirais ben avec toué, j'ai pus rien icitte, tout mon monde est de l'autre bord. Cibole! y z'ont dû r'virer toute une veillée là-haut quand qu'y t'ont vu retontir!*»

Charlemagne est là qui va et vient dans la cuisine en poussant des soupirs profonds, puis, réalisant qu'il n'y a rien à faire, sort, va aider les autres, travaille une heure ou deux et revient en demandant «pis?» à Alma-Rose qui ne lui répond à chaque fois que par un geste ou une mimique désabusée, et de nouveau il pousse de longs soupirs en tournant en rond dans la pièce. Il s'apprête une nouvelle fois à ressortir, mais cette fois Alma-Rose l'arrête:

— Vous savez lire, il paraît. Pourquoi que vous lui liriez pas le livre qu'elle a acheté chez Néron?

— Mais Alma-Rose! Maria entend rien, elle réagit pas...

— Peut-être ben que de vous entendre, ça ferait de quoi...

Malgré le tourment qu'il se fait à propos de Maria, cette supposition lui fait plaisir. Lorsque Da'Bé est arrivé chez lui hier soir en disant de but en blanc: «Maria a besoin de toi...», il n'a pas compris, mais il était prêt. Lorsque Da'Bé a ajouté: «Elle est malade», il n'a pas demandé davantage d'explication. Surprenant Da'Bé, il lui a dit de passer la nuit chez lui, le temps que son cheval, qui en réalité était celui d'Égide, se repose; il a attelé Rouge, est passé demander à Louis-René de s'occuper des cochons et est tout de suite parti vers le nord. Il est arrivé dans la nuit. Dehors, dans le chant des ouaouarons, tout en fumant une pipe, Samuel Chapdelaine lui a expliqué ce qui s'était produit chez les Gagnon puis il a passé le restant de la nuit à se balanciner devant la maison en contemplant les étoiles et en cherchant des prières, l'esprit résonnant sans cesse du «Charlemagne va arriver» entendu des lèvres de Maria, peu après son arrivée et auquel il a répondu:

— Je suis arrivé, Maria. Je suis là, astheure...

Mais elle n'a pas réagi.

Il regarde Alma-Rose avec interrogation. Pour la première fois depuis son arrivée, et peut-être aussi le premier à le faire, il remarque combien elle paraît épuisée. En ce moment, elle pèle des patates et, à force de la voir plonger et relever brusquement la tête par à-coups, il se fait la réflexion que, si elle continue ainsi, elle va bientôt s'affaler le visage dans les pelures.

— Je vais faire ça, dit-il, sur un ton qui se veut sans réplique. Je vais faire le souper, allez donc vous reposer.

— Mais...

— Y a pas de mais, faut que..., tu permets que je te dise tu?... Il faut que t'ailles te reposer un peu, t'es après planter des clous.

— Mais qui c'est qui va faire le souper?

— Je suis pas manchot, je sais encore préparer une soupe ou un bouilli; faut ben que je mange, chez nous!

Alma-Rose est vraiment stupéfaite. Jamais elle n'a seulement imaginé qu'un homme puisse dire à une femme ou à une jeune fille d'aller se reposer pendant qu'il préparerait le souper; elle n'est même pas certaine que ce soit correct. Cela défie tout ce qu'elle croit savoir. Et, malgré le fait qu'en arrière-pensée elle imagine trop facilement le bien-être qu'il y aurait à s'étendre entre des draps frais, elle secoue la tête:

— Non, non, ça va aller, Charlemagne, j'irai pas me coucher durant le jour, ça se fait pas.

Il n'insiste pas et hausse les épaules.

— Comme tu veux... Tiens, ouvrirais-tu le rideau? Je vas lire d'abord que tu veux pas que je te remplace.

Alma-Rose acquiesce, vérifie si Maria ne s'est pas découverte et tire le rideau derrière lequel il serait inconvenant qu'il reste seul avec la malade. Il approche un banc au pied du lit. Alma-Rose lui tend le livre. Il s'assoit et a un long regard pour Maria. Seule la présence d'Alma-Rose l'empêche de laisser transparaître l'émotion qu'il a de voir ainsi celle qui est venue chez lui et lui a rapporté la chaleur. Elle est là, privée de ses sens, une mèche de cheveux barrant son front moite, les lèvres entrouvertes, les bras le long du corps par-dessus la catalogne et il la regarde en ayant un peu l'impression de violer une intimité, à tel point que, sans la maladie qui amoindrit le corps au point que l'entourage tend à se l'approprier, il se sentirait dans une situation inavouable.

— C'est pas drôle, constate Alma-Rose, elle est blême comme une vesse de carême. Il y a longtemps qu'elle devait accumuler ses misères pis, comme elle veut toujours faire comme si qu'elle en avait pas, ben voilà...

— Qu'est-ce qui s'est passé exactement?

Alma-Rose le regarde longuement, essayant peut-être de déterminer si elle peut tout lui dire, puis, s'étant répondu affirmativement à cette question, elle commence par évoquer François Paradis, les mille *Avé*, la disparition du coureur de bois, la mort de leur mère et, baissant le ton à cause de Lilas à côté, les fiançailles entre Maria et Eutrope, avant d'ajouter:

— Sans compter tout ce qu'on ne sait pas...

Charlemagne sait qu'il y a eu au moins sa propre mère. C'est surtout pour éviter de penser qu'il ouvre le livre et commence l'histoire de Paul et Virginie.

Emporté par le récit, il ne voit bientôt plus s'écouler le temps. Alma-Rose aussi est rapidement aspirée au milieu de l'océan Indien, et même Lilas – que l'on a tendance à oublier derrière son rideau – se laisse captiver par l'histoire. Parfois Charlemagne s'arrête, redresse la tête vers Maria puis, ne constatant aucun changement, reprend le cours de l'aventure. À partir des mots capturés dans le livre et s'échappant de la bouche du jeune homme, l'esprit construit une réalité exotique qui laisse planer dans l'atmosphère de la pièce des images fabuleuses et des parfums extraordinaires.

Ne lisant pas plus vite qu'il ne prononce les mots, Charlemagne dit: «*Elle entrevoit dans l'eau sur ses bras nus et sur son sein, les reflets de deux palmiers...*». Le passage arrache un «ho!» un peu confus à Alma-Rose et le laisse lui-même avec les lèvres sèches. Il se demande si l'auteur ne va pas aller plus loin et pour s'en assurer parcourt quelques lignes d'avance jusqu'à ce qu'il tombe sur: «*Elle songe à la nuit, à la solitude et un feu dévorant la saisit.*» Non! il ne peut lire cela tout haut. Alors il saute la page et reprend plus loin comme si de rien n'était.

— On dirait qu'il manque un boutte? fait Alma-Rose.

Il s'apprête à répondre que c'est sans intérêt lorsque, le devançant, Maria dit clairement:

— Ça ne devait pas être pour tes jeunes oreilles, sœurette.

— Maria! s'exclament en cœur Charlemagne et Alma-Rose. (Puis, lui tout seul:) Vous êtes réveillée... Ça va?

Elle regarde autour d'elle, étonnée, puis, les prunelles pleines de douceur et comme s'ouvrant sur un monde tout neuf, elle fixe Charlemagne avec un étrange sourire.

— Mais qu'est-ce qui se passe icitte? demande-t-elle au bout d'un long moment et avec des paroles qui ne sont prononcées que pour le bénéfice de la forme; le fond, lui, n'en a guère besoin.

— Maria, demande-t-il visiblement ému et essayant de mettre ce qu'il faut de mystère dans sa question pour le cacher, vous connaissez-ti les contes de Grimm?

— Non. Je ne comprends pas.

— Maman les lisait quand elle faisait la classe. Il y en a un qui s'appelle *La Belle au bois dormant*. C'est l'histoire d'une princesse qu'une sorcière avait plongée dans un sommeil très profond d'où elle ne pouvait sortir qu'à la suite du baiser d'un certain Prince Charmant.

— Il s'appelait pas Charlemagne, des fois?

— Non, s'esclaffe-t-il, çui-là, c'était un autre...

Il se tourne vers Alma-Rose pour lui faire partager sa joie de retrouver Maria et se rend compte qu'à grands coups de doigts, la sœur cadette tente d'essuyer des larmes le long de son nez:

— Je ne sais pas pourquoi y en a qui se cassent la tête pour écrire des histoires, fait-elle, on a tout ce qu'on veut dans la vie (elle se détourne en laissant croire qu'elle surveille le bouilli), y a des fois que c'est triste en mausus, pis d'autres fois où c'est beau pour vrai!

Trois jours ont passé. Charlemagne est resté. Le matin, il part travailler avec les autres, mais, le soir, après la vaisselle du souper, il va «prendre une marche» avec Maria. Ce sont de longues promenades où la conversation tient peu de place. Parfois, alors qu'il est en fait pour eux une forme de communion, le silence est entrecoupé d'anecdotes surtout destinées à s'arracher mutuellement des rires. Car il est agréable d'entendre l'autre rire. Mais, généralement, ils se contentent de poser un pas devant l'autre, heureux, lui, les mains au fond des poches, elle, les bras croisés sur la poitrine, gobant des pupilles toutes les teintes du couchant, écoutant distraitement le tapage des insectes, des oiseaux et autres bestioles, humant à pleins poumons les senteurs chlorophylliennes ou résineuses, tout à la fois capiteuses et fraîches des baumes, des sapins et même, tout simplement, des hautes herbes folles qui commencent déjà à jaunir. Tout ceci se conjuguant pour leur donner l'étrange sentiment d'en faire partie, mais aussi d'en être suffisamment détachés pour pouvoir en profiter. Bref, le sentiment de vivre. Et cela ne paraissant possible que parce qu'ils sont ensemble.

Ensemble, mais non seuls, car Alma-Rose les accompagne. Une Alma-Rose bien ennuyée, car, avant-hier, en s'amusant à pousser Télesphore sur une balançoire consistant en un morceau de madrier retenu par deux cordes à une branche du gros orme, son frère est tombé, ce qui a capté toute son attention au point qu'elle n'a pas vu revenir la balançoire et l'a reçue en plein sur la bouche, déchaussant douloureusement ses deux incisives supérieures. Depuis, elle se demande si ça va se replacer ou, si alors les dents tombent ou noircissent, comment elle fera pour se «*trouver un mari quand ce sera le temps*».

Il est tard et le ciel est déjà bleu-violet lorsqu'ils reviennent dans la cour devant la maison où, assis sur la grosse bûche à refendre, Samuel Chapdelaine tire fort sur sa pipe et lâche beaucoup de boucane pour tenir les maringouins à distance. Il a l'air de les attendre, mais c'est apparemment sans trop savoir par où commencer qu'il s'adresse à Charlemagne:

— On dirait que ça devrait rester sec encore quelques jours...

— Ça devrait...

— T'as-ti ben des affaires qui attendent chez vous?...

— Rien qui presse...

Le père Chapdelaine fait un signe de la tête, envoie un gros nuage odorant et poursuit en mesurant chaque mot:

— Ça..., enfin, si tu comptes encore rester quelque temps avec nous autres, ce qui serait d'adon, ça te dérangerait-ti de monter à La Pipe demain?

— À La Pipe?

— Ouais, tu pourrais aller avec Maria. Lilas va mieux astheure et faudrait la conduire au presbytère. Et pis y aurait quelques achats à faire...

Charlemagne et Maria, étonnés, se demandent s'il ne les pousse pas délibérément l'un vers l'autre. Maria se demande pour elle-même s'il en serait ainsi s'il n'y avait pas Pâquerette Villeneuve à l'horizon.

— Ça me dérange point, dit Charlemagne.

Samuel Chapdelaine accueille cela avec un mouvement de satisfaction. Il poursuit:

— Et pis, si tu restais icitte encore quelques jours, j'ai pensé que tu pourrais nous accompagner...

— Ioù ça, son père? demande Maria, à sa place.

— Ben! je me suis dit qu'en attendant mes épousailles, histoire de faire quelques piastres, on pourrait aller aux bleuets plus haut sur un bras de la Péribonca; on monterait en canot, pis on se tenterait là-haut jusqu'à ce que toutes les boîtes soient pleines; on pourrait faire une belle ronne...

— On resterait là-haut? s'étonne Maria qui, bien qu'ayant vécu toute sa vie sur sa lisière, n'a encore jamais passé une nuit dans le «vrai» bois.

— Faudrait ben parce que là où j'ai dans l'idée qu'on peut en trouver en masse, c'est loin pas mal et on pourra sûrement pas redescendre à tous les soirs.

— Mais où est-ce qu'on va coucher?

— J'ai encore les deux tentes de chantier sur le fenil.

— Pis les animaux, eux?

— Faudra qu'un des garçons reste icitte.

— Pour moi, y a pas de trouble, déclare Charlemagne, je suis partant.

— Ça me fait plaisir, pis rassure-toi, tu garderas ta part des profits.

— Pantoute! pantoute, monsieur Chapdelaine, ça me fait juste plaisir itou!

— Pas question! (Il se tourne vers la maison où, par la porte entrouverte on aperçoit Télesphore assis à table en train de dessiner sur le papier acheté par Maria.) Wow! les garçons, venez-vous-en icitte un peu!

Il attend que tous soient là et expose une nouvelle fois son projet auquel il ajoute:

— Ça fera un petit motton pour faire une gâterie à votre future belle-mère...

L'obscurité n'est pas suffisante pour qu'il ne remarque pas le renfrognement qui se peint sur les visages d'Esdras, Da'Bé et Tit'Bé.

— Ben!... justement, commence le plus vieux, je voulais te parler... J'ai pensé que... puisque je suis en âge depuis une bonne escousse, je me suis dit qu'il faudrait ben que je songe à m'installer... Aussi il va falloir que je garde un peu l'argent que je gagne...

— C'est pareil pour moi, s'empresse d'ajouter Da'Bé.

— Pis pour moi itou, fait Tit'Bé; moi, j'ai dans l'idée de m'en aller voir dans l'Ouest.

Très nettement surpris, Samuel Chapdelaine regarde ses garçons tour à tour. Jusqu'à maintenant, il n'a pas voulu réaliser qu'un instant comme celui-ci devait arriver. Sa première réaction est de s'indigner:

— Garder l'argent! Pis qui c'est qui va vous nourrir!?

— Nous, son père, répond Esdras surpris par cette question. Si on s'en va, c'est sûr qu'on va se nourrir... pis s'habiller et se loger itou.

— Alors, vous voulez saprer votre camp?

Curieusement, c'est Télesphore qui répond:

— Ben! c'est normal, son père, on peut pas rester icitte toute notre vie...

— Ah bon! toi aussi, tu veux partir?

— Ben non! son père, pas tout suite...

Le père Chapdelaine secoue la tête dans un mouvement qui laisse deviner que, pour contrer son désarroi, il est en train de rassembler les arguments de la colère. Et celle-ci ne tarde pas à exploser sous forme de paroles qui relèvent bien de la confusion qu'engendre la situation:

— Ils veulent partir! Ils veulent l'argent! Moi, je m'en vas leur chercher une nouvelle mère pour qu'ils soient ben et eux autres veulent saprer leur camp!

Comme si ces paroles lui étaient destinées, parce que, encore moins que les autres, il n'admet le remariage de son père, Télesphore répond:

— Moi, en tout cas, son père, j'ai pas besoin d'une nouvelle mère comme vous dites; je crés plutôt qu'elle est pour vous, la grand' bonne femme qui a l'air à vouloir péter plus haut que l'trou...

Se rendant compte qu'il a été trop loin, il se tait abruptement. Samuel Chapdelaine, furieux, s'est levé et tend sa pipe vers lui:

— Mon p'tit maudit!

— Son père..., fait Maria, dont la simple attitude désolée suffit à étouffer les flammes de la colère et empêche Samuel Chapdelaine de prononcer un: «*Saprez donc votre camp astheure puisque c'est ça que vous voulez!*» déjà formulé en pensée et qui, sans aucun doute, aurait été suivi à la lettre s'il avait franchi ses lèvres.

Le répit lui permet de mesurer à leur juste valeur les paroles de ses garçons. Pourquoi n'a-t-il pas voulu se rendre compte plus tôt que ceux-ci devront nécessairement partir un jour? Il en avait pourtant discuté avec Laura, mais depuis sa mort, comme si ses enfants étaient là pour le rattacher à la disparue, pour préserver l'image de ce qui n'est plus, il s'est refusé à envisager cette évidence qui mettra vraiment un point final au foyer bâti dans la confiance qu'il serait éternel. Il se pénètre lentement de la décision de ses fils et songe que, s'il veut garder quelque chose, il lui faut se montrer non seulement conciliant, mais aussi bienveillant envers une attitude dont finalement le contraire serait anormal. Il balaie l'air de la main comme pour chasser les paroles précédentes.

— Mouais!... Je me suis un peu emporté, j'avais point prévu..., dit-il sans pour autant que son ton ne paraisse quémander quelque pardon que ce soit.

— On va aller aux bleuets pareil, son père, affirme Esdras qui, en conciliation, veut signifier par là qu'il abandonne l'idée d'en garder un profit.

Le père Chapdelaine refuse:

— Non, non, vous garderez votre argent... Faudra ben que je m'arrange... Déjà que j'ai payé le cheval avec une partie de vos gages...

— C'est normal, son père, assure Esdras. Pis de toute façon, c'est moi qui vais rester pour garder les animaux...

Samuel Chapdelaine marque un silence lourd de signification avant de dire:

— Je sais ben pas ce qui s'est passé!...

Tous réalisent avec un degré plus ou moins élevé de compréhension qu'il fait allusion à sa vie dont il se rend brutalement à l'évidence qu'elle l'a plus mené qu'inversement. Puis, brusquement, il se secoue:

— Allons, je suis pas encore rendu que je dois vivre sur mon vieux gagné!

— Certain! affirme Maria.

Et là, avec une émotion plus particulière, même s'il n'en a pas encore été question, il réalise qu'elle aussi va bientôt partir. Il aime bien Charlemagne, mais de songer que c'est lui qui risque d'enlever sa fille, il ne peut s'empêcher de lui en vouloir un peu. C'est pourquoi, sous l'apparence d'une plaisanterie aussi banale que cordiale, il lui envoie:

— Eh ben! Charlot... tu dis pas un mot, t'aurais-ti peur des chicanes?

— J'aime pas trop ça, monsieur Chapdelaine, pis aussi je m'appelle pas Charlot, répond-il d'un ton égal.

Maria craint une nouvelle fois que les paroles ne s'enveniment, mais, d'un autre côté, elle est contente que Charlemagne ne se soit pas laissé «*rabaisser*». Samuel Chapdelaine également.

— Bon! d'accord, d'accord! reprend-t-il en riant, on partira pas sur un pawaw pour ça...

Tout le monde se détend, sauf peut-être Télesphore qui imagine que sa mère dans l'au-delà doit attendre son mari et ne comprend pas comment elle pourra le retrouver s'il épouse une autre femme. Alors il essaie toujours d'imaginer quelque chose qui pourrait empêcher le remariage de son père. «*Si ça arrive pareil*, se convainc-t-il, *je partirai aux États, pis ils seront pas près de me revoir la face!*»

Et Alma-Rose, ignorant évidemment cette décision, réalise que, sous peu, elle va se retrouver seule avec son jeune frère en face de Pâquerette Villeneuve:

— On va te conduire à La Pipe, Lilas. Le prêtre m'a dit qu'il te trouverait une place.

Assise au milieu des autres pour le déjeuner, composé ce matin de gruau d'avoine, la jeune fille garde les yeux baissés dans une attitude passive que Samuel Chapdelaine interprète comme un refus:

— Ça te plaît point?

Elle redresse la figure, ses yeux ont perdu de leur passivité pour faire place à une sorte d'incompréhension muette et douloureuse:

— Pourquoi que je pourrais pas retourner chez nous?

— Dans ta tribu?

— Non, je restais pas dans une tribu, m'sieur Chapdelaine, juste dans une famille, pis quand je dis chez nous, je veux dire chez Égide. C'est là que je vivais quand qu'Eutrope nous a tiré dessus.

— Mais...! Tu ne peux pas rester là...

— Pourquoi?

— Ben!... pour l'instant, il y a encore Eutrope pis sa mère, et quand il sera transportable, eh ben! il n'y aura pus personne.

Elle hausse les épaules avec indifférence:

— C'est mon chez-moi pareil.

Samuel Chapdelaine ne comprend pas cette attitude. Dans son esprit, elle est responsable de tout ce qui s'est produit chez les frères Gagnon ainsi que de la rupture entre Maria et Eutrope. Il ne se demande pas pourquoi il lui attribue cette culpabilité. Sans même qu'il en prenne conscience, le fait qu'elle soit une «sauvagesse» l'incrimine automatiquement. Pour lui, comme pour beaucoup d'autres, il ne fait aucun doute que, lorsque Égide est passé dans son campement, elle a dû user de tous ses charmes pour qu'il l'emmène avec lui chez les Blancs, là où la vie est plus facile. N'essayait-elle pas le même stratagème avec lui, l'autre jour, lorsqu'elle n'en finissait plus de se brosser les cheveux, le bras tendu pour mieux faire ressortir sa poitrine? S'il n'avait pas été sur ses gardes, il aurait pu s'y laisser prendre... Il lui répond sèchement:

— Ton chez-toi, ton chez-toi... T'étais même pas mariée!... Non, tu n'as pas de chez-toi; tout ce que tu peux faire, c'est aller là ioù ce que le prêtre te dira. Tu ne veux pas aller contre le prêtre, tout de même?

— Je suis pas catholique, m'sieur Chapdelaine, à Pointe-Bleue où ce que je suis née, on a un pasteur qui dit que les catholiques sont pas des vrais chrétiens et qu'on a pas d'affaire à écouter les prêtres.

— Dis-moi pas qu'en plus, tu fais partie de ces gens qui crèyent point à la bonne Sainte Vierge!?

Cachant surtout son ignorance, elle a une mimique qui n'exprime ni oui ni non. Samuel Chapdelaine ouvre les yeux comme s'il voyait le diable assis à sa table. Sa réaction tient plus de la crainte superstitieuse que de l'indignation. Il se racle la gorge:

— Alors tu veux pas qu'on te conduise à La Pipe voir le prêtre?

— Je voudrais juste rentrer chez moi.

— Mais puisque je te dis que t'as pas de chez-toi! Tu peux pas en avoir, t'étais pas mariée...

— Si on était pas mariés, c'est juste qu'on avait pas la même religion. Égide, il aurait voulu que j'me fasse catholique, pis moi, ben!... ça me fait peur d'aller en enfer...

— C'est quand on est pas catholique qu'on va en enfer! Alors, qu'est-ce que tu veux faire?

— Je vous l'ai dit, retourner chez Égide.

Appuyé sur son avant-bras, Samuel Chapdelaine secoue la tête de droite à gauche, plonge sa cuillère dans son assiette, mais avant de la porter à sa bouche, il se dégage de toute responsabilité:

— Oh! pis après tout... tu t'arrangeras avec la mère Gagnon... J'étais prêt à te faire accompagner à La Pipe pour t'aider, mais si tu veux point... Mais je t'avertis! en admettant que tu puisses rester là-bas, je veux pas te voir tourner par icitte, t'as compris?

Elle le regarde sans comprendre l'allusion et sans insister, car depuis qu'elle est toute petite, elle a appris qu'il ne faut pas chercher à s'expliquer le ressentiment des Blancs. Une fois, son oncle lui a dit que l'homme n'aime rien d'autre que jouer, mais que les Blancs, eux, ne veulent pas l'admettre. Ils disent qu'il faut être sérieux, qu'ils n'aiment pas ceux qui veulent jouer, même s'ils ne se rendent pas compte qu'*être sérieux* est leur jeu préféré. Pourquoi Samuel Chapdelaine lui dit-il de ne pas revenir par ici? Elle commençait à bien les aimer.

De son côté, malgré elle, Maria est tentée de se demander si son père ne manque pas d'ouverture et de tolérance. Elle se souvient qu'un jour Blanche-Aimée lui a dit: «Il n'y a pas de race meilleure qu'une autre. Mon mari en a eu la preuve. C'est pareil pour les idées: tout ce qui existe, ce sont des habitudes différentes, le reste n'est que la recherche d'un bouc émissaire sur lequel déverser son mépris ou sa haine, et même parfois sa violence tout en gardant bonne conscience; bref, lâcher la bride sans remords au méchant qui est en chacun de nous.»

— Si Lilas va là-bas, dit-elle à son père, je pourrai l'accompagner. J'en profiterai pour parler à la mère d'Eutrope; je voudrais justement lui dire que ce serait plus facile pour elle si elle le plaçait à Chicoutimi.

— T'as ben beau, réplique son père, mais elle voudra pas...

— Pourquoi donc?

— Bah!... je vois pas pourquoi qu'elle voudrait...

Parce que Lilas ne doit pas encore marcher trop loin, ils ont convenu que Charlemagne et Maria la conduiront à la cabane puis iront ensuite faire les achats à La Pipe tel que prévu.

Comme Maria est en train de se préparer à l'intérieur, Charlemagne sait que ce sera la première fois qu'ils voyageront seuls tous les deux depuis qu'ils savent que l'autre sait ce qu'ils sont l'un pour l'autre. Comme elle, il a l'impression que son cœur bat sur un rythme différent, presque douloureux.

Le trajet est court jusqu'à la cabane. Tout de suite en arrivant, ils aperçoivent la mère Gagnon assise à l'endroit exact où l'on a retrouvé Maria. La mine désabusée, elle les regarde venir sans faire un geste, pas même pour chasser une grosse mouche qui s'est posée sur son front. Ignorant tout des projets d'Eutrope vis-à-vis de Maria et n'ayant jamais rencontré cette dernière, elle ne sait pas qui sont ces visiteurs:

— Z'êtes-ti perdus ou ben donc?

Estimant que c'est à Lilas de se présenter, Maria et Charlemagne regardent vers la jeune fille qui marque un instant d'hésitation:

— Madame Gagnon?

— Ouais?

— Moi, c'est Lilas Gill, je suis...

— Ouais, pis? Que c'est que tu fais icitte?

— Je suis revenue.

— Revenue?

— Revenue habiter, m'occuper de la maison et du reste.

Le visage de la mère Gagnon, tout comme celui de Lilas, demeure tout à fait inexpressif. Elles s'observent. Maria et Charlemagne ont l'impression de vivre l'un de ces calmes tétanisant qui précèdent les orages les plus violents. Ils se lancent un regard entendu voulant signifier: «ça va faire dur tout à l'heure.»

— Tu te retrouves toute nue sur le chemin, alors tu reviens icitte... lance enfin la vieille femme à Lilas.

— C'est pas ça!

— Alors t'es comme les mouches à marde!

Malgré les mots, le ton demeure toujours égal.

— Ça va prendre une place pour l'enfant, fait Lilas apprenant du même coup son état à tout le monde.

— Tu veux-ti dire que t'es en famille?

— Ça fait une couple de mois.

— L'diâbe est aux vaches! (Un râle vient de l'intérieur de la cabane, la mère se retourne et lance:) La sauvagesse est r'venue, Eutrope.

Pour toute réponse, le râle continue. Avisant alors Charlemagne et Maria, la femme s'adresse à eux:

— Je suppose que vous êtes des Chapdelaine?

— Moi, acquiesce Maria.

La femme désigne Lilas:

— Pourquoi c'est faire que vous avez ramené *ça* icitte?

Insultée pour la jeune fille, Maria ne sait que répondre. Charlemagne le fait à sa place:

— Je crois qu'elle vient de vous dire qu'elle attendait un bébé...

— Pis? la belle affaire!..., d'la graine de bâtard!

Maria ne voit pas les souffrances et les privations qui ont rendu cette femme aussi cynique, elle n'entend que les mots.

— Elle n'a rien fait de mal! déclare-t-elle avec des vibrations dans la voix tant elle est choquée.

La femme la regarde comme si elle présentait quelque chose d'étrange, puis change soudainement d'attitude sans que cela ait pourtant l'air d'avoir un rapport avec les paroles de Maria. Elle s'adresse directement à Lilas:

— Tu veux vraiment revenir t'installer icitte?

— C'est ma place.

— Ta place, tu dis... C'est aussi celle d'Eutrope, non?

— C'est la sienne aussi.

Il fait chaud, mais la femme referme son gros gilet gris sur sa frêle poitrine, et son visage s'éclaire d'un sourire malin:

— Alors, si tu reprenais la place, faudrait ben que tu t'occupes de lui, pas vrai?

— Sans doute, répond Lilas sans sourciller.

Maria comprend ce que la femme a en tête, elle essaie d'intervenir:

— Madame Gagnon, je voulais justement vous parler pour Eutrope; il se trouve que j'ai travaillé à l'Hôtel-Dieu à Chicoutimi et je crois ben que ce serait la meilleure place où ce qu'il pourrait aller...

Cette fois, la femme la regarde comme si elle venait de l'insulter:

— Jarnigoine! Pensez-ti que je vas abandonner mon gars!?

— Ce serait pas un abandon!

— Quoi d'autre? De quoi que j'aurais l'air si j'allais demander la charité pour mon gars de c'est que je pourrais y donner chez nous?

— Ben!... (Maria voudrait lui dire que ça lui paraît «*moins pire que de l'imposer à Lilas*», mais elle ne se sent pas le droit moral de parler ainsi à la femme. Au lieu de cela, avec un pincement dans la poitrine, elle demande:) Comment qu'il va?

La femme désigne le petit potager clôturé de vieilles planches sur le côté de la cabane:

— À peu près autant de réaction que les choux, là, sauf que lui, y l'a point de racines pour se nourrir pis qu'y fait des besoins.

— Je peux-ti le voir?

Avant même que la femme ait répondu, Charlemagne pose sa main sur le poignet de Maria.

— Vous le connaissiez? demande la femme.

— Il venait souvent veiller chez nous... (Plus bas, à l'intention de Charlemagne:) Ça va aller.

En compagnie de la mère seulement, elle pénètre dans la cabane et aperçoit Eutrope étendu sur la couche où, la dernière fois, elle a vu Égide. Son crâne est couvert de bandages et son visage n'est découvert que des sourcils au menton. Il a les yeux ouverts. Vides. Elles s'approchent de la couche.

— Le corps est vivant, fait la femme, mais lui, y est mort. Mon gars est mort.

Une peine infinie est dissimulée dans les mots qui, pourtant, se veulent froids et presque détachés. Un bref instant, Maria entrevoit l'abîme gigantesque et noir que cache cette toute petite femme. Comment est-ce possible? Et Eutrope! Elle se demande si c'est le même qui venait veiller chez eux, le même à qui elle a dit: «Le printemps d'après ce printemps-ci», le même qui est allé chercher le ramancheur pour sa mère, le même encore qui est allé la trouver à Chicoutimi, là où elle lui a dit non. Est-il vraiment mort comme l'affirme ou veut le croire sa mère ou bien, dissimulé derrière ce corps inutile, la voit-il et lui dit-il: C'est de votre faute, Maria, le disant sans rancune et toujours sur ce ton plein d'égard et d'admiration qu'il avait à son égard? «*Oui, c'est de ma faute!*» se dit-elle, «*c'est de ma faute et c'est Lilas qui risque de payer!*»

— Je vous assure qu'il serait mieux à Chicoutimi, affirme-t-elle à la mère. Ils ont tout ce qu'il faut...

— Jamais! jamais tant que je serai vivante!

— Mais pourquoi?

— Parce que je peux faire ça pour lui, pis aussi parce que j'ai ma fierté, moué aussi.

Maria ne comprend pas cette dernière raison qu'elle aurait pourtant totalement endossée avant d'aller à Saint-Vallier:

— Alors pourquoi que vous voulez que ce soit Lilas qui s'en occupe, si vous voulez faire ça pour lui?

— Parce qu'elle, ce sera moi; c'est de sa faute tout ça!

— Comment ça «de sa faute»?

— Si a l'avait pas ensorcelé Égide, on n'en serait point là.

Maria se demande si cette affirmation est étayée et, si oui, comment?

— Vous pouvez pas l'accuser de même...

— Certain que je peux! Ces sauvages-là, y z'ont l'diâbe au corps. Je suis pas mal certaine que, quand mon Égide est passé dans le campement où qu'a restait, a l'a dû s'arranger pour y faire accrère des affaires... Que c'est que vous voulez! les hommes, y sont point en bois et si qu'une femme fait par exprès de leur en montrer plus qu'y faut, faut point qu'a s'étonne si y perdent le contrôle. Mais la sauvagesse, chus sûre qu'a s'est point étonnée. C'est peut-être même ben sa mère qui y a montré comment faire... Y sont de même...

Ces paroles réveillent en Maria le souvenir de l'oncle Wilfrid. A-t-elle eu des gestes provocateurs? Elle a beau chercher, elle ne s'en trouve pas et, à la lumière de cette conviction, elle se rend compte que la mère d'Eutrope a dû se forger des illusions pour échapper à une réalité qu'elle ne peut supporter. Et elle, que va-t-elle se forger comme illusions pour oublier que, si elle avait accordé à Eutrope l'occultation de sa solitude, il n'en serait pas là, cette femme non plus, pas plus que Lilas. Car il est évident, à partir de maintenant et pour toujours, que l'une d'elles devra s'occuper d'Eutrope. Que ce soit Lilas ou la femme, ou même les sœurs de Chicoutimi, ce ne sera pas «*juste*» puisque c'est elle qui est «*coupable*». Là, à cet instant, elle voudrait pouvoir dire: «laissez faire, c'est moi qui vais m'en occuper». Mais elle ne peut pas. Dehors, Charlemagne l'attend et lui aussi veut sa part de bonheur. «*Et moi aussi*», s'avoue-t-elle.

La suite se déroule comme dans une brume glauque. Lorsqu'ils repartent, ce n'est plus Lilas qui est dans la voiture, mais la mère Gagnon qu'ils vont reconduire à La Pipe d'où elle rejoindra un autre coin de bois où l'attend une autre cabane.

— J'pouvais pas continuer à l'voir de même, marmonne-t-elle sans raison au milieu du trajet, j'aurais fini par l'achever.

Le magasin général de La Pipe ressemble beaucoup à celui de Péribonka à cette différence que le propriétaire n'est pas aussi âgé ni n'est ou n'a jamais été cultivateur. Eugène Trottier est un ancien joueur de billard qui réussit à orienter la plupart des conversations sur ce jeu et, par là, sur ses souvenirs dont les plus anciens remontent aux frères Dion dont il affirme volontiers – même s'il n'avait qu'une douzaine d'années à cette époque – qu'il a été acclamer Joe à son retour du «fameux» tournoi de New York. Il parle de lui comme s'il s'agissait d'un dieu de l'Antiquité qu'il aurait personnellement côtoyé, ce qui est le cas cependant pour des Arthur Marcotte, des Edmond Pelletier ou des Émile Lévesque dont les noms émaillent les récits des tournois qu'il a livrés dans des villes aussi diverses que Buffalo, Chicago, Albany ou Boston. Plus personne, à moins d'être un étranger de passage, ne lui demande ce qu'il fait ici ni pourquoi il ne fréquente plus ces salles chargées de légende comme le *Chadwick's Hall* ou le *White Elephant*, dont la simple évocation lui fait briller les yeux. La raison tient à deux causes majeures: le whisky et la «jeune poulette» qui l'a suivi au Lac après avoir organisé quelques folles et mémorables nuits de gageures, histoire d'amasser le nécessaire pour ouvrir ce magasin loin de tout ce qui, aujourd'hui, pourrait lui rappeler ses rêves brisés. La «jeune poulette» est devenue madame Trottier, et les regards qu'elle jette aux hommes encore jeunes qui passent le seuil de la boutique parlent de la désillusion qui a suivi la découverte d'un «vieux bonhomme» derrière le mythe du «pro» viril et de celle d'une «femme-enfant» derrière les yeux innocents d'une ingénue. Vêtue d'une robe jaune trop moulante, ses cheveux d'un blond-roux encadrent un visage étroit dévoré par des yeux immenses et clairs où, lorsqu'elle incline le front et relève ses pupilles comme elle le fait présentement pour Charlemagne, passent de troublantes invitations au voyage. Maria remarque tout cela et, pour la première fois de sa vie, alors que jusqu'à aujourd'hui elle s'était plutôt amusée des façons de Marie-Paule Trottier, voici qu'elle s'irrite d'un comportement qui ne s'adresse en rien à elle. Et pourquoi Charlemagne reste-t-il là à lui sourire? D'un ton sec, elle réclame des clous.

— Des clous? demande la marchande qui ne paraît nullement importunée par le ton, quel genre de clous?

— Ceusses pour colouer les boîtes de beluets.

— Ah! fallait le dire tout suite... J'en mets quoi, une livre?

— C'est ça, une livre.

— Vous montez aux beluets? s'adresse la femme directement à Charlemagne et en oubliant Maria. Vous êtes pas de par icitte, vous?

— Pas vraiment...

— Mouais... Les beluets..., il paraît que c'est pas si pire cette année... Pas drôle pareil... devoir aller se faire manger par les mouches au diâbe au vert pour quelques cennes...

— Bah! ça fait changement.

— Ça, c'est juste... Moi itou, j'aime ben le changement...

Maria est presque prête à lui envoyer une repartie cinglante lorsque deux clients, des cultivateurs dans la quarantaine visiblement heureux de faire une sortie en ville, entrent en parlant fort. L'un d'eux adresse un sourire un brin égrillard à la marchande qu'il assortirait peut-être d'un compliment du même cru si Eugène Trottier n'arrivait de l'arrière-boutique en saluant tout le monde cordialement:

— Bonjour! Maria. Tiens! André! Victor! Ben! on peut dire que vous tombez à point, je viens tout juste de recevoir le fromage en crottes de Saint-Prime, il est encore quasiment chaud, c'est pour dire...

— Baptême! du fromage en crottes, mon péché! s'exclame le dénommé Victor qui souriait à la patronne. J'vas en prendre avant que Lomer Gouin décide d'envoyer tout notre fromage de l'autre bord aux Anglais.

L'ancien joueur de billard approuve de la tête pensivement:

— C'est toujours pareil, toujours le meilleur pour les vieux pays; à crère qu'ils sont pas capables se gouverner là-bas... J'étais sûr que ça allait s'arranger de suite, ces affaires simples-là dans les Balkans, mais on dirait ben qu'ils sont partis pour nous faire une vraie guerre...

— Moué, fait le prénommé André, y z'auront beau faire ce qu'y voudront, j'irai pas risquer ma peau pour des pays que je connais même pas, pas plus pour des têtes carrées d'Anglais, pis pas davantage pour les Français. Eux autres, s'ils ne voulaient pas avoir de misère, ils avaient juste à écouter le pape et faire leur religion comme du monde. C'est ça qui arrive quand on se prend pour un autre...

— Officiel! l'appuie Victor les pouces passés dans ses bretelles, toutes les grosses poches pis les têtes enflées, ils s'en vont là-bas pis ils nous reviennent en nous parlant du destin de la race, de l'âme de la race pis de toutes ces niaiseries-là, mais qu'y nous sacrent donc la paix! Pis l'autre, le Bourassa qui s'en va dire là-bas que le Canada est le fils aîné de la France, y l'est-ti fou!? Qu'est-ce que c'est qu'ils vont penser de nous autres? Pis Ottawa qui nous conte des peurs avec l'Angleterre par-ci pis l'Angleterre par-là... Qu'ils arrangent donc les affaires icitte dans le pays pis on verra après. Pourquoi c'est faire qu'on irait se battre pour des gens là-bas alors que les nôtres dans l'Ouest sont même pas respectés?

— Ça, c'est parlé dans les termes! l'approuve André en glissant au passage une demi-œillade à Maria, on en a plein not' sac de leurs problèmes!

— C'est vrai que les politiciens sont ratoureux, acquiesce Eugène Trottier.

— Moi, je leur fais pas confiance, fait Charlemagne en s'immisçant dans la conversation. Ils mentent comme ils respirent. Ils mettent le pauvre monde dans le rouge pis, quand ils savent pus comment réparer les dégâts, ben! ils nous envoient nous faire tuer pour qu'on n'ait pas la chance de dire ouf!...

Maria est surprise. D'une part, elle s'étonne de cette facilité qu'ont les hommes, même lorsqu'ils se trouvent au milieu d'inconnus, d'entrer dans n'importe quelle conversation pour faire valoir leur point de vue, d'autre part, elle a l'impression que ce discours tend à lui donner la démonstration que, pour le simple plaisir de faire acte de présence au milieu des autres, il a fait reculer d'autant ce petit bonheur tout simple qu'elle attend depuis hier soir, celui d'être enfin juste elle et lui. Est-ce pour cela qu'elle répond par l'amorce d'un sourire à un nouveau coup d'œil, appréciateur celui-là, du dénommé André? Un coup d'œil qu'elle sent glisser sur elle comme une caresse interdite. Elle se reproche aussitôt cette familiarité et se rapproche de Charlemagne pour bien signifier qu'elle est avec lui. Ce mouvement n'est pas étranger à ce dernier qui se rend soudain compte qu'elle est tout près de lui, proche de lui, avec lui. Il se tourne vers elle, harcelé par une furieuse envie de la prendre dans ses bras, de la serrer contre lui et de lui murmurer de ces mots qu'il y a dans les livres. Elle lui sourit, complice. Personne ne remarque Marie-Paule Trottier qui a vu cet échange entre eux et, dans son coin, baisse la tête, songeuse et triste.

— C'est vrai que c'est surtout les grosses têtes qui empêchent de tourner en rond, fait le mari de cette dernière. Les gens ordinaires, qu'ils soient hongrois, grecs, anglais, français, canadiens ou même autrichiens, ils font rien que suivre... Tenez, les Français qui s'étaient établis sur la terre à Surprenant, malgré qu'ils étaient pas pareils comme nous, c'était du ben bon monde et pas méchants...

«*Pourquoi qu'il parle d'eux comme s'ils étaient morts?*» se demande Maria avant de poser la question:

— Ils sont repartis?

— Les fils, oui. Le père, lui, est mort d'une crise de cœur en faisant ses bagages...

— Ah ben!...

Maria se remémore les visages du père et de ses deux fils. Elle imagine les deux fils rentrant au pays sans leur père. Elle est navrée pour eux. Vaguement, elle avait compris qu'ils étaient venus dans l'espoir de trouver ici un monde meilleur et elle sait, qu'à leurs yeux, ils n'ont trouvé que des épreuves. Et voilà que sans attendre d'en récolter le fruit, peut-être par nostalgie, ils ont voulu repartir dans leur pays sans savoir que le destin avait fixé un rendez-vous final à l'un d'eux sur ce continent qui, peut-être, n'accepte pas le reniement. Elle frissonne à l'idée de mourir en terre étrangère. Cela lui paraît pire que si elle devait y vivre.

— ...C'est comme au *pool*, déclare Eugène Trottier, il suffit de ne pas laisser l'avantage à l'adversaire...

Les autres approuvent du menton en se demandant ce que cela peut bien vouloir dire.

— Et avec les clous? demande Marie-Paule Trottier.

La voiture chargée, ils se retrouvent *enfin* seuls, côte à côte, le cœur battant, et ni l'un ni l'autre ne parviennent à prononcer un mot avant la sortie de la paroisse. Ce n'est qu'une fois entourés par le bois, craignant de briser quelque chose qu'ils n'arrivent pas à définir, mais sachant néanmoins qu'il faut rompre le silence avant que celui-ci ne casse ce quelque chose, que Charlemagne se décide à parler:

— Belle journée...

— Oui... Ça fait curieux de penser que ça puisse aller mal ailleurs...

— Oui... Une drôle de femme, celle du magasin...

— Oh, celle-là! elle n'a pas de r'quient ben...

Il la regarde, un peu surpris par une agressivité à laquelle elle ne l'avait pas habitué, puis il réalise un peu ce qui doit la motiver:

— Vous êtes un peu dure avec...

Maria penche la tête de côté dans une mimique de prise en considération:

— Peut-être ben...

Toujours ce besoin presque douloureux de la prendre dans ses bras. Tourné de côté, il observe son profil avec la sensation que tout ce qu'il découvre: l'ondulation des cheveux, l'éclat vif de l'œil, le galbe lisse de la pommette, l'ourlet rose et humide des lèvres, la gracilité opaline du cou, la courbe harmonieuse et troublante du buste, tout cela est une source d'eau claire, vive et rafraîchissante dans laquelle baigne son esprit. Il faut qu'il lui parle!

— Maria...

— Oui?

Elle pose la question, mais sait parfaitement ce qu'il veut lui exprimer; la même chose qu'elle veut entendre. Elle sent son regard sur elle, un regard qui lui proclame qu'elle est, un regard qui la fait belle, qui la fait femme. Tandis que, tout à l'heure, le coup d'œil du dénommé André ne parlait qu'à son épiderme, celui de Charlemagne, s'il le fait également, s'adresse surtout à tout ce qu'elle est. Par lui, elle a la sensation de se livrer, et cette renonciation éclipse la contrainte de la solitude.

— Je ne sais pas comment vous dire ça..., répond-il.

— Je sais pas...

— Vous savez de quoi que je veux parler?

Ils se regardent.

— Ça doit...

— Maria...

— Oui?

— Vous voudriez-ti vivre avec moi?

Même si la question était pourtant prévisible, une onde glaciale s'étale dans son ventre, une lumière noire obscurcit toutes ses pensées, dans ses bras et ses jambes, les muscles se contractent. Tout cela avant qu'elle ne réponde:

— Oui.

Regardant droit devant eux, heureux, ils ne savent plus quoi ajouter. Il n'y a que le temps qui passe accompagné par le grincement d'un des moyeux. Ce n'est qu'au bout d'environ un mille que Charlemagne pose une autre question:

— Ça vous ferait-ti de quoi de vivre quelque temps à Ouiatchouan?

— À Ouiatchouan? Mais pourquoi donc?

— Ben!... à moins d'être loqué, ma terre va être dure à vendre et je sais pas quand je trouverai un acheteur. Comme je connais le foreman de la pulperie qui m'a dit qu'il aurait de la place pour moi quand que je voudrai, j'ai pensé que je pourrais y gagner de bonnes gages pour pouvoir nous installer comme il faut par après. Pour vous, Maria, je veux pas d'amanchures de broche à foin.

Rapidement, elle rassemble tout ce qu'elle a entendu dire sur Ouiatchouan que l'on commence à appeler Val-Jalbert. Il paraît effectivement qu'ils versent de «bonnes gages», que les maisons sont pourvues de tout le confort moderne, qu'elles sont même équipées de cabinets d'aisance. Mais, pour le côté négatif, beaucoup affirment que tout, absolument tout appartient à la compagnie et que, selon les propos de son père, un homme ne s'y appartient plus tellement. Mais au fond, ce ne serait qu'en attendant. Bien vite, ils pourraient aller s'installer sur une bonne terre et puis, qu'importe, même si c'est un peu «*toffe*», ils seraient ensemble!

— Il paraît que ça a ben de l'allure, dit-elle en guise de réponse.

— Oh! ben là! je suis content, Maria! (Il regarde ailleurs puis revient sur elle.) Heu!... Vous me permettez-ti de demander votre main à votre père?

— Ben sûr!

Ils se regardent à nouveau, chacun avec l'impression que leur poitrine ne pourra contenir toute cette émotion.

— Maria, vous me permettez-ti d'arrêter le cheval?

— Pour?

— Pour vous embrasser.

— Ben sûr!

Le bruissement des feuilles argentées dans la brise, la course tranquille des îles blanches et moutonneuses tout là-haut dans l'azur, le silage des insectes, la lumière dorée qui joue dans la poussière jaune soulevée par les roues de la voiture, les craquements énigmatiques dans le bois et, même invisible, la présence toujours constante du grand lac vivant, le souffle d'été sauvage odorant et doux de ce pays, tout cela se dissout dans la spirale de l'entonnoir vermeil, chaud et humide qui s'ouvre vertigineusement sous la rencontre de leurs sens.

Profondément surpris, immobilisé à la verticale d'un tronc d'épinette noire, un tamia observe le couple qui s'étreint assis sur le siège de la voiture tandis qu'en avant, le cheval agite la queue pour chasser les mouches. Se doute-t-il que, dans les bras de Charlemagne, Maria a la certitude d'avoir trouvé le plus beau, le plus puissant des royaumes, celui où elle pourra se réfugier chaque fois que se rapprocheront les armées du froid et des ténèbres? Se doute-t-il que Charlemagne, lui, a la conviction que, tout contre son corps, se blottit le plus grand et le plus fragile des trésors, le seul au monde pour lequel il se sent capable de se vaincre lui-même?

XI

Les canots glissent silencieusement entre les deux rives. Hier soir, Charlemagne a profité de ce que le père Chapdelaine revenait seul de l'étable pour le rejoindre et lui faire sa demande:

— Monsieur Chapdelaine, vous verriez-ti un empêchement à ce que je vous demande la main de Maria?

— Rendu comme c'est là, mon gars, j'en verrais à ce que tu la demandes point.

— Je vous remercie ben gros...

— Je crés que vous avez votre chance, allez point la gâcher.

Il faisait sombre et Charlemagne n'a pas remarqué le pli douloureux sur le visage du père Chapdelaine. Un froncement qui lui aurait peut-être révélé l'effroi qu'il y a à se rendre compte que sa vie éclate, que toutes ses composantes s'éparpillent sans contrôle, lui ôtant les buts qui jusqu'ici l'ont motivé, et le laissant avec le sentiment d'être inutile et bien trop seul. Même si, dans quelques jours, il doit aller chercher Pâquerette Villeneuve.

— Faudra pas faire la même erreur que moi, avait ajouté le père de Maria. Avec ma Laura, je m'étais toujours dit que si je voulais qu'elle m'aime un petit peu, il valait mieux que j'y montre pas que, moi aussi, je l'aimais. Que je m'en veux aujourd'hui de ne pas lui avoir donné ce petit bonheur!

Dans le silence grandiose mis en relief par le clapotis régulier des rames fendant l'onde qui, au milieu de la rivière, reflète l'airain du ciel, presque comme dans un rêve ou tout au moins dans une réalité sans consistance où le temps lui-même semble suspendu, les canots glissent furtivement vers une destination connue seulement de Samuel Chapdelaine.

Partis sur la Péribonca ce matin à la rosée, ils ont rapidement bifurqué sur un affluent puis sur un autre, effectué trois portages, traversé un lac «sans fond», rond comme un œil, anormalement bleu et anormalement froid, se sont retrouvés sur un bras d'eau à peine plus large que la longueur d'un canot au-dessus duquel les ramures céladoniques formaient une voûte, puis ils ont continué en serpentant à travers des marais où ils étaient environnés de hautes herbes aquatiques dressant tout autour de leur position un mur ocre qui, sans l'énervement causé par les moustiques, aurait fini par être inquiétant. Après un nouveau portage pour franchir une colline, ils se sont retrouvés sur cette petite rivière où ils avancent présentement avec la sensation d'être écrasés par la grandeur et la puissance intrinsèque de la forêt sans limite qui, à partir de chacune des deux rives, va en s'étageant à l'assaut de noirs massifs rocheux. Ici, c'est carrément un autre monde et ils le savent. Un monde pour des François Paradis, un monde où l'homme ne fera jamais que passer avant de retourner, un peu angoissé, vers les plaines peut-être moins grandioses, mais combien plus aimables et surtout plus tranquillisantes pour les esprits qui n'aiment pas être confrontés à ce qui les interroge et les remet en question.

Assis à l'arrière du canot de tête, Samuel Chapdelaine tend le doigt devant lui et désigne une pointe de terre divisant la rivière en deux ruisseaux de part et d'autre de ce qui s'avère être une île de bonne taille.

— C'est là! dit-il assez fort pour que l'information parvienne aux canots suivants. On est quasiment rendus.

Comme il les en avait prévenus, ils remarquent que, malgré le foisonnement vert des repousses et des aulnes, les épinettes encore debout ont le tronc noir et plus d'épines aux branches. En passant par ici, voilà quatre ans, remarquant l'état sablonneux du terrain et la présence déjà abondante de pieds de bleuets, Samuel Chapdelaine a eu l'idée de mettre le feu à l'île afin de favoriser la prolifération des baies.

— Si, un jour, on est mal pris, avait-il dit à sa femme au retour, on aura toujours ben une place où aller ramasser quelques piastres...

C'est une procession de cinq canots de cèdre encordés l'un derrière l'autre qui se dirige vers une langue de sable bordant le bras ouest de la rivière; Samuel Chapdelaine avec Alma-Rose et Télesphore dans le premier, Da'Bé et Tit'Bé dans le second, Maria et Charlemagne dans le troisième. Les tentes et les provisions sont dans le suivant, et dans le cinquième sont entassés les chaudières, les «tapettes», les «peignes» et aussi les planchettes servant à la confection des boîtes à bleuets. Si, sur l'eau, le voyage est un véritable plaisir, il en va tout autrement lorsqu'il s'agit de portager tout ce matériel. Rien de plus exténuant que de transporter des charges encombrantes à travers des sous-bois touffus et le plus souvent escarpés lorsque les pieds butent contre des souches ou des roches, s'entravent dans de vieilles racines, que des branches flexibles viennent fouetter le visage ou pire, les yeux et que, déchaînant gestes et mots d'exaspération, les mouches noires, en zillant impitoyablement, profitent de ce que les mains sont occupées pour se frayer un chemin dans les oreilles et les narines. Sans compter qu'au retour, il faudra, en plus, transporter toutes les boîtes pleines de bleuets.

À peine débarqués dans l'île, ils halent les embarcations et décident en premier lieu de faire un tour de reconnaissance, histoire de se rendre compte si les bleuets sont au rendez-vous. Dans le cas contraire, il faudrait aller voir ailleurs. Mais ils ne mettent qu'un temps pour s'apercevoir que l'incendie d'il y a quatre ans a produit un miracle. À tout instant, l'un ou l'autre s'extasie sur ce qu'il découvre:

— Venez donc voir la talle icitte!

— Pis là!

— Tabarnouche! c'est bleu à grandeur!

Les yeux brillant de satisfaction et d'une certaine fierté, Samuel Chapdelaine contemple une clairière où il y a tellement de grappes chargées de baies mûres que, de loin, cela donne l'illusion d'un tapis d'un bleu violacé avec, çà et là, des taches noires lorsqu'il s'agit de gros bleuets noirs, et rouges lorsque s'y mêlent des quatre-temps.

— Je vous l'avais dit qu'y en aurait pour les fous pis les fins!

Tout le monde se réjouit, car cette abondance semble préfigurer un avenir souriant.

Équipés de hachettes, Da'Bé et Tit'Bé partent à la recherche de perches qui soutiendront les tentes. Charlemagne et Samuel Chapdelaine préparent un toit de branchages où appuyer les canots et sous lequel dormiront les hommes. Maria et Alma-Rose transportent des pierres pour délimiter le foyer tandis que Télesphore prépare du «petit bois». Chacun s'affaire, heureux d'avoir un rôle à jouer dans cette aventure en marge du quotidien parfois monotone.

En amont, le bras de rivière à côté duquel le campement est établi se trouve harnaché par un barrage de castors qui retient les eaux sur une importante dénivellation. Une fois les tentes dressées, les provisions placées à l'abri, le feu allumé pour préparer des tisons sur lesquels il ne restera plus qu'à réchauffer la chaudronnée de bines préparées hier, Da'Bé et Tit'Bé, riant, quittent leurs vêtements pour ne garder que leurs caleçons et, s'étant fixé pour mission de «débâtir le barrage», pénètrent dans la rivière en poussant des cris, car l'eau n'est vraiment pas chaude.

Plus ils retirent de morceaux de bois, plus le jeu s'annonce périlleux. À force de soustraire au barrage des branches et des souches, ce sont de véritables petits îlots qui se détachent brusquement. Dès à présent, il s'agit de bien évaluer quels morceaux ils peuvent ôter avant que tout le barrage ne soit emporté. Il s'agit de partir à temps, car se trouver devant le barrage lorsqu'il cédera signifierait une noyade quasi certaine.

Charlemagne est le premier à se rapprocher. S'asseyant sur ses talons, il les observe en silence. Samuel Chapdelaine vient le rejoindre, sourire aux lèvres, mais, démentant cet état, ses prunelles, elles, calculent. Se rendant compte de ce qui se passe, Maria et sa sœur s'approchent à leur tour de la rive à la hauteur du barrage. Dans l'attitude des hommes il y a intérêt et inquiétude, mais il faudrait que le danger soit vraiment plus évident, et surtout moins recherché pour qu'ils se résolvent à faire part tout haut de leurs craintes ou même à les afficher franchement, ce qui, à leur plus grande satisfaction, n'est pas le cas pour Maria.

— Watchez-vous! les garçons, crie-t-elle en mettant ses frères en garde, ça va partir d'un coup sec...

Mais ils l'ignorent, choisissant tel ou tel morceau à extraire, se débattant avec lui lorsqu'il ne veut pas venir. Déjà des brèches s'agrandissent dont chacune menace de tout emporter. Accroupi en contrebas sur la rive, prêt à décamper, Télesphore essaie de prévoir le moment où le barrage va céder. Une nouvelle brèche s'ouvre, emportant un tronc et déséquilibrant Tit'Bé qui oscille un instant avant de s'agripper à des branchages.

— Va-t'en sur la berge, lui ordonne Da'Bé, je vas finir.

— Pourquoi que ce serait toi pis pas moi!?

— Pasque! Fais de l'air!

— Comment ça, que je fasse de l'air? Tu te prends-ti pour un autre? J'ai ben le droit de rester là comme toi!

Charlemagne regarde le père Chapdelaine en souhaitant qu'il intervienne, car il commence à être inquiet. Maria également.

— Ça suffit, astheure! revenez tous les deux! lance-t-elle.

Ils n'en font rien, continuant à ôter des branches et des souches.

— Ils vont se faire brasser en cheval! imagine tout haut Télesphore, sans vraiment concevoir totalement le danger.

— Ils sont-ti têtes de cochons un peu! s'exclame Maria, dites-leur, vous, son père...

— C'est à eux, les oreilles...

— Si ça part, ils vont partir avec...

— Faut crère qu'ils veulent se mesurer avec les choses, savoir s'ils sont bons...

— Ben! moi, je crés surtout qu'ils doivent avoir tous les deux une craque dans le cerveau. À quoi que ça sert d'être bon si on est mort?

À nouveau, Tit'Bé est déséquilibré par le courant s'échappant d'une nouvelle brèche. Cette fois, cependant, il ne peut se rattraper et est emporté par le courant avant de ne pouvoir regagner la berge qu'à la hauteur de Télesphore qui, la première frayeur passée, rit à se tordre:

— Oh ben! tu t'es pas vu la face...

— Regarde donc plutôt la tienne, sans dessein! Je manque me noyer pis, toi, t'es là à te faire un fun noir...

Il s'apprête à rejoindre Da'Bé lorsque, soudain, il voit ce dernier, les yeux ronds, se démener pour atteindre la berge où Charlemagne s'est brusquement redressé pour lui tendre la main et lui crie un «grouille-toué!» angoissé. Cependant, son cri est assourdi par un vacarme stupéfiant. Un instant interdits, Tit'Bé et Télesphore voient tout le barrage s'avancer d'une seule masse; figés, ils aperçoivent Charlemagne qui attrape la main de leur frère et s'arc-boute en arrière, puis le vacarme s'amplifie encore et, soulevée par l'eau, ils voient avancer la muraille de branches, de souches et de mottes. Criant en chœur, ils s'éloignent de la rive en courant. Plus haut, Charlemagne lutte pour arracher Da'Bé au flot ravageur dont la violence l'attire par les jambes.

— Tiens bon! hurle Maria, sans que l'on sache si elle s'adresse à Da'Bé ou si, dans l'énervement, elle s'est mise à tutoyer Charlemagne.

Samuel Chapdelaine tend le bras juste comme, dans un sursaut en arrière, Charlemagne parvient à sortir Da'Bé du courant. Sauvé. Il ne reste rien d'autre à faire qu'à contempler la vague qui, monstrueuse, parcourt le bassin de la rivière à vive allure.

— Ben! il était temps...

Da'Bé a déjà oublié qu'il a failli être emporté, il s'extasie du spectacle qu'ils ont déclenché:

— Hein! Vous avez-ti vu?... C'est fort sans bon sens!

Ayant vraiment craint pour la vie de son frère, Maria est fâchée:

— Faut pas avoir tout son génie! Qu'est-ce que ça peut ben vous donner de nous faire des peurs pareilles!?

Comme si la réponse était évidente, Da'Bé se détourne sans répondre. Elle rencontre le regard de Charlemagne qui essaie de l'amadouer en souriant.

— Faut ben faire ses expériences..., plaide-t-il pour Da'Bé et Tit'Bé.

— C'est pas nécessaire de manquer se tuer pour prouver qu'on est un homme, c'est complètement gnochon!

— Fâchez-vous pas...

— Je me fâcherai ben quand ça me plaira!

Charlemagne se détourne à son tour pour masquer son sourire à Maria ainsi que l'admiration qu'il ressent à son égard. Il ignore que si elle persiste dans cette attitude, c'est qu'elle aussi ne veut pas avoir à montrer, outre bien entendu le soulagement, combien elle est fière de lui et aussi de ses frères.

Après le souper, chacun a nettoyé son assiette dans la rivière puis s'est installé près du feu, dans le panache de boucane entretenue par Télesphore à grandes brassées de branches vertes. Une fois le soleil couché, durant ces instants bleus où, sans qu'il fasse encore nuit, il ne fait plus jour, ces instants durant lesquels les insectes deviennent enragés, ils sont restés là pour s'en protéger. À présent qu'il fait nuit, ils sont toujours autour du feu, mais surtout pour le plaisir de sa lueur orangée et chaude sur fond ultra-marine. Maria a préparé du thé sucré; tout en le sirotant à petites gorgées, chacun y va d'une «histoire de peur» que les autres écoutent en silence, l'imagination débridée par le grand souffle de la nuit dont les ténèbres, en dissimulant le paysage environnant, y associent tous ceux qui s'étendent au-delà et procurent ainsi le sentiment unique de faire corps avec le reste du continent qui poursuit sa route solitaire sous le regard des étoiles.

— Toué, Charlemagne, demande Samuel Chapdelaine, t'as-tu quelques histoires à nous conter..., quelque affaire ioù ce que le cœur te débat quand tu l'écoutes?

— J'en ai une, certain! Pis une vraie à part de ça...

— Raconte, voir...

— C'était un peu après qu'on ait déménagé. Dans notre rang, quatre lots avant le nôtre, il y avait un dénommé Moïse Faubert qui était arrivé à Hébertville dans la même année que nous autres. C'était un homme pas très grand et qui aurait peut-être été normal s'il n'avait pas été aussi maigre, si sa face n'avait pas fait penser à une tête de mort et surtout s'il n'avait pas eu les yeux qu'il avait: très noirs et très brillants. Sans oublier qu'il avait trois femmes à lui...

Maria repense à l'histoire de l'oncle Wilfrid:

— C'est ce que les gens disaient?

— Non, ce que ses propres enfants disaient. D'ailleurs, pour avoir été en visite dans leur maison avant la fois que je vais vous conter, je peux vous dire qu'elles dormaient toutes dans la même chambre que lui.

— C'est pas très catholique, mais il n'y a rien d'épeurant là-dedans, estime Samuel Chapdelaine qui s'inquiète de ce qui pourrait suivre.

— Oh! c'est pas ça qui était épeurant, non. Ce qui nous donnait frette dans le dos, c'était que, par en dessous de la couverte, il se disait qu'y se faisait des messes noires chez eux...

Il marque un silence pour laisser à chacun le temps de bien se pénétrer de cette idée afin que l'imaginaire fasse son œuvre.

— Sûrement des ragots, présume Samuel Chapdelaine.

Charlemagne secoue négativement la tête.

— Pantoute! c'était même vrai pas pour rire. Moi, je l'avais appris par le plus vieux de ses garçons qui, un jour, m'avait tout bonnement raconté ce qui se passait chez eux. Des histoires de tables qui tournent, d'esprits qui reviennent et qui se montrent la face dans des miroirs, d'incantations au diable, enfin tout ce qu'on peut imaginer.

— Il devait se vanter, fait encore le père Chapdelaine, sceptique.

— C'est ce que je croyais aussi, jusqu'à ce qu'à un moment donné, il me dise que son père les avait prévenus que, ce soir-là, ils allaient inviter les démons pour l'anniversaire d'une des femmes et qu'il me demande si ça m'intéressait de voir ce qui allait se passer. Évidemment, je lui ai dit que non, que je voulais rien savoir de toutes ces affaires simples-là. Lui, il s'est contenté de me répondre que, si je changeais d'idée, j'aurais juste à aller regarder le soir à la fenêtre de leur cuisine. Là, je vous le dis, durant toute la journée, j'étais ben décidé à ne pas y aller. Pourtant, et je sais toujours pas pourquoi, le soir venu – c'était l'automne et il mouillassait –, je suis sorti pis j'ai été jusque chez eux.

— Et qu'est-ce que t'as vu? demande Télesphore qui trouve que la suite ne vient pas assez vite.

— Ben! quand je suis arrivé, la première chose que j'ai vue, c'était Moïse Faubert debout devant ses trois femmes agenouillées et vêtues d'espèces de grandes camisoles blanches. D'où ce que j'étais, je comprenais pas ce qu'y se disait et je voyais pas les jeunes, juste Faubert avec ses trois femmes qui avaient l'air en adoration tandis qu'il élevait vers le plafond une espèce de grand ciboire...

— Un vrai ciboire d'église? demande Alma-Rose dont le ton laisse transparaître une note d'angoisse.

— Ça, j'en sais rien, mais ça y ressemblait... Tout comme les hosties qu'il a prises dedans et qu'il a tendues à ses femmes.

— Mais c'est épouvantable! s'indigne Maria.

— Sûr! et je vous dis qu'à ce moment-là, même si j'étais déjà pus un petit garçon, j'en menais pas large dans mes culottes et que je commençais à avoir les jambes en guenille. Si j'avais su que c'était rien qu'un début, j'aurais filé.

Maintenant, dans la lueur rougeoyante du feu qui éclaire les visages, il distingue dans leurs traits les marques de cette angoisse artificielle et inconsciemment recherchée.

— C'était pas tout!? s'exclame Tit'Bé, qui en paraît ravi.

— Non, mais vous croirez peut-être pas la suite..., semble hésiter Charlemagne avant de poursuivre. En tout cas, je vous raconte ce que j'ai vu. Au bout d'une escousse, les femmes se sont levées et je ne vous dis pas dans quelle tenue qu'elles se sont mises...

— Dans quelle tenue? demande Télesphore.

— Tais-toi et écoute, lui intime son père en fronçant les sourcils.

— Ouais!... en tout cas, avec Moïse Faubert, elles ont commencé à danser bizarrement. Elles avaient vraiment l'air envoûtées.

— Pis? fait Télesphore, les yeux brillants d'excitation.

— Pis c'est là que les meubles se sont mis à bouger. D'abord, j'ai vu une chaise vide monter d'une couple de pieds dans les airs avant de retomber drette par terre. Après, ça a été un banc, mais lui, au lieu de retomber, il a été s'écraser contre un mur, comme ça, tout seul.

— Aaaah! ben crère! fait Maria en riant, c'est des histoires!

— Bon! je le savais que vous ne me croiriez pas...

— Moi, je te crés, affirme Télesphore. Continue...

— Eh ben! là, c'est là que ça s'est mis à rire, un grand rire moqueur et méchant que je savais pas d'où ce qu'y pouvait venir. Tout ce que je savais, c'est que c'était pas un rire de monde comme nous autres. Là, je peux vous le dire sans honte, et n'importe qui à ma place aurait fait pareil, la chienne m'a pris, j'ai dû lâcher un waque et, sans même m'en rendre compte sur le moment, la peur m'a fait pisser dans mes culottes.

— Alors ils t'ont entendu? imagine Tit'Bé.

— J'en sais rien, tout ce que je sais c'est qu'à ce moment-là, un autre banc est passé à travers les vitres de la fenêtre où ce que j'étais, que ça s'est mis à crier fort dans la cabane en même temps que ça faisait un barda pas créyable. Là, j'en avais assez, je suis parti à la belle course.

— Alors t'as pas su ce qu'il s'était passé après, conclut Tit'Bé.

— Oui, le lendemain, Claude, le fils de Moïse, encore tout blême, m'a avoué que, la veille au soir, ça avait fait plus dur qu'ils s'attendaient. Que le diable lui-même était arrivé chez eux, que c'était sûrement lui que j'avais entendu rire et qu'il avait tout débâti dans la maison.

À nouveau, comme pour laisser à l'histoire l'occasion de faire son chemin, il marque un silence que vient rompre le cri solitaire et mélancolique d'un huard. Sans vraiment se le dire, il est conscient que chacun est la proie de sa propre imagination. Le but recherché, qui consiste à se faire *agréablement* peur, est alors atteint.

— Et les gens d'Hébertville faisaient rien contre ce personnage? s'étonne Samuel Chapdelaine.

— Là aussi, c'était étrange... Dès qu'on parlait de Moïse Faubert, il y avait toujours une femme de la paroisse pour prendre sa défense, comme si qu'il les avait ensorcelées. Au point que je me demande encore s'il avait pas scellé un pacte avec le diable et qu'il lui aurait offert je sais pas quoi en échange de la bonne grâce des dames. Oh! il avait le tour d'y voir...

— De toutes les femmes? demande Da'Bé.

— Non, non, juste de celles qui parlent le plus fort: la marchande, la maîtresse d'école, quelques femmes plus haut placées et jusqu'à la bonne du curé...

— Celle que j'ai rencontrée? demande Maria.

— Oui, celle-là. Oh! je dis pas que ces femmes-là sont méchantes ou quoi, non, juste que, dès qu'il était question de Moïse Faubert, elles n'étaient pus pareilles à elles-mêmes.

— Il reste toujours à Hébertville? demande Maria simplement effrayée à l'idée d'être passée devant la maison en question.

— Non, non, leur maison est passée au feu.

— Ils n'ont pas rebâti?

— Ça aurait été dur, ils ont brûlé avec... Pas besoin de vous dire que, quand ça se présente que je doive passer devant, la nuit, j'aime pas trop ça. C'est comme si que je sentais qu'ils étaient encore là, pis il me semble encore entendre le grand rire qui m'avait donné frette jusque dans le milieu des os.

Maria essaie de réprimer un frisson, mais rien à faire. Son père tire de tout cela la morale qui s'impose et qui, en fin de compte, fait encore plus peur à tout le monde que tout ce qui a précédé:

— Comme quoi qu'il faut point appeler le diable si on ne veut pas qu'il s'en vienne pour nous emmener dans ses flammes éternelles.

S'il est divertissant de se «conter des histoires de peur», lorsque celles-ci sont terminées, on voudrait bien que le malaise qui les accompagne disparaisse sitôt la fin de la veillée et que l'on puisse penser à autre chose. C'est ce qui se passe à présent pour Maria qui, étendue sur le dos, garde les yeux grands ouverts en fixant la toile de la tente dont les mailles serrées ne réussissent pas cependant à empêcher une certaine irisation lunaire de passer. Elle pense à Charlemagne et n'arrive pas, malgré qu'elle le sache à quelques pieds de là, peut-être en train lui aussi de penser à elle, à s'affirmer qu'il soit *vraiment* là. En réalité, et même si elle n'ose se l'avouer et se dire qu'elle est pleinement heureuse de sa présence, elle voudrait qu'il se trouve tout contre elle; son absence est douloureuse.

Le sommeil ne vient toujours pas. Une nouvelle fois, un huard crie et, accentuant son sentiment de solitude, cet appel fait ressentir à Maria toute la force implacable, mystérieuse et perpétuelle du continent sur lequel son dos est appuyé; ce continent immense dont elle n'a d'autre idée qu'une lourde intuition; ce continent qui a déjà supporté une longue succession de générations, chacune avec son cortège inexorable de rires, de larmes, de joies, d'espoirs, de souffrances, de haines et d'amours, tout cela aujourd'hui englouti dans l'anonymat de la cendre et de l'humus; ce continent où elle doit vivre comme les autres avant ont vécu puis se sont éteints; ce continent dont, cette nuit plus que jamais, elle se sent partie vivante, à la fois terriblement importante et néanmoins dramatiquement négligeable. Est-ce de ressentir l'éther du monde si proche à travers la simple toile de tente qui fait qu'elle se demande ce qu'il restera d'elle dans mille ans ou même bien avant, alors que cette île, cette rivière et ces étoiles seront toujours là? Et la seule réponse qu'elle puisse se donner a pour nom Charlemagne. Plus tard, il ne restera que ce qu'ils auront donné à la vie, ensemble. Rien d'autre. Elle pousse un soupir. «*Qu'est-ce que ça peut ben me donner de jongler à toutes ces affaires simples-là?... Ouais! tu serais mieux de dormir, il faut se lever de bonne heure et la journée va être dure; il va falloir donner la claque... Dormir, facile à dire...*»

Elle s'est levée de très bonne heure. Le ciel était de ce bleu-violet tout neuf dans lequel scintillait encore l'éclat pur des étoiles les plus tenaces. Elle a préparé un plein chaudron de gruau dont tous se sont gavés en vue d'une longue et dure journée; puis, équipés chacun de deux chaudières, d'une «tapette» ou d'un «peigne», ou encore, comme Charlemagne, d'un «ramasseux», ils se sont éparpillés dans toutes les directions, Alma-Rose avec son père, Télesphore avec Da'Bé, Tit'Bé et Maria avec Charlemagne. À cause des ours, aucune des filles ne tient à rester seule, et les hommes aiment autant qu'il en soit ainsi même si pour rien au monde ils ne l'admettraient.

L'ouvrage est harassant; les bleuets poussent au ras du sol. Il faut continuellement se tenir plié en deux, les «reins» crient vite au secours, mais il importe de ne pas les écouter. Il faut remplir ses chaudières puis, lorsque c'est fait, repartir pour le campement dont on se trouve toujours trop éloigné afin de les vider, et cela en faisant sans cesse attention de ne pas les renverser en butant sur une racine, une roche ou n'importe quoi se présentant devant le pied qui, plus la journée avance, s'appesantit. En soutenant les chaudières à bonne hauteur et en les tenant loin du corps, il faut monter et descendre des côtes en terrain déjà peu praticable. Parfois, pour se soulager d'un ressentiment un peu vindicatif à l'égard du présent système des choses, homme ou femme, on lance de vive voix un chapelet de jurons clairs et hauts, souvent repris par les autres, et qui se propagent comme un écho sous le ciel bleu et attirant où moutonnent nonchalamment quelques nuages im-

maculés. Parfois aussi, lorsque le souffle devient trop court, on pose les chaudières, on s'arrête pour «prendre un respire», le temps de passer la manche sur son front pour essuyer la sueur qui brûle les yeux et pour tenir les mouches noires et brûlots en respect. Les jambes lourdes, un point dans le bas du dos, on évalue la distance toujours trop longue qui reste à couvrir avec les chaudières, on grimace, on soupire, les hommes ou les garçons rallument leur pipe et on repart en disant à l'autre des: «Tu t'en ressentiras pus le jour de tes noces», un peu encouragé de n'être pas tout seul. Lorsqu'on arrive enfin au campement, on jette un sort à la cruche d'eau puis on avale distraitement un morceau de pain ou un carré de sucre à la crème avant de repartir avec les chaudières vides. Et ainsi jusqu'au souper, après lequel il faut finir de remplir les boîtes de bois, en assembler d'autres pour le lendemain, puis reprendre les boîtes remplies pour, avec une aiguille, piquer tous les bleuets «blancs» que l'on voit entre les intersticcs et dont les acheteurs ne vculent pas. Et lorsque, enfin, on se couche à la nuit tombée, on a plus du tout le temps de penser. En fermant les paupières, des myriades de bleuets, tous plus beaux et plus gros les uns que les autres, viennent s'y afficher. Pas longtemps, car le sommeil, presque un coma, vient étendre son voile noir jusqu'au réveil, alors qu'il faut repartir avec ses chaudières.

Au troisième jour, toutes les boîtes sont remplies, heureusement, car Samuel Chapdelaine a aperçu un orignal en fin d'après-midi et, depuis, tous les hommes sont habités du démon de la chasse.

— On peut pas laisser passer ça, dit Da'Bé en raclant une seconde assiettée de bines.

— Non, on peut pas! l'appuie Tit'Bé.

Samuel Chapdelaine et Charlemagne, eux, échangent un regard où Maria comprend qu'ils ne repartiront pas d'ici sans viande ou, du moins, sans avoir essayé d'en attraper. Un regard où transparaît l'enthousiasme causé par l'anticipation du geste à venir: le «buck» puissant au panache majestueux qui surgit d'un bouquet d'aulnes, là où on l'attendait, s'arrêtant, immobile et méfiant, dans le silence soudain sinistre du ravage, humant l'air saturé des senteurs de bois pourrissant et d'humus humide, la carabine que l'on épaule, le cœur qui semble suspendre son mouvement, la respiration que l'on retient, le canon d'acier bleuté, l'animal somptueux dans l'axe de la mire noire, l'adrénaline se déversant à flots brûlants dans les tripes, vagues réminiscences d'un âge révolu, le sentiment de force, la contraction des muscles, le doigt sur la gâchette, le mouvement de fuite de l'animal, la détonation, le temps qui s'arrête, l'incertitude puis la chute terrible, l'odeur de la poudre, le cœur qui repart, le cri vainqueur, la distance qui sépare le chasseur de sa victime, deux regards étrangers qui se rencontrent, le coup de grâce, le bref sentiment d'incertitude lorsque le regard de l'animal s'éteint, le couteau plongeant dans le cou fauve, la gerbe du sang devenu inutile retombant sur la terre, et la joie, la fierté, le sentiment de puissance virile inondant le chasseur pour qui l'animal a réveillé le vieil atavisme qui veut qu'un homme, un *vrai*, au terme d'un combat l'opposant à la bête, ramène la viande comme gage de sa force. Et Maria est fière de lire toute cette attente millénaire dans le regard de Charlemagne.

XII

Cette journée va être la plus belle de sa vie. Maria en est certaine à son réveil tandis que, par la fenêtre, le ciel, lui, fait des promesses.

Pourtant, cela n'a pas été facile ces dernières semaines. Au retour, épuisés, mais contents, sitôt les bleuets vendus, Charlemagne et elle sont retournés à Saint-Henri pour déterminer avec le prêtre la date de leur mariage.

— Allez-vous prendre une terre par icitte? a demandé le prélat.

— Au nord de Mistassini, lui a répondu Charlemagne sans ajouter qu'ils passeraient d'abord par Ouiatchouan.

— C'est bien, très bien! et surtout n'allez pas écouter tous ceux qui vous diront que c'est mieux aux États, ce ne sont rien que des menteries... Et n'oubliez pas non plus que le chemin du bonheur doit malheureusement souvent passer par la souffrance.

La date retenue a été le troisième lundi de septembre. Puis Charlemagne a pris le chemin du retour. En voyant sa voiture disparaître au premier tournant, Maria a aussitôt éprouvé le poids de son absence, au point de se reprocher d'avoir pu trouver sa présence comme allant de soi. Il ne restait pas beaucoup de semaines avant le mariage, pourtant elle voyait cela telle une grande étendue morne et triste qu'elle allait devoir traverser.

Dès le lendemain, le temps semblait avoir repris son cours, les garçons travaillant au caveau à légumes qui devrait être prêt pour l'automne, Maria et Alma-Rose préparant des pâtés à la viande ainsi que des tartes au sucre et d'autres aux framboises en prévision du mariage de leur père. Ce ne fut que lorsqu'elles eurent terminé que Samuel Chapdelaine leur a appris que lui et Pâquerette Villeneuve ne reviendraient pas directement après la cérémonie.

— Où est-ce que vous allez aller, son père? s'est étonnée Maria.

Il s'est frotté le nez, signe d'embarras, avant de la renseigner:

— On a prévu d'aller à La Baie pis, de là, on prendra le vapeur qui fait la traversée jusqu'à Rivière-du-Loup.

— Ah!... Vous allez faire un voyage de noces!

— Ben!... si tu veux appeler ça de même...

Maria n'a rien dit, pourtant ses lèvres brûlaient de lui reprocher: *«Quand je pense que sa mère se demandait souvent quand est-ce qu'elle ferait le sien...»*

Un bel après-midi ensoleillé où cependant une première brise venue du nord rafraîchissait sensiblement le fond de l'air au point qu'à l'intérieur de l'église il faisait plutôt frais, tous les enfants ont assisté, une pierre dans le cœur, au remariage de leur père. Seule Pâquerette semblait radieuse. Samuel Chapdelaine, lui (et cela, seule Maria s'en est rendu compte), avait le teint trop rubicond pour qu'on ne l'attribue pas à quelques verres de «gros gin» destinés à lui donner de l'entrain. Ou du courage? Après l'office, tandis que les jeunes retournaient à Honfleur avec, pour consolation, de la tourtière, des pâtés et des tartes, les nouveaux époux prenaient une autre direction.

— Je te confie la maison, ma fille, a dit son père à Maria.

— Vous cassez pas la tête, son père, tout ira ben.

À la nuit tombée, frères et sœurs cherchaient Télesphore disparu depuis la fin du repas.

— Il va-ti se faire chauffer la couenne par son père un peu s'il rentre point! a prédit Alma-Rose qui, pour le moment, se tracassait plus de la réaction de son père que du sort de son frère.

Au milieu de la nuit, Esdras a conclu que le «p'tit maudit» avait dû «saprer son camp» et que ça ne servait à rien de le chercher plus longtemps.

— Mais qu'est-ce qu'on va faire? a demandé Maria.

— Y a rien à faire, ou ben il reviendra, ou ben il se trouvera de quoi...

— On le reverra pus?! s'est écriée Alma-Rose.

— Oh! il finira ben par ressoudre un bon moment donné...

Se tourmentant pour son jeune frère, ne pouvant trouver le sommeil, Maria est allée s'asseoir à l'extérieur et c'est là, en levant les yeux vers le ciel étoilé, qu'elle a repensé à la croix sur la lune, se demandant si elle n'avait pas rêvé.

Au même instant, au bord du Saguenay, son père sortait pour fumer une pipe et réfléchir à ce qui venait de se passer entre lui et sa nouvelle femme. Cherchant vaguement un pardon céleste, il a levé le regard et lui aussi a repensé à la croix sur la lune et s'est convaincu soudainement que ce devait être un avertissement qu'il n'avait su déchiffrer, peut-être l'annonce d'un châtiment imminent. Il a pris peur pour ses enfants et en a voulu à Pâquerette, l'accusant à présent de l'avoir «débauché», certain que tout ce qu'il venait de connaître avec elle, même si cela avait été excitant, n'avait rien à voir avec l'amour, pas plus qu'avec l'amitié. Même si, en y songeant à nouveau, et malgré toutes ses inhibitions, il savait que, dans la chambre rose, il venait de découvrir un côté inconnu de lui-même. Il craignait d'en découvrir davantage.

Le lendemain, ça a été au tour de Da'Bé de partir. Toute la nuit, il avait pensé à l'arrivée de Pâquerette Villeneuve dans «la maison de sa mère», réalisant davantage, au fur et à mesure de son insomnie, qu'il était tout à fait incapable de le concevoir et donc encore bien moins de le supporter. Là-dessus, ne trouvant de salut que dans la fuite, prenant pour lui des projets de Tit'Bé, il a pensé à l'Ouest, s'est imaginé de grandes étendues à conquérir et bientôt, le cœur gonflé de la certitude d'un renouveau héroïque, il a pris sa décision: il allait apporter l'avenir de son sang là-bas, dans les grandes plaines encore sauvages.

— Je m'en vas dans l'Ouest, a-t-il annoncé au petit matin, expliquant ainsi pourquoi il n'avait pas mis son «linge d'ouvrage».

Et il s'en est allé aussitôt après le déjeuner, malgré les supplications de ses sœurs pour qui cette annonce équivalait presque à un adieu aussi définitif que la mort, mais qui, d'un autre côté, éprouvaient une certaine fierté à avoir un frère aussi brave.

À leur arrivée, Samuel et Pâquerette Chapdelaine ont appris que Télesphore et Da'Bé avaient quitté le foyer. Le père Chapdelaine a accueilli cette nouvelle sans trop de surprise; il s'était presque même attendu à pire.

Repensant à tout cela, dans la voiture qui les conduit à La Pipe, Maria jette un regard vers son père et est surprise de le trouver vieilli. Est-ce le fait de l'emmener, elle, sa fille, aux marches de l'autel? Assez de questions! il faut que ce soit une belle journée; de plus, le ciel s'en mêle, tous ces derniers jours il s'est maintenu dans les gris pluvieux, mais, ce matin, comme pour saluer le jour de son mariage, il est d'un bleu cobalt que les ors et les rouges flamboyants des feuillus ne font qu'accentuer. Maria ne s'en étonne pas; il lui semble légitime que la nature se montre courtoise lorsqu'on se marie. Le contraire lui serait apparu comme un mauvais présage.

Antoinette Bouchard et sa fille Ghislaine ont décidé de venir. Elles sont arrivées hier soir et ne se sont pas privées de faire des allusions ironiques sur la rusticité des lieux: «Et où sont les toilettes?» «Dehors, ma tante, les bécosses.» Idola Villeneuve, lui, est arrivé ce matin; il y a aussi Adélard Mailloux chez qui Samuel Chapdelaine a désormais pris l'habitude de s'arrêter lorsqu'il va à Mistassini. Il est arrivé juste avant le départ pour l'église, le visage cramoisi, les yeux pétillants de malice, lorgnant dangereusement du côté de Ghislaine. D'ailleurs, avec un brin de reproche, Pâquerette a dit à son mari que son ami sentait déjà «la robine». Parmi les invités qui se dirigent en ce moment vers Saint-Henri, il y a aussi la famille Caouette avec lesquels voyage Esdras, Edwige Légaré qui, sur son banc, se tient trop droit dans son nouvel habit, et Éphrem Surprenant dont la voiture est venue grossir le cortège nuptial à Honfleur. En tête, Maria, qui est seule avec son père, se retourne et trouve que *«ça commence à ressembler à une vraie noce»*. Elle adresse un sourire de connivence à Alma-Rose qui suit derrière eux en compagnie d'Idola Villeneuve et de leur belle-mère. Sa sœur lui répond en levant les yeux vers le ciel, voulant signifier par là qu'elle aurait préféré une autre compagnie. Maria jette un coup d'œil à Pâquerette – qu'elle s'obstine toujours à appeler Villeneuve – et lui découvre un sourire dont elle ne saurait affirmer s'il est sincère ou simplement de circonstance. En pensant à sa belle-mère, Maria est soudain surprise de constater qu'il n'y ait pas encore eu plus de «*brasse camarade*» entre elle et Alma-Rose. Le premier jour de son arrivée, les filles et la femme ont fait tout leur possible pour se montrer aimables. Le second, Alma-Rose s'est renfrognée lorsque Pâquerette lui a dit de faire attention de ne pas mettre trop de sel dans la soupe, et cela se serait peut-être passé si, en voyant la mine d'Alma-Rose, la nouvelle maîtresse de maison n'avait pas ajouté:

— Tu fais-ti du boudin, Alma-Rose?

Les yeux lançant des flammes, l'interpellée a répondu:

— Y a pas personne qui viendra me chanter des bêtises icitte!

Pendant une longue seconde, la femme est «*restée bête*» puis, prenant sur elle, elle a eu le bon sens de ne rien ajouter, ce qui aurait pu entraîner une guerre ouverte avec Alma-Rose, une guerre que Maria sait perdue d'avance, contrairement à sa sœur qui, elle, croit encore qu'aux yeux de son père elle aurait le dernier mot sur «la bonne femme».

Est-ce parce que ce soir elle sera mariée? Maria, nettement gênée par ses propres pensées, se remémore les «*bruits*» qui, depuis l'arrivée de Pâquerette, toujours au cœur de la nuit où ils essaient vainement de se dissimuler, rompent le silence et à chaque fois font que malgré elle, elle en veut à son père de faire avec cette «*intruse*», comme elle la nomme alors, des choses qu'elle ne veut même pas imaginer; des *choses* qui, entre son père et cette femme, lui apparaissent comme «*malpropres*»; au point d'en ternir ce que parfois elle se risque à imaginer concernant ce qu'il pourra se passer entre elle et Charlemagne une fois qu'ils seront mariés. Ce soir. Tout ce qu'elle demande, c'est de le sentir là, tout contre elle, qu'ils ne fassent plus qu'un, qu'ils se sentent forts, tous les deux réunis, que le temps et ses tourments s'annihilent dans leur union. Pas tous ces «*bruits*»! Se répétant pour la nième fois que, ce soir, ils devront se déshabiller, elle secoue la tête pour en chasser l'embarras qui en ce moment prévaut sur l'émoi.

— Ça ne va pas, Maria? demande Samuel Chapdelaine.

— Oh oui! son père, je faisais juste jongler...

— Des jongleries de jeune mariée, je suppose...

— Ben!...

— Est-ce qu'il y a des affaires qui... enfin t'as-ti des questions qui se posent et dont ta mère ou tes tantes ne t'auraient pas rien dit?

— Non, non, son père, je suis correcte...

Le père Chapdelaine juge que le moment est venu de prononcer le message qu'il croit de son devoir de communiquer et qu'il n'a pas arrêté de retourner dans sa tête, la nuit durant. Mais tout ce qu'il s'était formulé lui semble à présent un peu trop pompeux.

— Tu sais, commence-t-il, si, dès fois, il y a des affaires qui vont vraiment mal pour toi, ben!... faudrait pas que t'hésites à lâcher un siffle...

— Ça arrivera pas, son père!

— Je sais ben, je sais ben, mais... des fois... Faut pas attendre d'être pognée jusqu'au trognon... J'sais ben que Charlemagne est pas le genre à partir sur la trotte, c'est pas un panier percé non plus, pis ça m'étonnerait qu'il rentre le soir paqueté comme un œuf...

— Non, son père, c'est pas le genre.

— Non, mais des fois... y a des hommes qui cachent ben leur jeu... Oh! je dis pas qu'il est de même, ben au contraire! ni qu'il faille partir en peur à la moindre querelle, ça il y en aura certain, pis c'est ça qui forme le couple. Non..., ce que je veux dire, c'est que si... si ça venait qu'à aller vraiment mal..., enfin, je serai toujours icitte...

— Merci, son père.

— Oh! me remercie point, j'aurais voulu vous donner plus que ça... mais...

— Vous excusez point, son père, on aurait pas pu avoir mieux qu'on a eu!

— T'es gentille, mais je sais ben... Oh! c'est sûr que, quand on est né pour un petit pain, c'est pas toujours facile de faire autrement...

— Allez! son père, on est pas à pied, pis je vous dis qu'on a pas été malheureux. Vous avez pas de reproche pantoute à vous faire.

— J'aurais peut-être quand même dû faire comme votre mère voulait, nous établir dans une vieille paroisse...

— Vous auriez pas été heureux, pis nous non plus, pis sa mère non plus. Je crois ben que ce qu'elle aimait, dans les vieilles paroisses, c'était sa jeunesse, pis ça, je crois pas que ça se retrouve à quelque part en particulier.

Il la regarde avec les yeux pleins d'une adoration qu'il n'avait plus osé lui témoigner depuis qu'elle a cessé d'être la petite fille qui venait s'asseoir sur ses genoux:

— En tout cas, je suis ben fier d'avoir une fille comme toi! Je pouvais pas rêver mieux.

— Pis moi, un père comme vous!

Il se détourne, voulant sans doute éviter qu'elle voit son visage pendant l'aveu qu'il se sent le besoin de faire:

— J'aurais pas dû me remarier...

— Pourquoi vous dites ça, son père?... Bon! c'est sûr que nous, on a du mal à l'accepter, mais vous..., je crois qu'elle peut vous rendre heureux.

Il secoue la tête.

— Non. Depuis qu'elle est là, je m'ennuie encore ben plus de votre mère.

Maria entrevoit ce qu'il veut dire, et même si une partie d'elle-même dit: «*Vous l'avez cherché*», l'autre veut le consoler.

— Vous faites pas de remords, son père, c'est normal que si l'occasion se présente, on essaie d'être un peu moins seul. Pis y a pas de mal à prendre la main qui s'offre, rien de mal, son père.

— T'as raison! dit-il en se redressant. C'est pas une journée pour s'apitoyer sur ses misères. Envoye! avance, Charles-Eugène! on va à la noce! (Le regard tout épanoui cette fois, il se tourne carrément vers sa fille.) Tu sais-ti que t'es une saprée belle fille?

— Arrêtez! son père, vous allez me faire rougir.

Mais, au lieu de cela, il se retourne et, les mains en porte-voix, il crie en direction des autres voitures:

— Hé, vous autres! Vous trouvez pas qu'elle est joliment belle, ma Maria?

La réponse est affirmative, unanime et spontanée. Un sourire étrange sur les lèvres, regardant bien droit devant, elle aperçoit entre la cime des arbres le clocher de La Pipe qui se découpe dans la transparence de l'air. Maria est parcourue d'un long frisson de bonheur.

Les voitures avancent. Elle a hâte, mais aussi est anxieuse de retrouver Charlemagne qui, elle en est sûre, doit déjà attendre sur le perron de l'église. En riant dans sa tête, elle se demande si aujourd'hui il aura décidé de porter un chapeau. Elle en doute. Puis, brusquement, elle réalise qu'il sera certainement tout seul et cette pensée douloureuse la ramène à Blanche-Aimée. Tout aussi brusquement, elle se souvient des paroles que la mourante avait prononcées: «*C'est dommage... Pauvre Charlemagne...*» Pour elle, c'est soudain comme si le voile du ciel s'ouvrait en deux. Le miracle! Celui qu'elle croyait que Dieu lui avait refusé, ce miracle-là est à l'œuvre; pas comme elle s'y attendait, non, mais d'une façon peut-être encore plus merveilleuse. «*Ô merci, mon Dieu! Merci!... Et moi qui doutais de vous... Oh! Blanche-Aimée! vous saviez lorsque vous m'avez demandé d'aller voir votre fils, vous saviez ce qui allait se passer... Merci!*»

Il est sur le perron de l'église et il n'est pas seul. Dès qu'elle l'aperçoit, même du plus loin et enveloppée dans une houppelande, Maria reconnaît sœur Marie-de-la-Croix. Elle ne comprend tellement pas ce qu'elle peut faire ici que, durant une seconde, elle a peur. Mais, en s'approchant, elle constate qu'il n'y a rien sur le visage de la religieuse qui puisse susciter de la crainte. De la main, des lèvres et des yeux, alors que Charles-Eugène Deux s'arrête au pied des marches, elle fait signe à Charlemagne. Il a les mains croisées dans le dos, arbore un sourire un peu embarrassé, n'a pas de chapeau, et elle trouve que son «*bel habit*» gris foncé avec de fines rayures noires le fait paraître encore plus costaud. Elle se dit alors qu'elle a de la chance d'épouser un «*beau gars de même*».

Toutefois, en descendant de voiture, elle s'adresse en premier à la religieuse:

— Ma sœur! c'est extraordinaire! Mais comment ça se fait que vous êtes rendue icitte?

— Bonjour! Maria, oh! c'est tout simple, je fais la tournée des paroisses pour recueillir les dons et, hier, en passant par le presbytère de la paroisse, monsieur le curé m'a appris presque par hasard que vous alliez vous marier aujourd'hui, voilà...

— Alors vous êtes restée... Oh ben! ma sœur, ça c'est vraiment gentil! Si je m'attendais... (Elle désigne Charlemagne.) Vous avez fait connaissance?

— Juste le temps de me présenter, intervient Charlemagne, la sœur vient de m'apprendre qu'elle vous a connue à l'Hôtel-Dieu...

La religieuse s'est tournée vers lui; soudain elle prononce «St-Pierre» sur un ton étonné, puis elle revient à Maria, les yeux agrandis par la surprise, n'osant demander confirmation de ce qu'elle vient de supposer.

— Oui, ma sœur, acquiesce Maria, c'est son fils...

— Le fils de Blanche-Aimée!?

— Oui...

— Oh! mon doux Seigneur! Oh ben ça!... Ben ça!...

— Vous connaissiez ma mère également? demande Charlemagne.

La religieuse se pince la lèvre inférieure avant de confirmer:

— Nous la connaissions toutes, et même si je ne devrais pas dire ça, je vous avoue que votre maman était un peu comme notre trésor... Oh! mon Dieu! si jamais j'avais imaginé... Vous lui ressemblez, vous savez...

— Merci, fait Charlemagne, laissant nettement entendre que, pour lui, il s'agit là du plus beau des compliments. (Soudain, ses traits font état d'une inspiration.) Mais... vous, ma sœur, accepteriez-vous de vous asseoir à côté de moi comme l'aurait fait maman? Ça me ferait terriblement plaisir.

— Ben!... (elle est émue), d'accord, j'accepte. Je vous cache pas que ça me fait plaisir aussi d'autant plus que...

Elle n'a pas le temps de finir; revenant d'attacher le cheval, Samuel Chapdelaine les interrompt jovialement:

— Eille! là! les jeunesses, c'est pas dans les règles, ces affaires-là, les mariés doivent pas se parler avant la cérémonie.

Comme pour réclamer plus de solennité, la cloche se met à carillonner à toute volée. Par le portail ouvert, Maria aperçoit un jeune garçon suspendu à la longue corde de chanvre et qui, sans l'ombre d'un doute, s'en donne à cœur joie. Entendant retentir l'appel de bronze dans le bleu du ciel, réalisant qu'il annonce à tous les vents son mariage à elle, que tout ce carillonnement impétueux est rien que pour elle et Charlemagne, elle a la sensation que son cœur se met à battre à l'unisson.

Déjà, Charlemagne et la religieuse remontent l'allée centrale pour aller prendre leur place, lui, devant l'un des deux fauteuils capitonnés de velours rouge placés devant l'autel pour la circonstance. La famille et les amis eux aussi vont prendre place dans les bancs à l'avant de la petite église. Quelques femmes du village s'avancent également, la plupart reluquant à droite et à gauche pour voir s'il n'y aurait pas quelque bizarrerie inhabituelle ou tout au moins une anecdote digne de casser la monotonie quotidienne. Et le prêtre, aujourd'hui irradiant de bonhomie, les doigts croisés haut sur la poitrine, s'approche de Maria et de son père.

— Ça va être le grand moment, chuchote-t-il à l'intention de Maria, pas trop nerveuse?

— Un peu, mon père...

— C'est normal, ça ira mieux tantôt..., quand le jeune homme là-bas t'aura passé la bague au doigt.

Elle a une mimique signifiant «ça doit» puis, comprenant que le moment est arrivé, elle ôte le long paletot qui, jusqu'à présent, dissimulait la robe qu'il a fallu retoucher en vitesse hier soir après que, lui ayant dit bonjour, la tante Antoinette se soit exclamée: «Qu'est-ce que t'as fait de ta ligne, ma pauvre p'tite fille, il ne te reste plus rien!»

Un murmure d'approbation salue la robe nuptiale. Maria sourit à tout le monde en général et à Charlemagne en particulier alors que, tout seul devant l'autel, il est tourné vers elle et l'attend. Couperosé, Samuel Chapdelaine tend le bras à sa fille et, se préparant à remonter l'allée centrale, adopte une attitude un peu guindée, empreinte d'un sérieux qui cherche surtout à dissimuler sa gêne. En avant, trois des femmes précédemment arrivées entament un chant où les aigus montent très haut. Lentement, le père et sa fille remontent tous deux l'allée, chacun en gardant la tête droite, mais observant l'assistance de biais avec un sourire de circonstance sur les lèvres.

Puis Maria se retrouve à côté de Charlemagne.

Conscients de tous les regards braqués sur eux, ils échangent un rapide coup d'œil complice. À les voir, ils ont tous les deux la même attitude. Cependant, alors que lui se répète que «*c'est rien qu'un mauvais moment à passer, le mal au cœur va s'en aller*», Maria, elle, s'efforce de se convaincre qu'elle est en train de vivre le plus grand moment de sa vie.

Durant l'*Introit* puis l'oraison, elle n'a pour ainsi dire pas conscience des mots prononcés par le prêtre, l'assistance ou elle-même, tant idées, sentiments et sensations se bousculent dans sa tête et lui donnent presque l'illusion d'être soûle. Durant la lecture de l'épître, des mots auxquels elle n'avait jamais accordé d'attention jusqu'à présent pénètrent son esprit et lui posent des questions. «*Mes frères, que les femmes soient soumises à leurs maris comme au Seigneur...*»

«*Ça veut-ti dire qu'on doit faire tout ce qu'ils disent sans rouspéter?*» Curieusement, les paroles de saint Paul ne la dérangent pas en ce qui la concerne vis-à-vis de Charlemagne, pas plus en ce qui concerne sa belle-mère vis-à-vis de son père, non, elles l'interrogent en ce qui concerne toutes les autres femmes. Pas longtemps toutefois, d'abord parce qu'elle se fait la réflexion que, puisque c'est saint Paul qui l'a dit, il doit savoir plus qu'elle de quoi il parle, et aussi parce qu'ils sont déjà à l'évangile de Matthieu dont le prêtre a commencé la lecture et qu'elle entend: «*...n'avez-vous donc pas lu que Celui qui créa l'homme, dès le commencement, le créa mâle et femelle et dit pour cette raison: l'homme abandonnera son père et sa mère et il s'attachera à sa femme, et ils seront deux dans une même chair...*» L'espace d'une fraction de seconde, elle entrevoit le sens de ces paroles; non pas avec des mots ni même avec des images, non, cela se présente plutôt comme une impression qui signifierait quelque chose comme: nous ne serons plus qu'un parce que l'on ne pourra plus rien se cacher. Tout ce que nous ferons, tout ce que nous penserons, même en mal, nous ne pourrons nous le dissimuler que ce soit par intention ou par omission. Le faire équivaudrait à nous séparer et ce serait le retour à la solitude. L'amour capable de renverser les barrières de cette solitude exige l'abandon total et mutuel de soi à l'autre. Vouloir en garder ne serait-ce qu'un fragment jugé irrecevable serait déjà le signe d'un manque d'amour. Elle ressent cette impression puis, peut-être faute de la concevoir avec des mots ou peut-être encore parce qu'elle est trop lourde de conséquences, l'oublie presque aussitôt.

Paternel, le prêtre leur parle des devoirs de l'époux et de l'épouse, de la nécessité d'avoir une «belle grosse famille» et leur assure qu'il ne peut y avoir d'existence plus heureuse que de faire fructifier une terre au milieu des siens et pour les siens, dans ce pays, avec les gens de sa race, en suivant les commandements de Dieu et ceux de l'Église. Elle a déjà entendu tout cela mille fois, mais de le savoir et de se l'entendre dire spécialement pour eux la renforcent dans la conviction que ces paroles-là sont justes. C'est vrai au fond; que pourrait-elle vouloir de plus qu'un mari qui la respecte, plein de beaux enfants qui seront autant d'amour à donner et à recevoir, et une terre bien à eux qui leur rendra en bienfaits et en indépendance ce qu'ils lui donneront en travail? Le dimanche, ils pourront rencontrer leur créateur au milieu des personnes qui leur ressemblent et, au-delà des petits défauts propres à chacun, sauront, pour avoir vécu les mêmes expériences, se soutenir les uns les autres. Tout cela dans ce pays du Lac-Saint-Jean qui finalement sera celui qu'ils bâtiront. Un pays dont les rigueurs lui ont enlevé François Paradis, mais aussi un royaume qu'aujourd'hui, pour s'en être nourrie, chaque fibre d'elle-même reconnaît comme étant le sien. Aurait-elle été plus heureuse dans ces grandes villes telles qu'Adélard Mailloux les a décrites à son père? Maintenant, elle sait que non et n'a pas besoin d'avoir recours à aucune voix imaginaire pour s'en persuader parce que Charlemagne St-Pierre, elle l'a choisi exclusivement pour ce qu'il représente dans son cœur, ce qui n'aurait pas été nécessairement le cas pour Lorenzo ou Eutrope Gagnon. Oui! contrairement à ce qu'elle avait cru devoir faire dire à ses voix l'an passé, elle ressent maintenant qu'elle et tous les siens ont beaucoup appris, que, pour apprendre, tous ont dû beaucoup oublier, que si ça n'avait pas été le cas, ils ne seraient pas là. Et aussi qu'une part d'eux vivait déjà sur cette terre, il y a bien longtemps, bien avant que de «grandes îles de bois» ne traversent l'océan.

Ils ont dit «oui, je le veux», ils sont mari et femme. Le prêtre lève les bras et dit au couple:

— Que Dieu soit avec vous et qu'Il accomplisse en vous Sa bénédiction, afin que vous voyiez les enfants de vos enfants jusqu'à la troisième et quatrième générations!...

Sitôt après la cérémonie, tout le monde – y compris sœur Marie-de-la-Croix qu'ils ont réussi à convaincre – est monté dans les voitures pour repartir vers Honfleur. Maria est toujours en tête, mais, cette fois, aux côtés de son mari. Ce n'est qu'une fois les dernières habitations dépassées qu'elle se rend compte avec effarement que, durant tout l'office, elle a pensé au mariage, à ce qu'il représentait, à son pays, à l'idée même qu'elle était en train de se marier, mais pas une seule fois sérieusement au fait qu'elle était en train d'épouser Charlemagne. C'est seulement maintenant qu'elle prend conscience qu'il est là, avec elle. Elle se rapproche plus près de lui, espérant lui faire comprendre que ça y est, elle aussi est là:

— Je suis heureuse, Charlemagne.

— C'est rien que le début, Maria.

Elle ressent sa détermination à ce qu'il en soit ainsi, de même que l'émotion presque éperdue qu'elle provoque en lui. Elle a la sensation d'un grand courant frais dans son esprit, d'une grande goulée d'air pur dans sa poitrine.

La petite maison est bondée. Pâquerette garnit généreusement les assiettes de tourtière, de bines et de salade à la crème qu'Alma-Rose et Yvonne Caouette apportent aux convives, certains restés debout, d'autres assis autour de la table ou sur les marches d'escalier, et jusque sur le lit des filles. Sur celui des parents, on a étalé les manteaux les uns par-dessus les autres. À peine arrivé, Samuel Chapdelaine a fait signe à Esdras et tous deux sont sortis pour revenir, un peu plus tard, avec un baril qu'ils ont déposé au bout du comptoir.

— S'il y en a qui veulent du vin de pissenlit, gênez-vous pas, a lancé Samuel Chapdelaine à la ronde.

L'alcool, ou tout simplement l'idée de ce qu'il doit procurer, a vite délié les esprits. Premier à s'être présenté au baril, supplantant les autres par la voix, Adélard Mailloux, rendu volubile par une «ponce» et deux verres de vin maison, y va d'anecdotes destinées à provoquer rire et bonne humeur. Il galèje avec le père Chapdelaine:

— Pis, Samuel, tu te souviens-ti la fois au lac Édouard ioù c'que t'avais fabriqué de la baboche dans le bois en cachette du foreman? Tu te souviens-ti comment qu'on a été malades pour mourir après juste une couple de tasses, pis qu'on s'est aperçu par après qu'y avait une martre crevée dans le fond de ton baril? Ha! Ha! ça a pas de bon sens! Le Samuel, il nous avait dit: «Je vous paye la traite.» Le lendemain, la moitié des hommes du campe avaient le va-vite à pus pouvoir grouiller du bed. Pis le cook qui pensait que c'était lui qui nous avait servi de quoi qui nous avait pas fait et qui virait dessour, tandis que le foreman s'en prenait à lui en descendant tous les saints du ciel! C'est que des fois, tu faisais dur, Samuel...

— Bah!... j'étais jeune, se défend Samuel Chapdelaine avec un peu d'embarras.

Adélard Mailloux se tourne vers Maria:

— Il t'avait pas raconté ça, ton père, pas vrai?

— Non, fait Maria amusée. Il nous a toujours dit qu'il prenait pas de boisson quand qu'il était jeune...

— Il prenait pas de boisson! répète Antoinette Bouchard en s'exclamant. Samuel! t'as pas été dire à tes jeunes que tu prenais pas de boisson? Tu devrais être gêné...

— Ben voyons! Antoinette!

— Y a pas de «voyons, Antoinette». Tu t'en souviens peut-être pas, t'étais peut-être trop chaud pour ça, mais moi, je me rappelle ben d'une certaine messe de minuit à Mistassini où ce que t'avais embarqué dans le *Minuit, chrétiens* avec le père Gagné qui était le chanteur officiel.

— C'était pas la boisson, Antoinette, c'était juste que je devais être un peu ennimé.

— C'est pasque t'étais ennimé que tu te mélangeais dans les paroles, que tu disais l'*heure du père Noël* au lieu de l'*heure solennelle*? Allons donc, Samuel Chapdelaine, conte-nous donc pas d'histoires devant tes jeunes!

Tous savent que tout cela n'est destiné qu'à abattre les barrières que chacun dresse autour de soi pour se prémunir des atteintes, mais qui, en des jours comme celui-là, doivent être abolies afin de ne pas se prendre au sérieux et de pouvoir rire de soi avec les autres. C'est cela le sens véritable de la fête.

— Est-ce que quelqu'un a vérifié s'il n'y avait pas de bibite dans le baril à Samuel? demande Idola Villeneuve, affectant crainte et soupçon en regardant son verre d'un œil soupçonneux.

— J'y ai juste mis un Anglais, beau-frère, feint d'avouer le père Chapdelaine avec sérieux. Je sais que tu les aimes...

— Cré batince! viens pas me parler d'eux autres en pleine noce!

— Mais qu'est-ce qu'ils t'ont donc fait les Anglais, Idola? demande Antoinette Bouchard. Ils ne sont pas si méchants que ça!

— Ce qu'ils m'ont fait... ben! ils m'ont fait qu'ils ont toute l'argent pis toute le pouvoir. Voilà ce qu'ils m'ont fait!

— Pis après? Laisse-leur ça; nous, on a le reste...

— Les restes, tu veux dire.

— Non, non, Idola Villeneuve, le reste. Que c'est que tu ferais de plus que tu fais là avec de l'argent, hein, dis-moi? Serais-tu plus heureux?

— Ben!... En tout cas, c'est pas une raison pour qu'ils aient toute...

— Si y en a parmi eux autres qui en ont plus que nous, c'est juste que ça leur importe plus qu'à nous. Nous autres, on trouve notre bonheur ailleurs. Vous croyez pas, vous autres?...

Ils approuvent vaguement, puis les conversations reprennent séparément entre les hommes et les femmes. Assise à côté de sœur Marie-de-la-Croix, Maria lui demande des nouvelles des personnes qu'elle a connues à Chicoutimi.

— En tout cas, ça me fait plaisir de vous revoir, affirme-t-elle. J'ai pas oublié que c'est vous qui m'avez appris à lire... Tiens! en parlant de lire, j'ai lu un beau livre, ça s'appelle *Paul et Virginie*! Ça fait pleurer des fois, mais c'est beau... C'est grâce à vous, ma sœur.

— Oh!... On vous a bien regrettée quand vous êtes partie, lui répond la tourière.

Accrochant au passage le regard de Charlemagne qui se tient avec les hommes, Maria lui sourit. Il lui répond de la même façon avec l'air de dire: il faut bien passer par là, mais, tout à l'heure, nous nous retrouverons juste nous deux.

Je me demande, confie-t-elle à la religieuse, si je ne serais pas retournée à Saint-Vallier si je n'avais pas rencontré Charlemagne.

— Moi, durant un temps, j'ai cru que vous alliez revenir.

— Ah!...

Dans l'angle le plus reculé de la pièce, étrangement, Esdras et Yvonne profitent de la promiscuité pour trouver l'isolement. L'assiette dans une main, la fourchette dans l'autre, ils ne se rendent même pas compte qu'ils oublient de manger; pour le moment, il n'y a qu'eux qui brisent la convention officieuse voulant que, dans une réunion comme celle-ci, l'on retrouve plus ou moins les hommes d'un bord et les femmes de l'autre.

— Votre père doit se faire du mauvais sang pour Télesphore et aussi pour Da'Bé, lui dit-elle.

— C'est sûr, mais il ne le montrera jamais. Moi, je me demande quand même ioù ce que Télesphore a ben pu aller. Même si c'est pas un maladrette, j'étais pas mal certain qu'au bout de quelques jours, il allait retontir la falle à terre pis la queue entre les jambes; ben non!... Dans le fond, il est peut-être ben moins pogné qu'on l'était nous autres...

— Moi, je trouve ça un peu sauvage de s'en aller de même en laissant sa parenté se faire des cheveux blancs.

— Il avait peut-être ses raisons personnelles... C'est malaisé des fois de se mettre dans la tête des autres.

Elle a une mimique qui ne signifie ni oui ni non. Esdras la regarde avec une quasi-adoration. Elle est de la même taille que Maria, a sensiblement les mêmes cheveux, en fait – et il est curieux qu'il ne s'en soit jamais rendu compte –, elle ressemble à sa sœur sous plusieurs aspects.

Celle-ci, se sentant une espèce d'obligation vis-à-vis de toutes les personnes présentes parce qu'il s'agit de son mariage, fixe chacun à tour de rôle. Pour l'instant, attendrie par son comportement, elle regarde son frère aîné. Esdras s'en rend compte au bout de quelques secondes et se tourne vers elle. Tandis que leurs yeux se croisent, un vieux souvenir ressurgit entre eux, mais au lieu de détacher leurs regards et de s'enfuir chacun de son côté, ils ont mutuellement un signe d'impuissance. Ils se comprennent et se le disent en silence. C'est fini, il n'y aura plus jamais entre eux cette distance due à une rencontre inopinée. Ils se sourient, et chacun, toujours en silence, souhaite à l'autre tout le bonheur du monde.

Éphrem Surprenant et Alphège Caouette, qui ne se connaissaient pas, viennent de se trouver un goût commun pour le défrichage.

— Moué, dit Alphège Caouette, ce que j'aime dans une terre en bois deboutte, c'est qu'au bout du compte, quand j'en aurai fini avec, on saura ben qui c'est qui aura gagné, pis y a aussi que, par après, il y aura pus personne qui pourra dire que le bonhomme Caouette, il aura servi à rien.

Il est pourtant pas bien gros cet homme qui parle de régler son compte au bois. Cinq pieds et demi peut-être, déjà les cheveux clairsemés, les épaules ordinaires. Seuls son visage buriné et ses yeux clairs, pétillants et pleins de gaieté parlent d'une détermination capable d'en faire voir aux épinettes et à leurs souches.

— Je sais toute ça, opine Éphrem Surprenant. C'est ben sûr qu'astheure, chus pus tout jeune et que je couche pus très souvent les fesses nu-tête, mais j'ai point encore dit mon dernier mot. J'ai encore du souffle, blasphème! Ah! j'aime ça arriver de bonne heure le matin devant un carré de bois pis y dire entre quatre-z-yeux que j'vas y régler son compte! Le père chez nous, il est mort depuis longtemps, mais j'ai point oublié qu'un jour il m'a dit: «Éphrem, mon garçon, si tu veux point être malheureux dans la vie, bats-toué.» Pas avec les autres, qu'il m'a précisé, non, il m'a dit: «Bats-toué avec le diâbe, pis le diâbe, c'est toute ce qui empêche le blé pis l'avoine de profiter.» Ah! c'était quelqu'un, le père che' nous, pas un rongeux de balustre! Chez nous, là-bas dans Charlevoix, il était connu pour sa vaillance comme Barabbas dans la Passion...

Maria les écoute un instant d'une oreille distraite; en eux, elle reconnaît un peu son père et, avec fierté, se dit que ces gens qui font ce pays, ceux que le bois ne rebute pas, sont tous pétris de la même pâte, une pâte dont le levain ne donnera jamais de ces *«flancs mous»* ou de ces *«corps sans âme»* comme elle en a croisé devant la salle de billard à Chicoutimi.

Ayant remarqué qu'Yvonne était «*prise*», Adélard Mailloux, qui est venu à la noce «en garçon», s'est finalement attaché à suivre Ghislaine des yeux.

— Dites-moi pas qu'une belle créature comme vous se trouve toute seule! lui demande-t-il en aparté au bout d'un moment.

— Pantoute! je suis avec ma mère, répond Ghislaine pince-sans-rire.

— Je voulais dire sans...

— Je sais très bien ce que vous voulez dire.

Le visage du maquignon est d'un rouge vif qui n'a rien à voir avec la gêne. Il plisse tellement les paupières que l'on ne lui voit plus des yeux qu'un minuscule éclat noir. Il ne se laisse pas démonter:

— Alors, comme ça, vous venez de Mistassini?

— Oui, de Mistassini...

— C'est pas mal... Quand je suis allé dans l'Alberta ce printemps, c'était pour des clients de Mistassini...

— L'Alberta? demande-t-elle, soudain impressionnée par le voyage.

— C'est là que je vais chercher les chevaux avant de les revendre par icitte.

— Et... c'est-ti payant?

Il passe les pouces dans ses bretelles et affiche un air satisfait:

— C'est pas si pire...

— Et vous y allez souvent dans l'Alberta?

— Ben là! j'y retourne la semaine prochaine.

— Ça doit être intéressant.

— C'est sûr que c'est différent d'icitte. Tout est différent. Dites-moué, j'ai l'impression que vous êtes du genre qui aimerait voyager, je me trompe-ti?

— Ben!... pas vraiment, non.

— Ben alors! dites oui...

— Comment ça?

Les paupières d'Adélard Mailloux se plissent encore davantage. Ses traits ont quelque chose de franchement égrillard. Pour donner sa réponse, il s'est rapproché de Ghislaine qui, comme par enchantement, s'est mise un peu à l'écart. C'est presque à voix basse qu'il lui répond:

— Il suffirait que vous vous trouviez dans la bonne gare, au bon moment...

Ghislaine ne répond pas. Elle se contente d'ébaucher un sourire dont le mouvement lourd des paupières traduit la connivence, puis, de la même façon furtive qu'elle s'est écartée tout à l'heure, elle se rapproche du cercle des femmes.

Tout le monde parle en même temps. Surprise de se retrouver silencieuse au milieu de tout ce brouhaha, Maria écoute les uns et les autres sans parvenir à s'intéresser à aucune conversation. «*Cette fois, ça y est, se dit-elle, je m'en vais pour de bon.*» Mais elle n'éprouve pas la nostalgie qui a précédé son départ pour Chicoutimi, au contraire. Cherchant les raisons de ce revirement, elle les attribue sans hésiter au fait de partir avec Charlemagne – quoiqu'elle ne l'ait pas encore vraiment réalisé –, mais aussi à la présence de Pâquerette dans cette maison qui est en train de devenir la sienne. Comme pour l'appuyer dans cette conviction, Alma-Rose vient s'asseoir à sa droite, l'air un peu mélancolique.

— Ça fait que tu vas me laisser toute seule, dit-elle avec un soupir.

— Mais t'es pas toute seule, il y a son père, Esdras, Tit'Bé...

— Esdras va repartir sur les chantiers, pis je pense pas qu'il revienne s'installer icitte au printemps. Sûrement que Tit'Bé va le suivre et son père va être pas mal occupé à l'extérieur. Ça fait que je vais rester toute seule avec elle. Tu peux dire que t'es chanceuse...

— Alma-Rose!

— Ouais!..., excuse-moi, je devrais pas t'achaler avec mes misères le jour de tes noces... Ça fait quel effet?

— Quoi donc?

— Ben! de se marier, pis toute... T'as-ti peur?

— Peur?... Non...

— T'as pas de l'air d'être à ton aise!

— Quel air que j'ai?

— Je dirais que c'est l'air d'une mariée qui se demande ce qui va ben pouvoir lui arriver...

— Alma-Rose!

— Tu te répètes, enfin..., si tu veux pas me dire... Je suppose qu'il faut passer par là si on veut pas rester sur le piquet...

Maria cherche comment répondre que, quant à elle, l'expression «passer par là» lui paraît bien négative. Elle est nerveuse, oui, mais en même temps, elle croit pouvoir espérer ce que parfois, dans le froid de la nuit, son imagination lui a soufflé. Mais avant qu'elle ne trouve des paroles qui puissent renseigner convenablement sa jeune sœur, Samuel Chapdelaine s'avance au milieu de la pièce en annonçant qu'il est temps de «tasser les meubles contre le mur pour swinger».

— Il y a Alphège Caouette qui a amené son violon et qui demande si les mariés veulent ben ouvrir la danse!

Écarlate, Maria regarde autour d'elle à la recherche d'une parole secourable qui lui signifierait qu'il ne s'agit que d'une plaisanterie.

— Mais je ne sais pas danser, son père..., balbutie-t-elle.

Ce dernier regarde Charlemagne:

— Pis toi, mon garçon, tu le sais-ti?

— Oh! je peux ben essayer... (Il se tourne vers Maria.) Vous aurez juste à faire comme moi, Maria, lui souffle-t-il.

Maria ne sait pas trop ce qui s'est passé. Le père Caouette s'est installé avec son violon, debout devant une des fenêtres, il a fermé les yeux à demi puis il a dit:

— Je vas commencer par quelque chose de ben slow pour les amoureux.

Son visage est devenu grave, rêveur, et des notes comme jamais il n'y en a eu dans cette maison se sont élevées, longues et douces, qui n'ont rien à voir avec la gigue. Charlemagne s'est avancé, il a posé une main sur la taille de Maria, l'autre derrière son épaule. Elle a trouvé cela très doux. Puis il l'a pour ainsi dire enlevée et elle s'est retrouvée dansant à l'unisson avec lui, comme si les pas venaient tout seuls.

Solitaire dans son coin, Alma-Rose observe sa sœur. À la fois heureuse et émue de la voir aussi radieuse, elle remarque ses joues roses de plaisir, ses lèvres étirées dans un sourire joyeux, et ses yeux, surtout ses yeux, qui lancent de véritables éclairs de bonheur. *«Alors, c'est ça l'amour*, se dit-elle, *quand est-ce que ce sera mon tour à moi?»*

Soudain consciente que ce bonheur appartient à toute la famille, elle regarde vers son père qui vient de se détourner vers la fenêtre pour cacher ce qu'un homme ne doit jamais montrer, mais qu'elle surprend au coin de son nez. Elle sait à quoi il pense en ce moment: à leur mère, leur vraie mère qui, elle l'espère de toutes ses forces, doit être là, au milieu d'eux, contemplant sa plus vieille en train de brûler de ces précieuses minutes de bonheur qui motivent toute une vie de femme. Se sachant surpris par sa fille, le père Chapdelaine lui adresse un sourire sensible et complice où elle lit un «*que veux-tu...*». Aussitôt, elle regarde vers sa belle-mère qui vient de surprendre leur échange dans lequel elle s'est sentie totalement étrangère, presque importune. La femme ferme les yeux un instant, le temps de se recomposer un sourire, puis elle les rouvre en opinant légèrement du menton, acquiesçant ainsi à sa qualité d'*étrangère,* et signifiant qu'elle comprend et accepte. Pour la première fois, Alma-Rose se sent plus proche d'elle.

La première danse n'est pas terminée que, rendu plus expansif encore qu'à l'ordinaire par le vin, Edwige Légaré attrape un quart émaillé et cogne dessus avec une cuillère en réclamant que les mariés s'embrassent. Bientôt Adélard Mailloux l'imite, puis Tit'Bé, puis tout le monde, et ce n'est plus qu'une seule demande qui se répète sous l'œil ahuri des jeunes Caouette apparus sur la marche d'en haut où ils jouaient jusqu'à présent:

— Un baiser! Un baiser! Un baiser!...

Charlemagne et Maria se regardent, gênés, n'arrivant pas encore à croire que ce qui était officieusement proscrit il y a quelques heures soit à présent réclamé avec autant de tapage. Leurs visages se rapprochent lentement comme s'ils hésitaient encore, leurs lèvres s'effleurent, autour d'eux un «ouais!» qui n'en finit plus. Entre eux, un courant chaud et doux: la sensation étrange et inédite de s'appartenir.

Mais déjà Alphège attaque une gigue qui semble délier toutes les jambes.

— C'est le temps de sortir votre musique-à-bouche, son père, lance Esdras.

— Je sais pus si je saurais encore, il y a une bonne escousse que j'ai pas joué...

404

— Ça se perd pas, ça, son père. Allez-y! moi, je vas prendre les cuillères.

— Ben! laisse-moué prendre une autre p'tite ponce pour me donner de l'allant...

— Y aura pas assez d'eau chaude dans le bâleur si ça continue de même, fait Pâquerette.

— Fais pas ta rabat-joie, lui dit son frère faussement réprobateur, c'est pas tous les jours la noce.

— Vous, les hommes, vous dites ça à tous les jours.

Mais, mélangeant le genièvre, le sirop et l'eau chaude, elle prépare elle-même la ponce de son mari.

Bientôt, dans un concert euphorique où les instruments sont le violon, l'harmonica, les cuillères de bois, les mains contre les mains et les pieds contre le plancher, tout le monde rit, danse, chante et boit, se fichant que dehors des feuilles jaunes planent lentement vers le sol, que les petits carrés de prairies soient irrémédiablement ocre, que tout autour les épinettes noires ploient légèrement leurs cimes sous les premières brises cristallines du nord et que dans l'étable, le cochon sente sa mort venir.

La fête bat son plein lorsque Charlemagne fait signe à Maria. Elle comprend qu'il est temps de se préparer. Ils ont prévu rejoindre Péribonka avant quatre heures afin de s'embarquer sur le *Nord* qui doit les déposer à Roberval où il a retenu une chambre à l'hôtel *Commercial*. Ce n'est que dans deux ou trois jours qu'ils rejoindront Ouiatchouan où, comme il le lui a annoncé tout à l'heure en revenant de La Pipe, tout est arrangé pour les accueillir.

— J'ai vu le surintendant, on va avoir une demi-maison juste pour nous, a-t-il expliqué. Demain, on ira à Hébertville pour prendre toutes nos affaires, pis en route...

Elle a remarqué avec reconnaissance qu'il a dit «nos affaires».

Elle va se changer à l'étage, met sa robe de mariée dans la petite malle de bois contenant tout ce qu'elle possède: son linge, quelques bijoux sans grande valeur marchande qui lui viennent de sa mère, le livre *Paul et Virginie*, une timbale en argent donnée par son parrain le jour de son baptême, le cierge de sa communion, un petit flacon de parfum vide et dont l'étiquette doit représenter un pont à Paris puisque c'est marqué *Paris*, une ancienne boîte à biscuits en tôle où est peint le portrait d'une petite fille rougeaude aux yeux trop bleus contenant des chutes de rubans. C'est tout.

En bas, sentant que les «héros» sont sur le point de partir, l'animation s'est calmée. Lorsqu'elle redescend l'escalier, ils la regardent tous un bref instant avec dans les yeux une question qu'elle ne parvient pas à déchiffrer. Elle est suivie de Charlemagne qui, faisant le tour, donne une vigoureuse poignée de main aux hommes et un «bec» aux femmes, y compris à la religieuse auprès de laquelle il a insisté d'un «vous aussi, ma sœur». Maria, elle, donne une bise à chacun, acquiesçant affirmativement du menton à tous les conseils et à tous les vœux de bonheur. Elle embrasse Alma-Rose et, cette fois, c'est elle qui lui demande de ne pas s'en faire, que bientôt ce sera son tour. Puis, comme s'ils s'étaient mutuellement réservés pour la fin, sous le regard un peu ému de tous les autres, elle arrive devant son père:

— Ben! voilà, son père...

— Voilà! ma fille...

— Je vous remercie ben gros pour toute...

— Me remercie point, Maria, c'est à moi de le faire...

Dans le silence qui suit, elle comprend qu'il voudrait lui dire tellement plus!

— Il faut promettre de passer nous voir..., exige-t-elle.

— Vous autres pareil, vous serez toujours les bienvenus... Pis souviens-toi de ce que je t'ai dit à matin.

Elle hoche la tête, les yeux un peu embrouillés, pose les mains sur les épaules de son père dans un geste qui remonte à l'enfance, puis l'embrasse sur chaque joue. Pour ne pas se laisser aller au bouleversement, elle rit et ajoute:

— Ça pique, comme quand j'étais petite.

Il voudrait lui dire que, pour lui, elle sera toujours petite.

C'est au tour de Charlemagne de serrer la main de son beau-père. Ils ont un signe de tête entendu et il dit simplement:

— Merci, monsieur Chapdelaine.

Tit'Bé a été atteler Rouge et, lorsqu'ils sortent, la voiture attend devant la porte. Tout le monde les suit pour être témoins de leur départ. Charlemagne va fixer la malle à l'arrière, aide Maria à monter, fait un salut de la main, monte à son tour, prend les cordeaux, interroge Maria du regard puis, comme elle baisse affirmativement les paupières, ordonne au cheval d'avancer. Agitant le bras, les autres restent sur le seuil jusqu'à ce qu'ils aient disparu.

— C'était une maususse de belle noce! affirme Adélard Mailloux (et plus bas, à l'intention de la religieuse:), je commençais à avoir le gargoton à l'étrette.

Des centaines de mots viennent aux lèvres de Charlemagne et de Maria, des mots qui cherchent surtout à rompre le silence dû à la gêne. Mais ils arrivent à la passe sans avoir encore prononcé une seule parole et ce n'est qu'au milieu de la rivière que Charlemagne franchit l'obstacle du silence:

— J'ai trouvé le temps long à venir jusqu'à matin.

— Moi aussi.

C'est une brèche dans un barrage qui, tel celui des castors, va se rompre en emportant tout.

— Tout le temps, je me suis dit que dès que je vous verrai, la première chose qu'il faudrait que je vous dise, c'est que quoi qu'il arrive à partir de maintenant, si jamais que je fais de quoi qui vous plaît point, il faudra que vous me le disiez tout de suite.

— Ce sera pareil pour vous, alors.

— Oh! je vois pas comment que vous pourriez faire de quoi qui ne me plairait pas.

— Moi non plus.

Ils rient tous les deux sous l'œil torve de Louis Asselin qui les observe sans vergogne depuis l'autre bout du traversier.

— Ben! nous voilà ben avancés! estime Charlemagne.

— Charlemagne..., est-ce que..., enfin, je me demandais si ce serait pas mieux si on se disait tu?

— Tout à l'heure...

— Tout à l'heure?

D'un mouvement des doigts devant les lèvres, il signifie qu'il ne désire pas en dire plus pour l'instant.

De l'autre côté de la rivière, il fait trotter le cheval sur une courte distance puis le fait stopper. Là, il entoure de ses bras les épaules de Maria et l'attire doucement contre lui alors qu'elle le regarde avec un mélange d'attente et d'interrogation.

— Je t'aime, Maria, dit-il.

Elle rejoint ses mains derrière son cou.

— Moi aussi, Charlemagne, je t'aime.

Blottie tout contre lui, elle se sent à l'abri de toutes les atteintes du monde. Qu'il est troublant de sentir sa poitrine écrasée contre ce torse! Elle a l'impression que son corps retrouve l'autre partie de lui-même qui lui faisait défaut. Il ne reste que son ventre, ses reins, ses cuisses qui tendent presque douloureusement vers ce besoin de réunification. Brusquement, elle perd une grande partie de ses appréhensions sur ce que lui réserve la nuit. Elle l'attend.

Le *Nord* n'est pas aussi luxueux que le *Mistassini* sur lequel ils sont revenus cet été. Il n'est même pas luxueux du tout. Au-dessus de leur tête, le ciel s'assombrit dans les bleus crépusculaires que reflète le lac, ce qui n'empêche pas que, côte à côte, en regardant l'onde couleur d'encre qui glisse le long de l'étrave, sans autre bruit que le déchirement de l'eau et le halètement saccadé de la machine, ils éprouvent toujours ce même sentiment de grandeur sauvage. Sur tout le pourtour du grand œil bleu de ce royaume, les hommes ont construit leurs maisons. Ils le sillonnent en tous sens, l'été à bord d'une véritable flotte de vapeurs, l'hiver sur tout ce qui porte patins, investissant même son centre d'une cabane érigée sur la glace où l'on peut se reposer, faire souffler les chevaux, prendre un thé brûlant, manger une platée de bines, se raconter des histoires ou, tout simplement, s'abriter d'un blizzard qui se serait levé sans crier gare. Les hommes ont presque tout occupé et pourtant, il est clair que rien n'est gagné. Ce soir, Maria et Charlemagne, sans même avoir besoin de se le formuler, ressentent fort bien que, si les hommes, leur vacarme et leurs constructions devaient disparaître, le lac, lui, sera toujours là, mémoire intangible de leur passage éphémère. Ce sentiment les pousse davantage l'un vers l'autre, chacun étant pour son compagnon l'ultime rempart contre l'immensité de l'univers trop froid dont les premiers échos lumineux vont bientôt se mirer sur l'onde noire.

L'hôtel. Une chambre rien que pour eux. Ils en font lentement le tour en observant tous les détails: le plancher de bois poli, les deux petits tapis colorés à trame rouge, le papier peint ivoire et or, le plafond blanc en plâtre, le grand lit de bois sombre recouvert d'un couvre-lit blanc en «joli crochet» et, surmontant la tête de lit, deux appliques électriques aux abat-jour en forme de tulipe que l'on peut allumer et éteindre tout en étant couché au moyen d'une poire en ébonite. Dans la salle de bains, ils rêvent devant la baignoire sur pieds dont il suffit d'ouvrir les robinets pour obtenir de l'eau à la température désirée. Ils s'interrogent devant le grand miroir au-dessus du lavabo. Depuis que l'épaisse porte de bois s'est refermée sur eux, Maria a l'impression, à la fois agréable et embarrassante, d'être coupée du reste du monde. Pas un son. Rien que la nuit qui entre par les six carreaux de la fenêtre. Ils sont seuls. Ils ont soupé avant de monter et savent qu'il ne reste plus rien à faire ailleurs avant demain matin.

— C'est une belle chambre, affirme Maria d'un air détaché.

— Ça va avec le reste de la journée.

— Oui..., ça a été une vraie belle journée.

— Comment qu'il s'appelle çui-là qui vend des chevaux déjà?

— Mailloux, Adélard Mailloux. Il commençait à être chaudasse pour de bon.

— Il a l'air amusant...

— Moi, j'ai trouvé qu'il faisait simple pas mal.

— Edwige Légaré aussi était drôle à voir. Il était là, ben heureux, les yeux dans la graisse de bines...

— C'est pas un méchant homme. Il a mangé des claques dans sa vie...

Charlemagne incline plusieurs fois la tête pensivement avant de s'éloigner du sujet:

— J'ai comme l'impression qu'Alma-Rose n'a pas l'air d'apprécier sa belle-mère...

— C'est dur à prendre..., surtout pour elle qui reste...

— C'est vrai que Télesphore, lui, il l'a pas pris pantoute.

— Je sais ben pas ce qu'il peut faire, lui. Y a quelque chose qui me dit qu'il est parti loin, je saurais pas dire pourquoi...

— Moi, je suis pas inquiet pour lui. Il est jeune, c'est sûr, mais il n'est pas badré non plus, pis il est plein de ressources. Un beau jour, il va retontir en annonçant qu'il fait de l'argent comme de l'eau. (Il se tait un instant, puis, changeant de sujet, constate:) Il jouait bien du violon, votre voisin.

— Oui, c'était beau... Tu sais, quand j'étais petite, je ne sais pas pourquoi, je rêvais souvent qu'un jour j'apprendrais le violon. J'aime bien la musique, c'est comme parler une langue que tout le monde comprend...

— C'est pas interdit de penser que tu pourrais apprendre.

— Oh ben! là...

Ils parlent et parlent encore comme pour donner du naturel à ce qui, dans leur esprit, ne l'est pas du tout. En réalité, les mots leur viennent sans même qu'ils y pensent. Leur esprit est totalement préoccupé de savoir ce qu'ils devront faire après qu'ils auront fini de parler. Car ils ne peuvent tout de même pas bavarder toute la nuit!

À force de se le dire, ils finissent par manquer de mots pour meubler la conversation. Charlemagne est assis sur le bord du lit, penché en avant, mains jointes, coudes sur les genoux. Maria est en face de lui, assise bien droite sur une chaise capitonnée, les avant-bras sur les accoudoirs, les pieds croisés sous le siège.

Le silence perdure.

Charlemagne se racle la gorge. Maria se rassérène: il va dire quelque chose. Mais il ne dit rien. Au lieu de cela, il lui tend la main et l'invite à venir s'asseoir à côté de lui. À peine assise, il l'attire contre lui et, de nouveau, ils se retrouvent comme dans la voiture, aux prises avec les mêmes impulsions. Il s'écarte un peu et, à travers le chemisier, pose sa main sur la poitrine de Maria. Elle n'ose bouger.

— Ça bat fort! dit-il.

— Je sais...

— Pourquoi?

Mais au lieu de répondre, avec l'impression de franchir un interdit, elle pose aussi sa main sur le torse de Charlemagne.

— Icitte aussi, ça bat fort, affirme-t-elle.

Sans la contredire, il glisse l'index dans l'échancrure du chemisier et, sous l'ourlet de la brassière, pose l'arrondi de son doigt sur la chair nue. Maria, cherchant à contrôler son souffle, ferme les yeux et rejoint ses mains derrière le cou de Charlemagne. Il s'enhardit, défait un bouton et cette fois, ce sont tous ses doigts qu'il glisse sous le vêtement pour aller les poser en coupe sur le globe du sein. Maria sait qu'il peut à présent se rendre compte de son désir. Elle aime l'idée de se révéler à lui. Elle veut se serrer contre lui, le sentir davantage. Sous son chemisier, les doigts repartent à l'aventure et, cette fois, s'insinuent sous le sous-vêtement. Elle panique soudain lorsqu'elle sent le pouce et l'index se refermer sur son téton. Dans sa tête, le désir devient trop intense pour être «*normal*». Il ressent cette réaction et retire sa main comme s'il venait de se brûler.

— Ça ne va pas, Maria? demande-t-il, inquiet.

— Oui... oui...

— J'ai cru que... As-tu peur?

— Ben!...

Il réunit tout son courage pour proposer la suite:

— On pourrait fermer la lumière et se coucher...

— Oui...

— Veux-tu aller à la salle de bains?

— Oui! je vais prendre ma jaquette et aller me changer.

— Est-ce qu'il y a un côté du lit que tu préfères?

Elle le regarde, intriguée:

— Ça m'est égal.

— Moi aussi, choisis.

— Ben! la tête vers le mur, c'est mieux, non?

Il rit:

— Non, Maria, non, je veux dire: de quel bord tu préfères te coucher?

Elle se rend compte que, comme cela s'est fait automatiquement avec Alma-Rose il y a bien des années, ce soir, il lui faut choisir le côté du lit qu'elle occupera toute sa vie. Parce que, chez elle, chacune avait

411

son bord attitré, elle s'est toujours dit qu'elle dormirait mieux de l'autre; malgré cela, voulant éviter à Charlemagne un côté qu'il n'aimerait pas, elle choisit de ne pas choisir.

— Ça me fait rien pantoute, affirme-t-elle.

— Bon! alors je vais prendre à droite.

Il lui laisse le bord qu'au fond elle désirait, mais elle est un peu chagrinée qu'il n'insiste pas davantage pour lui laisser le choix. Cependant, craignant que cette contrariété transparaisse sur ses traits, elle va ouvrir sa malle pour y prendre sa chemise de nuit, puis passe dans la salle de bains pour se changer.

La porte fermée, elle se demande si elle doit tout ôter sous sa jaquette; tergiversant longtemps, son côté aventureux finit par l'emporter.

C'est la première fois de sa vie qu'il lui est donné de se déshabiller devant un miroir dont les proportions et la situation permettent de lui renvoyer une grande partie de son image. Elle s'étonne de sa nudité. Elle s'imaginait ressembler à sa mère et, dans le miroir, elle découvre une inconnue. Comment Charlemagne la voit-il?

En ouvrant la porte, elle est surprise de trouver la lumière éteinte et Charlemagne déjà couché, les bras repliés derrière la nuque, la couverture remontée jusqu'au milieu de la poitrine. Apparemment nu.

— J'en ai profité pour me coucher, dit-il en décroisant les bras et en posant à plat une main sur la place libre dans un geste d'invitation. Viens-tu me trouver?

— Oui...

Elle éteint la lumière de la salle de bains et, brusquement plongée dans les ténèbres, avance à tâtons, contourne le lit, terriblement consciente de sa nudité sous sa chemise de nuit. Le cœur battant, la gorge sèche, elle soulève son coin de couverture et, très rapidement, s'étend sur le dos, figée, tous les muscles douloureux, avec une furieuse envie de se tourner vers lui et de se couler dans ses bras pour que cesse cette insupportable attente. Mais elle n'en fait rien.

Au bout d'un très long moment, c'est lui qui se décide et se tourne vers elle. C'est lui qui étend le bras, pose la main sur le plat de son ventre et l'y laisse. Sans bouger, les poings crispés, elle lutte afin de ne pas réagir comme le lui commandent ses terminaisons nerveuses, afin de ne pas donner d'elle l'image d'une «*couche-toi-là*». Mais pourquoi ne bouge-t-il pas la main? Pourquoi ne la caresse-t-il pas? Pourquoi cette attente fait-elle si mal?

— Maria?

— Oui?

— Est-ce que vous... est-ce que tu veux ben que...?

— Mais oui!...

Aussitôt, comme si, douée d'une existence autonome, elle n'avait attendu que cette autorisation, la main de Charlemagne se met en mouvement, pressée, anarchique, gourmande. Elle remonte vers la poitrine, s'y attarde, redescend vers le ventre, y trace des fleurs mystérieuses, continue à descendre sur la hanche, la cuisse, dépasse la lisière de la chemise de nuit, entre en contact direct avec l'épiderme puis, enflammant tout sur son passage, étudie le genou, remonte à l'intérieur des cuisses, remonte, pour finalement paraître venir mourir du bout des doigts sur la toison. Tendue, immobile, ses yeux transperçant les ténèbres, Maria retient son souffle; n'osant prendre, elle s'offre. Il passe son autre bras sous sa nuque, se redresse au-dessus d'elle, penche le visage et trouve ses lèvres:

— Oh! Maria!

— Oui?

— Rien... c'est rien.

À présent, Charlemagne retrousse sa chemise de nuit. Maria, n'en pouvant plus de le sentir trop loin d'elle, ne pensant plus du tout à toutes les mises en garde d'Antoinette Bouchard, vient se lover contre lui. Pendant quelques instants, haletants, presque en sanglots, ils s'étreignent à se faire mal, jamais satisfaits, n'en ayant jamais assez, voulant sans cesse aller plus loin dans la rencontre de l'autre. Puis, la nature poursuivant son œuvre, sans même s'en rendre vraiment compte, Charlemagne se cherche un passage tandis qu'elle-même écarte les jambes.

À peine commence-t-il à entrer que son mouvement arrache à Maria une exclamation douloureuse qui semble le paralyser sur-le-champ.

— Ça va pas? redemande-t-il.

Elle se dit que non, que jamais «*ça*» ne pourra entrer, qu'il faut abandonner, qu'elle n'est pas celle qu'il lui faut. Pourtant, tout haut, elle dit «oui!».

Voulant la croire, il avance un peu plus loin, s'arrête à nouveau et, avec sollicitude, demande encore s'il ne lui fait pas mal. Les yeux brouillés de larmes arrachées par la douleur, elle lui répond le plus doucement possible que «non».

Elle ne comprend plus rien tant elle a mal, terriblement mal! Pourtant, s'enivrant de son désir à lui, elle le veut en elle, tellement que c'est elle qui vient à sa rencontre et se cramponne à lui en gémissant. Alors, ivre de son désir à elle, il perd tout contrôle et, sourd à lui-même et à tout le reste, il part sans espoir de retour, allant et venant en poussant des «han!» gutturaux. Maria se mord les lèvres pour ne pas crier, les larmes roulent sur ses tempes, puis, juste comme son organisme commence à accepter, elle sent son mari se tendre comme un arc, s'enfoncer encore plus profondément en elle et, sans prévenir d'aucune autre façon qu'en criant «Maria!», s'y déverser.

Sans bouger, sans rien dire, il demeure sur elle quelques secondes avant de retomber sur le côté, comme assommé.

Elle ne sait absolument plus quoi penser sinon qu'elle doit repousser toute pensée négative. Mais ce n'est pas nécessaire, car, au fond de son esprit, seule une idée domine le chaos, une idée étrange en regard des circonstances elle se dit, se répète et s'apprend: «*Je l'aime!*»

Elle le caresse pendant qu'il dort, dessinant des zigzags avec son doigt le long de son cou, sur ses épaules, sur sa poitrine, constatant avec stupéfaction qu'il est à elle.

L'aube rose les trouve avec un sourire sans compromis sur les lèvres, dormant dans les bras l'un de l'autre, totalement insouciants de la vie qui les attend.

Tout recommence lorsqu'ils s'éveillent, puis, un peu anxieux, Charlemagne la regarde, cherchant en elle le signe d'une approbation satisfaite. Elle comprend et lui sourit du sourire ravi d'une petite fille à qui l'on viendrait d'offrir la poupée de ses rêves. L'air radieux et triomphant, pendant qu'elle se dirige vers la salle de bains, il s'étend sur le dos, les bras en croix.

Ne pensant qu'à l'instant présent, Maria expérimente le plaisir de se glisser dans une baignoire dont il suffit d'ouvrir les robinets pour qu'elle se remplisse d'eau chaude. Immergée jusqu'au cou, elle se laisse aller dans une torpeur stimulée par la température de l'eau. Elle est bien proche du sommeil lorsqu'à travers la porte, Charlemagne demande:

— Est-ce que je peux entrer?

Elle hésite un instant, ne sachant s'il est convenable, même pour son mari, de dévoiler ainsi sa nudité en plein jour. Personne ne lui a jamais rien dit à ce sujet. Une partie d'elle lui fait remarquer qu'entre époux, l'on ne doit rien se cacher; l'autre, beaucoup plus subconsciente, lui rétorque que «*tout montrer*» la priverait d'un certain mystère qui, elle s'en doute quelque part, pourrait contribuer à entretenir une part de respect entre eux. La première revient à la charge en affirmant que justement, se dévoiler complètement serait se livrer totalement à l'autre et que c'est vers cela que doit tendre toute relation entre époux. Mais le temps presse; derrière la porte, Charlemagne attend une réponse. Dans l'incertitude, Maria opte momentanément pour la retenue.

— Ça sera pas long, dit-elle.

Il ne répond pas et elle entend ses pas qui s'éloignent. Est-il déçu?

Un peu intimidés sans trop savoir pourquoi – peut-être parce qu'ils croisent les regards du personnel et s'imaginent y lire des questions embarrassantes, peut-être tout simplement parce qu'ils ne sont pas accoutumés à l'idée que l'on puisse coucher en un lieu inconnu en contrepartie d'une somme d'argent et à cause de cela de se sentir redevables d'une certaine gratitude –, ils sont descendus à la salle à manger de l'hôtel pour prendre le déjeuner. La table juste à côté de la leur est occupée par un homme à l'allure prétorienne, dans la quarantaine, le front très haut, les yeux noirs, les sourcils naturellement froncés, une barbe taillée, vêtu d'un costume moucheté gris sombre, d'une chemise à col rond et d'une cravate de soie gris perle; au gousset de son gilet pend une chaîne de montre apparemment en or. Il se tient étonnamment raide sur sa chaise et est absorbé par le journal étendu à côté de son assiette. À leur arrivée, il a brièvement relevé la tête et les a salués d'un léger mouvement du menton. Maria est impressionnée par la prestance de l'individu qui, pour elle, juste à le voir, symbolise l'idée qu'elle se fait du pouvoir et de la fortune. S'est-il aperçu des fréquents regards de curiosité qu'elle a jetés vers lui? Toujours est-il que, en repliant son journal, il se tourne franchement vers eux et leur adresse un sourire aimable.

— En voyage? demande-t-il à Charlemagne.

— Pas vraiment, on s'est mariés hier...

— Ah! je vois... Alors, vous êtes de la région?

— Je reste à Hébertville, pis ma femme vient du nord du lac.

Comme si ces mots étaient une autorisation à le faire, l'homme se tourne vers Maria et s'incline galamment.

— Vous allez vous établir sur une terre, je suppose? la questionne-t-il directement.

— Ben!...

— Pas tout de suite, poursuit Charlemagne, en attendant de réunir les fonds, je suis engagé à Ouiatchouan, à la pulperie.

Les traits de l'homme s'étirent dans un sourire d'entendement:

— À Ouiatchouan! Ainsi donc, vous venez chez nous; enchanté!

Charlemagne et Maria ne comprennent pas ce que veut dire ce «chez nous». Charlemagne se fourvoie:

— Vous travaillez aussi là-bas? s'étonne-t-il.

— Si l'on peut dire, répond l'homme sans y mettre d'arrogance, j'en suis seulement l'actionnaire principal...

Charlemagne a le sentiment que le coup d'œil que l'homme adresse à Maria à cet instant est bien celui d'un propriétaire. Obscurément, dans son esprit, il éprouve la sensation d'être dépossédé.

— Monsieur Lapointe vous a trouvé une bonne maison, au moins? poursuit leur voisin.

— Je crois, lui retourne Charlemagne sans aucune reconnaissance dans le ton pour cet intérêt.

L'industriel regarde Maria qui se trouve intimidée par l'emprise que cet homme, en apparence comme les autres, pourrait avoir sur leur vie. Bien que de façon fort différente, en songeant à leur indépendance, elle aussi se sent dépossédée.

— Il serait dommage qu'une aussi charmante dame se trouve installée dans une maison qui ne soit pas à l'image de son charme, dit-il en retirant de la poche intérieure de son veston un carnet relié en cuir ainsi qu'un crayon.

En silence, il inscrit quelques mots sur une feuille avant de la détacher et de la tendre à Charlemagne.

— Lorsque vous arriverez là-bas, dit-il sur un ton donnant à entendre qu'en aucune circonstance il ne supporterait de réplique, vous donnerez ceci à monsieur Lapointe. (Se levant, il s'incline vers Maria.) Nous aurons certainement l'occasion de nous revoir au village. (Il s'apprête à partir, mais au dernier moment, il se retourne, toujours vers elle.) N'ayant pas encore d'enfant, vous allez avoir du temps de libre. Aimeriez-vous travailler dans les livres?

— Les livres?

— Oh! pas grand-chose, rien de compliqué, il s'agit juste de retranscrire des chiffres dans des colonnes. Nous donnons de bonnes gages pour ce travail.

— C'est-à-dire que je suis pas ben ben avancée en écriture...

— Peu importe..., ce ne sont que des chiffres. En quelques heures, vous aurez tout compris, vous verrez, ce sera facile.

Comme si l'affaire était décidée, il ressort son carnet, écrit à nouveau sur une feuille qu'il tend cette fois à Maria:

— Vous donnerez également ceci à monsieur Lapointe, il vous dira quoi faire. Allez! profitez bien de votre lune de miel. C'est malheureusement toujours de trop courte durée...

Sans qu'ils puissent ajouter quoi que ce soit, il s'en va d'un pas décidé sans regarder derrière lui, comme s'il les avait déjà oubliés.

À nouveau seuls, les jeunes mariés éprouvent un malaise qu'ils ont du mal à définir. Cherchant sans doute à l'exorciser, Charlemagne dit:

— J'aime pas ben ça...

— Quelle affaire?

— Ben!... cette histoire de maison, c'est comme du favoritisme, pis que tu sois obligée de travailler, ça me dit rien pantoute...

— Plus vite on gagnera, plus vite qu'on pourra avoir notre chez-nous.

— Ouais, je sais ben! mais... j'ai un peu l'impression d'être acheté.

— J'imagine que quand on travaille pour les autres, on est toujours acheté, non?

— J'aime pas ben ça pareil..., répète-t-il.

— Moi, ça me fait rien de travailler si c'est ça qui te tourmente.

— C'est plutôt qu'à moi, ça me ferait de quoi que tu travailles; c'est pas à la femme d'aller chercher le gagne-pain...

— Blanche-Aimée travaillait pourtant!

— Elle était professeur d'école, c'était pas pareil...

Maria ne voit pas ce qu'il peut y avoir de différent; cependant, elle n'ajoute rien. Elle ressent confusément que, par la simple utilisation de son pouvoir, l'industriel a placé son mari dans une position de subalterne, que celui-ci s'est senti diminué vis-à-vis d'elle et qu'il ne peut l'exprimer. Elle voudrait lui affirmer qu'il n'en est rien, mais ne sait comment le faire. «*Ce soir*, se dit-elle, *ce soir, je saurai lui faire comprendre...*» Elle est loin de se douter que, dans la tête de Charlemagne, s'articulent des pensées d'un tout autre ordre: «*Ce soir, je vais lui montrer si je suis pas un homme, elle va voir!*»

Mais aussitôt, il a honte de l'érection que cette pensée primaire provoque chez lui et se fustige sans concession pour cette réaction injuste envers Maria.

En route pour Hébertville, ils discutent de leurs projets d'avenir, de tout ce qu'ils vont devoir emmener à Ouiatchouan, de leur maison future où, un jour, il y aura un bain comme à l'hôtel, de la façon qu'il s'y prendra pour hiverner ses vaches sans les entraver dans une étable.

En arrivant devant la petite maison, il lui demande si elle saurait s'y prendre pour «encanner» un cochon.

— Ben sûr! Pourquoi?

— Je pourrais demander à Louis-René qu'il vienne m'aider à tuer un cochon demain matin; comme ça, on aurait déjà de la viande.

Maria ne s'attendait pas à faire boucherie le lendemain, mais elle trouve l'idée pratique; ce sera ça de moins à acheter et autant d'économisé pour l'installation future sur une terre.

— Je devrais avoir le temps de tout encanner avant qu'on parte. Tu n'auras qu'à lui dire qu'on aura du boudin demain midi et des pleurines demain soir, et que ça va être bon en péché!

— Tu sais faire tout ça?

— Pour qui tu me prends, Charlemagne St-Pierre? lance-t-elle avec fierté.

Elle fait le tour de la petite maison en constatant que tout est resté aussi «*joliment arrangé*» que dans son souvenir. Comme la première fois, elle s'arrête devant le daguerréotype représentant Blanche-Aimée, et pendant près d'une minute, en proie à une vive émotion, elle reste là à le regarder, ne se rendant compte que Charlemagne l'observe qu'après l'avoir reposé sur le meuble.

— Tu sais, lui avoue-t-elle, je me suis demandé si elle ne m'avait pas envoyée icitte pour qu'on se rencontre...

— Moi itou.

— En tout cas, d'une façon ou d'une autre, je suis ben contente.

— Moi avec.

— Charlemagne...

— Oui?

— On va être heureux, hein?

— Ben certain! qu'on va être heureux. Pourquoi tu me demandes ça?

— J'ai entendu parler mes parents, mes tantes et cousines, et même aussi Blanche-Aimée et, à chaque fois, il y avait toujours quelque chose qui avait pas été comme ils auraient voulu. Tu crois-ti que ça va être pareil pour nous?

— Ce qui compte, c'est de s'aimer, non? Nos parents se sont aimés, ils ont eu leur part de bonheur.

Du regard, Maria fait le tour de la petite pièce, celle de Blanche-Aimée devenue la leur. Pour la première fois, elle se rend compte qu'ils sont vraiment seuls tous les deux devant toute une vie à traverser ensemble. Quoi qu'ils fassent, cela aura toujours un incident sur l'autre et aussi, que tout dépend d'eux. Alors, sans même y réfléchir, elle court vers lui et se blottit dans ses bras. La sentant toute menue, Charlemagne prend conscience que là, chaudement lové tout contre lui, se presse tout ce qui en ce monde lui apportera joie ou souffrance, et surtout, surtout, qu'il en est de même pour elle. La responsabilité lui en paraît effarante.

— On va s'aimer, Charlemagne! affirme-t-elle.

Il fait «oui» de la tête en la serrant fort.

Venant de loin à l'extérieur, ils reconnaissent le bruit caractéristique d'un volier d'oies sauvages.

— Des outardes! dit-il, en voilà déjà qui redescendent...

— Allons voir, propose-t-elle.

Depuis le seuil, ils les aperçoivent haut dans le ciel, formant le V propre à leur instinct migratoire. Ils les suivent du regard, Charlemagne en pensant à l'hiver qui approche, Maria, à un certain repas de son enfance où une outarde abattue par son père était au menu.

— Savais-tu, demande-t-elle à son mari, qu'elles peuvent vivre quatre-vingts ans?

— Quatre-vingts ans! Bateau!

— Oui, c'est son père qui nous a expliqué ça au beau milieu d'un repas où on était justement après en manger une qu'il venait de tuer. Il nous a dit que, l'été, elles montent loin dans le Nord pour avoir leurs petits, qu'elles vont jusque-là où ce qu'il n'y a pus d'arbres pis pus personne à part les Esquimaux. Il nous a aussi expliqué que, l'hiver, elles redescendent aux États, loin dans le Sud, assez loin qu'il n'y a presque pas de neige et que les gens là-bas ont pas besoin de se greyer comme des ours pour sortir. Ça m'avait fait tout drôle d'être après manger une bête qui aurait pu continuer à connaître toute cette vie-là pendant encore ben ben des années.

— C'est juste des idées, ça se rend compte de rien.

— Je sais ben, mais quand même...

En les regardant à présent, tous deux se demandent à quoi ressemble le pays vers lequel elles se dirigent. Et, peut-être à l'idée de devoir subir l'hiver pendant qu'elles s'enfuient vers les feux du Sud, chacun éprouve une petite pointe de mélancolie.

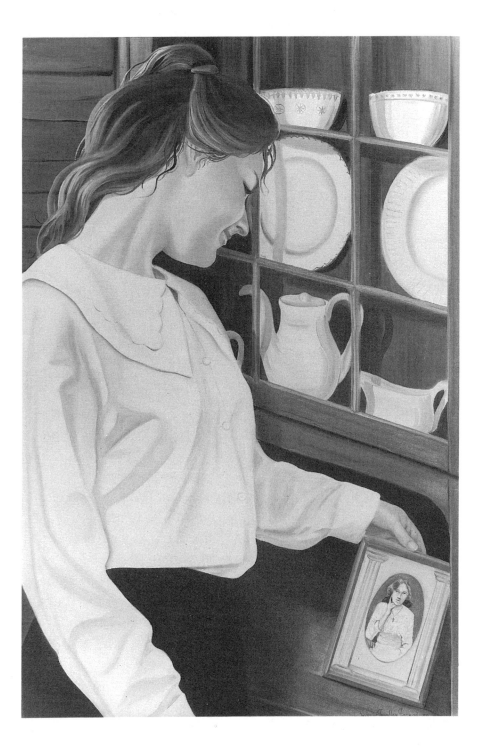

— Qu'est-ce que tu veux manger à soir? demande-t-elle en rentrant de l'extérieur pour cesser de voir le ciel qui tout là-bas ploie vers des horizons inconnus.

Il la regarde et toute leur mélancolie se dissout dans la chaleur du foyer qu'ils forment et dont, à leur tour, ils expérimentent les gestes de toujours.

— Ce que tu veux, répond-il en voulant prouver son peu d'exigence, et sans se rendre compte que, finalement, elle préférerait réellement savoir ce qui lui ferait plaisir.

Ils ont commencé à emballer les menus objets puis Charlemagne a dit qu'il allait prévenir Louis-René, mais il n'est rentré que deux heures plus tard. Ils ont soupé face à face en silence, Maria guettant la première réaction de son mari devant sa tarte au suif ainsi que ses galettes. Pendant qu'elle faisait la vaisselle, il a été «soigner» les volailles et les cochons en excluant celui qu'il a choisi pour demain, et enfin, sous prétexte qu'il «va falloir se lever de bonne heure à cause du cochon», d'un commun accord, ils ont décidé d'aller se coucher.

Dans la chambre obscure, faiblement éclairée par la nuit violette qui entre par la petite fenêtre de chaque côté du grand lit, chacun se déshabille en silence. Il fait trop sombre pour apercevoir de l'autre quelque chose de plus précis qu'une ombre mouvante. Pourtant, distinguant en profil le buste de son épouse, Charlemagne éprouve un désir violent qui, étrangement, lui fait soudain se remémorer l'humiliation ressentie ce matin, ainsi que l'homme qui en a été la cause. Et tandis que Maria se demande pourquoi Charlemagne ne vient pas la trouver, pourquoi ne lui dit-il rien, lui, qui dans cette chambre a imaginé toutes les batailles où il vaincrait la solitude, lui, qui retrouve ce besoin ressenti au restaurant, et ne sait comment le contrer.

Les draps sont froids. Allongés sur le dos, côte à côte, l'un et l'autre n'ont que trop conscience de l'espace vide entre eux. Pour des raisons opposées, aucun n'ose le combler. Glacée, en proie à des frissons, fixant les ténèbres comme si elles lui dissimulaient quelque information capitale, Maria cherche ce qu'elle a pu dire ou faire qui expliquerait ce barrage endiguant leurs sentiments; et s'il n'y aurait pas moyen – comme pour l'écluse des castors – d'y ouvrir la brèche qui l'emporterait? Il lui faut longtemps avant de se convaincre qu'une petite question toute simple, un mot peut-être, pourrait faire voler en éclats cette muraille de silence qui sans cesse se dresse entre eux, entre leurs doigts déjà douloureux d'attendre ceux de l'autre.

— Alors c'est notre chambre... dit-elle sur un ton qui se veut léger. Ça fait drôle...

— Drôle?

— Ben... je veux dire: ça fait curieux de se retrouver pour la première fois dans une maison à nous deux, chez nous.

— Oui, c'est vrai... On est chez nous...

Pour Charlemagne ce dialogue adoucit son sentiment précédent, au point qu'il croit pouvoir déplacer sa main à la rencontre de celle de Maria. Trop heureux de se retrouver, leurs doigts se nouent, se serrent, s'épousent avec chaleur, s'aventurent... Tant et si bien que, pour lui, alors qu'il prend conscience de la douceur satinée du ventre chaud, malgré toutes les défenses qu'il y oppose, l'exigence refoulée resurgit, encore plus virulente. Tant et tant que bientôt ses gestes se font esclaves du besoin irraisonné. Il lui faut à tout prix prouver qu'il possède ce dont une part de lui même croit avoir été spoliée aux yeux de sa femme. Elle, les yeux grands ouverts, essaie, à présent que sa vision s'est habituée à l'obscurité, de laisser glisser ses pensées sur les lignes de la commode de bois qui autrefois a appartenu à Blanche-Aimée. Mais l'évasion est interdite. Elle se mord violemment les lèvres en une dernière et vaine tentative pour fuir cette réalité trop crue où, agissant sous l'impulsion de cette part de lui imaginant que la véritable force virile n'est autre que celle de l'étalon couvrant la jument, son mari se livre à une pénétration forcenée où ce n'est pas tant la brutalité que l'absence de tendresse qui marque ce déchaînement haletant de quelques instants qu'il émaille de «Han!» gutturaux.

Dans le lourd silence qui suit, alors que tourné vers le mur il s'est recroquevillé, heureusement qu'il y a l'écho mal contenu d'un sanglot pour le racheter au cœur de celle qui, malgré tout émue d'abriter sa semence, cherche toujours à comprendre. Si bien, qu'elle y parvient presque et même s'autorise à se blottir dans son dos alors que le sommeil s'empare enfin de ses sens.

Il fait encore nuit lorsqu'il se lève. L'entendant s'habiller, Maria s'éveille et se redresse:

— Où est-ce que tu vas? Quelle heure qu'il est?

— Dors, tu peux encore dormir, je vais juste préparer le feu dehors pour mettre l'eau du cochon à chauffer.

L'air est piquant et les étoiles brillent encore de leur éclat de glace lorsqu'il suspend le gros chaudron au-dessus des flammes orangées. Les deux mains au fond des poches, la poitrine exposée à la chaleur du feu et le dos, à la fraîcheur de l'aube, il ne cesse de se répéter qu'il devrait aller trouver Maria, s'excuser pour hier soir ou tout au moins faire en sorte qu'elle «*oublie*»; mais s'il le fait, que va-t-elle penser de lui?

Lorsqu'il rentre, décidé tout au moins à s'étendre tout contre elle, il la trouve debout en train d'allumer le poêle.

— T'es déjà levée...

— Je pouvais pus dormir, pis y a en masse à faire aujourd'hui.

— C'est sûr.

Il est près d'elle, dans son dos, il voudrait la prendre par les épaules, l'attirer contre lui, croiser les bras sur sa poitrine et lui dire qu'il l'aime, que désormais ce sera différent. Au lieu de cela, le souci de paraître «*homme*» l'en empêchant, il annonce:

— Les pots Mason sont serrés sur le fenil, je vais aller les chercher pendant que tu prépares le déjeuner.

— Y a-ti aussi des couvercles neufs?

— Doit y en avoir plusieurs boîtes sous le signe.

Lorsqu'il revient avec quatre caisses de bocaux, la table est mise et des œufs grésillent dans le poêlon. Il se reproche sa lâcheté. Pour la première fois depuis hier soir, ils osent se regarder en face, chacun y va d'un sourire timide, et c'est suffisant. Ce petit mouvement les rapproche immédiatement et nettoie toutes les noirceurs de la nuit.

— Eille! s'exclame-t-il, ça sent bon icitte!

Cette fois Maria sourit totalement.

Ils finissent leur copieux déjeuner lorsque, précédé de son «wow! Baltasar», Louis-René arrive. En passant le seuil, il apparaît à Maria

sans aucun changement depuis leur première rencontre: mêmes vêtements, même approche blagueuse derrière laquelle, malgré elle, elle
est tentée de chercher quelque ruse plus subtile.

— Salut, la compagnie! (Il contemple Maria.) Batêche! j'crés ben
qu'a l'est encore plus jolie que c'est que j'm'en souvenais... ça s'peut-
ti! (Il s'approche.) J'peux-ti donner un bec à la mariée?

— Alors juste un bec, fait Charlemagne en affectant une sévère
mise en garde.

Maria tend une joue puis lui propose du thé qu'il accepte.

Un quart d'heure plus tard, les deux hommes ont été isoler le
cochon et, en le tenant chacun par une oreille, dans un concert de cris
aigus, l'ont amené sous une des poutres de la grange. Ils sont en train
de lui entraver les pattes lorsque Maria arrive avec une large poêle de
fer qu'elle tient à l'horizontale afin de ne pas renverser la cuillerée de
gros sel qu'elle y a mis. Ils forcent le cochon à se coucher sur le côté et
Charlemagne s'étend dessus, presque de tout son long, pour l'empêcher de bouger. Le cochon hurle sans arrêt. Bien qu'habituée, Maria est
mal à l'aise. Elle tâche d'éviter le regard brun de la bête, un regard où
se lit le refus, la panique et même – le croit-elle – une supplique. Louis-
René se tient accroupi devant la tête, le couteau à saigner bien en main.

— T'es sûr qu'tu vas être bon pour le tenir tout seul? demande-t-
il à Charlemagne.

— Je l'ai déjà fait, c'est pas la première fois.

Même en connaissant la force de son mari, Maria est étonnée. Chez
eux, il fallait le concours des trois plus vieux pour maintenir le cochon
pendant que son père le saignait.

— Tu vas-ti t'fermer la gueule? lance Louis-René à la bête en lui
empoignant violemment une oreille de sa main libre.

Il fait signe à Maria qu'elle peut s'approcher avec la poêle puis,
accompagnant son geste d'un cynique «tiens! toué...», il plante le
couteau dans le cou rose, le fait tourner dans la plaie béante jusqu'à ce
qu'un premier jet vermeil vienne asperger Charlemagne qui a du mal
à contenir les soubresauts. Louis-René agrandit la plaie de façon à
obtenir un beau jet bien net qui vient retomber dans la poêle maintenue
par Maria, qui aussitôt commence à touiller le sang et le sel avec une

spatule de bois. Le cochon hurle toujours et cherche à s'échapper. Littéralement allongé dessus à présent, Charlemagne est bousculé, comme s'il se cramponnait à un esquif emporté par des rapides. Louis-René tient fermement la tête:

— Cibouère! y a la vie dure, l'enfant d'chienne!

Du regard, Charlemagne lui fait signe que Maria est là.

— S'cusez, marmonne-t-il.

Les cris cessent avant la fin des soubresauts. Toujours en tenant la poêle, Maria surveille à présent l'œil brun qui lui fait face, regardant la vie qui s'en retire et, se mettant un peu à la place du cochon, prie pour que *ça* se fasse le plus rapidement possible.

C'est fini, il n'y a plus de soubresauts, plus de sang, l'œil s'est éteint, mais comme s'ils n'étaient sûrs de rien, comme si l'œil allait se rallumer, le sang se remettre à jaillir et le corps à tressauter, ils restent tous les trois encore dans la même position pendant un long moment, silencieux.

— Crime! constate en fin de compte Louis-René, y voulait point mourir çui-là.

Maria se redresse tout en continuant à touiller le contenu de la poêle. Charlemagne va chercher deux sacs de jute accrochés à un clou, sort les plonger dans le chaudron d'eau bouillante, les rapporte en les tenant au bout d'un bâton et aussitôt les deux hommes les étalent sur le flanc de l'animal. Une odeur de poule mouillée et de paille humide monte dans l'air. D'un geste commun, ils sortent chacun un long rasoir de leur poche et, après avoir ôté les sacs, commencent à raser toute la surface de la peau en tapotant celle-ci du plat de la main chaque fois qu'une surface appréciable est dégagée.

— Je vais aller porter le boudin à la cuisine, prévient Maria, il ne devrait pus cailler, astheure.

— Tu ramèneras des vaisseaux pour les tripes pis les abats, lui demande Charlemagne.

— Pis un verre d'eau ben frette, ajoute Louis-René.

Lorsqu'elle revient avec l'eau et les bassines émaillées, elle constate qu'ils ont déjà terminé le rasage, qu'ils ont nettoyé la carcasse à grande eau et l'ont suspendue à un palan sous la poutre. Charlemagne prend un des récipients pendant que Louis-René pratique une incision qui libère l'entremêlas gris et luisant des intestins. Lorsque la bassine est pleine, Maria l'emporte vers la cuisine en sachant que la suite lui appartient.

Elle donne aux viscères un premier lavage à l'eau froide, puis, après les avoir retournés, en s'appuyant sur une planche de bouleau, en gratte l'intérieur avec une lame de couteau. Elle n'a pas encore terminé lorsque les deux hommes reviennent en annonçant qu'ils ont fini de débiter le porc.

— On va se faire un bon thé chaud, suggère Charlemagne.

Maria continue la préparation des tripes pendant qu'ils «se réchauffent».

— On a taillé tout le lard en carreaux pour le mettre dans la saumure, la renseigne son mari, tantôt je vais ramener le chaudron pis on commencera les cretons. On a pas le choix, si on veut rien perdre, faut tout encanner. On se gardera juste quelques tchopes pis on donnera les autres à Louis-René. Il prendra aussi les pattes, la tête et une couple de rôtis, ce sera pas de trop pour son travail. Tu t'en sors-tu, Maria?

— Ça va, j'achève. Dès que j'aurai fini, je préparerai le boudin. J'ai déjà mis quelques siams à cuire tantôt. C'est bon le boudin avec du siam.

— La mienne, a l'aime pas trop ça faire boucherie, dit Louis-René; j'crés qu'a l'est mal-écœureuse pas mal...

Maria ne dit pas qu'elle ne raffole pas non plus de cette corvée. Outre la mise à mort éprouvante, outre le grattage des intestins, elle déteste l'odeur qui imprègne la maison durant plusieurs jours. Mais sa mère n'a jamais rien dit, pourquoi se plaindrait-elle?

— Ça va faire drôle que tu soyes parti, fait Louis-René en changeant de sujet. C'est une curieuse d'idée pareil d'aller à Ouiatchouan... En tout cas, moi, j'pourrais pas travailler pour les autres à l'année, j'aime ben trop ma liberté.

— C'est juste pour une escousse, répond Charlemagne.

— Ouais... Y en a d'autres qui ont dit ça et y sont toujours en ville. Ça a de l'air que c'est point si facile que ça de lâcher une job sûre pour s'en r'tourner sur une terre. Une fois que t'es accoutumé d'avoir les bécosses en dedans, l'eau qui vient tout seul à la champelure, que tu peux t'en aller écouter ta messe du dimanche sans risquer de salir tes claques, que ta seconde moitié est devenue ben amie avec les voisines pis que les jeunes y peuvent aller à l'école toute proche, ouais... ça a de l'air que c'est une saprée décision que de quitter tout ça.

— En tout cas, moi, je sais que c'est juste pour quelques mois, le temps de me faire un cash, pas plus.

— Tu dis ça, tu dis ça, pis dans deux trois ans, quand c'est que tu iras passer les fêtes dans la famille restée sur une terre, tu feras comme les autres, tu te mettras à péter d'la broue sur les bienfaits de la civilisation moderne, tu te feras péter les bretelles en disant que ta vie est ben meilleure, que ça sert à rien de travailler comme un bon pour du pain noir, que sur une terre on fait rien que foquer le chien, j'connais tout ça, j'te dis.

— Et moi, je te dis qu'on restera pas!

— On verra...

— Certain qu'on va voir!

Aucun des deux ne peut voir le visage de Maria qui, finissant de nettoyer les tripes, se demande s'il est vraiment possible qu'ils choisissent un jour de rester à Ouiatchouan. À cette hypothèse, elle évoque l'homme rencontré hier au restaurant et se dit que, vivre à jamais là-bas, ce serait comme remettre leur vie entre les mains d'un autre pour un peu plus de confort. Elle trouve l'idée révoltante.

XIII

La waguine surchargée de tous leurs biens avance lentement entre les deux rangées de maisons identiques. Pour Charlemagne qui est déjà venu, le spectacle n'est pas nouveau. Il en va tout autrement pour Maria, qui ne cesse de s'étonner:

— Mais pourquoi donc qu'ils les ont toutes faites pareilles?

— Ça doit coûter moins cher, pis de même, ça doit éviter les jalousies et les chicanes; y a pas personne qui peut dire: «ma maison est mieux que la tienne»

— C'est sûr, mais...

Ne voulant pas juger précipitamment, elle choisit de ne rien ajouter. Du reste, elle n'aurait pas que des récriminations, loin de là! Ils sont passés devant la belle petite église, le presbytère, l'école, et toutes ces constructions ainsi que les habitations de la rue Saint-Georges qui sont ombragées par de vieux arbres. Maria pour qui, par simple habitude, chaque installation doit nécessairement débuter par un complet déboisement, se rend compte que de laisser quelques arbres autour des habitations leur apporte un charme qu'elle ne soupçonnait pas.

Ils suivent jusqu'au bout la rue qui, épousant le contour de la rivière, comprend à la fois le chemin pour les véhicules et la voie ferrée par où partent les ballots de pulpe dont ils aperçoivent l'entassement devant la grande bâtisse blanche composant le corps principal du «moulin», lui-même situé au pied de la colline abrupte au sommet de laquelle s'élance la chute qui les impressionne et qu'ils entendent gronder sans se douter que ce grondement va désormais faire partie de leurs jours et de leurs nuits. Charlemagne ordonne au cheval d'arrêter devant une maison en apparence semblable aux autres et située près du moulin, mais qui, en réalité, sert de bureau administratif.

— Attends-moi là, demande-t-il à sa femme tout en sortant de sa poche les papiers remis par le président à Roberval, je vais voir ioù ce qu'ils veulent qu'on s'installe.

Regardant autour d'elle, se sentant l'objet d'étude de la part de plusieurs paires d'yeux dissimulés derrière les fenêtres de la rue, elle reste sur le siège de bois de la waguine en détaillant son nouvel environnement. Directement sur le côté de la bâtisse, elle remarque une femme en train de bêcher pour ramener des siams à la surface, dans ce qui semble être un potager.

— Ça pousse-ti pas pire? demande-t-elle avec ce qu'il faut de chaleur pour inviter à la conversation.

La femme se retourne. Elle doit avoir dans la trentaine, mais son visage aigri la fait paraître plus vieille. Pendant un instant, elle étudie Maria avec des yeux privés d'expression, puis une légère grimace vient signifier quelque chose à mi-chemin entre le sourire et le cynisme.

— Pour pousser, ça pousse, dit-elle, y a juste qu'on dirait que tous les chiens d'la place se donnent rendez-vous icitte pour pisser; même les patates et les siams sentent la pisse.

— Faudrait renforcir la clôture.

— Oh! j'ai ben demandé pour avoir ne serait-ce que des croûtes d'épinettes, mais j'ai pas encore eu de réponse... Vous allez me dire qu'ils ont d'autres choses à faire, mais quand même..., ils sont ben contents, les hommes, quand qu'il y a de quoi de bon pour se caler la panse, mais je vais toujours ben pas ramener les croûtes sur mon dos... Vous êtes nouveaux icitte, hein?

— On vient juste d'arriver (elle désigne l'immeuble). Mon mari est allé voir en dedans ioù ce qu'on va rester.

La femme se rapproche en s'essuyant les mains sur son tablier:

— Vous savez pas encore ioù ce qu'ils vont vous installer?

— Pas encore.

La femme se tourne vers le village pour tenter de déterminer à l'avance où ils pourraient être placés. Elle monologue sur les possibilités:

— Ils vont peut-être ben vous essayer là-bas, à côté de Savard, mais je vous le dis tout suite, y a personne qui peut s'entendre avec; lui, c'est pas qu'il est méchant, mais y t'a une gueule!... Ou alors peut-être ben juste en face, avec les Beaulieu, mais là ce serait pas drôle pour vous autres de l'entendre chialer à la journée longue. Plus lamenteux que ça, ça se peut pas. Ou ben donc juste à côté, la première du bord, avec les Doucet, quoique là encore..., sans vouloir me mêler de ce qui me regarde pas, faudrait watcher votre époux, pasque la Louison...

— C'est pas encourageant, fait Maria en riant, même si au fond tous ces propos l'inquiètent un peu.

— Non, oh non! que c'est pas encourageant, même qu'à votre place, je repartirais tout suite...

— Pourquoi que vous partez pas alors?

— J'en sais rien, peut-être ben qu'on s'est habitués. Nous autres, on est arrivés icitte du temps de monsieur Jalbert...

Maria comprend que la femme voulait en arriver là, qu'elle en est fière. Elle s'apprête à lui poser des questions sur les habitudes locales lorsque, accompagné d'un homme arborant une épaisse moustache noire lui donnant un air martial, Charlemagne sort sur la galerie. Du doigt, l'homme désigne la dernière maison dont a parlé la femme.

— C'est propre, dit l'homme, tout est en fonction, vous avez juste à vous installer. Je passerai en fin de journée. (Il aperçoit Maria.) C'est ton épouse?

— C'est elle. Maria, je te présente monsieur Lapointe.

— Enchantée.

— Moi de même. Monsieur Dubuc m'a demandé de vous former pour les comptes, vous avez déjà fait ça?

— Non, jamais.

— Ah!... En tout cas, on verra cela en temps voulu. Bon! je vous laisse vous installer et, s'il y a de quoi, je passe la journée ici ou alors je serai au moulin. (Il se tourne pour rentrer puis se ravise.) Ho! Charlemagne, penses-tu être bon pour commencer demain matin?

— Ça doit...

— Parfait! je t'inscris sur la feuille de rôle pour demain, six heures. Je te dirai ce soir où te présenter.

— Pas de problème.

Maria regarde la maison située juste en bordure de la rivière et vers laquelle ils se dirigent. Elle se demande pourquoi le président a pris la peine de faire un papier à l'intention du surintendant puisque toutes les habitations de cette rangée sont identiques et ne diffèrent de celles de l'autre côté de la rue que parce qu'elles sont un peu plus petites. Comportant chacune deux logements, il s'agit de maisons à un étage, couvertes de bardeaux de bois peints, pourvues d'un toit à quatre versants et possédant une galerie couverte côté rue.

—Ça va te plaire? demande Charlemagne avec un peu d'appréhension.

— Ça a l'air parfait, affirme-t-elle, c'est grand et ça fait propre.

— C'est vrai que ça fait propre.

Charlemagne dirige le cheval pour ranger la waguine le long de la galerie. Ils descendent et avancent d'un pas hésitant. Il sort une clef de sa poche qu'il enfonce dans la serrure, regarde Maria, fait tourner la clef. La porte s'ouvre sur une grande pièce tout en planches embouvetées peintes en vert pomme. La maison est meublée d'un poêle à bois tout blanc, d'un grand comptoir avec un évier et des robinets. Sur la gauche, un escalier qui monte à l'étage. Une odeur de peinture fraîche se dégage de cette grande pièce d'où, par la fenêtre au-dessus de l'évier, Maria aperçoit la rivière qui accroche des rochers en écumant.

— Qu'est-ce que c'est clair! s'exclame-t-elle.

— Oui, c'est clair en batince! Allons voir en haut.

À l'étage il y a deux pièces – elles aussi en planches embouvetées étroites –, mais cette fois de couleur jaune clair.

— Deux chambres, fait-elle, c'est quasiment du luxe.

— Ben! une pour nous, pis une autre pour les enfants...

— Mais on a pas d'enfants!

— On en aura!

— Je sais ben, mais pas avant au moins neuf mois.

— Ça, je sais.

— Et on sera encore là dans neuf mois?

— Ah oui! c'est vrai..., j'en sais rien, non, on sera peut-être chez nous.

Ils font le tour, s'extasient devant les espaces de rangement et surtout – alors qu'ils se trouvent tous deux encadrés dans le chambranle de la petite porte – devant la toilette dont Charlemagne vérifie immédiatement le fonctionnement de la chasse d'eau.

— Ça, c'est moderne! dit-elle, pus besoin d'aller se geler dehors...

— On aura ça aussi chez nous, décide-t-il.

Ils ont commencé à décharger la waguine lorsque, plutôt grande et maigre, le visage tavelé de taches de son, les yeux grands, marron et rieurs, la bouche mutine, la chevelure bouclée, d'un blond roux un peu mat et retenue par un bandeau, une jeune femme sort de l'autre logement formant l'habitation et longe la galerie dans leur direction.

— Dites-moué pas qu'on a des nouveaux voisins! s'exclame-t-elle, apparemment ravie de cette découverte.

— Bonjour! l'accueille Maria, ben! ça ressemble à ça on dirait... Moi, c'est Maria St-Pierre et voici Charlemagne, mon mari.

Charlemagne adresse un salut poli et entre dans la maison en portant le petit guéridon aux pieds galbés.

— Moi, c'est Louison, Louison Doucet. C'est de valeur que mon mari soye sur son chiffre, il vous aurait aidé à charroyer tout ça...

— Oh! c'est gentil, mais ça va aller.

— Ben tenez! vu que vous êtes occupés pas mal, c'est moi qui préparerai le souper d'à soir pour tout le monde!

— Oh! c'est pas la peine...

— Oui, oui, pis pas de fafinage! chus assez contente que vous arriviez! Je commençais à trouver ça plate icitte. Vous êtes jeunes, on devrait ben s'entendre; ça va me changer des vieilles biques pis des grands' langues malavenantes.

Maria ne sait trop comment répondre à cela. La jeune femme est d'un abord franc et sympathique, mais elle ne peut oublier ce que lui a dit la femme du jardin. «*Oh! et puis c'est ridicule!* essaie-t-elle de se convaincre, *j'imagine pas pantoute Charlemagne aller chanter la pomme à la voisine, et c'est pas parce qu'elle dit ce qu'elle pense qu'elle serait de même. Elle a l'air ben d'adon.»*

— Je vous remercie, dit-elle. Ce sera plaisant pis ça nous sauvera du temps. Mon mari commence demain matin.

— Oh! je sais ben ce que c'est... Icitte, ils vous logent ben, ça, y a pas à chialer, les gages sont bonnes itou, mais pour le reste... Ils en veulent pour leur argent. Nos hommes doivent travailler d'une étoile à l'autre, pis c'est pas si facile que ça en a l'air. Quant à nous autres, les femmes, ben! y a juste à attendre... Celles-là qui ont des enfants, elles ont de quoi s'occuper, mais pour les ceusses comme moi... (son visage s'assombrit et Maria comprend qu'il y a des problèmes de ce côté), le temps est long en mautadit! (Son visage s'éclaire à nouveau.) Mais astheure que je vais avoir une voisine comme vous, chus sûre que ça va aller mieux, on se tiendra compagnie.

— Ben sûr!

— Bon! je vous laisse, j'veux pas vous retarder... Vous êtes du Lac?

— Du nord, de l'autre bord de Mistassini.

— Ah!... Moi, je viens de l'autre bord des lignes, de Lowell, je suis pas encore ben, ben habituée...

— Des États? si loin que ça? Ça doit vous faire changement!

— Pas mal, oui... Allez! cette fois j'y vais.

Comme Charlemagne revient prendre l'un des deux fauteuils de cuir, elle s'arrête pour l'observer un instant:

— Ben! dis donc! avec un homme de même, vous êtes sûre de ne pas être mal pris!

L'ayant entendue, Charlemagne, flatté, sourit et, durant une seconde, Maria a l'impression qu'il en fait trop alors qu'il tient le fauteuil à bout de bras, mais elle se ravise lorsqu'il répond à leur voisine:

— Trompez-vous point, voisine, c'est moi qui est gâté en péché d'avoir une femme comme ma Maria...

Louison Doucet a un rire argentin:

— Oh! bah, moi, j'aime ça de même quand que les gens ont l'air à s'aimer comme vous autres! Moi et mon Tit'Pit aussi, on s'aime ben gros.

435

La waguine était bien chargée, toutefois cela ne prend pas grand temps pour disposer le tout. Une fois leur mobilier placé, ils regardent autour d'eux comme s'il manquait quelque chose, surpris que leur décor soit déjà en place. Maria a le pressentiment fugitif du vide qui doit entourer les longues heures d'attente de la femme guettant à la fenêtre le retour de son mari. Elle est soudain contente de savoir qu'elle va avoir un travail; elle ne se voit pas rester là à attendre.

— Je crois que tu vas être ben, fait Charlemagne.

— Pas toi?

— Oui, moi aussi...

— C'est grand en bibite!

— Oui, c'est grand; tu vas avoir toute la place qu'il te faut.

— Pour quoi faire?

— Ben!... pour avoir tes aises. (Il avise le poêle.) Je crois que je vais faire du feu. J'ai vu tantôt qu'il y avait une pile de bois derrière la maison, on va voir comment le poêle tire pis ça va réchauffer la cabane. À travailler on le sentait pas, mais c'est un peu humide icitte.

Maria s'avance et ouvre la porte du four:

— Regarde-moi donc si c'est grand! Je vas pouvoir cuire le pain en dedans.

— On peut tout faire en dedans icitte, aller à la bécosse, cuire le pain, et il n'y a même pas besoin d'aller faire le train; tu vas être comme un coq en pâte.

Pourquoi lui dit-il sans arrêt qu'elle va être bien? Veut-il se le confirmer à lui-même?

— On finirait par devenir branleux à vivre longtemps de même, dit-elle.

— Ça te plaît point, Maria?

Il a l'air vraiment peiné à cette perspective. Elle s'en veut de lui causer ce tourment. S'approchant de lui, elle appuie sa tête sur sa poitrine.

— Oui, Charlemagne, ça me plaît ben; quand que je dis que c'est grand, je veux juste dire que ça fait en masse de la place juste pour nous deux pis que tu me parais loin.

— Oui?... Parce que tu sais, si ça ne te plaît point, tu le dis tout de suite et on repart. C'est pas plus compliqué que ça.

Elle réalise que toutes les affirmations qu'il faisait tantôt n'avaient pour but que de se prouver à lui-même qu'elle serait bien. Levant les yeux vers son visage, elle est surprise, comme cela lui arrive quelquefois, de rencontrer le regard de Blanche-Aimée. Seulement, les rôles sont en partie inversés. Ce n'est plus elle qui se sent entièrement responsable du bonheur de l'autre, c'est Charlemagne. Se souvenant de cette époque où il lui incombait de donner, elle ne comprend pas pourquoi elle éprouve une vague de nostalgie. Attendre et recevoir seraient-ils le *mauvais* côté de la médaille, la joie serait-elle de donner? En s'interrogeant ainsi, elle décide de consacrer son énergie au bonheur de ceux qui l'entourent, en commençant par Charlemagne qui, en ce moment, n'est pas très heureux, car il n'est pas sûr qu'elle le soit.

— Tu sais, dit-elle doucement, j'aurais jamais osé rêver d'une maison de même.

Elle n'a pas besoin de relever les yeux pour savoir qu'il est content.

La nuit. À travers les vitres de la fenêtre les étoiles clignotent. À côté d'elle, la respiration régulière, Charlemagne dort. Comment peut-il faire pour s'endormir aussi vite dans une nouvelle maison? Ne trouvant pas le sommeil, elle laisse vagabonder ses pensées. Elle se demande s'ils n'auraient pas mieux fait de rester à Hébertville et d'y mener tranquillement leur vie sans que d'autres puissent venir s'y mêler. Elle repense au surintendant venu dans la soirée, dont le regard errait dans la maison comme s'il cherchait un défaut dans la disposition de leurs meubles. Elle l'entend, comme on le ferait pour un enfant, énumérer à Charlemagne ce que la compagnie attend de lui. Elle réentend les Doucet pendant le souper leur parler des devoirs et des restrictions de la compagnie, règlements qui s'étendent bien au-delà du travail lui-même. Le prêtre a interdit les veillées de danse et a imposé l'obligation d'aller à l'office du dimanche. Les manquements sont sanctionnés par la compagnie elle-même. Bien sûr, elle trouve normal d'aller à la messe; ce qui l'est moins, c'est que la compagnie ait quelque chose à y voir.

— Et le pire, a ajouté Louison Doucet, c'est qu'il y a un tas de bonnes femmes qui ont rien d'autre à faire que de bavasser pis de créer des misères juste pour le plaisir de mal faire... Une escousse, sûrement pasque j'étais pas de la place, elles s'en sont prises à moi. Y en a même une qui a parti l'histoire comme quoi que si j'ai pas de bébé, ce serait à cause que je me serais fait avorter pis que ça aurait mal tourné. Oh! vous inquiétez pas, elles vont ben s'essayer sur vous...

Son mari, un blond aux cheveux filasses, au teint rose de bébé et à la mine un peu naïve, l'approuve machinalement en hochant lentement de la tête. Maria s'est à nouveau demandé quelle est la part de vérité dans ce que lui a dit la femme du potager; est-il possible que Louison s'en prenne un jour à Charlemagne? Se le reprochant, elle a pourtant surveillé chaque regard que la jeune femme adressait à son mari, elle n'y a rien vu d'autre qu'un rapport très normal. Pourtant..., et si la jeune femme est vraiment comme l'a laissé entendre l'autre, est-ce que Charlemagne pourrait se laisser prendre à son piège? «*Je suis folle! se dit-elle, je ferais mieux de dormir.*»

En glissant, un nuage dévoile la lune qui, brusquement, illumine la chambre de son éclat d'argent et révèle chaque détail de ce nouveau milieu qui est le sien. Soudain, elle se formule l'impression que lui laisse Ouiatchouan: c'est beau, c'est propre, c'est moderne, mais c'est froid. Très froid. Elle n'y sent pas de chaleur humaine et est effrayée par la société que cet endroit préfigure. Plongeant dans le futur vague que cet endroit lui fait pressentir plus qu'elle ne le conçoit sciemment, elle voit une génération qui a voulu tout oublier et court dans tous les sens sans jamais prendre le temps de sentir le pays dont elle a hérité, le transformant avec le temps en un immense Ouiatchouan stérile et sans chaleur. Curieusement pour Maria, sans doute parce que cela lui rappelle ce qu'elle nomme encore son chez-soi, il n'y a que le grondement de la chute et la proximité du bois qui la rassurent. Frissonnante, elle se rapproche timidement de Charlemagne, sent sa chaleur contre son flanc et cela la réconforte.

Elle en est à ce stade où l'on ne sait plus très bien si l'on dort ou non. En fait, elle s'enfonce dans les brumes du souvenir. Pourquoi revient-elle à cette journée qui marqua pour elle sa rencontre avec ce qu'elle a longtemps nommé la méchanceté, avant de se rendre compte qu'il ne s'agissait que d'abdication? Deux messieurs qu'elle avait toujours considérés comme «gentils», l'un, Louis-Philippe Dubois, propriétaire d'un magasin général à Mistassini, et qui ne manquait jamais de lui donner une sucrerie lorsqu'elle accompagnait ses parents à la boutique, un grand homme maigre au nez violacé dont les enfants de la place riaient parfois sans trop de discrétion; l'autre, Ludger Parent, qui jusque-là avait toujours travaillé dans le bois et semblait être un monsieur «très tranquille». Un jour, tout le monde apprit avec surprise que Louis-Philippe Dubois venait de vendre son magasin à Ludger Parent. Connaissant le bonhomme Dubois qui semblait ne vivre que pour le commerce, la transaction était inattendue. La suite étonna un peu moins: après avoir vendu son affaire, Louis-Philippe Dubois, qui avait gardé la propriété d'un terrain situé juste à côté de son ancien commerce, trouva tout naturel de construire dessus. Tout le monde se demandait quelle sorte de grande maison il construisait là. «Un château», disait-on, jusqu'à ce que la vérité apparaisse: il avait construit un autre magasin, plus grand que le premier dans lequel Ludger Parent avait placé toutes les économies d'une vie de travail. Le drame eut lieu quelques jours après l'ouverture. Trouvant sûrement très drôle le tour joué par Dubois, toute la population s'était dépêchée de renouer commerce avec ce dernier. Alors, par un après-midi torride de juin, l'homme floué se rendit dans la remise au fond de sa cour, remplit un jerrycan de pétrole puis alla tout tranquillement arroser le mur de son voisin déloyal avant d'y jeter une allumette. Le nouveau magasin brûla complètement et, comme entre-temps le vent s'était levé, l'ancien y passa également. De plus, selon ce qu'en racontèrent les témoins, une grande partie de la paroisse aurait subi le même sort si le prêtre, levant le bras, n'avait ordonné au vent de s'arrêter. Tout le monde s'amusait beaucoup de cette affaire; le mot d'ordre était que Ludger Parent n'était vraiment pas bon en affaires. Mais Maria, elle, ne comprenait pas qu'un «monsieur gentil fasse des accroires à quelqu'un pour lui prendre son argent». Elle aurait peut-être fini par s'en faire une raison, mais, comme elle s'en était ouverte à d'autres enfants, Claudine, la fille de Louis-Philippe Dubois, lui avait dit:

— Si tu dis encore de quoi contre mon père, j'te tue, Maria Chapdelaine.

— Faudrait d'abord que tu y arrives! avait ricané Maria.

— Ben! d'abord, je tuerai ta mère.

Ces mots lui avaient causé un choc terrible. Pendant des jours et des jours, elle avait imaginé Claudine Dubois tuant sa mère de toutes sortes de façons abominables. C'est ainsi qu'elle avait vraiment pris conscience que les gens pouvaient être «méchants».

Un nouveau nuage se glisse devant la lune, replongeant la pièce dans l'obscurité. Maria sourit en pensant à Dubois et à Parent qui, par la suite, chacun gardant son emplacement tout en s'ignorant royalement, avaient reconstruit leur boutique, en parpaings de ciment cette fois. Pour elle, il y avait eu une suite à cette histoire: devant se confesser chaque semaine et étant toujours à cours de péchés «valables», il arrivait souvent alors qu'elle passe de longues heures d'insomnie dans son lit à en inventer un qui ferait certainement plaisir au prêtre, quitte, lors de la confession suivante, à se confesser d'avoir menti; cette fois-là cependant, elle n'inventa rien quand elle dit:

— Pardonnez-moi, mon père, pasque j'ai fait un très, très gros péché.

— Si gros que ça?

— Oh oui! mon père, encore plus gros; j'ai eu envie de tuer une fille d'icitte.

— D'icitte! Ah oui! ça, c'est un très gros péché...

— Jésus va-ti me pardonner, mon père?

— Si tu le regrettes, sûrement.

— Mais justement, mon père, je continue toujours à y penser..., je voudrais ben regretter, mais au lieu de ça, j'y pense encore.

— Mais qu'est-ce qu'elle t'a donc fait, cette petite fille-là?

— On peut-ti dire les péchés d'un autre durant sa confession?

— Si c'est nécessaire pour la compréhension...

— Ah bon!... Ben voilà! elle m'a dit qu'elle tuerait ma mère si j'arrêtais pas de dire que son père était pas correct.

Le prêtre n'avait pas ajouté grand' chose, mais lui avait donné tellement de prières en pénitence qu'elle avait compris que le péché était vraiment sérieux. Le dimanche suivant cependant, le prêtre avait parlé en chaire:

— J'ai appris d'une bouche innocente, qu'ici, dans notre gentille petite paroisse, des menaces de mort ont été proférées. C'est déjà tragique en soi, mais ce qui l'est peut-être encore davantage, c'est que tout ceci résulte d'une aberration de l'esprit. Pour ceux qui n'ont pas encore compris ou qui ne voudraient pas comprendre, je veux parler des avaricieux, de ces gens prêts à vendre leur âme à Lucifer pour quelques deniers, comme Judas.

«Quoi? je vous le demande, quoi de plus douloureux aux yeux de Notre-Seigneur que de voir une de ses créatures renier l'esprit, renier ses frères, renier tout son amour et sa création pour quelques misérables piastres? Quoi? Relevez-vous et réagissez! sinon nous sommes perdus! En croyant l'améliorer, on en viendra à troquer notre vie contre des cennes... Nos pères nous ont appris qu'un petit pain nous empêche pas de pouvoir être heureux; ils nous ont appris aussi qu'un bon travaillant peut nourrir sa famille pis en être fier à part de ça! Mais il y en a toujours qui croient que, s'ils sont pas lôdés au boutte, ils seront malheureux. À ceux-là je dis: souvenez-vous du roi Midas qui changeait en or tout ce qu'il touchait; il avait l'air fin, Midas... Y en a qui disent qu'aux États, il se brasse de la grosse argent comme on peut pas imaginer; y sont-ils plus heureux aux États? Ceux qui reviennent nous voir, ils nous disent qu'ils roulent dans des gros chars, qu'ils vont voir des images qui remuent toutes seules sur les murs, qu'ils ont juste à mettre la poubelle devant la porte pour qu'on vienne la ramasser, mais regardez-les bien comme il faut au fond des yeux; non, non, ils sont pas plus heureux; ben pire, ils sont à moitié morts. Et je vous le dis, c'est ce qui nous attend tous si on continue à laisser notre cœur se dessécher au point de se dire qu'avec de l'argent, du confort et de la science, on aura plus besoin de s'aimer.

Lorsque le sommeil tombe enfin sur Maria, elle se demande toujours s'ils ont eu raison de venir ici pour ramasser de l'argent. Est-ce qu'ils ne font pas justement ce contre quoi le prêtre mettait en garde? «*Mais non!* s'affirme-t-elle, *on est là juste pour avoir une terre à nous.*»

«*Est-ce qu'on en a pas déjà une?*» se répond-elle sans vouloir s'écouter, préférant s'absorber à présent dans les brumes de l'oubli, là, à l'abri, bien au chaud contre son mari.

Le lendemain, Charlemagne est parti à l'aube et n'est revenu qu'à la nuit, les jambes de son pantalon trempées malgré le long tablier de toile donné par la compagnie, presque trop exténué par cette première journée pour parler.

— C'est-ti dur? lui a demandé Maria.

— Pas trop pire...

— Qu'est-ce que tu fais?

— Les billots arrivent dans le dalot. Avec une perche, il faut envoyer les bons vers les écorceurs, les autres vont ailleurs... Et toi?

— Pas grand'chose... J'ai placé les affaires, Louison est venue, on a jasé, pis j'ai préparé le souper.

— C'est bon.

— Merci.

Vingt minutes plus tard, il dormait à poings fermés. Maria voulait lui demander si elle devait aller voir le surintendant le lendemain, mais, ne voulant pas le réveiller, elle s'est dit qu'elle attendrait au lever.

En se couchant, elle a eu l'impression qu'une interminable file de jours uniformes venait de se mettre en branle.

Mais, ce matin, tout s'est déroulé si vite que là encore, elle n'a pas trouvé l'occasion de lui parler. Après avoir tourné en rond pendant deux heures dans son logement, songeant à aller se présenter pour son travail, elle a mis son manteau et est sortie.

Passant devant le petit bureau de poste, il lui vient l'idée d'essayer d'écrire une lettre à sœur Marie-de-la-Croix. Finalement, forçant sa réserve naturelle, elle décide d'entrer pour se renseigner sur la façon de s'y prendre pour envoyer une lettre.

Outre la préposée derrière son guichet, une femme toute ronde à la chevelure grisonnante, un homme est là, dans la quarantaine, râblé, vêtu d'une chemise de flanelle et d'un épais pantalon en toile de lin trop grand à la taille, mais soutenu par de larges bretelles. Il a demandé un timbre qu'il paie en alignant gravement les pièces noires sur le comptoir. Comme il s'apprête à apposer le timbre sur son enveloppe, il l'échappe et le carré de papier en tombant va s'infiltrer dans l'une des rainures du plancher. L'homme s'agenouille, essaie de le récupérer, mais rien à faire. Par-dessus le comptoir, la femme lui passe un carton; tout ce qu'il réussit à faire, c'est de pousser complètement le minuscule pli sous le plancher. Se relevant, il regarde sa lettre en fronçant les sourcils, semble évaluer le pour et le contre puis, ayant fait son choix, la prend entre ses deux mains et la déchire rageusement avant d'en jeter les morceaux dans une corbeille.

— J'veux ben acheter un timbre pour une lettre, dit-il, mais pas deux! Surtout que c'est rien que des arnotages de bonnes femmes. J'vous demande un peu! ma femme a-ti besoin d'écrire à sa sœur à tous les six mois?

Stupéfaites, Maria et la préposée le regardent partir sans dire un mot avant qu'il ne soit loin.

— Si c'est pas terrible! dit alors la postière. Voilà une femme qui écrit à sa sœur, qui vit là-bas dans les plaines de l'Ouest au milieu de rien et qui doit pas avoir d'autre distraction que ces lettres-là. Le vieux grippe-sous déchire la lettre; y a des fois... (Elle regarde Maria comme si elle se rendait soudain compte qu'elle ne la connaissait pas.) Alors, c'est vous les nouveaux... Comment que vous trouvez ça, icitte?

— Oh bah!... c'est ben arrangé.

— Sûrement! fait la femme non sans fierté. Y doit pas y avoir beaucoup de paroisses autour du lac qui sont installées modernes comme nous, et c'est pas fini, vous savez. Au printemps prochain, ils vont bâtir une école... J'ai vu les plans, ça va faire des envieux... Oh ben!... regardez donc qui c'est qui nous arrive, si c'est point notre Alexis...

Maria se retourne pour voir entrer un homme dans la cinquantaine passée, mais dont, curieusement, l'expression du visage pourrait être celle d'un adolescent facétieux. De taille moyenne, il a le front très largement dégarni et la teinte de ses cheveux – plutôt inhabituelle – est d'un brun noir à reflets bleus. En apercevant Maria, il élargit sa bouche déjà très large dans un sourire candide appelant à la bonne humeur tandis que ses yeux quelque peu étranges se mettent à pétiller.

— Vous connaissiez-ti Alexis le Trotteur? demande la postière, certaine de son effet.

Elle ne se trompe pas, Maria, qui comme tout le monde au Lac-Saint-Jean, a au moins entendu parler de lui et se trouverait certainement intimidée si le personnage ne prêtait pas tant à la sympathie instantanée.

— C'est vous, le Trotteur..., fait Maria en trouvant ses mots bien insignifiants.

— Et vous une apparition de rêve! répond l'homme en ayant vraiment l'air de penser ce qu'il dit. Dites-moi pas que vous restez à Ouiatchouan, je vas être obligé de prolonger mon séjour!

— Attention, Alexis, c'est une jeune mariée! dit la postière en riant.

Alexis Lapointe feint d'apprendre une tragédie:

— Mais... malheureuse! Pourquoi que vous avez pas attendu? Avec un peu de patience, vous m'aviez, moi, et pour vous toute seule à part de ça. Est-ce que j'ai pas l'air de çui-là qui vous aurait rendue heureuse?

Dans la bouche de beaucoup d'autres, de tels propos auraient outré Maria, mais, venant de cet homme, elle les prend comme un compliment habillé en boutade. De toute façon, certaine, juste à le voir, qu'il doit être de ces êtres sensibles qu'un mot mal venu plonge dans le désarroi, elle a le sentiment qu'elle se sentirait bien incapable de le rembarrer. Aussi se contente-t-elle de rire pudiquement en regardant en direction de la femme.

— Vous osez pas l'avouer, hein? reprend-il. Oh la la! Regardez-moi, voir... Non mais! (Il prend la postière à témoin.) Vous avez-ti déjà vu des beaux yeux de même!... Il s'en rend-ti compte, votre époux, de la chance qu'il a?

— Je crois, oui, je crois, répond Maria, en riant à demi.

— Hum!... Moi, je suis pas certain... Il travaille sur quel chiffre?

— Il travaille de jour...

— De jour, de jour..., mince! c'est pas pratique pour se rencontrer en tête à tête, ça pourrait faire jaser.

— Oui, c'est dommage, approuve Maria qui à cause de la bonne humeur contagieuse du personnage se décide elle aussi à feindre le regret et à entrer dans les plaisanteries d'Alexis Lapointe.

Elle ignore qu'au fond de l'homme, c'est la solitude qui crie au secours. Ce qu'elle prend pour un éclat de bonne humeur toute simple dans les prunelles du Trotteur est en réalité le reflet d'une âme solitaire qui présume avoir découvert une issue vers la chaleur, un peu d'attention pour soi. Adressant à Maria un sourire immense qui dilate ses traits accentués, au point que, l'espace d'une seconde, étrangement, Maria a l'impression de se trouver devant un adolescent désarmé et pubère, il abandonne l'attitude blagueuse pour se faire amical et chaleureux:

— Dans quelle maison mon oncle vous a logés? J'espère qu'il vous a bien placés au moins!

— La première du côté de la rivière. C'est qui votre oncle?

— Mon oncle est le surintendant J.-A. Lapointe.

— Ah!...

— Oh! ne craignez rien, belle apparition, je suis pas le genre à rapporter des secrets...

— Je crains rien! se défend Maria, j'ai rien à cacher!

— Je sais ben, je disais ça comme ça... Tenez, pour me faire pardonner et pour vous prouver que vous avez bouleversé mon cœur, là, devant témoin, je m'engage à vous construire un four à pain derrière votre logement, un bon four à pain qui vous coûtera rien, ou presque rien...

— Mais c'est que... (Maria ne sait comment refuser cette offre qui lui semble disproportionnée), on a déjà un grand four dans le poêle de la maison...

— Je sais, mais c'est de la tôle. On peut pas faire du bon pain là-dedans. Non, non, laissez-moi la chance et le plaisir de vous offrir ce petit cadeau.

— Mais vous me connaissez même pas! pis je sais pas ce que mon mari va en penser... C'est trop...

— Votre mari sera ben content d'avoir du bon pain; c'est toute. Rien qu'à vous voir, je doute point que vous boulangiez numéro un. Pis créyez pas que c'est trop, c'est moi qui vas avoir tout le plaisir de vous voir.

— Une chose est sûre, intervient la postière, c'est qu'Alexis fait des bons fours, il est réputé pour ça.

— Un peu, ouais! J'ai quasiment «fourré» tout le Saguenay–Lac-Saint-Jean.

Il faut un instant à Maria pour saisir ce jeu de mots qu'Alexis Lapointe aime bien lancer de temps en temps; cependant, même tourné comme cela, elle le trouve des plus vulgaires et, la seconde suivante, elle n'a plus envie de plaisanter. Oubliant son projet de lettre, les sourcils froncés, elle fait un pas vers la sortie.

— J'en parlerai à mon mari, dit-elle un peu sèchement et en laissant entendre que l'offre ne l'intéresse pas. Au revoir, madame, monsieur...

Ouvrant la porte, elle ne se rend pas compte que toute la tristesse du monde s'est dessinée sur le visage d'Alexis Lapointe.

— Que c'est que j'ai encore dit? soliloque-t-il.

— Ben voyons! Alexis, lui répond la postière, on parle pas aux dames comme on le fait à un collègue de chantier. Vous l'avez blessée, la p'tite dame.

— On dirait que je dis toujours ce qu'y faut pas... Enfin, regardez-moi, je viens d'avoir cinquante ans et je suis tout seul comme un pendu...

— Faut crère que le Bon Dieu vous a tout mis dans les jarrets pour que vous portiez ben haut notre coin de pays. Peut-être ben qu'Il a jugé qu'une épouse vous aurait point laissé courir partout comme vous le faites.

— Y a des fois ousque j'aurais préféré le don de me trouver une vraie p'tite femme ben à moi...

— Ben! arrêtez donc un peu de faire des espiègleries pis de jouer des tours. Vous savez, les femmes, elles aiment à crère qu'un homme est sérieux. Oh! c'est sûr que dans les noces pis les veillées, elles vont rire de vos tours, mais après...

Subitement, contre toute attente et illustrant le côté irrationnel de l'individu, alors que la postière pensait en avoir pour un bon moment à le consoler, l'attitude d'Alexis Lapointe redevient blagueuse.

— Oh! j'aurais pu me marier, dit-il en cherchant à la convaincre, j'aurais pu et même que j'ai eu de bonnes occasions..., mais, comme vous dites, le Seigneur m'a point fait pour ça. J'aime ben trop faire ce que j'ai envie de faire et de lâcher mon fou quand ça me prend... Tiens, justement! en parlant de ça, je suis venu pour envoyer un colis dans le Sud. On m'a dit qu'il y avait des belles créatures par là-bas...

— Quel colis?

— C'est moi le colis.

— Ben voyons! Alexis!

— Ben quoi? Pourquoi c'est faire qu'on pourrait pas se maller? Y a-ti de quoi qui empêche? Je peux tout de même point courir jusqu'à New York!

En remontant la rue, Maria se reproche d'avoir été si *«pète-sec»* avec Alexis Lapointe. *«Voilà un homme qui t'offre de te faire un vrai four à pain, pis, toi, tu l'envoies paître juste parce qu'il a dit une affaire simple comme tous les hommes font. Ç'aurait pas été dur de rester aimable... As-tu vu l'air qu'il avait quand t'es partie?... Tu rencontres Alexis le Trotteur et... Oh! et pis pensons à autre chose... Si j'allais m'engager? Oui! c'est ça, allons-y.»*

Le ciel est couvert, et une bruine légère et froide se met à tomber juste avant que Maria n'atteigne la bâtisse où est situé le bureau. Malgré cela, elle s'arrête un instant pour contempler la chute tumultueuse ainsi que la colline en partie déboisée et noire qui la borde sur sa gauche et qui est parcourue sur presque toute sa hauteur par un énorme tuyau de neuf pieds de diamètre dont l'eau venue du haut de la chute alimente les roues hydrauliques. Maria frissonne, non de froid, mais en constatant avec une espèce de fierté la puissance que peuvent déployer les hommes pour soumettre la nature à leurs desseins.

À l'intérieur de l'office de la compagnie, elle est assaillie par une odeur qui lui rappelle brusquement le bureau de la mère supérieure à Saint-Vallier: odeurs d'encaustique, de retailles de crayon, de papier et d'encre. Contre un mur sont alignés des classeurs de bois foncé, tous fermés à l'exception d'un seul. Au centre de la pièce, il y a quatre pupitres équipés chacun d'un sous-main recouvert d'un papier buvard vert, d'un plumier, d'un encrier de porcelaine, d'un porte-timbres, d'un bloc-éphéméride et d'un petit plat rectangulaire en vitre contenant divers objets tels que gommes, attaches ou ciseaux. Un seul pupitre est occupé lequel soutient une machine à écrire. La jeune femme, affairée à écrire dans un grand cahier relié en toile noire, lève la tête en entendant Maria. Elle doit avoir une dizaine d'années de plus qu'elle, un visage aux traits un peu bouffis, des yeux sans expression, des cheveux châtains également répartis de chaque côté du visage, elle porte un chemisier bleu foncé dont le col lui cache le cou. Elle a un aimable sourire de circonstance:

— Oui?

— Bonjour! je suis venue voir pour le travail...

La jeune femme semble être au courant:

— Ah oui! madame St-Pierre, c'est ça? Oh! c'est dommage, monsieur Lapointe est allé au moulin, mais vous pouvez l'attendre, il a dit qu'il ne serait pas long. (Elle lui désigne le pupitre juste en face d'elle.) Je crois que ce sera le vôtre... Ça va me faire drôle, personne ne l'a occupé depuis le départ de monsieur Le Breton.

«Le Breton...? Le Breton...?» Ce nom dit quelque chose à Maria sans qu'elle parvienne à y mettre un visage. Mais elle n'a pas le loisir de chercher davantage, car la jeune femme se présente:

— Moi, c'est Claudine Beaulieu. On ne se connaît pas encore et je m'en excuse, car notre maison est juste en face de la vôtre. Nous voulions aller vous souhaiter la bienvenue hier soir, mais mon mari m'a fait remarquer que le vôtre devait être fatigué après sa première journée d'ouvrage.

— C'est vrai qu'il était amorti pas mal...

— Ah! c'est dur ici! Il y a bien des colons qui ont souvent l'air à dire que c'est facile de travailler dans un moulin, mais on voit bien qu'ils n'y sont jamais venus. Vous connaissez la comptabilité?

— Pas du tout.

Claudine Beaulieu a un léger mouvement d'interrogation puis, presque aussitôt, elle reprend son sourire:

— Oh! il n'y a rien de bien sorcier à comprendre et puis monsieur Dubuc sait ce qu'il fait... D'où venez-vous?

— Du nord du Lac, Honfleur, à côté de Saint-Henri-de-Taillon.

— Ah oui!... Moi, je suis native de Chicoutimi.

— Je connais, j'y ai travaillé.

L'information semble réveiller l'intérêt de la jeune femme, son sourire se fait un peu plus personnel:

— Pour la compagnie?

— Non, pantoute! je travaillais à l'Hôtel-Dieu.

— À l'administration?

— Non, non, j'aidais les malades.

— Alors vous êtes nurse?

Toutes ces questions commencent à agacer Maria. Pourquoi cette femme veut-elle tout savoir sur elle? Est-ce qu'elle-même lui demande d'où elle vient et ce qu'elle a fait? Ce sont des choses que l'on raconte lorsqu'on a envie de le faire.

— Si on veut..., répond-elle.

Claudine Beaulieu paraît prendre conscience de l'impatience marquée de Maria à répondre à toutes ses questions. Elle regarde d'un air un peu perplexe vers son cahier.

«*Le Breton!*» se dit Maria en regardant le bureau qui doit devenir le sien, «*mais c'est le nom du Français!*»

— Excusez-moi, demande-t-elle, est-ce que le monsieur Le Breton dont vous parliez tantôt n'était pas un Français de France?

Cette fois, Claudine Beaulieu a l'air vraiment étonné:

— Oui!... Vous le connaissez?

— Bah! un peu. Je l'ai rencontré l'hiver passé à Mistassini où il pensionnait chez de la parenté. Alors il a travaillé icitte?

— Pas longtemps, seulement quelques semaines. Un beau jour, il a dit qu'il partait dans l'Ouest. Comme je lui demandais s'il n'aimait pas son travail, il m'a répondu que oui, mais qu'il préférait voir le monde. (Elle semble réaliser quelque chose.) Mais...? Mais alors, c'était vous! Mais oui! Maria... ça ne pouvait être que vous!... Ça alors!

— Je comprends pas!

— Bien sûr, vous ne pouvez pas savoir..., ça par exemple! Pour tout vous expliquer, juste avant de venir travailler ici au printemps, monsieur Le Breton venait de terminer un roman qu'il disait avoir écrit en grande partie à Saint-Gédéon...

— J'ai su qu'il était passé à Saint-Gédéon.

— Ah oui? Enfin, toujours est-il que le soir, après les heures d'ouvrage – il avait demandé à monsieur Lapointe l'autorisation de se servir de la dactylo pour ses fins personnelles –, le soir donc, il retapait le livre qu'il avait écrit à la main. Et devinez qui était l'héroïne de ce livre?

— Je sais pas!

— Une certaine Maria, une jeune fille vivant avec sa famille au bord du bois. Figurez-vous qu'un jour – je suis très curieuse, c'est mon défaut –, un jour donc je lui ai demandé ce qu'il écrivait, ce qui était courageux de ma part, car c'était quelqu'un de très renfermé qui ne disait jamais rien de lui-même. Toujours est-il que, ce jour-là, il m'a regardée sans rien dire, pendant assez longtemps que c'en était presque gênant, puis il m'a demandé si j'aimerais lire son manuscrit pour ensuite lui donner quelques commentaires sur ce qui me semblerait inapproprié concernant la vie locale (elle ne peut dissimuler un mouvement du menton trahissant un élan vaniteux). Bien entendu, j'ai accepté...

— Mais qu'est-ce que je viens faire là-dedans, moi?

— Bien! la première question que je lui ai posée, c'est où il avait pris le modèle de son héroïne, et c'est là qu'il m'a expliqué avoir rencontré à Mistassini une jeune femme *extraordinaire* – ce sont ses mots – qui s'appelait Maria et avec laquelle il avait bavardé tard dans la nuit. Une jeune femme qui lui aurait ouvert les yeux sur des points que j'ignore toujours.

— Mais j'y ai rien dit de spécial...

— Je n'en sais rien, moi, je fais juste répéter ce qu'il m'a dit. Peut-être que si vous lisiez son manuscrit, vous sauriez...

— Maintenant que je sais qu'il a écrit un livre avec moi dedans, je voudrais bien le lire, certain!

— C'est pas un livre, juste un manuscrit, et entre nous je ne pense pas que ça fasse jamais un livre. C'est l'histoire d'une jeune fille qui vit dans une maison au bord du bois. Je ne vois pas qui ça pourrait intéresser. Il n'y a pas d'aventures palpitantes ni de personnages comme dans les vrais romans, vous savez, qui viennent de la noblesse ou de milieux comme ça, rien que du petit monde normal. Non, ça ne peut pas intéresser personne... Mais vous en faites pas, j'y ai pas dit. Maintenant, si ça vous tente de le lire, c'est pas impossible, parce que j'ai toujours une copie carbone de ce qu'il a retapé ici. J'ai voulu la lui remettre quand il est parti, mais il m'a dit de la garder et que, comme ça, s'il perdait les autres, il saurait bien où la retrouver.

Maria se sent tout excitée à l'idée de lire quelque chose où il pourrait être question d'elle.

— Vous l'avez icitte? demande-t-elle.

— Non, c'est chez nous... Par contre, ici, il y a une lettre pour lui qui est arrivée, il n'y a pas très longtemps, et dont je n'ai pas encore décidé quoi en faire. Une lettre qui vient d'Angleterre; je me demande bien ce que ça peut être... Tiens, voici monsieur Lapointe qui revient...

Maria se retourne pour saluer l'homme qui passe le seuil en secouant son chapeau dehors pour en évacuer les gouttelettes.

— Madame St-Pierre! sourit-il en la découvrant et en la saluant avec plus de chaleur que le premier jour. Alors, vous venez voir quand commencer, je suppose?

— Ben!... c'est un peu ça, je me suis rendu compte qu'il n'y avait pas grand-chose à faire dans la maison...

— C'est sûr! Tout le temps qu'une femme n'a pas d'enfant... (Il s'adresse à Claudine Beaulieu:) Lui avez-vous montré son pupitre, madame Beaulieu?

— Justement, rougit la femme, nous étions en train de parler de monsieur Le Breton. Figurez-vous que madame St-Pierre le connaissait et je crois même qu'elle serait l'inspiratrice de son histoire... Vous savez, celle dont je vous ai parlé...

— Vraiment? fait le surintendant à l'intention de Maria.

— Je sais pas pantoute, je suis très surprise..., je l'ai seulement rencontré à Mistassini.

— C'était un curieux personnage... Bon travailleur, mais on aurait dit qu'il était ailleurs... Je ne sais pas si, en dehors du travail proprement dit, nous avons échangé plus de trente mots. Enfin! c'est vous qui allez occuper son pupitre à présent (il a une mimique qui se veut spirituelle), et ne voyez aucune malice si je vous dis que vous êtes autrement plus agréable à regarder que lui. Quand commençons-nous?

— C'est vous qui devez me le dire...

— Eh bien! pourquoi pas maintenant?

— J'ai rien contre.

— Parfait! Madame Beaulieu, pour commencer vous pourriez lui montrer comment retranscrire les dépenses dans le grand livre?

— Bien sûr, monsieur.

— Bien! Madame St-Pierre, il ne me reste qu'à vous demander de ne jamais divulguer à personne, même à vos parents les plus proches, tout ce que vous entendrez ou verrez dans ce bureau. Vos gages seront de quatre-vingt-dix dollars par mois, ce qui est plus que ce que gagnent les hommes qui travaillent au moulin. Cela s'explique justement par le fait que nous vous demandons à la fois votre discrétion, mais aussi le principe de votre engagement total envers la compagnie.

«Quatre-vingt-dix piastres! se répète Maria, rêveuse et abasourdie, c'est bien plus que Charlemagne, que va-t-il penser? Je ne peux pas lui faire ça... Pourtant, ça nous aiderait à partir d'icitte le plus vite possible... Peut-être ben, mais souviens-toi à quoi tu pensais hier soir, et qu'est-ce qu'il disait le prêtre de Mistassini à propos des baise-la-piastre... L'engagement total envers la compagnie..., qu'est-ce qu'il veut dire?»

— L'engagement total? demande-t-elle.

— Bien oui! cela signifie que les intérêts de la compagnie doivent vous importer plus que ceux de vos amis ou autres, et que si vous vous rendiez compte que l'un d'eux par exemple fraudait la compagnie en paressant ou de toute autre manière que ce soit, vous devriez le rapporter. De même que tous propos de grève ou rumeurs touchant des syndicats; enfin, vous voyez... Il faut faire comme si la compagnie était vous-même, ce qui en quelque sorte est le cas puisque c'est elle qui va vous faire vivre. Bien entendu, la plupart du temps, tout ceci n'est que théorique puisque naturellement vous n'irez pas chercher vos relations parmi les tire-au-flanc, les ivrognes, les agitateurs et les blasphémateurs.

Maria ne sait pas quoi répliquer, tout ceci la met mal à l'aise. À première vue, elle ne voit aucun mal à défendre les intérêts d'une compagnie, sinon qu'elle ne s'imagine pas du tout rapportant qu'un tel a fait ceci ou cela. Peu habituée aux faux-semblants, sans penser mettre son poste en jeu, elle ne fait qu'exprimer ce qu'elle pense:

— Je ne pourrai pas faire comme vous dites.

— Je ne comprends pas?

— Ben! par exemple, si mon mari prenait un p'tit coup dans le temps des fêtes, je dis pas qu'il va le faire, mais si ça arrivait, je me vois mal en train de le rapporter à la compagnie.

— Bien sûr! nous en sommes tous là! Non, ce que je voulais dire... Enfin, vous verrez, ça viendra tout seul...

— Il y a le salaire aussi...

Le surintendant fronce les sourcils et son regard s'assombrit:

— Vous trouvez que ce n'est pas suffisant?

— Non, oh non! au contraire! C'est plutôt que je ne sais pas comment que mon mari va prendre que je sois plus payée que lui...

— Mouais... Ben! vous êtes pas obligée de lui dire; laissez-lui comprendre que vous gagnez moins que lui...

— Mais il va ben voir quand j'y remettrai l'argent!

Le surintendant et la secrétaire s'adressent furtivement un regard d'entendement.

— Eh bien! vous ne lui remettrez pas tout, suggère l'homme, et vous placerez le reste. Quand, un jour, vous aurez envie d'acheter quelque chose, vous en aurez les moyens et votre mari, trop heureux que vous soyez contente, ne pensera même pas à se poser de question.

— Mais ce serait mentir! Je ne peux tout de même pas mentir à mon mari, je veux pas!

— On peut toujours baisser votre salaire si vous y tenez...

Il a dit ceci en plaisantant, mais Maria donne l'impression d'envisager sérieusement la question. Elle regarde autour d'elle, semblant détailler à nouveau la pièce. Un bref instant, elle prend une fois de plus conscience de cette odeur particulière qui l'a frappée en entrant. À travers les vitres d'une fenêtre du fond, juste au pied de la colline du haut de laquelle s'élance la chute, s'en élève une autre, toute en billots celle-là; le bois arraché à la forêt contre laquelle sa famille lutte jour après jour, mais de laquelle également elle ne peut plus se passer, car elle représente la liberté, le mystère et l'aventure dont ils ont besoin pour être eux-mêmes. Brusquement, elle éprouve une hâte presque douloureuse de se retrouver près du vrai bois pour, de la fenêtre de sa cuisine ou de la berçante sur sa galerie, contempler les victoires quotidiennes de sa famille. Mais pour que cela arrive vite, il faut de l'argent;

Charlemagne l'a dit.

— Très bien! dit-elle avec la sourde impression de céder à quelque volonté malsaine, je suis prête.

Le surintendant approuve, mais, quelque part au fond de lui, se réveille la vieille blessure d'un regret informulé: il fut un temps, lorsqu'il était encore tout jeune homme, où il se disait qu'il ne devait pas pour un homme y avoir de plus grande ambition que d'atteindre l'expérience; mais, aujourd'hui, l'homme en lui qui a vécu reste estourbi par cette même expérience qui l'a privé à jamais de l'innocence. Cette innocence qui fait les matins bleus et les lendemains lumineux. Quelque part en lui, ce qui reste du jeune homme plein d'idéal d'autrefois craint pour cette jeune femme qui porte encore toute son innocence; il craint qu'elle ne vienne elle aussi à la perdre. Il sait la chute irréversible.

Charlemagne est rentré avant elle. Aussi, sa première réaction a été de s'inquiéter en ne la trouvant pas et en ne voyant rien, ne serait-ce que le souper au chaud, qui signalerait une absence toute temporaire. Puis, en y réfléchissant, il s'est souvenu de cette offre d'emploi proposée à son épouse et, bien vite, il a eu la conviction qu'elle se trouvait au bureau. Alors, en proie à des sentiments contradictoires, il s'est installé dans l'un des deux fauteuils de cuir pour l'attendre.

Il fait totalement nuit dehors et dans la maison tandis qu'elle ouvre la porte:

— Charlemagne?

— Je suis là...

— Mais qu'est-ce que tu fais dans le noir?

— J'ai faim.

— Oh! je m'excuse... Tu sais, j'ai été travailler au bureau et on vient tout juste de finir. Je ne sais pas si je suis ben douée...

— T'aurais pu m'en parler.

— Ben!...

— Mais t'as préféré faire comme si que j'existais pas. Comment qu'on va faire si j'ai pas de souper quand je rentre, comment tu penses que je vais arriver à travailler si j'ai rien dans le ventre, et tout ça pour quoi? Hein? pour quoi?

— Pour quatre-vingt-dix piastres sonnant par mois, lance-t-elle comme un défi alors que toute la journée elle s'est demandée comment atténuer cette vérité pour son mari.

— Combien que t'as dit?

— Quatre-vingt-dix piastres.

— Mais maudit! qu'est-ce qu'ils te font faire pour mériter ça?

— Non, Charlemagne! ça, non! Je veux pas que tu sacres pis que tu jures dans notre maison!

— Excuse-moi, mais des gages de même ça doit cacher quelque chose de pas catholique...

— C'est juste que c'est un travail d'écriture, c'est pour ça que c'est mieux payé.

— Je comprends donc que c'est mieux payé! De quoi que j'ai l'air, moi, astheure?

— Pour l'instant, t'as de l'air de quelqu'un qui est fâché sans raison. Cet argent-là, Charlemagne, c'est juste pour qu'on s'en aille d'icitte au plus vite, non? Pour quoi d'autre qu'on serait venus autrement?

— Mais enfin! Maria, voilà que tu vas gagner plus que moi, ça n'a pas d'allure... Quelle impression que je vas me faire? Ma mère était maîtresse d'école, mais jamais qu'elle a gagné plus que mon père, il l'aurait pas supporté. Pis comment ça se fait que ça gagne tant que ça dans leur bureau?

— Je le sais pas pantoute, Charlemagne; pis, entre nous, on sait ben que tu serais deux fois plus habile que moi pour écrire ces affaires-là, t'as ben plus l'habitude du crayon que moi. Je te dis que la secrétaire avait de l'air à se poser des questions en me voyant tracer mes chiffres.

— Ben! je m'en pose itou! Comment ça se fait qu'ils t'ont prise, toi, qui avais pas d'expérience?

— Tu le sais ben, t'étais avec moi à l'hôtel...

— Justement... C'te président-là, je sais pas trop si je dois lui faire confiance...

— Et à moi, tu me fais-tu confiance, Charlemagne?

— Ben sûr! ben sûr! mais toi, t'es une femme...

— Pis?

— Pis, pis... Une femme, c'est une femme...

— Si je te suis ben, à une femme, un homme a juste à y dire viens-t'en par icitte, pis elle le suit. C'est ça?

Il regarde vers le plancher en cherchant une réponse qui résumerait sa pensée sans rentrer en contradiction avec celle de Maria. Il se rend compte qu'il n'est pas juste avec elle, mais tout à l'heure dans le noir, en ruminant des pensées vite devenues coléreuses, il n'a pu s'empêcher de l'imaginer en train de rire nerveusement à des propositions salaces à peine voilées du président, puis, au fil de sa colère, d'y ajouter des scènes dont la simple représentation mentale le torturait. À tel point qu'à présent, ne sachant plus distinguer le réel de l'imaginaire, il est porté à voir en elle tous les égarements que sa frustration lui a fait envisager.

— Pas vraiment ça, répond-il, mais...

— Mais oui. Tu crois que, parce que je travaille au bureau, le président n'aura qu'à me faire les yeux doux pour qu'aussitôt je m'évargonde.

— En tout cas, je vois que ça t'est déjà passé par la tête...

— Charlemagne!

— Quoi? Charlemagne?

— Pourquoi donc tu crés que je t'ai épousé?

Il se rend compte qu'il ne s'est jamais posé la question. Il s'est bien demandé pourquoi, lui, il l'épousait, elle, mais non l'inverse. En repensant d'abord à ses raisons propres, il se souvient s'être donné comme motif qu'il voulait la rendre heureuse. «*C'est ça, je veux la rendre heureuse pis je m'aperçois que c'est pas aussi simple que de rapporter la nourriture, et aussi que j'aimerais pas qu'un autre le fasse à ma place. Oui, c'est ça! Je me méfie qu'un autre le fasse à ma place... Mais elle, pourquoi qu'elle m'a marié?... Peut-être ben pour les mêmes raisons? Ça pourrait-ti lui arriver aussi qu'elle ait peur qu'une autre me rende heureux?... Crime! on fait simple dans le fond... Non! toi, tu fais simple, Charlemagne St-Pierre!*»

— Peut-être ben pour la même raison que moi, dit-il, amadoué, parce que tu m'aimes... Excuse-moi, je crois ben qu'on était après se chicaner un peu...

— C'est de ma faute. J'aurais pas dû y aller sans te prévenir.

— Mais non, mais non, t'as bien fait, c'est moi...

— Tu sais-tu que t'es un cas spécial, Charlemagne St-Pierre?...

— Comment ça?

— On m'a toujours dit que les hommes s'excusaient jamais.

— Pis moi, on m'a toujours dit que les femmes gagnaient moins que leurs maris...

— Ça veut rien dire pantoute; si t'étais pas là j'y serais pas non plus et c'est pas à Honfleur que je pourrais gagner autant... Qu'est-ce tu veux pour souper? J'ai pas eu le temps de préparer grand-chose.

— J'ai mis le chaudron de bines au four avant d'allumer le poêle. On gelait dans la cabane quand je suis rentré.

Ils se regardent puis, effrayés à l'idée que cette dispute aurait pu les entraîner plus loin, lui se lève du fauteuil tandis qu'elle se jette contre lui.

— Faudra pus se disputer, dit-elle, pus jamais! On est rien que tous les deux...

— Je sais, Maria, je sais...

Ils ne savent pas trop comment l'exprimer, mais ils ressentent et éprouvent jusqu'à quel point autour du couple qu'ils forment s'étend, vaste et immense sous la voûte de la nuit, le monde qui les contient et qui, lorsqu'ils sont l'un pour l'autre, perd toute sa grandeur glacée pour ne devenir rien de plus que leur foyer.

Mais ils viennent de se rendre compte qu'au moindre écart, ce même monde peut se retourner contre eux, les séparer, détruire ce qu'ils sont et les avaler dans sa gueule béante.

Une autre journée de travail. Maria est rentrée avec le manuscrit du pensionnaire français.

Sans rien omettre, durant le souper qui encore une fois se compose de bines, elle explique à Charlemagne pourquoi ces feuilles l'intriguent tant et, du coup, lui aussi veut les lire.

Sitôt la vaisselle terminée, ils s'installent dans le lit, les oreillers callés dans le dos et, Charlemagne tenant les feuilles, ils entrent tous les deux dans l'histoire. Comme il lit plus vite qu'elle, à chaque page il doit attendre qu'elle ait fini. Ravi, il en profite pour la contempler tout à loisir. Ils parcourent ainsi près du tiers du manuscrit avant de reposer les feuilles et de regarder devant eux comme s'ils venaient de réintégrer leur chambre.

— C'est drôle, dit-elle, quand on lit, c'est comme si qu'on entrait dans un autre monde quasiment aussi réel que çui-là, comme si que l'auteur avait vraiment eu ce monde-là dans sa tête, pis on se met à avoir des sentiments pour des gens qui existent même pas pour vrai...

— Il y a au moins toi de vraie, là-dedans.

— Si c'est de moi qu'il parle, je me reconnais pas trop.

— Ben! moi, je dirais pas ça si vite...

— Tu sais, avec ça, monsieur Le Breton, il me fait l'impression de quelqu'un qui aurait écorniflé chez les gens par la fenêtre et qui raconterait ce qu'il a vu.

— C'est curieux de lire une histoire qui se passe par icitte, pis en plus de se dire que c'est toi qui aurais servi de modèle à la Maria de l'histoire...

— J'ai pas lu rien d'autre, à part *Paul et Virginie*... Toi, tu trouves vraiment qu'elle me ressemble, la Maria de l'histoire?

— Y a quelque chose... (Il la regarde avec un sourire un peu désabusé.) En tout cas, je suis ben content qu'il soit parti; je sais pas si j'aurais trop aimé que vous vous rencontriez encore...

— Mais voyons! il n'y a rien eu entre nous!

— Je sais.

Une fois la lumière éteinte, elle se demande ce qui a bien pu pousser le pensionnaire à la prendre pour modèle ou, tout au moins, à se servir de son nom. En songeant à lui, elle le revoit durant cette dernière nuit qu'elle a passée à Mistassini, alors qu'il lui décrivait d'étranges images représentant des pays qu'elle ne connaît même pas. Elle se souvient lui avoir dit quelque chose comme quoi il avait le cœur sauvage et que, s'il voulait trouver la paix, il faudrait qu'il le civilise et apprenne à être moins exigeant envers les autres. Elle se souvient qu'il lui a avoué avoir une enfant de l'autre côté de l'océan. L'a-t-il retrouvée? À la lumière de ce qu'elle vient de lire, elle en doute un peu. Comme il l'a laissé entendre, l'homme a dû s'enfoncer vers l'Ouest, à la recherche de ce qui n'existe pas: un monde tel qu'il le voudrait.

Elle est en train de s'endormir lorsqu'elle revoit ses mains, et brutalement se rappelle leur effet sur elle. Cherchant à effacer ce souvenir qui la dérange, elle se rapproche de Charlemagne pour se blottir contre lui.

Le simple contact de sa jeune épouse exacerbe en lui un désir qui couve sans cesse, Charlemagne se redresse et se penche au-dessus d'elle. Alors qu'il lui caresse l'épaule puis la poitrine, fiévreuse elle se laisse aller jusqu'à ce que, horrifiée, elle se rende compte que, durant un instant, elle a imaginé sur elle la main du pensionnaire de Mistassini. Alors, comme pour se prouver à elle et aussi, peut-être, à Charlemagne qu'il n'en est rien, elle pose sa main sur le bas-ventre de son mari et, à la plus grande stupéfaction de celui-ci, qui se demande s'il est correct pour une *honnête* femme d'agir ainsi, c'est elle qui le guide, abasourdie de son geste tout autant que de son besoin d'être prise, réveillée par la représentation d'une main étrangère sur elle.

Lui qui, contradictoirement, escomptait implicitement voir sa femme faire l'amour sans désir autre que le plaisir d'être soumise à lui, avec une espèce de rage teintée de déception, Charlemagne fulmine dans sa tête: «*T'aimes ça, alors! T'aimes ça, hein!*» Et pendant que ses mouvements reflètent ses exclamations intérieures, en y mettant malgré elle un visage, Maria, encore une fois, se surprend à imaginer plus de douceur, plus d'échange, plus d'abandon mutuel.

Et c'est la défaite dans le combat qu'elle livre à son imagination qui lui apporte un plaisir dont l'écho rassure Charlemagne et fait que, totalement égarée, elle sent encore grandir son amour pour lui.

Un peu plus tard, alors qu'il s'est endormi tout contre elle, contrite, elle essaie de comprendre ce qui a pu se passer. Cherchant une réponse dans le raisonnement et n'en trouvant pas, se disant avoir été la proie de pensées «*vicieuses*» sans toutefois vouloir admettre l'entier d'une responsabilité qu'elle impute davantage au «*démon*», elle s'adresse à son ange gardien: «*Oh! mon bon ange, que Dieu m'a donné pour me garder, vous savez que j'aime mon mari, vous savez que je n'aime que lui et vous savez que j'aime pas le péché, alors pourquoi vous avez laissé le Malin mettre des affaires mauvaises dans ma tête? S'il vous plaît, mon bon* ange, faites que tout ceci s'efface de mes pensées, que mon âme ne soit pas souillée. Dites-moi pourquoi on n'est pas toujours maître de son corps! Dites-moi pourquoi mon corps a des désirs malgré moi! Dites-moi comment lutter contre les mauvaises pensées... La prière... oui, je sais, mon bon ange, je prierai... Je prierai parce que je veux que mon âme soit blanche.»

XIV

Les jours sont de plus en plus courts, de plus en plus sombres, de plus en plus froids. Même si elle n'est pas restée, plusieurs fois déjà la neige a constellé de ses myriades de flocons immaculés les nuées grises qui se pressent au-dessus de la terre ocre et noire. Ce matin, pourtant, un soleil doré s'est levé timidement dans un ciel sans nuages tandis qu'une faible brise montait du sud-ouest. C'est dimanche et, en s'éveillant, dans toutes les chambres à coucher on parle de l'été indien. Ça tombe bien, car aujourd'hui, les gens de la paroisse ont organisé des jeux et des activités auxquels tous pourront participer. Le foreman Ménard a même prévu un tournoi de lutte entre Charlemagne et son voisin Savard. Mais, surtout parce que la mémoire populaire garde encore un mauvais souvenir des fiers-à-bras de McLeod et se demandant brusquement si la compagnie ne l'avait pas engagé, lui, pour tenir ce rôle à cause de sa carrure, Charlemagne a refusé en expliquant que sa carrure suffisait et qu'il ne voulait pas donner l'impression d'être une brute.

En s'éveillant, Maria et Charlemagne se regardent et se sourient avec complicité. Hier soir, ils ont voulu se retrouver, mais, traversant la cloison du logement contigu, leur est arrivé un bruit répétitif et accéléré qui les a intrigués.

— Qu'est-ce que c'est? a murmuré Maria.

461

Dans l'obscurité, Charlemagne a eu une moue interrogative. Ce n'est que lorsque le voisin a poussé un grognement rappelant vaguement celui du verrat à qui l'on apporte la pâtée qu'ils ont compris. Soucieux de ce que leurs rapports n'aient rien à voir avec ce qu'ils venaient d'entendre, ils se sont contentés de rester dans les bras l'un de l'autre puis, peut-être parce que cela pourrait pallier ce qu'ils projetaient de faire plus tôt, ils se sont mis à parler de tout ce qu'ils n'avaient jamais osé aborder franchement. C'est Charlemagne qui a posé la question à laquelle, malgré tout ce qu'il savait, il tenait à avoir une réponse nette.

— Maria?

— Oui?

— Avant, avais-tu déjà... enfin, avais-tu déjà fait ça?

— Ça?

— Ben!... tu sais...

— Tu sais bien que non; jamais!

— Jamais, jamais?

— Non, jamais, jamais. Mais tu le sais ben!

— Oui... oui, c'était juste comme ça...

— Pis, toi?

— Moi?

— Ben! oui, toi.

Lui? Se faisant beaucoup de souci quant à ses capacités et ses connaissances dans ce domaine, dont il n'avait jamais abordé le sujet avec quiconque, à moins de considérer comme tel les plaisanteries d'un goût douteux qui se disent dans les chantiers, de retour chez lui à Hébertville après les bleuets, le lendemain après-midi, il s'est fait conduire au train de Chicoutimi par Louis-René. En ville, guidé par ses seuls instincts, il est entré dans une taverne qui ne payait pas de mine et, deux minutes après, il discutait avec une femme entre deux âges qui, au bout de quelques verres de genièvre, parvint à lui soutirer un accord. Elle lui disait tu, parlait d'une voix rauque, fumait des petits cigares et avait les cheveux teints d'un roux étrange. Elle l'a conduit chez elle où elle a dit à ses enfants: «Allez-vous-en jouer ailleurs, les flots, pis vous avisez pas de revenir avant que j'vous lâche un siffle! Aliette, tu les guetteras.» À ce moment, un petit sourire cynique étirant ses lèvres, elle a regardé Charlemagne avec des yeux troubles et a ajouté: «À moins qu'tu préfères que la plus vieille reste icitte... À serait peut-être contente de se faire un peu d'argent de poche!» Écœuré, il n'avait plus d'autre envie que de partir, mais n'a pas eu l'idée de faire autre chose que «non» de la tête. Elle s'est dévêtue devant lui comme si c'était la chose la plus naturelle du monde. Elle avait la peau très blanche avec des taches de son, de gros seins avec des mamelons rouille qui lui ont paru démesurés. Elle a enlevé les couvertures et n'a laissé qu'un drap sur lequel elle s'est allongée en lui tendant les bras et en lui disant: «Ben! que c'est que t'attends? c'est pas à tous les jours que j'ai un vrai homme costaud dans mon lit.» Au départ, il a fallu qu'elle l'aide un peu, puis c'est devenu facile. Il suffisait d'entrer, d'aller et de venir, et tout se faisait tout seul. Rasséréné, il est rentré chez lui en se disant savoir tout ce qu'il y avait à savoir.

Pouvait-il avouer cela à Maria?

— Moi, je suis un homme..., a-t-il répondu évasivement.

Elle n'a pas insisté, comprenant que cela devait signifier qu'il avait connu d'autres femmes. Elle s'est simplement demandé lesquelles.

— Ça fait curieux de ne pas avoir à aller travailler, dit Charlemagne.

— Oui, mais faut se lever pareil si on veut pas manquer la messe. Pis j'ai oublié de te le dire, mais ce soir on est invités à souper chez les Beaulieu, en face.

— Pour quoi faire?

— Ben!... ils nous ont invités... c'est tout. Claudine m'a dit qu'elle ferait de quoi de bon.

— Son mari, qu'est-ce qu'il fait, lui, je l'ai encore jamais vu!

— Ben! je crois qu'il fait pas grand-chose. Avant, c'était lui qui entretenait les turbines, mais il a attrapé une maladie bizarre et il ne peut pus rien faire d'autre que de surveiller de temps en temps. C'est le seul icitte qui a été aux États pour apprendre l'entretien des machines.

— Alors, c'est sa femme qui le fait vivre?

— Ben!... s'il est malade...

— Je crés que j'aimerais mieux m'en aller pour de bon que de me faire vivre par toi, déjà que...

— C'est rien que de l'orgueil ça, Charlemagne. Rien que de l'orgueil.

— Faut ben n'avoir une chotte, sinon qu'est-ce qui resterait?

— Il me semble qu'il doit ben y avoir des affaires plus importantes que l'orgueil, même que je crois pas que ce soit ben bon...

— Maria?

— Oui?

— Tu sais, hier soir, quand on parlait d'avant...

— Oui?

— Ben! quand je t'ai répondu que j'étais un homme, qu'est-ce que t'as compris?

En plein jour comme à présent, la conversation embarrasse Maria:

— J'ai compris que, pour toi, j'étais pas la première.

— Ben! t'as mal compris, je voulais te le dire.

Maria réalise que, pour elle, il s'est départi du masque «j'en-ai-vu-d'autres» que les hommes aiment à porter. Elle se dit qu'elle a bien choisi, que celui-ci est différent. «*Évidemment*, s'approuve-t-elle, *c'est le fils de Blanche-Aimée!*»

Encore une fois éblouie par la «*grande*» église, Maria met du temps à se fixer sur les paroles de l'homélie. Du haut de sa chaire, le prêtre admoneste ses paroissiens sur un ton paternel:

— Je sais, je sais..., tout vous paraît facile: le salaire arrive, la maison est équipée de tout le confort moderne, bref, vous vous dites: que c'est qui peut m'arriver? je suis tranquille... Eh bien! détrompez-vous! nous n'allons jamais où nous croyons aller. (Il rit.) Tenez, en voici un petit exemple: Il y a de cela une vingtaine d'années, un de mes prédécesseurs à Saint-Charles-Borromée, l'abbé Simard, se trouvait à Québec où il avait accompagné au paquebot deux autres prêtres de ses connaissances qui se rendaient en Europe. Monté sur le navire, il obtint la permission du commandant de faire un bout de chemin avec ses amis jusqu'à Rimouski où le paquebot devait faire escale. Je ne me souviens plus très bien de ce qui s'est produit, tout ce que je sais c'est que, lorsque notre abbé Simard s'est présenté sur le pont en entendant le sifflet du petit vapeur qui devait faire le transbordement, ce fut pour le voir s'éloigner sur le fleuve, et mon prédécesseur n'a pu débarquer qu'à Liverpool, là-bas, en Angleterre... Bien sûr, vous me direz que ce n'est pas tragique, et beaucoup d'entre nous aimeraient se retrouver dans ce genre de situation. Mais ce que je voulais vous dire, c'est que l'abbé Simard s'est vraiment retrouvé loin de ce qu'il avait prévu. Et ceci peut nous arriver à tous. En route pour le paradis, qui sait si l'on ne se retrouvera pas au purgatoire ou pire: en enfer!... Ouais!... il y en a qui me regardent et qui se disent: pourquoi c'est faire que j'irais en enfer, je vais à la messe à tous les dimanches, je paie ma dîme, je donne à la quête, je fais mon travail, je sacre pas ou presque, je vais pas chanter la pomme à la femme du voisin, je prends pas un coup et je retontis pas le dimanche avec l'air d'avoir passé la nuit sur la corde à linge; pourquoi donc que j'irais en enfer? Ben! moi, je vais vous dire ce qui ne va pas dans tout ça: vous regardez passer les gros chars... Vous ne participez pas à la construction du Royaume. Vous êtes comme Pilate. Oh! il n'a rien fait, Pilate, il a juste laissé faire... Vous voyez ce que je veux dire? Le confort nous engourdit, on s'habitue à renoncer. Aujourd'hui, on renonce au partage, demain, on renoncera à s'empêcher de sacrer, pis on s'habituera et, un beau jour, on se lèvera même plus pour venir à la messe le jour du Seigneur. Nos enfants ne nous respecteront plus et on s'habituera encore, le mal s'installera, prendra toutes ses aises et on s'habituera toujours. La corruption, la luxure, la convoitise et l'homicide se seront installés et on se sera habitués. Et là, sans savoir comment c'est arrivé, tout comme l'abbé Simard s'est retrouvé à Liverpool en voulant simplement aller à Rimouski, eh bien! on se retrouvera en enfer. Vous n'y croyez pas! Ben! écoutez et comprenez ce qui se passe en Europe. Là-bas, le mal se répand. D'abord, la France, la fille aînée de l'Église qui s'est séparée d'elle, et maintenant, partout, ce mal monstrueux qui se répand comme les larmes sur les joues d'un enfant qui a faim, et qui, si l'on ne fait pas attention, si l'on ne participe pas et si l'on s'habitue, continuera, continuera... Ne renoncez pas! Ainsi soit-il.

Sans comprendre pourquoi, puisqu'elle n'a pas encore été se confesser faute de temps, persuadée que le prêtre devait savoir quelque chose, Maria a gardé les yeux baissés vers ses bottines la plupart du temps. À présent qu'il est retourné vers l'autel, elle risque un coup d'œil semi-circulaire avec l'impression que des regards accusateurs doivent être braqués sur elle. Mais non, tout le monde regarde devant soi. Se peut-il qu'il n'ait pas simplement voulu parler de son renoncement à elle, l'autre nuit? Qui d'autre dans toute cette assemblée pourrait avoir eu des pensées aussi «*condamnables*»? Et, de plus, comme a si bien dit le prêtre, elle s'est habituée puisqu'elle a tout fait pour ne plus y penser. Comment va-t-elle pouvoir faire pour obtenir son pardon, pour se racheter? Elle songe à réciter un chapelet tous les soirs à genoux avant de se mettre au lit puis, se ravisant, elle décide qu'elle se lèvera plus tôt le matin pour en réciter un autre. Oui! c'est ce qu'elle va faire. Certaine de son fait, elle se sent déjà plus légère et, imperceptiblement, elle se rapproche de son mari, heureuse à l'idée que tout va «*redevenir normal*». Il ne leur restera plus qu'à être heureux.

Répondant aux sourires de plusieurs et en distribuant à son tour, elle sent des frissons sur ses joues et à la base de sa nuque en sortant dans la lumière de cette belle journée accompagnée par le carillon joyeux des cloches. Quoi de plus beau que les cloches du dimanche?

Toute la paroisse se presse vers le pré à côté du village où doivent se dérouler les jeux. Un repas a été organisé et, derrière une grande table sur tréteaux, des femmes servent des assiettées de tourtière à la population qui défile. Un peu partout, des petits noyaux se forment, toujours en respectant la ségrégation des sexes. Du côté des femmes, on parle doucement et l'on met sa main devant sa bouche quand l'hilarité devient trop grande. Du côté des hommes par contre, l'on parle très fort et l'on rit à grand déploiement d'effets. De temps en temps, quelques-uns s'éloignent vers une lisière de trembles, l'un ou l'autre plonge la main dans sa poche et, surveillant discrètement alentour d'un œil où se mêlent humour et galéjade, sort un «dix-onces» dont il porte le goulot à ses lèvres avant de le passer à ses compagnons. Les femmes, elles, ne s'aventurent pas dans les endroits en retrait. Elles portent pour la plupart des robes un peu légères pour la saison, car, malgré le beau temps, le fond de l'air demeure frais. Néanmoins, même si les pommettes sont rosies, aucune ne semble avoir froid.

À l'appel de l'animateur – un prénommé Bernard qui accompagne chaque phrase d'une facétie plus ou moins désobligeante à l'égard de telle ou telle personne –, tout le monde s'approche d'un clos d'une dizaine de pieds de côté où, après l'avoir enduit de saindoux, on a lâché un porcelet d'une cinquantaine de livres. Le jeu consiste, après avoir payé cinq sous, à attraper le cochon et à l'enfermer dans une poche de jute en moins de deux minutes. Pour agrémenter le spectacle, le clos a été bêché et inondé de manière à ce que le sol ne soit plus qu'une mare de boue. Comme pour toutes les autres compétitions, tous les participants doivent s'être inscrits avant que ne commence le jeu. Le gagnant remporte la moitié de la cagnotte, l'autre partie sera remise à la fabrique pour l'entretien de l'église.

Le premier participant est un jeune homme répondant au nom de Tit'Zoi; grand, maigre, le visage ombrageux barré d'une mèche noire, il tourne autour du clos en se tenant le dos le long de la clôture de planches, cherchant à ne pas se faire remarquer du porcelet qui pourtant, le groin vers le sol, ne cesse de l'épier à travers ses cils blonds. Comme les secondes avancent, le jeune homme se décide enfin et saute sur l'animal qui aussitôt pousse un hurlement suraigu. Il réussit à refermer ses bras autour du corps et, pataugeant, cherche à se relever. À peine est-il debout que l'animal, se débattant, glisse contre lui et retombe sur le dos dans la boue. Le second participant a un peu plus de chance, mais comme il s'apprête à glisser dans le sac l'animal hurlant, celui-ci se met à pisser par saccades qui aspergent l'homme. Surpris, poussant un tonitruant «mausus de porc!» que ne parviennent pas à masquer les éclats de rire de l'assistance, il le laisse rageusement tomber à bout de bras.

Alors qu'un troisième entre dans le clos, Maria, apercevant Claudine Beaulieu de dos, se rapproche d'elle dans l'intention d'échanger quelques mots. La secrétaire discute avec une autre femme sans se rendre compte que Maria arrive derrière elle:

— Oh! elle n'est pas méchante, mais tu sais... elle sort tout juste du bois. Je voudrais que tu vois ça, la façon qu'elle s'y prend pour écrire ses chiffres. On dirait qu'elle dessine, et avec la langue sortie à part de ça; et le temps que ça lui prend! Je pourrais faire en une heure ce qu'elle fait dans toute sa journée. Mouais... je vois vraiment pas pourquoi le grand boss l'a engagée. À moins, évidemment, qu'elle lui soit tombée dans l'œil. À mon idée, ça doit surtout être ça, je ne vois pas autre chose... M'étonnerais pas qu'à son prochain passage, il lui demande de l'accompagner à Québec ou ailleurs pour prendre des notes...

— Et son mari, qu'est-ce qu'il dirait de ça?

— Lui? Oh! je l'ai aperçu qu'une fois; costaud en bibitte, mais dans le style bon nounours, et puis, j'ai l'impression que la Louison doit déjà guetter le moment où elle pourra tirer profit des soupçons du bonhomme.

Un cri amusé s'élève de l'assistance pour saluer une chute spectaculaire dans la boue. Jusqu'ici paralysée par les paroles de Claudine Beaulieu, le cœur au bord des lèvres et dominant un impérieux besoin de hurler que tout ceci est faux et méchant, Maria parvient à reculer de quelques pas sans se faire remarquer. Marchant seule, fixant entre ses pas l'herbe jaunie sans la voir, relevant parfois la tête pour apercevoir la double rangée de maisons identiques en contrebas, elle construit toutes les répliques qu'elle estime devoir lancer à Claudine lorsqu'elle se retrouvera devant elle. Mais le poison est inoculé, les affirmations de Claudine Beaulieu lui reviennent sans cesse à l'esprit: elle ne sait pas travailler et on l'a engagée pour des motifs ignobles. Est-ce vrai? Elle ne peut le réfuter. Ce qui est pire et de loin, c'est que tout le discours de sa collègue a clairement laissé entendre qu'elle, Maria St-Pierre, céderait aux avances de l'industriel. Maria se dit que non, que jamais cela ne pourrait se produire, que c'est impossible. Mais peut-elle faire la même affirmation en ce qui concerne Charlemagne si Louison Doucet est à la hauteur de la réputation qu'on lui prête?

À peine a-t-elle conscience des autres jeux qui se succèdent sur le terrain. Elle ne prête aucune attention à la course que se livrent en sautillant des hommes enfoncés jusqu'à la taille dans des vieux sacs de moulée, pas davantage aux combats de poches entre deux adversaires en équilibre sur une poutre, ni au lancer de hache à la cible, ni à la course «siamoise», où tous les concurrents sont formés de deux individus ficelés l'un contre l'autre, ni à la pêche aux sous noirs dont il faut aller chercher le premier avec la bouche au fond d'un bol de sirop et le second au fond d'un plat de farine; tout ceci semble se dérouler dans un autre monde. Dans le sien, il n'y a que les mots de Claudine Beaulieu, l'alignement des maisons identiques et, au loin, la vue du lac qui, comme un miroir bleu, semble lui murmurer que, sur ses rives, plus au nord, il reste des coins de bois à défricher, des coins de bois où, même si le malheur vient parfois chercher son dû, la méchanceté gratuite, elle, du moins n'est pas encore arrivée. Cherchant son mari du regard, elle l'aperçoit avec d'autres hommes près d'une rangée de trembles. Elle voudrait bien être avec lui pour partager ce nouveau fardeau, mais comment pourrait-elle lui raconter tout cela? Et puis, à quoi bon le tracasser pour rien?

— Eh ben! eh ben!? qu'est-ce que c'est que cette face de carême sur une aussi jolie dame?

Se détournant, elle aperçoit Alexis Lapointe qui, légèrement penché vers elle, semble réellement se faire du souci pour elle, même si, à première vue, ses yeux sont rieurs.

— Oh! bonjour...

— Ça va pas, dites?

— Ouais...

— Ben! on dirait point. Vous êtes sûre que je peux pas rien faire? Je peux écouter, vous savez, ça fait du bien de parler, des fois.

Elle le regarde une nouvelle fois, incapable de mentir son intérêt pour cette offre. Toutefois, plus pour la forme, elle dit:

— Oh! vous êtes gentil, mais y a rien...

— C'est comment, votre p'tit nom?

— Maria.

— Le plus joli nom! çui-là de la Sainte Vierge. Ben! Maria, je suis content de vous revoir. La femme de la malle l'autre jour m'a fait comprendre que j'avais été grossier.

— Non, non, c'est moi qui ai fait simple.

— Vous avez eu raison! Faut savoir faire comprendre à quelqu'un quand il fait des affaires croches ou qu'il dit des niaiseries.

— Allez-vous courir aujourd'hui? demande-t-elle en détournant le cours de la conversation et en se rappelant que cet homme est le célèbre Trotteur.

— Ils n'ont point prévu de courses de mon calibre; ce serait pas drôle pour les autres...

Cette repartie lancée avec ce qu'il faut d'ironie tire un peu Maria des sombres pensées où elle se débat:

— Vous n'avez qu'à leur laisser un tour d'avance...

— Ils prendraient une débarque pareil.

Elle le regarde et, parlant pour elle, ses yeux semblent vouloir rappeler à l'homme: vous avez plus de cinquante ans.

— Faut pas se fier à l'âge, croit-il devoir répondre, chus encore capable... Vous croyez pas?

— Hum!...

Les lèvres d'Alexis Lapointe s'étirent dans un immense sourire. Il est content de lui voir perdre son air sombre.

Mais, retrouvant ses pensées précédentes, elle cherche de nouveau à être seule et commence à s'esquiver lentement en direction des habitations uniformes.

— Partez pas! lui lance Alexis.

Mais elle continue. Ce n'est qu'au bout de quelques pas qu'elle se retourne et lance à son adresse:

— Un jour, je vous demanderai de nous faire un four, mais je crois pas que ce sera icitte.

— Ioù et quand vous voudrez! (Durant une seconde, il la regarde s'éloigner puis ajoute:) Pis à condition que vous fassiez une course avec moi.

La condition est tellement surprenante que le silence qui la suit est de ceux qui présagent un événement.

— Une course avec vous? demande-t-elle, certaine de s'être trompée sur le sens. Vous voulez vraiment que je coure?

— C'est ben ça.

C'est tellement énorme que cela entre en conflit avec les mots de Claudine Beaulieu qui, eux aussi, ne semblent pas appartenir à la réalité quotidienne. Elle a brusquement le sentiment incompréhensible que de dire oui à cette proposition loufoque effacerait ce qui a précédé.

— Mais pourquoi? demande-t-elle néanmoins.

— Parce qu'il n'y a rien comme la course pour effacer le gris, pis je crois que vous avez du gris à effacer, Maria...

— Mais... je suis une femme, j'ai pas de tenue pour courir, rien...

— Alors, c'est oui?

Dans la tête de Maria, il y a l'image de Claudine Beaulieu ainsi que l'écho de ses mots empoisonnés. Oui! il lui faut effacer cela. Oui! elle doit montrer qu'elle, Maria St-Pierre, n'est pas une fille qu'il suffit d'emmener à Québec pour obtenir d'elle n'importe quelle renonciation. Oui! elle doit montrer qui elle est. Elle se souvient des longues courses qu'elle menait contre ses frères. Jamais l'un d'eux n'a réussi à la dépasser. Alexis Lapointe la battra sans aucun doute, mais elle va courir et montrer qu'elle est capable.

— C'est oui! lance-t-elle sur un ton de défi. Où doit-on courir?

Certains, qui devaient avoir une oreille à l'écoute en les voyant ensemble et qui se sont rapprochés depuis la surprenante proposition, se regardent et se demandent si vraiment cette jeune femme va courir contre Alexis le Trotteur. Maria perçoit des murmures, les hommes la regardent d'un drôle d'œil et les femmes s'observent entre elles en cherchant comment réagir. Comme une traînée de poudre, la nouvelle fait le tour du terrain et, lorsque Charlemagne arrive près d'elle, il est déjà au courant de ce qu'elle a accepté.

— Qu'est-ce que c'est que cette histoire? lui demande-t-il.

— J'ai juste dit à Alexis Lapointe que j'allais faire une course avec lui.

— Mais c'est ridicule!

— Je sais...

— Bah! alors, si tu le sais, pourquoi tu veux la faire?

— Parce que tout est ridicule icitte, Charlemagne, pis que je suis tannée des faces hypocrites qui te font des grands sourires par en avant pis qui t'enfoncent et te font des coups de cochon par en arrière! Parce que je suis tannée des grands' langues qui ont rien d'autre à penser que de brasser de la marde! Parce que je suis tannée de gâcher le bon temps qu'on pourrait avoir tous les deux pour quelques piastres de plus! Voilà pourquoi!

— Maria, t'es en train de pogner les nerfs, là...

— Ben! justement, une bonne course me fera du bien!

— Mais tu vas te couvrir de ridicule!

— Ça te dérange, toi, Charlemagne, que je coure?

Il la regarde en silence. Elle ne sait pas encore comment il va réagir et en vérité, elle craint terriblement qu'il aille à l'encontre de ce que, dans une impulsion, elle a choisi, car elle sait maintenant qu'elle ne reculera pas et que la réaction de son mari lui apprendra si elle a eu raison ou non de croire en eux. Et elle croit, à tort probablement, que cela lui apprendra si Charlemagne pourrait céder aux avances d'une autre. Soudain, il se tourne vers les autres et, avisant Bernard, l'animateur, lui demande d'une voix forte pour que tout le monde comprenne.

— Bernard, t'es pas gros, toi, ça te dérangerait-ti de passer des culottes à ma femme? Elle peut pas courir de même!

— À condition qu'elle me prête sa robe, répond l'animateur pince-sans-rire.

— À condition de la porter après-midi, réplique Maria sur le même ton en provoquant le rire de tous ceux qui sont là.

Cette repartie cache fort bien la joie brute qu'elle ressent et qui balaie d'un grand souffle d'air frais les lourds nuages de suie qui s'accumulaient dans son esprit. Oui! Charlemagne vient de prouver qu'il est avec elle. Oui! ils vont faire de grandes choses tous les deux.

Elle a été se changer, et il lui semble étrange de circuler en pantalon au vu de tous, mais chacun sait que c'est juste pour la course. Il est entendu qu'ils partiront du moulin, qu'ils devront aller jusqu'à la route qui ceinture le lac et revenir par le même chemin, soit une course d'environ trois milles. Des enfants sont déjà partis à bicyclette pour s'assurer que les coureurs ne dévieront pas. Bien sûr, pour donner l'impression d'équilibrer les chances, il est convenu que Maria partira exactement vingt minutes avant Alexis Lapointe.

À l'heure dite, la grande majorité des villageois sont autour du point de départ. Il y a même une rumeur qui a circulé comme quoi Maria serait une grande championne ayant déjà gagné des courses à Montréal et en Ontario. Une autre, beaucoup plus discrète et beaucoup plus fielleuse, arguant que, si elle perdait la course, son mari la laisserait suivre le Trotteur.

Maria regarde devant elle en se demandant à présent ce qui lui a pris de s'engager dans cette situation grotesque. Gênée, elle imagine que cette aventure sera rapportée à travers tout le Lac-Saint-Jean et que même son père, là-bas, à Sainte-Monique-de-Honfleur, entendra dire que sa fille aînée a revêtu un pantalon d'homme pour faire une course avec Alexis le Trotteur, elle qui n'a jamais couru avec personne d'autre que ses frères, il y a de cela quelques années. Cherchant un réconfort, elle lève les yeux vers Charlemagne qui, en guise de réponse, lui lance un clin d'œil accompagné d'un sourire d'encouragement complice. «Ça va, se dit-elle, il est avec moi.»

C'est Bernard qui, d'un bref coup de sifflet, donne le départ.

C'est parti!

Sans se rendre compte de ce qu'elle fait, elle s'élance et, dès les premières foulées, ne voit plus qu'un étroit couloir qui s'ouvre devant elle. Tous les visages ne forment plus qu'un mur anonyme, seul la rattrape le cri d'encouragement du Trotteur resté sur la ligne de départ:

— Allez! Maria!

Elle longe les maisons identiques qui lui laissent l'impression d'une navrante mélancolie, passe l'église et, bientôt, se retrouve à travers champs, surprise de constater qu'ailleurs commence aux limites de Ouiatchouan. Pour l'instant, elle se sent légère et a la sensation que cela va aller ainsi indéfiniment. Tandis qu'elle tâche de contrôler sa respiration, s'associant aux vallons ocre, bruns et noirs qui l'entourent, lui vient le sentiment fort et enivrant qu'en ce moment, elle est. Elle est comme jamais elle n'a été, se sentant terriblement elle, terriblement femme, terriblement humaine et, surtout, formidablement vivante.

En avant, la nappe bleu-argent du lac se rapproche presque imperceptiblement. Dans ses bras et ses jambes, ses muscles se raidissent et se font sentir. Toute sa poitrine semble quémander davantage d'air. Dans sa tête, des images passent sans suite et sans ordre: le lac en avant, Blanche-Aimée s'accrochant à son bras, sœur Marie-de-la-Croix lui enseignant les syllabes, sa mère au ciel, sa mère nettoyant les tripes d'un cochon, Eutrope sur le plancher de sa cabane, François Paradis s'approchant de leur voiture à Péribonka, la petite maison au bord du bois, le signe sur la lune, la mort de Charles-Eugène, toutes ces images qui, pour l'instant, ne sont ni heureuses ni malheureuses, seulement extrêmement importantes. Ce n'est rien d'autre que l'essence de sa vie qui bat dans tout son corps.

Clap clap clap... pied gauche, pied droit, pied gauche... À présent, elle a mal partout, le lac est tout proche, immense, fantastique, elle voudrait y entrer, s'y fondre, vivre à travers lui, à travers son onde. Que le monde est bizarre! Comme elle a mal!

— J'arrive, Maria!

Elle se retourne. Le Trotteur est encore loin, mais se rapproche si vite... Sûrement cinquante ans, comment fait-il? Ça y est, la route du lac! Vite, demi-tour! Le voilà! Il court comme si de rien n'était, au contraire: tout son être semble irradier une lumière de bonheur. Il court courbé en arrière, le visage renversé vers le ciel, la bouche ouverte comme s'il voulait boire l'azur. C'est beau! tellement beau que, pour Maria, toute la douleur semble se liquéfier, se distiller au profit d'une énergie nouvelle. Alors, comme lui, elle s'arque vers l'arrière, renverse sa nuque, plonge ses yeux dans l'infini, laisse aller sa mâchoire inférieure. Ça y est! elle ne sent presque plus rien, rien que le plaisir de la course, le plaisir de l'air qui glisse sur son visage, de la lumière qui entre en elle par tous ses pores que l'exsudation libère des toxines accumulées. Allonger la foulée, non! accélérer le rythme plutôt, oui! comme ça, encore... plus vite... plus vite... Pas pour gagner, non, elle sait qu'il se rapproche, juste pour rivaliser, pour participer. *Participer*, a dit le prêtre. Ô, mon Dieu! merci! merci! De quoi j'avais peur? Pourquoi j'ai jamais osé être moi? Plus vite!... Encore de l'air! Qu'importe si des mots prononcés font mal; les oublier, pardonner. Jésus lui-même l'a dit: «*Ils ne savent pas ce qu'ils font.*» Est-ce que ce ne sont pas les mêmes qui disent que le Trotteur est un peu simple? Mais combien d'entre eux sont capables d'exprimer le bonheur qui émanait de lui à l'instant lorsqu'elle l'a croisé?

— Je suis là, Maria!

Durant un instant, elle l'observe qui se tient à sa hauteur. Elle voudrait lui dire merci, lui dire que oui, la course efface le gris, mais elle a besoin de tout l'air disponible et se contente de le lui signifier d'un bref regard.

— Je crés ben que vous avez compris, Maria, dit-il. Vous savez, j'ai jamais imaginé que vous diriez oui. J'ai même pas envie de gagner.

— Allez-y! courez! lui ordonne-t-elle.

— Je sais point...

— Allez! s'il vous plaît!

— Alors, faut me suivre, vous pouvez...

Fermant les yeux, elle ordonne à ses jambes d'accélérer et elles lui obéissent. La douleur revient et s'installe partout en force, la respiration se fait laborieuse et son visage exprime ce combat. Oui, elle y arrive! Elle se maintient pas trop loin derrière lui. Baisser les paupières de nouveau, se concentrer sur le combat à livrer contre son corps. «*Accélère!*» Permettre à la volonté de dominer sur la douleur, sur le désir de s'arrêter, sur celui de reprendre son souffle. Dominer sur soi! Vaincre ce qui nous enchaîne! Voilà l'église! Elle arrive! Accélérer encore, continuer. Voilà le mur des regards, la rumeur des encouragements, les maisons identiques, les visages, les visages identiques.

Alexis Lapointe arrive le premier, mais Maria n'est pas loin derrière. Dans toute la rue, c'est une ovation générale. Quand elle est passée, ils ont tous vu le combat sur son visage, ils ont deviné la douleur et admiré la force, ils ont réalisé avec émotion qu'elle était quelqu'un de particulier et, comme ils sont fiers du Trotteur, ils se sont trouvés fiers d'appartenir au même pays qu'elle. Le plus touché est Charlemagne; il se tenait à l'arrivée et lui aussi a tout vu sur le visage de sa femme. D'impossibles et incontrôlables larmes roulent contre son nez lorsqu'il la recueille alors qu'elle s'arrête et a brusquement l'impression qu'un gouffre s'ouvre sous elle:

— T'as été extraordinaire, Maria, tu l'as presque battu!

— Non, non, y a pas personne qui le battra jamais...

— Oh oui! Maria, vous m'avez battu, fait Alexis Lapointe en s'approchant.

S'appuyant contre son mari, cherchant toujours à retrouver sa respiration, Maria marque un temps avant de constater:

— C'est pourtant vous qui êtes arrivé le premier.

— Peut-être ben, mais je suis parti quinze minutes après vous, pas vingt. Si j'étais parti à l'heure, je serais pas encore rendu...

— C'est pas honnête, ça! Vous avez triché pour que je gagne.

— Certain! Je veux ben être plus vite qu'un train ou qu'un cheval, mais plus vite qu'une femme... ce serait gênant que l'diâbe... Alors, vous le voulez où, le four?

— Au nord. En haut de Mistassini, répond Charlemagne, plus haut que Saint-Eugène, là-bas, j'ai trouvé une place toute neuve.

— Dans l'été, alors?

— Dans l'été, acquiesce Charlemagne, moi, je vais y monter dès les premières neiges pour bûcher le bois de la maison et de l'étable.

— Cet hiver? s'étonne Maria encore essoufflée.

— Ouais... ça m'embête un peu de t'imposer à nouveau les bécosses en dehors, les lampes à huile et le charroyage de l'eau, mais c'est pas fait pour nous icitte. Quand qu'une femme se met à enfiler les pantalons d'un autre pour faire la course, à mon avis, faut saprer son camp en vitesse. Et pis, au fond, de l'argent, on n'a pas besoin tant que ça. Demain, on remet tout le bagage sur la waguine et on s'en va à Hébertville en attendant le printemps. D'ailleurs, Rouge a pas l'air d'apprécier les écuries, icitte...

— Je suis contente, dit-elle simplement alors que ses prunelles expriment encore beaucoup plus de joie que cela.

— Vous avez ben raison, les appuie Alexis Lapointe, faut point sacrifier sa vie à l'argent. Je devrais point dire ça parce que j'y ai de la parenté, mais moi itou, des places de même, ça me fait peur un brin. Il me semble que ce serait pus chez nous s'il fallait que tout notre coin de pays se mette à ressembler à Ouiatchouan... (Comme Bernard arrive en portant sur le bras la robe de Maria – que finalement il ne s'est pas résolu à enfiler –, le Trotteur lui arrache carrément le vêtement des mains et, au pas de course, s'éloigne en courant et en riant avant de lancer par-dessus son épaule:) Je la garde en souvenir, celle-là! À ce printemps!

En prenant sur elle, Maria traverse la rue pour se rendre chez Claudine Beaulieu où ils sont invités à souper. Encore tout à l'heure, elle s'affirmait qu'elle n'irait pas, puis elle s'est dit que ce serait lâche de ne pas faire face. Ce n'est pas qu'elle veuille faire de l'esclandre ou même être désagréable avec leurs hôtes, non, simplement elle veut leur démontrer qu'elle et Charlemagne ne sont pas tels qu'on les a décrits aujourd'hui. Elle n'a aucune idée de la façon dont elle va s'y prendre; elle compte surtout sur le hasard.

476

Ils ne sont pas seuls à être invités; il y a là les Savard de l'autre maison. Tandis que les jeunes courent et se chamaillent à l'étage, les adultes sont assis dans la cuisine devant un verre de vin de gadelles. Au bout de la table, dans une chaise à bras, un gros gilet de laine sur les épaules, fumant une pipe, tassé sur lui-même, observant un peu trop longuement les arrivants et surtout Maria de derrière ses lunettes, Tit'Blanc Beaulieu se décide à les accueillir de vive voix:

— Ben maudissage! si c'est point les nouveaux voisins!... Tirez-vous une bûche (s'adressant avec ironie à Maria, il ajoute:), vous pouvez vous asseoir à côté de moi, je vous ferai pas mal...

— Vous inquiétez pas, fait Claudine Beaulieu à Maria en apportant deux verres, faut qu'il fasse son polisson avec toutes les dames. J'ai renoncé à l'en empêcher, c'est plus fort que lui. Un jour, il tombera sur un mari sans humour...

— Ouais! fait Jean Savard d'une voix inutilement forte, Tit'Blanc, il jase, il jase, mais pour le reste... Moué non plus, j'ai pas peur de dire que je suis bon des femmes, mais si qu'y en a une qui me tombe dans l'œil, ben! Delphine elle sait ben que c'est juste pour la galipote, rien de sérieux. À quoi que ça sert de jouer les hypocrites? Tout le monde, à un moment donné, a envie de faire minouche avec la femme du prochain, pourquoi faire attendre d'avoir des remontées de vilain? J'ai toujours dit qu'y fallait mieux se soumettre à la nature pis continuer son chemin. C'est pas pour quelques poignassages en dehors que moué pis Delphine on s'entendra pus...

Maria et Charlemagne l'ont écouté presque bouche bée. Dans la quarantaine, le personnage est assez grand, plutôt costaud. Lui aussi fume la pipe, mais en la tenant bien droite entre ses dents. Il a les cheveux noirs et clairsemés, les yeux furtifs et aussi sombres que ses cheveux, le visage rond, les lèvres un peu épaisses, le menton court et il est impossible de décrire ses traits tant il ne cesse de les remuer dans tous les sens même lorsqu'il ne parle pas. Jamais ils n'ont entendu ni même supposé qu'un homme pourrait affirmer sans vergogne et en présence de sa femme que, si l'occasion se présentait, il n'hésiterait pas à «sauter la clôture». Leur étonnement s'accroît encore lorsque sa femme, d'environ dix ans plus jeune que lui, plutôt maigre, assez jolie même si ses traits sont plutôt durs, ajoute que ce qui est valable pour son mari l'est également pour elle. Tit'Blanc Beaulieu rit de tout cela comme d'une bonne plaisanterie:

— Ben alors! Delphine, pourquoi que tu m'as jamais dit oui?

— Tu me l'as-ti demandé?

— Quoi qu'il en dise, je pense pas que Jean aimerait ça plus qu'y faut...

— Vous êtes libres... fait ce dernier en haussant les épaules et toujours aussi fort (puis, avisant Maria:), oh! mais j'crés ben qu'on est après scandaliser la jeune dame... Faut pas vous en faire, vous savez, on a l'air de même, mais on a jamais fait de mal à personne. En passant, bravo pour la course. J'aime ça, moué, du monde qui a pas peur de faire ce qui lui plaît. Je peux vous dire qu'y en a en masse que le maigre des fesses leur serait tombé; pis d'autres aussi qui se sont excité le poil des jambes, mais ça... (Il lève les yeux vers le plafond au-dessus duquel les enfants ont l'air de s'en donner à cœur-joie:) Vos gueules, les jeunes! on s'entend pus icitte d'dans!

Reposant son verre, Tit'Blanc Beaulieu s'adresse à Charlemagne:

— Pis, comment que vous trouvez ça dans le boutte? Pas trop déprimés?

— Ouais plutôt, répond Charlemagne. Pour tout dire, on a même décidé de paqueter nos affaires, demain à l'aube, pis de retourner de là ioù ce qu'on vient...

En signe de compréhension, Tit'Blanc Beaulieu secoue la tête d'un air affligé:

— À Saint-Georges-de-Ouiatchouan, on n'est pus des hommes, on est pus rien que les pantins de la compagnie...

— Tu peux ben chialer, toué, lui reproche Jean Savard. Tu passes la journée à lire la gazette pis à reluquer les femmes de ceusses qui travaillent, tout ça pendant que la compagnie paye monsieur juste parce qu'il a été aux États voir comment faire marcher leurs maudites machines.

— T'avais qu'à y aller, toué, Savard. Tu peux encore... T'apprends l'anglais pis tu vas à Dayton dans l'Ohio, c'est pas plus compliqué...

— Je chiale pas après la main qui me nourrit, moué! Y a pas

478

personne qui nous a obligés à venir icitte. Si qu'on est pas content, on ferme sa boîte ou on s'en va, c'est toute; y a pas d'affaire à arnoter après la compagnie.

— Tout ce que je veux dire, fait Beaulieu d'un ton aussi apathique que son teint est blême, c'est que je comprends pas pourquoi qu'une compagnie oblige le monde à vivre comme elle veut. Au travail, c'est correct, mais après l'ouvrage... qu'a nous sacre donc la paix! Ça t'est égal à toué de vivre dans la même cabane que tout le monde, d'acheter ta fleur pis ton sirop dans la même boutique que tout le monde, pis de te sentir guetté jour et nuit par quelque grand talent mal placé qui va aller rapporter tout ce que tu fais ou ce que tu dis au foreman? Sans compter que c'est plus souvent juste par jalousie qu'autre chose...

— Je vois pas de différences. Que tu restes icitte ou ben à Roberval, Saint-Prime ou n'importe quelle autre place, t'auras jamais le confort qu'on a à Ouiatchouan et il faut gagner sa vie pareil. Quand tu seras sur les chantiers, il y aura toujours un foreman qui te dira quoi faire et pas faire; dans n'importe quelle paroisse, tu trouveras toujours trois quatre bonnes femmes à moustache dont le passe-temps favori sera de te guetter pis de lancer des rumeurs... Non! y a pas de différences.

— On sait ben! tu vois jamais rien..., rétorque Beaulieu.

Maria et Charlemagne sont étonnés que la conversation n'ait pas encore dégénéré en bagarre. Imaginant peut-être leur état d'esprit, Delphine Savard leur dit:

— Vous en faites pas, c'est leur manière à eux de jaser. Je les ai encore jamais vus se battre.

Comme pour prouver qu'ils peuvent aller loin sans que cela n'entame vraiment leur humeur, les deux hommes en rajoutent et Maria, qui pourtant n'en a jamais eu l'occasion, commence à avoir l'impression d'assister à un spectacle.

— En tout cas, relance Jean Savard, je vois ben que tu passes la journée à t'évacher sous prétexte d'une maladie que tu serais le seul à avoir... Peut-être ben une maladie de l'Ohio dans le fond? Pis que t'arrêtes pas de chialer après la compagnie parce que tu trouves qu'elle te donne pas assez, après le gouvernement parce que tu trouves qu'il s'occupe pas de toué comme tu voudrais, après tes voisins parce que tu trouves qu'ils te comprennent pas..., tu chiales après toute! (Il s'adresse à Claudine:) Il doit ben chialer après toué itou, non?

— Je suis habituée...

— Pis toué! Jean Savard! Que c'est que tu fais de plus que moué? Tu vas pas me dire que c'est ta job de gardiennage dans le moulin qui doit te fatiguer? Pis moué en tout cas, je chiale peut-être avec des mots, mais je fais pas tort à personne... (Il prend Maria et Charlemagne à témoin:) Vous ne savez sûrement pas ce qu'il a fait en arrivant icitte, hein? Ben! je vais vous le conter. Il a tout bonnement été voler une vache dans un champ à Chambord. Il s'était dit qu'en l'emmenant dans le bois, il pourrait la débiter tranquille et se faire de la viande à peu de frais. Y a juste qu'il avait oublié sa veste dans le champ... J'imagine que de courir après la vache, ça lui avait donné chaud... Après ça, il était tout étonné de voir débarquer le shérif chez eux... Heureux qu'il a eu affaire à un colon compréhensif; pendant près d'un an, à toutes les semaines, le pauvre homme lui a même amené le pain à sa porte; il avait pour son dire qu'il préférait nourrir les gens que d'être volé par eux.

— On voit ben que t'as jamais eu faim, dit Savard, sans montrer davantage de gêne ou de contrition. On sait ben, toué, tu te lamentes assez que les gens finissent par te prendre en pitié! Malade! quand j'entends ça... Tu vas tous nous enterrer, oui! T'es peut-être ben le seul icitte qui va mourir de sa belle mort.

— C'est pas parce que j'ai une maladie qui se voit pas que je suis pas malade. Qu'est-ce que tu connais, toué, dans la maladie?

— Pas grand-chose, ça, je le reconnais, pareil que je trouve que t'es pas chanceux. Je connais personne d'autre qui a eu des accidents comme toué. Tenez, raconte-t-il directement aux St-Pierre, l'année passée, il a commencé par tomber à l'eau dans la rivière, malade! On se demandait s'il allait en réchapper. Juste comme il commençait à prendre du mieux, voilà qu'il se décide à couper des aulnes autour de la maison avec une hache, et vlan! il se coupe des nerfs dans le genou. Encore une fois, juste comme il recommence à marcher, il traverse la rue et se fait frapper par une waguine en voulant éviter un wagon et le voilà avec plusieurs côtes de cassées. Là, il n'est pas encore remis qu'il traverse la cuisine, pose le pied sur le jouet à roulettes du plus jeune et va s'effoirer les deux mains à plat sur le dessus du poêle ioù ce qu'il venait de donner une attisée. Toute l'histoire de sa vie est de même. En fait, c'est quand il lui arrive rien que c'est plutôt étonnant. (Il se tourne à nouveau vers Tit'Blanc Beaulieu.) Dans le fond, c'est pour ça qu'on t'aime ben, mon Beaulieu, tu chiales après toute, sauf après tes vraies misères, d'eux autres tu en ris.

— Pis, toué, on t'aime ben parce que t'es le seul à dire tout haut ce que les autres pensent à travers leur calotte.

Après les affronts, les compliments, Maria est désorientée. Mais cela n'a pas grande importance, car Savard n'arrête pas de parler. À présent, il essaie de convaincre Charlemagne de ne pas «partir sur une go»; il l'assure que ce ne sera pas mieux ailleurs, qu'il ferait mieux de rester, qu'elle, Maria, a une bonne place, qu'ils ne retrouveront jamais ça nulle part ailleurs.

C'est à cet instant qu'elle voit une chance de signifier ce qu'elle a sur le cœur:

— Dans le bois, quand on voit du monde, c'est soit de la parenté qui vient vous voir, soit des personnes qui se sont écartées, soit le plus proche voisin qui vient faire son tour pour jouer aux cartes ou donner une poule ou s'assurer que toute va ben. Mais de toutes ces gens-là, c'est ben rare qu'il y en aurait un qui te jouerait dans le dos. Quand on est tout seul face au bois, c'est rare qu'on ait envie de faire des placotages sur le voisin qui est pris avec les mêmes misères que nous. Quand on est au bord du bois, ça arrive qu'on pense à mal, c'est sûr, mais jamais pour paraître mieux que les autres. Au bord du bois, les autres, c'est le voisin qu'on aime recevoir, qu'on veut aider et que ça fait plaisir d'aider. Dans des places comme icitte, les autres, c'est çui-là qu'il faut être mieux que lui et qu'il faut tasser pour prendre sa place, et ça, Charlemagne et moi, ben! on a pas le goût de gaspiller notre vie à piler sur la tête des autres. C'est ben plus plaisant de travailler à les rendre heureux.

Excepté le bruit que font les enfants à l'étage, un long silence prolonge ses paroles. Tous comprennent que, en ses propres termes, elle vient de décrire la grande différence entre le monde qui est en train de naître et celui qui est en train de disparaître. Dehors, la nuit est déjà tombée et ils entendent une bourrasque presque ululante qui surgit soudain du nord. Personne n'en parle, mais tous savent qu'à peine commencé, l'été indien n'est plus déjà qu'un souvenir. À nouveau le froid, seul véritable maître du pays va prendre ses quartiers et, sous le ciel boréal, la double rangée de maisons identiques n'évoquera rien d'autre que la solitude.

Ils ont quitté Ouiatchouan le lendemain et sont retournés à Hébertville. Ils n'ont remporté rien de plus qu'à l'arrivée sinon une expérience un peu amère ainsi que le manuscrit et la lettre de monsieur Le Breton que Claudine Beaulieu a donnée, la veille, à Maria, en lui expliquant que, s'il revenait jamais dans la région, il y avait plus de chances qu'il s'informe d'elle que de n'importe qui d'autre.

Ils se sont installés dans la petite maison et, au début de novembre, lorsque la terre a définitivement été ensevelie sous la neige, Maria s'est mise à vomir chacun de ses repas.

— Je crois ben que ça va être une fille, a-t-elle dit à Charlemagne comme il partait pour «sa vallée» bûcher le bois de leur future maison.

— Qu'est-ce qui te fait dire ça?

— Je sais pas..., comme ça...

Au cours du même mois, sa curiosité poussée à trop rude épreuve, elle a ouvert la lettre destinée au pensionnaire français en se disant, surtout pour faire taire sa conscience, qu'il y aurait peut-être une autre adresse à l'intérieur. Elle a trouvé le contenu triste et a pleuré en lisant l'appel à l'aide d'une femme désemparée.

Londres, Angleterre

Mon ami,

Sans autres nouvelles de vous, je ne vous importunerai plus et ceci sera mon dernier message. Les médecins semblent avoir définitivement statué que j'étais folle... Sans aide extérieure, je crains de ne jamais sortir de cet endroit. Que devient notre enfant? Même ma sœur que je vois de moins en moins souvent est très avare de détails. Peut-être suis-je folle? Cela ne m'em-

pêche pas de penser à elle ni de rechercher le bonheur d'une présence aimée. Pourquoi m'en prive-t-on? Il n'y a que vous qui puissiez me sortir d'ici. Allez-vous m'aider?

L'Irlandaise que je suis vous le demande dans la langue qui touchera votre cœur.

Lydia

Aussitôt, comme effectivement il y avait une adresse de retour, écrivant une lettre pour la première fois de sa vie, en s'aidant du vieux dictionnaire de Blanche-Aimée, Maria a répondu en s'appliquant sur chaque lettre.

HÉBERTVILLE, 13 NOVEMBRE 1910

MADAME,

VOTRE LETTRE N'EST JAMAIS ARRIVÉE À MONSIEUR LE BRETON. J'IGNORE TOTALEMENT OÙ IL PEUT ÊTRE. AVEC CECI, VOUS TROUVEREZ UNE HISTOIRE QU'IL A ÉCRITE ICI. JE CROIS QUE VOUS SAUREZ MIEUX QUE MOI QUOI EN FAIRE. JE L'AI RENCONTRÉ CHEZ UNE TANTE OÙ IL ÉTAIT PENSIONNAIRE. JE CROIS QU'IL AVAIT UNE PEINE SECRÈTE, MAIS JE SAIS PAS QUOI. JE NE VOUS CONNAIS PAS MAIS PEUT-ÊTRE QUE ÇA VOUS FERAIT PLAISIR DE M'ÉCRIRE. JE VOUS RÉPONDRAI ET AINSI VOUS SERIEZ MOINS SEULE. ÇA ME FERAIT BIEN PLAISIR. DITES-MOI SI VOUS AVEZ BESOIN DE QUOI.

MARIA ST-PIERRE

Charlemagne est revenu un peu avant les fêtes en annonçant qu'il avait fait assez de bois pour «bâtir un château». Puisque rien ne les retenait, ils décidèrent d'aller passer Noël à Honfleur. S'attendant un peu à retrouver l'atmosphère d'autrefois, Maria est passée par une petite crise de mélancolie que tout le monde a mis sur le compte des inconvénients de la grossesse. Tout le monde est cependant un bien grand mot pour désigner son père, Pâquerette et Alma-Rose. Eux seuls restaient à la maison.

Ils avaient fini par avoir des nouvelles de Télesphore rendu aussi loin que Détroit d'où il faisait annoncer par une connaissance sachant écrire que, en se faisant passer pour un peu plus vieux, il avait réussi à se faire engager chez *monsieur Ford par monsieur Ford lui-même*, et qu'il travaillait à l'usine où l'on fabriquait les Model T. Il faisait ajouter que, s'il réussissait à faire plus vieux que son âge, il comptait bien venir faire un tour l'année prochaine ou celle d'après dans sa propre *Lizzie*.

Da'Bé aussi a donné des nouvelles, par l'intermédiaire de Sylvio Lachance de Saint-Félicien qui a étudié au séminaire de Chicoutimi et est le fils d'Aimé Lachance où Samuel Chapdelaine allait autrefois faire cercler ses roues. Les deux garçons se sont rencontrés dans le sud-ouest de la Saskatchewan.

Val-Marie, Saskatchewan

Bonjour! tout le monde,

Ça va peut-être vous surprendre, mais, avec Sylvio, en se faisant passer pour des Ukrainiens qui ne parlaient pas un mot (le Gouvernement aime pas trop que des Canadiens s'installent par ici), on a réussi à se faire donner une concession sur le bord des lignes du Montana. C'est bien vrai ce qu'on disait par chez nous: pas besoin de défricher, mais, par contre, ça prend pas mal plus de terre pour nourrir une tête.

Ici, ça ressemble à rien de ce qu'on connaît au Lac, c'est grand, en tout cas c'est l'impression que ça donne, il n'y a pas d'arbre et pas beaucoup d'eau. Il y a des fois que j'aime ça en masse, pis d'autres où je sais pas.

Comment ça va à la maison? Maria est-elle heureuse avec Charlemagne? Ça doit bien.

L'autre jour on est allés en ville à Swift Current et là j'ai rencontré une fille de Normandin qui travaille dans un restaurant. Vous allez dire que Normandin, c'est pas à ras, mais quand on est loin de même, c'est comme si c'était les voisins. Elle s'appelle Virginie Lapierre, elle s'en venait dans l'Ouest avec ses parents, mais eux autres sont morts dans un accident de train près du lac Nipissing, à North Bay, en Ontario. Elle est coura-

geuse; avec son frère, elle a décidé de continuer pareil pour l'Ouest. Ça se peut que je la revoie.

À part ça, j'espère que ma lettre va arriver pour les fêtes, en tout cas j'y serai avec vous par la pensée. Pis je crois qu'une prière pour moi à la messe de minuit ça devrait pas faire tort. Bon, j'en dirais bien un peu plus mais, Sylvio va se tanner d'écrire. Je me reprendrai une autre fois. Je vous aime tous bien gros.

Da'bé Chapdelaine

Maria s'était mordu les lèvres pour ne pas pleurer.

— Il n'a jamais autant parlé avec la bouche, a-t-elle dit.

Pour la messe de minuit, ils sont allés à La Pipe et, en chemin, Maria a retrouvé ses impressions de petite fille: les chevaux qui avancent dans l'ouverture de lumière fantomatique des lanternes, la buée qui s'échappe des naseaux, le ciel de satin bleu nuit au-dessus des cimes noires, le son argenté des grelots, l'arrivée dans le village illuminé, les rires et la bonne humeur des gens qui s'interpellent avec chaleur, l'église bondée baignant dans l'odeur mêlée du beau linge, des fourrures, de l'encens et du «sent-bon».

Puis, surprise! le prêtre s'est avancé vers eux et s'est adressé à Charlemagne:

— Connaissez-vous le *Minuit, chrétiens*?

— Oui, ben sûr!...

— Léo Gagné, notre chanteur habituel, s'est cassé la voix en répétant, alors en vous voyant arriver tantôt je me suis dit: bâti de même, il doit bien avoir une belle grosse voix grave comme ça prend pour le *Minuit, chrétiens*...

— Ben! je sais pas si j'ai une belle voix, mais si ça peut rendre service, je dis pas non...

Lorsque la voix de son mari est montée, solitaire, vers la voûte étoilée du plafond, Maria a frissonné des pieds à la nuque et elle aurait certainement fini par pleurer d'émotion si Alma-Rose, troublant son état de béatitude, ne lui avait soufflé:

— Il chante encore mieux que Léo Gagné. Tu dois être fière, là...

— Chut!...

Oui, elle était fière, mais, beaucoup plus que cela, pendant quelques secondes, en esprit, elle s'est vraiment crue dans l'étable, là-bas, en Galilée, avec Joseph, Marie, les bergers et Jésus. Pendant quelques instants, le temps et le lieu ont été abolis, elle s'est sentie illuminée dans la tête, participante bienheureuse d'un mouvement irrépressible de joie pure et de tendresse.

Au retour, alors que chacun avait le sentiment que quelque chose s'était comme nettoyé en lui durant ce voyage, Samuel Chapdelaine n'a pas dételé et il a dit:

— Attendez que je revienne pour commencer, il faut d'abord que j'aille à quelque part...

— Comme ça, dans la nuit, son père? l'a questionné Maria, vous voulez pas que j'aille avec vous?

— Rentre au chaud avec ton mari.

À l'intérieur, elle a interrogé Pâquerette qui savait où allait son mari, mais s'est contentée de répondre par un sourire.

Un peu plus tard, Samuel Chapdelaine était de retour et Maria, courant ouvrir la porte, le trouva avec Lilas Gill, chacun soutenant Eutrope par un bras. Un Eutrope rasé et propre, mais dont le regard n'exprimait absolument rien.

— Pour le réveillon, a expliqué simplement le père Chapdelaine, je me suis dit qu'il fallait que j'invite le voisin le plus seul et la voisine la plus courageuse.

Pour la troisième fois, ce jour-là, Maria a failli se laisser aller à l'émotion:

— Vous avez ben fait, son père.

Il y a eu de la dinde, des pâtés à la viande, de la tarte au sucre et des fruits au sirop. Chacun se sentait tranquille, calme et en paix. Après le repas, Charlemagne a sorti du gousset de son gilet une petite pierre bleue et translucide taillée en poire avec des facettes et retenue par un fin cordon noir. Il a tendu le bijou à la sœur de Maria:

— Joyeux Noël, Alma-Rose!

— Oh!... Merci!

La jeune fille, les yeux brillants, n'avait rien pu ajouter. À nouveau, Charlemagne a puisé dans son autre poche et en a ressorti cette fois une petite montre-médaillon suspendue à une fine chaîne dorée:

— Joyeux Noël, Maria!

Heureuse, mais troublée, cherchant un refuge où porter son regard, elle a fixé Chien étendu près du poêle qui, la tête légèrement inclinée, lui a rendu son regard avec cette espèce de compréhension que les bêtes semblent posséder; elle se souvient s'être dit: «*C'est ça le bonheur!*»

Puis cela a été au tour de Samuel Chapdelaine d'offrir un service à thé à sa femme, une robe à Alma-Rose et, la surprenant totalement, à Lilas une bulle de verre qu'il suffisait d'agiter pour déclencher une averse de neige sur la petite Vierge voilée de bleu fixée au centre de la base.

— Je sais que tu y crés pas fort, a-t-il dit, mais elle peut comprendre et veiller sur toi pareil.

Pourquoi pense-t-elle à tout cela maintenant, cinq mois plus tard, alors que leur waguine arrive en haut de la côte du cran à Saint-Prime? Est-ce parce que ce voyage vers leur nouveau foyer marque définitivement le point de rupture avec sa jeunesse? Est-ce pour fixer une dernière fois dans sa mémoire tout ce qui a fait d'elle la femme qu'elle est aujourd'hui? Ou est-ce tout simplement parce qu'elle sait que demain va être dur et qu'elle rassemble tous les motifs d'être courageuse? Car elle ne l'a dit à personne, pas même à Charlemagne, mais elle a peur de partir dans le bois en sachant que d'ici quelques semaines leur enfant va venir au monde.

La waguine est maintenant au sommet de la côte et, le souffle coupé, Maria oublie ses questions et ses craintes. Là, en contrebas et à perte de vue, s'étend son pays. Sur sa droite, immense et majestueux, reflétant le bleu léger du ciel, le lac Saint-Jean – Piékouagami en des temps plus anciens –, avec son rivage plat qui monte en courbe légère jusqu'à l'horizon dont la ligne est dissimulée par une vaporeuse brume de chaleur; face à eux, de part et d'autre du chemin, des champs et des prairies scintillent dans les verts printaniers. À gauche et, semble-t-il, jusqu'à l'autre bout du monde, les épinettes et les sapins avec, çà et là, quelques bouquets de bouleaux ou de trembles.

— C'est-ti beau un peu! s'exclame-t-elle tout haut.

— C'est chez nous, l'approuve Charlemagne. Wow! Rouge, wow! attends un peu, mon cheval, qu'on regarde ça...

Ils restent là sans plus rien dire, grisés par le panorama qui s'étend à l'infini et les saoule de l'euphorie d'appartenir à tout cela. Elle pose sa main sur celle de son mari. Ils sont ensemble, optimistes et heureux, comme au premier matin du monde.

XV

En milieu d'après-midi, ils ont fait halte à Mistassini chez Antoinette Bouchard et y ont passé la nuit. Maria a appris que Chantale aussi était sur le point d'accoucher mais sa grand-mère a ajouté, semblant soutenir sa petite fille, qu'elle ne semblait pas se plaire à Alma et qu'elle harcelait son mari pour que celui-ci ouvre plutôt une boutique à Québec ou à Montréal.

Le lendemain, ils ont repris la route de Saint-Eugène, ont dépassé la petite paroisse puis se sont enfoncés sur un chemin de terre en suivant la rivière aux Rats. Quelques milles plus au nord, du haut d'un vallon, un éclair de fierté dans le regard, il lui a montré «leur vallée» avec la rivière d'argent qui serpentait au milieu d'un territoire de résineux séculaires. Alors, sans savoir pourquoi, elle a senti que oui, là, il y avait quelque chose d'indéfinissable qui faisait qu'elle avait réellement envie de s'y établir et d'y fonder quelque chose qui leur ressemblerait.

En amont d'une série de rapides en escaliers géants, au milieu d'une petite clairière artificielle où surgissaient encore toutes les souches des arbres abattus, il lui a désigné la petite cabane de rondins qu'il était venu construire au mois d'avril en compagnie de Louis-René:

— Dès le printemps prochain, je construirai quelque chose de mieux, lui a-t-il affirmé avec un peu d'anxiété.

— Ça me plaît icitte, a-t-elle répondu sans faux-semblant.

Évidemment, c'était très rudimentaire, mais, oui, immédiatement elle a aimé ce coin de terre. Elle a souri devant cette petite cabane perdue au milieu du bois qui pendant si longtemps lui a fait peur, et elle s'est mise à rêver devant cette vue sur la large rivière qui donnait à leur environnement un cachet de grandeur. Oh! elle a tout de suite su toute la misère qui l'attendait. Ici, elle allait revivre tout ce que sa mère avait vécu dans ses heures les plus difficiles, mais, au fond, n'est-ce pas cela qu'elle recherche?

Une fois placé dans la cabane, leur mobilier y avait l'air un peu incongru, ce qui les a fait rire.

— Ça fait peut-être moins sérieux qu'à Ouiatchouan, a-t-elle dit, mais en tout cas, c'est chez nous.

Et ils se sont mis à la tâche, se levant avec les premières lueurs de l'aube, se frottant de lard trempé dans la térébenthine afin de se protéger des mouches noires et ne se couchant qu'à la nuit. Avec Rouge, Charlemagne a commencé à essoucher autour de la cabane, tout d'abord un morceau de terrain suffisant pour que Maria puisse semer patates, siams, carottes, oignons et gourganes; ensuite, pour le champ qui, dès le printemps prochain, devra recevoir un semis d'avoine. En plus de s'occuper du potager et de la popote, le plus souvent composée de bines et de galettes, mais aussi parfois d'un brochet attrapé avec une ligne dormante ou d'un lièvre pris au collet, Maria s'est occupée de garnir tous les interstices de la cabane avec de la mousse de tourbe. À l'aide d'un grattoir, elle a fait en sorte que le plancher ressemble un peu à ce qu'il devrait être, se dépensant sans ménagement à tel point qu'encore ce matin, Charlemagne l'a rappelée à l'ordre parce que, malgré ses avis, elle revenait de la rivière en portant deux chaudières d'eau:

— Maria! t'as pas à porter ça dans ton état!

Elle a mis ses mains sur son ventre proéminent en riant:

— Elle est ben accrochée, t'inquiète donc pas!

— Tu es toujours certaine que c'est une fille?...

— Évidemment! Pas toi?

— Je le sais-ti, moi?....

En réalité, il a l'impression qu'il y a quelque chose d'irrespectueux

à décider d'avance du sexe de son enfant.

Ne trouvant pas le sommeil alors que Charlemagne, lui, dort profondément à ses côtés, Maria pense vaguement à tous ces derniers temps en cherchant à s'endormir. Vainement. Quelque chose la dérange.

Ce n'est qu'au bout d'un certain temps qu'elle réalise enfin que son drap est humide et visqueux. Elle ne comprend pas, mais son cœur s'accélère. Tremblante, elle attrape la petite lampe à côté du lit, gratte une allumette et allume.

Écartant la couverture, horrifiée, elle constate que, sous elle, le drap de flanellette n'est qu'une grande tache écarlate:

— Charlemagne!

Elle n'a pas besoin de l'appeler une seconde fois. Peut-être est-ce l'angoisse contenue dans le ton, toujours est-il qu'il se réveille immédiatement et, se redressant dans la lueur jaune de la lampe, découvre avec stupeur ce que lui désigne Maria:

— Qu'est-ce que c'est?!

Elle est incroyablement pâle, sa lèvre supérieure est agitée d'un léger tremblement nerveux:

— Je sais pas...

— Mais c'est du sang, Maria!

— Oui, ça, je sais...

— Mais pourquoi? Qu'est-ce que t'as?

— Je sais pas!

— Tu vas-ti accoucher?

— J'en sais rien, j'ai pas mal, pas de douleur...

— Ça va peut-être venir?

— Peut-être...

— Tout ce sang! C'est normal?

— Je crois pas, Charlemagne...

Il a l'impression que tout l'intérieur de son corps est devenu un vide glacial. Il veut agir, rétablir l'ordre normal des choses.

— Alors quoi? demande-t-il.

— Mais je le sais pas pantoute! Charlemagne..., répond-elle avec un sanglot d'effroi dans la voix.

Brusquement, il lui trouve des petits noms comme jamais il ne lui en a donné:

— Mon p'tit poussin, mon p'tit chaton, que c'est que je peux faire?... Tiens! allonge-toi tranquille à ma place, je vais aller chercher une bassine pour nettoyer... Ça saigne-ti encore?

— Je crois que oui...

— Ça sort du... ventre?

— Oui..., comme les menstrues.

— C'est peut-être ben des grosses menstrues?

— Je suis enceinte, Charlemagne, je peux pas avoir de menstrues!

— Ça saigne en tout cas.

Il ne sait quoi faire; il est la proie d'une peur qui n'a rien à voir avec celle qui fait brusquement battre le cœur. C'est une peur beaucoup plus viscérale et hideuse qui lui noue douloureusement le ventre.

Il sait qu'il doit faire quelque chose, elle dépend entièrement de lui, mais quoi? Les seuls mots qui lui viennent à l'esprit, c'est qu'il ne peut rien, tellement qu'il voudrait les prononcer, mais, bien sûr, c'est impossible. Maria paraît déjà bien assez effrayée comme cela. Il faut la rassurer. Oui! la rassurer, ce sera déjà un début:

— Ça doit être un saignement qui arrive avant l'accouchement, dit-il sur un ton qu'il veut dégagé. Il me semble avoir déjà entendu dire ça...

— Pas moi... Tout ce que j'ai entendu parler, c'est qu'il y a des femmes qui s'en vont à bout de sang...

— Non! non! Maria, ça peut pas être ce que tu dis!

— Non, Charlemagne, il faut pas, il y a la petite... Il faut que je tienne...

— Mais qu'est-ce que tu racontes! Évidemment que tu vas tenir! C'est quoi ces discours simples?... Tiens! tu sais pas, pour te rassurer, je vas aller chercher quelqu'un...

— Oh non! laisse-moi pas toute seule icitte!

— Mais qu'est-ce tu veux que je fasse? Je sais pas comment arrêter ça, moi!

— Ça va sûrement s'arrêter tout seul... C'est forcé! ça va s'arrêter, laisse-moi pas!

— Peut-être ben qu'avec des serviettes d'eau frette, ça ferait figer le sang... Tu veux-ti?

— Oui, t'as raison, une serviette mouillée...

Tout en allant tremper une serviette dans le seau à l'entrée, il commence à se faire des reproches. «*On aurait pas pu attendre à Hébertville qu'elle ait le bébé? Il a fallu que je l'amène icitte au milieu du bois... Qu'est-ce que je vas faire si elle a de quoi pour de bon?... Tout ce sang... c'est pas normal pantoute! Il faut que j'aille chercher quelqu'un, c'est sûr!*»

Aucun d'eux ne réalise qu'elle a ôté sa jaquette et reste nue devant lui pour la première fois. Il lui apporte la serviette et se penche entre ses jambes pour constater qu'il y a toujours un écoulement sanguin. Il faut qu'il agisse et vite!

— Faut pas que tu bouges, mon poussin, je vas aller chercher quelqu'un qui connaît ça. Je vas faire vite, je serai pas long. D'icitte à Saint-Eugène, une demi-heure; dans une heure, je suis de retour avec la femme dont j'ai entendu parler pour les accouchements.

— Tu vas me laisser icitte?!

Le ton plein de détresse de sa femme le torture et il voudrait lui dire que non, qu'il va rester près d'elle en attendant que ça aille mieux.

— Juste une heure, Maria. Juste une petite heure. Tu sais ben que je suis pas capable de t'accoucher, moi!

— Mais puisque je te dis que j'ai pas de douleur... Charlemagne! je veux pas mourir icitte toute seule!... S'il te plaît!

— Qu'est-ce que c'est que ces niaiseries-là! Qui t'a parlé de mourir? Tu te fais des accrères, là, c'est pas sérieux... Tu t'apercevras même pas que je suis parti, essaie de dormir un peu...

— Charlemagne...

— Faut que j'y aille, Maria...

— J'ai peur... Faut sauver la petite...

— Mais qu'est-ce que tu racontes? Le bébé est là où qu'il doit être et toi, tu saignes un peu, voilà tout... Reste calme, essaie de dormir et, quand je vais revenir, ce sera fini, tu saigneras même plus... Allez! j'y vais; plus vite je serai parti, plus vite je serai revenu.

Elle ne discute plus tandis qu'il s'habille. Les yeux grands ouverts, elle se contente d'observer l'ombre de son mari démesurément projetée sur le mur de rondins dont elle a justement fini d'écorcer l'intérieur aujourd'hui.

— Tu vas revenir vite, hein?

— Mais oui! voyons!

Il s'approche du lit et la regarde avec des yeux qui ne savent pas mentir. Il lui prend la main et la serre bien fort dans la sienne comme l'on fait lorsqu'on veut retenir quelqu'un qui s'en va.

— Je serai pas long, assure-t-il, une nouvelle fois.

— Je t'aime, Charlemagne.

— Moi aussi, mon amour, moi aussi, je te jure que moi aussi.

Malgré toute sa détresse, elle a un sourire. Il le lui rend puis, ne sachant plus que faire, il se redresse à regret, la regarde encore une fois et, une lampe à la main, sort d'un pas hésitant pour aller atteler Rouge.

Juste avant de partir, il passe la tête par la porte et demande si ça va.

— Ça va, répond-elle, la voix enrouée par un sanglot qu'elle tente de refouler.

Elle voudrait encore l'entendre dire qu'elle ne va pas mourir, que tout cela n'est qu'un mauvais moment à passer, une anecdote que l'on évoquera plus tard en souriant. Plus tard... Y aura-t-il un plus tard? Soudain, plus que jamais, elle ressent atrocement ce qu'a vraiment été la panique de Blanche-Aimée devant la mort. Elle la ressent parce qu'elle est sienne.

«Oh, mon Dieu! faites que tout ceci ne soit qu'une épreuve, faites-la aussi dure que vous voudrez, mais ne me laissez pas mourir, je veux pas mourir! Je sais ben que ça doit être d'adon dans votre paradis, mais je ne veux pas mourir tout de suite, laissez-moi connaître mon enfant, laissez-moi vivre encore une escousse, s'il vous plaît!»

Elle craint que sa prière ne se perde dans le silence du bois sans parvenir à destination. Le bois... Le bois qui lui a enlevé François Paradis va-t-il l'enlever, elle, à Charlemagne? *«C'est pas le bois,* se dit-elle, *c'est la solitude...»* Soulevant le drap, elle regarde anxieusement si la tache continue de s'agrandir; les yeux démesurés, elle le laisse retomber. Quand cela va-t-il s'arrêter? Il faut que ça s'arrête, sinon...

— Y a quelqu'un? crie-t-elle tout haut. Est-ce qu'y a quelqu'un?

Le silence lui répond.

Elle sait ce qu'il y a dehors: la petite clairière, des épinettes et encore des épinettes, l'écoulement scintillant de la rivière qui doit refléter quelques traits argentés, peut-être un lièvre faisant sa ronde de nuit à la recherche de quelques nouvelles pousses appétissantes, peut-être le busard perché royalement sur la cime du plus haut sapin au bord des rapides, peut-être la mouffette qui, la nuit, a l'habitude de venir fureter autour de la maison et d'y laisser son empreinte malodorante, peut-être la perdrix qui traverse imprudemment leur territoire avec son cortège de perdreaux et dont Charlemagne dit attendre qu'ils soient plus gros et plus appétissants, peut-être l'ours dont, un peu inquiets, ils rencontrent des «tas» partout, peut-être un brochet solitaire dans le courant, peut-être même, seigneur des forêts, un orignal à la démarche calme, un orignal si beau que même le chasseur le plus endurci n'aurait pas le courage de tirer; ou tout simplement l'humus grouillant réveillé par le printemps et qui, à présent, appelle toute chose morte pour de nouveau la rendre à la vie. Quelle solitude? Il n'y a là que de la vie... La solitude de l'amour, celle qui chaque jour nous fait tendre les bras vers un peu de compréhension, un peu d'attention, un peu de chaleur, en attendant le Grand Tout qui n'est qu'amour et auquel on a été arraché ou dont nous sommes privés par les servitudes de la chair. Ou alors rien?

— Est-ce qu'il y a quelqu'un? Est-ce que quelqu'un m'entend?

Aucune réponse, sinon le clapotis et le chuintement des rapides qu'une légère brise, qui vient de se lever, apporte jusqu'à la cabane. Il doit bien y avoir une heure qu'il est parti maintenant, que peut-il faire?

Elle ignore évidemment qu'à Saint-Eugène, la sage-femme a mis la mort dans l'âme de son mari:

— C'est pas d'un accouchement dont vous me parlez là, c'est une hémorragie. Moi, je peux rien faire, ça prend un docteur.

— C'est-ti grave?

— Une hémorragie, c'est quand qu'on perd son sang et qu'on peut pas l'arrêter...

— Ah!...

— Faut prier, mon garçon.

Il est reparti vers Mistassini, pressant Rouge au risque de le crever.

N'y connaissant personne d'autre, il s'est d'abord rendu chez Antoinette Bouchard qui lui a indiqué la maison du docteur avant d'envoyer sa fille Ghislaine atteler leur cheval pour le retour de Charlemagne.

Doucement, Maria glisse dans un état de semi-inconscience. Il ne lui reste de la réalité que l'esprit du bois qui l'entoure, le souci imprécis de quelque chose de vraiment dommage et une attente. Elle sait qu'il faut attendre.

Tout à l'heure encore, elle a soulevé le drap puis elle a poussé un soupir suivi d'un «oh la la!». L'angoisse a fait place à l'inexorable qui a entrouvert le portail de la peur.

Elle a encore appelé, mais sans réponse. Elle voudrait entendre encore au moins une fois un «mon amour», comme il le lui a dit avant de partir. Une seule fois!

Maintenant, elle souhaite presque qu'au fur et à mesure que sa vie s'imprègne dans le drap, la peur elle aussi s'en aille.

Elle écoute le silence.

Et n'entend que la musique. Elle est là, dans la lumière, vêtue de sa plus belle robe, assise sur un tronc couché aux pieds des marches géantes de la rivière qui arrache aux nuées des myriades de paillettes dorées. Elle qui, même si elle l'a souvent rêvé dans le secret de ses désirs, n'a jamais joué d'aucun instrument, la voici, le visage incliné contre le violon d'Alphège Caouette, jouant en virtuose une mélodie si belle à son âme qu'il lui semble que le chœur des anges l'accompagne.

Le médecin n'a pas voulu faire de diagnostic. Petit, putôt rond, portant des lunettes, il ne cesse de parler en sachant que les mots ont le pouvoir d'empêcher de penser. À tel point que Charlemagne voudrait bien qu'il se taise un peu et lui laisse le temps de penser à Maria. Encore une fois, il ordonne au cheval d'avancer plus vite.

Ce n'est qu'à Saint-Eugène que le petit homme pose sa main sur sa manche et lui dit:

— Peut-être qu'on serait mieux de prendre le prêtre avec nous.

— Vous croyez?

— Ce serait plus sage...

Elle délire. Il n'y a plus de musique. Un train est passé, mais trop loin pour qu'elle l'attrape. Il neige, et c'est curieux, car il ne fait pas tellement froid, en tout cas pas assez en regard du blizzard qu'elle entend rugir. Il est plié en deux et avance face au vent, ses jambes avancent, mais lui semble rester sur place. Elle a beau tendre les bras, il ne parvient pas à la rejoindre.

— Lâche-pas! lui crie-t-elle, lâche-pas!

— Je suis revenu, Maria, je suis là avec le docteur...

La neige et le vent disparaissent. Ouvrant les paupières, elle rencontre les yeux de Charlemagne.

— T'es revenu... T'es parti longtemps...

— Oui, mais astheure le docteur est là; ça va aller.

Assis sur le bord du lit, le petit homme a écouté son cœur, pris son pouls, regardé ses pupilles et palpé son ventre. Ayant terminé, il a observé Maria quelques instants sans laisser voir ses sentiments, puis il fait discrètement signe à Charlemagne et au prêtre de le suivre à l'extérieur.

— Elle a une très petite chance de s'en tirer, dit-il sans ambages. Je dis bien une très petite, en fait, presque rien. Ce que je sais à présent, c'est que je peux encore sauver les enfants; si j'attends, il sera trop tard. (À cet instant, il ne peut s'empêcher de laisser percer son émotion.) J'ai toujours prié le ciel pour que ce genre de chose ne m'arrive jamais... Il faut vous décider maintenant.

Charlemagne, incapable de réagir, reste la bouche ouverte un long moment. C'est le prêtre, en lui enserrant le coude dans un geste de soutien, qui l'oblige à parler. Hagard:

— Les enfants?

— Oui, votre femme attend des jumeaux... Je peux peut-être encore les sauver...

— Comment?

Charlemagne pose la question, mais il en connaît déjà la réponse.

— Pratiquement, en la condamnant, je crois.

— C'est pas possible! non! non!... pas Maria!

— Il le faut..., murmure le prêtre.

Charlemagne le regarde comme s'il découvrait un monstre.

Maria l'appelle faiblement depuis l'intérieur de la cabane:

— Charlemagne...

— Je suis là, Maria, je suis là...

— Charlemagne, il faut dire au docteur de sauver la petite. Il faut la sauver, tu m'entends?

— Oui, Maria, je t'entends, mais...

Même si les mots sont pleins d'autorité, elle a parlé d'une voix presque éteinte. Il sait qu'il reste très peu d'espoir; il le sait, mais ne peut s'y résoudre. Il voudrait secouer brutalement le docteur et lui ordonner de sauver sa femme. Il voudrait se jeter sur elle et la retenir. Oui! la retenir avec lui comme si la force de ses bras était suffisante pour la protéger de tous les abîmes, dont le plus profond et le plus irrémédiable.

Comme pour l'aider à prendre sa décision, le prêtre le prend à nouveau par le coude.

— Il y a des vies en jeu, souffle-t-il d'une voix douce où perce cependant la fermeté.

— Allez chercher de l'eau, ordonne le médecin, beaucoup d'eau.

— Laissez-moi lui dire... l'embrasser...

— Faites vite, recommande le petit homme à voix basse puis, se reprenant, il ajoute: je m'excuse, vos enfants...

— Mes enfants...

Maria tombe vertigineusement vers l'inconscience, sa peau a pris une couleur terreuse, seuls encore ses yeux posent une question. C'est horrible de voir partir la chair que l'on a fait sienne. Charlemagne a mal, une main géante le déchire à vif. Il voudrait l'accompagner:

— Le docteur va t'accoucher, Maria. Il a dit que t'attendais des jumeaux. Tu te rends compte, mon amour, des jumeaux...

Maria a un faible sourire, ses paupières tombent dans un signe d'acquiescement.

Horrifié, anéanti, Charlemagne a assisté à la césarienne. Comme dans un songe, suivant l'exemple du prêtre pour le premier, il prend le second bébé que lui tend le médecin.

— Occupez-vous-en, ordonne ce dernier aux deux hommes, moi j'essaie de sauver cette pauvre fille... Si seulement j'avais du sang...

Charlemagne ne sait où porter ses pensées, Maria, les bébés... Ils paraissent si fragiles, il les aime déjà tant alors qu'il y a quelques minutes, ils n'étaient encore pour lui qu'une vue de l'esprit.

— Du sang? demande-t-il avec un peu de retard au médecin en train de recoudre Maria.

— Oui, du sang, je ne vois que cela pour lui donner une chance. C'est tout ce qu'il lui manque; je crois que j'ai arrêté l'hémorragie...

— J'en ai, moi, du sang...

Tout d'abord le médecin hausse les épaules puis, lentement, il se tourne vers Charlemagne. Pensif, il l'observe un instant, semble évaluer le pour et le contre, puis fait un imperceptible «oui» de la tête.

— On pourrait peut-être prendre une chance, murmure-t-il.

— Comment ça, une chance, docteur?

— Si vos sangs ne sont pas compatibles, on risque le choc mortel...

— Oh!

— D'un autre côté, elle est déjà inconsciente et...

— Docteur, on s'aime assez, nos sangs doivent ben se ressembler, non?

— Ça n'a malheureusement rien à voir. (Les bébés pleurent, le prêtre en berce un tout contre lui, le médecin les regarde, revient à Maria et semble prendre une décision.) Essayons si vous le voulez bien.

— Je ferais n'importe quoi...

— Eh bien! asseyez-vous là, sur ce tabouret, je vais vous pomper du sang (de sa trousse, il sort une seringue de verre) avec ça.

Charlemagne fronce les sourcils avec inquiétude alors que le médecin s'apprête à lui plonger une aiguille dans le creux du bras. Il ne l'avouerait pour rien au monde – pas même à lui –, mais malgré le drame qui se joue, il craint ce que le médecin s'apprête à faire et dont il n'a jamais entendu parler.

Se concentrant sur le trop pâle visage de Maria, il ne regarde pas une seule fois vers la seringue se remplissant de son sang. Sitôt pleine, le médecin plonge une autre aiguille dans le bras de Maria, y insère la seringue et, très lentement, commence à appuyer sur le poussoir.

— Et maintenant, à la grâce de Dieu, prie-t-il tout haut.

Le prêtre le regarde sans rien dire.

— Mangez quelque chose, ordonne le médecin à Charlemagne, ce n'est qu'un début, c'est pas le moment de perdre conscience.

— Mais j'ai pas faim! Comment que je pourrais manger en ce moment?

— Mangez pareil et faites pas d'histoires...

Se sentant dans la peau du dernier des hommes, Charlemagne se dirige vers le poêle éteint, soulève le couvercle d'un chaudron à moitié plein d'une soupe à l'orge et en ramène une louche à ses lèvres. Alors qu'il finit d'en avaler le contenu tout en regardant alternativement Maria et les bébés, l'un, que le prêtre a fini d'envelopper, sur la table et l'autre dans les bras de ce dernier, le berçant toujours dans une attitude un peu empruntée, mais néanmoins pleine de tendresse, Charlemagne prend conscience que ce qu'il avale difficilement est la dernière soupe préparée par sa femme. Si elle meurt, plus jamais, plus jamais il n'y en aura d'autre. Ce qui à l'instant était un brouet froid qu'il se forçait à avaler pour suivre les instructions du médecin devient subitement quelque chose d'extrêmement précieux. Elle ne peut pas s'en aller, c'est pas possible! «*Maria! Maria! je t'aime! je t'aime, ma p'tite bonne femme!*»

Il pleure.

Il pleure devant deux autres hommes et, pas une seconde, il ne lui vient à l'idée de s'en cacher.

C'est à la troisième seringue qu'il réalise, un peu étourdi, qu'il n'a même pas encore pris garde au sexe de ses enfants. Il prend conscience qu'ils viennent d'avoir deux filles. Maria a toujours dit que ce serait une fille, comment a-t-elle fait pour savoir?

— Comment qu'elle va? ose-t-il enfin demander au médecin.

— En tout cas, on dirait bien que vous aviez raison, vos sangs ont l'air à s'accorder... Je crierai pas victoire, mais il me semble, je dis bien il me semble, que son pouls a repris un peu du poil de la bête.

Ils en sont à la cinquième seringue. Dehors, il fait complètement jour. Charlemagne a l'impression d'être un peu ivre. Avec la montée de la lumière dans l'air bleu et humide du matin, il a le sentiment que l'espoir revient, que l'avenir prend forme à nouveau. Dans un coin de la pièce, un bébé dans chaque bras, ses lèvres laissant parfois échapper la première syllabe d'une prière, le prêtre a pris place dans l'un des deux fauteuils de cuir qui, plus que jamais, semblent incongrus dans la rusticité du décor. Alors, pour la première fois de sa vie, Charlemagne prend conscience de la formidable beauté du monde lorsque des personnes qui n'ont en commun que leur humanité se trouvent assemblées dans le souci unique de lutter contre le malheur; pour l'amour des autres. Il sait à présent qu'il n'y a rien d'autre que cela à bâtir.

Il ne voit de ses filles que leurs visages. Le sien s'éclaire: comme elles sont belles! Il lui semble qu'il les a déjà vues. Où? Quand?

— Correct pour une autre prise? demande le médecin.

— Tant que vous voudrez, docteur.

— Je me fais peut-être un peu poète le matin ou bien alors c'est la fatigue, mais je commence à me demander si je ne suis pas en train de faire des transfusions d'amour...

— Je voudrais ben pouvoir faire plus.

— Je sais, je sais... Nous aussi.

S'infiltrant par les vitres carrées, parsemant la pièce de taches blanches, le soleil est haut dans l'azur lorsque Maria, entrouvrant timidement les paupières, laisse ses pupilles refléter sa lumière dorée et, telle une île nouvelle émergeant au cœur d'un océan de faiblesse, la joie sereine d'être toujours ici, en paix.

— On va les appeler Blanche et Aimée, murmure-t-elle avant de refermer doucement les yeux, l'aile du nez palpitant d'inspirer l'air du monde, un léger sourire tranquille sur ses lèvres pâles.

NOTES DE L'AUTEUR

Il n'y a pas longtemps, mon père m'a demandé s'il était possible de tomber amoureux de son héroïne. «Non!» lui ai-je répondu, et c'était totalement sincère (à moins, bien sûr, de dépeindre la femme de sa vie, mais là, ce serait davantage du fantasme que du roman). Cependant, sans en être amoureux, on peut l'aimer et cela, d'autant plus si, comme moi, on peut lui prêter un visage réel, en l'occurrence celui de Lydia O'Kelley: tout ce livre a été écrit avec son portrait sur le mur en face de ma table de travail (je ne crois pas à l'hypothèse Éva Bouchard).

En parlant de la compagne de Louis Hémon, plus j'avance dans le passé de ce dernier, moins je comprends son attitude vis-à-vis d'elle. Mais, évidemment, de cela personne ne peut ni n'a le droit de juger. Quoi qu'il en soit, l'attitude de sa sœur, Marie Hémon, elle, me laisse tout à fait perplexe. Qui pouvait-elle être pour avoir réussi à ne jamais révéler à Lydia Hémon – qui se croyait orpheline – que sa mère naturelle était vivante quelque part dans un asile anglais? Lydia Hémon avait quarante ans lorsque sa mère mourut... Louis Hémon aurait-il toléré ce silence? Je veux croire que non. Ce sont les éléments naturels qui ont enlevé François Paradis à Maria Chapdelaine. Qui a volé l'espoir à Lydia O'Kelley? Quelle était vraiment sa maladie mentale, comment est-elle devenue dépressive? Quelles ont été toutes ces dizaines d'années à l'asile sans jamais revoir sa fille? J'ai lu la nouvelle de Louis Hémon: Lizzie Blakeston, *cette jeune danseuse qui perd l'espoir et se jette dans les eaux noires de la Tamise; c'est pathétique, mais quoi en regard de l'enfer de Lydia O'Kelley?*

***

Le passage dans lequel Maria apprend ce qui est arrivé à François Paradis m'a été fourni indirectement par Damase Potvin dans son livre Le roman d'un roman *(publié en 1950 aux Éditions du Quartier latin, à Québec, p. 65-70), qui nous signale que Louis Hémon aurait pris le modèle d'un certain Auguste Lemieux pour peindre François Paradis. Engagé par deux Français – un certain Grasset et un certain Bernard – pour les guider dans le haut de la Péribonca, ce Lemieux n'est jamais revenu vivant. On a retrouvé ses restes, visiblement découpés et en partie mangés. Jamais plus on n'a entendu parler des Français en question, sinon que le dénommé Grasset, connu comme étant un misanthrope notoire travaillant pour Révillon & Frères à Albany, serait reparti en France après s'être vanté à plusieurs* reprises, alors qu'il était ivre, d'avoir mangé son compagnon lors d'un voyage entre le Lac-Saint-Jean et la baie James.

**

Il serait injuste de ne pas profiter de l'occasion pour adresser toutes mes salutations aux habitants de Notre-Dame-de-Lorette, village situé à 30 km au nord de Dolbeau; ne pas confondre – comme le fait souvent la poste – avec Ancienne-Lorette). Ils m'ont accueilli au milieu d'eux durant une quinzaine d'années, ils m'ont tous ouvert leurs portes, acceptant avec humour les comportements, parfois étranges pour eux, du «Françâ». Ce sont eux qui m'ont appris ce qu'était le Lac-Saint-Jean.

**

Oh! avant de finir, ceci constitue la dernière lettre de Louis Hémon à sa mère:

CHÈRE MAMAN,

JE PARS CE SOIR POUR L'OUEST. MON ADRESSE SERA: «POSTE RESTANTE», FORT WILLIAM (ONTARIO) POUR LES LETTRES PARTANT DE PARIS PAS PLUS TARD QUE LE 15 JUILLET. ENSUITE: «POSTE RESTANTE», WINNIPEG (MAN.) POUR LES LETTRES PARTANT DE PARIS PAS PLUS TARD QUE LE 1ER AOÛT. APRÈS JE VOUS AVISERAI. MARQUER TOUTES CES LETTRES DANS LE COIN: «TO AWAIT ARRIVAL»...

Nous croyons savoir qu'il n'est jamais arrivé; cependant, derrière lui, au prix de tout ce qu'il a dû laisser, il nous a donné un personnage encore plus extraordinaire que nous ne le pensions. Je le sais particulièrement; j'ai vécu avec Maria Chapdelaine durant tout ce qui a précédé. Puissent-ils se retrouver dans ce royaume dont nous autres, pauvres romanciers, essayons d'arracher les échos!

LEXIQUE

Ce lexique, colligé par l'auteur et qui s'adresse principalement aux lecteurs d'outre-Atlantique, est spécifiquement le répertoire de certains mots et expressions retrouvés dans ce roman et n'a donc pas pour ambition d'être la somme exhaustive du parler jeannois. Nous disons «jeannois», car le vocabulaire qui suit est essentiellement celui que l'on rencontre usuellement dans la partie nord du Lac-Saint-Jean. Il peut donc arriver que le sens de certains mots diffère sensiblement de celui qu'il a dans d'autres régions du pays, ou même qu'il soit utilisé dans un genre plutôt qu'un autre (on dira une job ou une toast tandis qu'en Europe, ce sera un job ou un toast). L'usage fait loi.

Abouti: n. m. Papule ou cloque de l'épiderme sur le point de percer.
Accroire, accrère: v. tr. *S'en faire accroire:* se faire passer pour le meilleur. *Se faire des accroires:* croire sans justification que l'on est capable d'une action donnée, ou encore que nos rêves se réaliseront.
Achaler: v. tr. Ennuyer, agacer, harceler, importuner.
Acré!: interj. Forme bénigne de sacré!
Adonner: v. tr. intr., et pron. Qui est à propos, qui coïncide avec bonheur. Ex.: *Ça adonne bien que tu arrives...*
Amancher: v. tr. et pron. Abuser, duper, berner, leurrer.
Amanchure: n. f. Agencement insolite et souvent exécuté avec des moyens de fortune. Ex.: *C'est une amanchure de broche à foin.*
Anglais: n. et adj. Anglophone en général, peu importe l'origine y inclus les États-Uniens.
Aria: n. m. Ensemble d'objets divers, attirail. Embarras, chose compliquée. *Ex.: Déménager à trois heures du matin, c'est tout un aria.*
Arnoter: v. intr. Radoter.
Atacas: n. m. plu. Canneberges.
Baboche: n. f. Alcool léger de fabrication domestique.
Badloque: n. f. Malchance.
Badré (n'être pas): Ne pas être embarrassé.
Baise-la-piastre: n. m. ou f. Avare, pingre, cupide.
Balancine, balancigne: n. f. Fauteuil-balançoire comportant généralement deux ou quatre places.
Balanciner (se) ou se balancigner: v. pron. Se balancer.
Bâleur: n. m. Bouilloire incorporée au poêle à bois. Synonyme de pipe. Grande bouilloire, indépendante du poêle.
Barda: n. m. Bruit, tapage, train.
Bardasser: v. tr. Malmener, traiter sans égard.
Barguiner: v. tr. et intr. Marchander, troquer.
Barouetter: v. tr. Traiter ou transporter sans ménagement.
Batch: n. f. Quantité donnée; un lot, une fournée, un paquet.

Batêche!: interj. Juron, forme adoucie de baptême!

Batince!: interj. Juron identique à batêche!

Bavasser: v. intr. Tenir des propos indiscrets et le plus souvent médisants sur les faits et gestes d'autrui.

Baveux: adj. Effronté, insolent, impudent.

Bébite, bibite ou bebite: n. f. Insecte. *Voir des bébites:* avoir des visions, généralement d'origine éthylique. *Avoir des bébites dans la tête:* avoir des problèmes de santé mentale.

Bec (donner ou recevoir un): n. m. Baiser.

Bécosse: n. f. Cabinet d'aisance rustique le plus souvent situé à l'extérieur de l'habitation. Vient de l'anglais: *back house*.

Ben manque: loc. adv. Beaucoup.

Berçante: n. f. Chaise berceuse (angl.: *rocking-chair*).

Bette: n. f. Betterave.

Bines: n. f. plur. Fèves, haricots secs.

Boisson (être en): Être ivre.

Bonguienne!: interj. Marque la surprise. *En bonguienne!:* sert à renforcer le propos.

Boudin (faire du): Bouder.

Boutte: n. m. Bout.

Branleux (euse): adj. Incapable, inapte, maladroit.

Brasse-camarade: n. m. Altercation animée.

Broque: n. m. Fourche pour manipuler le foin ou le fumier.

Buck: n. m. Orignal mâle (élan d'Amérique).

Buggy: n. m. Petit cabriolet découvert attelé *(*angl.:*boghei).*

Caduque: n. f. Robinet.

Calbrette: n. f. Variété de poêle à bois.

Campe: n. m. Habitation rustique et provisoire en région sauvage.

Canayen (enne): adj. ou n. m. ou f. Canadien francophone.

Capot: n. m. Manteau.

Carrosse: n. m. Landau, poussette d'enfant.

Catalogne: n. f. Couverture tissée avec des retailles de linge usagé.

Caustique: n. f. Soude caustique.

Cenne noire: Pièce de un cent (un sou). Un centième de dollar.

Ceusses: pr. dém. Ceux.

Champelure: n. f. Robinet.

Chanteur de pomme: Personnage cherchant à séduire des personnes du sexe opposé par des paroles emberlificoteuses et des gaudrioles.

Charivari: n. m. Sorte de tapage anarchique que les paroissiens menaient autrefois devant l'habitation de celui ou celle soupçonné de s'être écarté de la «bonne morale».

Charroyer: v. tr. Transporter, charrier.

Chaud, chaudasse, chaudette: Adj. Légèrement ivre.

Chaudière: n. f. Seau.

Checké: adj. Bien vêtu.

Chenous: adv. Chez nous.

Chicane: n. f. Dispute.

Chire: n. f. Dérapage au sens propre ou figuré.

Chotte: n. f. Blague. Signifie également une petite dose de quelque chose
– surtout en parlant de boisson alcoolisée.

Chouennes: n. f. pl. Propos mensongers ou fabulateurs.

Chus: loc. verbale. Je suis.

Cinq-dix-quinze: n. m. Chaîne de magasins bon marché et par extension, toute
boutique de ce type.

Clabord: n. m. Lambris, revêtement extérieur de bâtiment.

Vient de l'anglais: *clap board.*

Clairer: v. tr. Congédier, renvoyer.

Claques: n. f. pl. Chaussures de caoutchouc à larges rebords que l'on enfile
par-dessus les souliers ordinaires pour les protéger de l'eau.

Codinde: n. m. Dindon.

Colouer: v. tr. Clouer.

Cook: n. m. Cuisinier de chantier ou d'établissement.

Cordeaux: n. m. pl. Guides.

Corps: Camisole.

Coton: adj. Dur, tenace, opiniâtre.

Cotteur: n. m. Attelage d'hiver léger et haut sur ses patins.

Courailler: v. tr. et intr. Mener une existence relâchée, rechercher assidûment
la fréquentation des personnes du sexe opposé.

Couverte: n. f. Couverture (literie).

Cran: n. m. Émergences rocheuses d'origine granitique.

Crasse (être): Être une crapule, une fripouille.

Créature: n. f. Une fille ou une femme.

Croche: adj. Malhonnête, véreux, tricheur.

Çui: pr. dém. m. sing. Celui.

Débarbouillette: n. f. Carré de coton utilisé pour se débarbouiller.

Défaite: n. f. Excuse, justification, dérobade.

Dépitonner: v. tr. Décevoir.

Dessour: adv. Dessous.

Dévirer (se): v. tr. Se retourner.

Diâbe: n. m. Diable.

Drette: adj. Droit.

Effoirer (s'): S'écraser sur soi-même, se vautrer, s'allonger.

Embouveter, embouffeter: v. tr. Bouveter.

Emmouracher (s'): v. pron. S'amouracher.

En masse: Beaucoup.

Encanner: v. tr. Mettre en boîte (de conserve) ou en bocal.

Enfarger: v. pr. Entraver, empêtrer.

Enfirouaper: v. tr. Berner, duper, flouer.

Ennimant: adj. Animant, excitant.

Épais: adj. Stupide.

Épeurant: adj. Qui fait peur.

Épinette rouge: n. f. Mélèze.

Épinette: n. f. Épicéa.

Escousse: n. f. Un long moment.

Essoucher: v. tr. Arracher les souches.

Être en famille: Être enceinte.

Étrète, étrette: adj. Étroit.

Facterie: n. f. Usine, atelier, manufacture.

Fafinage: n. m. Tergiversation, hésitation, atermoiement.

Faignant: n. et adj. Fainéant, paresseux.

Falle (ou fale): n. f. Jabot. *Avoir la falle à terre:* être abattu, déprimé.

Fantasque: adj. Effronté, impudent.

Fefolle: n. et adj. Efféminé.

Fendant: adj. Arrogant, orgueilleux.

Flanc-mou: n. m. Personnage sans énergie, apathique.

Fleur: n. f. Farine. Vient de l'anglais: *flour.*

Flot: n. m. et f. Gamin.

Foreman: n. m. Contremaître.

Fort: n. m. Eau-de-vie.

Fou-braque: n. m. et f. Qui agit avec exubérance et sans discernement.

Françâ: n. et adj. Français originaire de France.

Français: n. et adj. Francophone en général.

Frappe-à-bord: n. m. Espèce de taon ayant l'apparence d'une énorme mouche et dont la piqûre est douloureuse.

Frette: adj. Froid.

Frique: n. f. Friche, savane.

Gargoton: n. m. Pomme d'Adam.

Garrocher: v. tr. Lancer, envoyer avec violence.

Gaspille: n. f. Gaspillage.

Grafigner: v. tr. Égratigner.

Greyer, gréer (se): v. pr. Se munir.

Gros chars: n. m. pl. Train.

Gros gin: n. m. Genièvre.

Grosse poche: n. f. Riche, fortuné, influent.

Guenilles: n. f. pl. Haillons.

Guidoune, guedoune: n. f. Prostituée de fait ou d'esprit.

Habitant: n. m. Agriculteur.

Icitte: adv. Ici.

Ioù: adv. Où.

Itou: adv. Aussi, pareillement.

Jarnigoine!: Interj. Exclamation marquant l'appréciation ou l'étonnement.

Jaser: v. tr. Bavarder.

Jasette: n. f. Parole facile et abondante.

Jeunesse: n. f. Adolescent ou jeune personne n'ayant pas encore atteint sa maturité.

Jongler: v. tr. Réfléchir.

Lâcher son fou: S'étourdir, s'amuser sans retenue, donner libre cours à ses impulsions.

Lôdé (être): adj. Être riche. Vient de l'anglais: *to load*.

Loqué: adj. Chanceux.

Maladrette: n. m et f. et adj. Maladroit.

Malavenant: adj. Rustre.

Malcommode: adj. Incommode, qui dérange.

Mal-écœureux: adj. Qui a le dédain facile.

Malle: n. f. Poste, courrier.

Maller: v. tr. Poster, envoyer.

Marle: n. m. Homme habile.

Maudus, mausus(se), mautadit: interj. Formes adoucies de maudit!

Médisance: n. f. Témoignage porté dans le dessein de nuire.

Menterie: n. f. Mensonge.

Minou: n. m. Chaton.

Morfondu: adj. Totalement épuisé. *Se morfondre:* se faire du souci.

Motton: n. m. *Avoir le motton:* avoir de l'argent. *Avoir un motton dans la gorge:* avoir envie de pleurer.

Moué: pron. pers. Moi.

Mouver: v. tr. Déménager, changer de place.

Musique-à-bouche: n. f. Harmonica.

Niochon: n. m. et adj. Imbécile.

Ostiner: v. tr. et pr. Échange verbal au cours duquel on veut absolument avoir raison.

Ouaouaron: n. m. Grenouille géante.

Palette: n. f. Tablette (de chocolat).

Panache: n. m. Bois de l'orignal, du caribou ou du chevreuil.

Pantoute: Pas du tout.

Paqueté: adj. Saoul.

Pawaw, pow-wow: n. m. Grande festivité.

Peigne: n. m. Outil servant à cueillir des bleuets.

Péter de la broue: Parler abondamment sans que les paroles n'aient d'intérêt.

Petuche: n. f. Pichenette.

Piastre: n. f. Dollar.

Piochon: n. m. et adj. Qui est têtu; buté.

Piquet (rester sur le): Rester célibataire.

Pitou: n. m. Cheval.

Placotage: n. m. Bavardage indiscret, commérage, ragot.

Placoter: v. tr. Bavarder à propos de rien, échanger des potins.

Placoteux: n. m. Personne qui se livre au commérage, qui rapporte les faits et gestes d'autrui.

Pleurines: n. f. pl. Genre de saucisses informes dont la chair est enveloppée dans le péritoine du porc.

Pogner: v. tr. Attraper. *Se faire pogner:* sa faire prendre en flagrant délit. Utilisé également pour désigner une propension à séduire facilement les personnes du sexe opposé. Ex.: *Il pogne avec les femmes.*

Portage: n. m. Sentier plus ou moins naturel que l'on emprunte pour contourner les rapides d'un cours d'eau.

Portager: v. tr. ou intr. Porter sur son dos embarcation et approvisionnement le long d'un portage.

Poule: n. f. *Donner une poule:* donner une courte période de travail intense et énergique.

Quêteux: n. m. ou adj. Mendiant.

Raboudiner: v. tr. Rapiécer de façon grossière.

Radoub: n. m. Réparation, remise en fonction.

Ramancheur: n. m. Rabouteur spécialisé dans le soin des fractures.

Ramasseux: n. m. Instrument de bois, de toile et de métal utilisé pour la cueillette des bleuets (myrtilles).

Ratoureux: n. et adj. Qui est rusé.

Ravage: n. m. Chemin battu par les orignaux.

Redoux: n. m. Irruption d'une courte période de temps doux pendant la saison froide.

Renforcir: v. tr. ou intr. Reprendre des forces. Consolider.

Renipper: v. tr. Remettre en état.

Respir (prendre un): Inspirer profondément. Reprendre son souffle.

Ressoudre: v. intr. Arriver. Réapparaître.

Retontir: v. intr. Survenir à l'improviste.

Robine (sentir la): Sentir l'alcool.

Ronne: n. f. Période définie de travail à l'extérieur.

Rough: adj. Rude, brutal, brusque.

Rye: n. m. Whisky.

Sacrer (ou saprer) son camp: Partir, quitter sans avertissement.

Sans dessein: adj. ou n. m. ou f. Niais, sot.

Sapré: adj. Forme adoucie de sacré, considéré comme un juron. Ex.: *Une saprée belle créature!*

Sauvage (sse): n. m. ou f. Amérindien, Inuit.

Sécure: adj. Sans danger. (Néologisme)

Sent-bon: n. m. Parfum.

Shed: n. f. Remise, cabanon.

Siam: n. m. Rutabaga.

Siau: n. m. Seau. *Il mouille à siau*: il pleut à verse.

Siffle (lâcher un): Prévenir, faire signe.

Signe: n. m. Comptoir supportant l'évier. Ex.: *Mets les siams sur le signe.*

Slack (ou slaque): adj. Détendu, desserré, lâche.

Snoreau: n. m. Personne espiègle, malicieuse.

Soroît: n. m. Vent du sud-ouest.

Sucre à crème: n. m. Confiserie domestique se préparant avec de la cassonade, du beurre et de la crème fraîche.

Suisse: n. m. Tamia. Adj. Avare.

Swinger: v. tr. et intr. Faire la fête. Envoyer.
Ex.: *J'vas t'swinger mon poing dans la face.*

Tabarnouche: Juron dérivé de tabernacle.

Talle: n. f. Un bouquet, un regroupement serré.

Tanné: adj. Fatigué, las de quelque chose ou de quelqu'un.

Tapette: n. f. Palette de bois servant à faire tomber les bleuets dans un seau.

Taponner: v. tr. Toucher sans utilité. Tourner autour du pot.

Tchope: n. f. Côtelette.

Tenter (se): v. intr. Dresser sa tente. S'emploie aussi au figuré pour signifier que l'on s'installe momentanément et avec des moyens de fortune chez autrui.

Teteux: n. m. Poisson d'eau douce, goujon.

Tiguidou: interj. *Ça va en tiguidou*, ça va pour le mieux.

Toffe: adj. Résistant, tenace, endurant.

Tomber en famille: Devenir enceinte.

Tord-vice!: Interj. Juron bénin.

Toué: pron. pers. Toi.

Track: n. f. Voie ferrée ou une voie quelconque par extension figurée.

Train: n. m. Soin que l'on donne aux animaux. Se dit aussi ménage.

Trapper: v. tr. Piéger des animaux sauvages pour leur fourrure.

Trotte (partir ou être sur la): Se dit de celui ou celle qui passe son temps dans les tavernes, les lieux de plaisir ou qui cherche assidûment des aventures sans lendemain.

Va-vite: n. m. Diarrhée.

Vache (être): Être fainéant.

Varger: v. tr. ou intr. Taper, fesser, battre.

Vlimeux (euse): n. ou adj. Venimeux, hypocrite.

Waguine: n. f. Chariot à quatre roues.

Waque: n. m. Cri d'appel. Ex.: *Si t'as besoin, t'as juste à me lâcher un waque.*

Watcher: v. tr. ou intr. Surveiller. *Se watcher*: v. pronom. Être sur ses gardes.

Livre suggéré:
LAPOINTE, Raoul, *Des mots pittoresques et savoureux,* Montréal, Éditions Lidec, 1990, 171 pages (ISBN 2-7608-9504-1).
